D1103803

Retrato de la Lozana Andaluza

Letras Hispánicas

Francisco Delicado

Retrato de la Lozana Andaluza

Edición de Claude Allaigre

CÁTEDRA

LETRAS HISPÁNICAS

Ilustración de cubierta: Eduardo Mercado

© Ediciones Cátedra, S. A., 1985
Don Ramón de la Cruz, 67. 28001 Madrid
Depósito legal: M. 2311-1985
ISBN: 84-376-0505-9
Printed in Spain
Impreso en Selecciones Gráficas
Carretera de Irún, km. 11,500 - Madrid
Papel: Torras Hostench, S. A.

Índice

8

PARTE SEGUNDA

PARTE TERCERA

Introducción

Lustre Señor. Sabiendo yo q̃ v̄ra Señoria toma
plazer:quando oye hablar en cossas de amor: q̃ de
leytan a todo ombre. y maxime quando siente de
zir de personas q̃ mejor Se supieron dar la mane=
ra para administrar las cosas a el perteneçientes.
y por q̃ en v̄ios tiempos podeis gozar de persona:q̃
para si y para sus côteporaneas q̃ en su tiepo florido suçró:en esta
alma cibdad/cô igenio mirable y Arte muy sagaz/diligêçia grã
de:vergüêça y côcieçia:por el çerro ò vbeda:Ḣa administrado
ella.y vn supꝛeterito criado(como abaxo diremos) El arte de a
quella muger q̃ fue en Salamãca:en tiempo de çelestino segundo:
por tãto he derigido este retrato a v̄ra señoria para q̃ su muy vir
tuoso senblãte/me de fauor para publicar el retrato de la señora
Loçana.y mire v̄ra Señoria:q̃ solamête dire lo q̃ oy/ y vi.con
menos culpa q̃ Juuenal:pues escriuio lo q̃ en su tiempo pasaua.
y si por tiepo alguno se marauillare q̃ me puse a escriuir semejan
te materia.Respôdo por entôçes q̃ (epistola enim nô erubescit)
Y assi mismo q̃ es passado el tiepo/ q̃ estimauan los q̃ trabajauã
en cosas meritorias.y como dize el coronista Fernando del pul
gar assi dare oluido al dolor. y tanbien:por traer a la memoria
muchas cosas: q̃ en n̄ros tiepos passan/q̃ no son laude a los pre
sentes:ni espejo a los a venir/y assi vi/q̃ mi yntenciô fue mezclar
natura con benol/ Pues los santos ombres por mas saber. y o
tras vezes por des enojarse:leyan libros fabulosos. y coglan en
tre las florestas mejores.y pues todo Retrato tiene neçessidad
de barniz.suplico a v̄ra Señoria se lo mande dar:fauoresciendo
mi voluntad.Encomêdado a los discretos letores el plazer y ga
sajo/q̃ de leer a la Señora Loçana les podra suçeder.

Argumento en el qual se contienen todas las
particularidades:q̃ a de auer en la psnte obra.

Dezir se ha primero la cibdad/patria/y li
naje/vêtura/desgracia/y fortuna/sumo
do/manera/y côuersacion/sutrato/platica/y fin/
por q̃ solamẽte gozara deste Retrato/quien
todo lo leyere.

A ij

La Lozana a la luz de su *Explicit* [1]

De la vida del autor del *Retrato de la Lozana Andaluza* no se sabe casi nada a ciencia cierta. Casi todo lo que se ha escrito al respecto son conjeturas, elaboradas las más a partir de las indicaciones que él mismo introdujo en su novela. Pero dado el carácter particular de ésta, no se pueden tomar en consideración esas declaraciones sino cuando vienen corroboradas por otras informaciones, hallándose algunas esparcidas en unos pocos documentos. Y mientras no se hallen más, resultará punto menos que imposible establecer una biografía fidedigna, o simplemente convincente, o siquiera bosquejar una semblanza un poco coherente del clérigo cordobés Francisco Delicado. Más interesante entonces que intentarlo a puro capricho me parece proceder a la inversa, utilizando, cuando parezca pertinente, los pocos datos de que sobre el autor disponemos para aclarar dentro de lo posible, el libro que lo ha hecho famoso, esto es, la curiosísima novela que se publicó en 1528, anónimamente, en Venecia [2].

---

[1] En líneas generales esta introducción presenta las ideas básicas de un estudio de 370 páginas que publiqué en Grenoble, en 1980, con el título de *Sémantique et littérature: le «Retrato de la Lozana Andaluza» de Francisco Delicado* [en adelante *Allaigre, 1980]*.

[2] Cuando hay tanto que decir de la misma novela, explayarse más sería desperdiciar el espacio, necesariamente limitado, de que se dispone en esta colección. Sin embargo, sería absurdo pretender que carece de interés la figura del vicario del Valle de Cabezuela, Delgado alias Delicado, y ésta no es mi intención. Repito que se utilizarán aquí algunos datos biográficos, pero los lectores que sientan curiosidad por una visión de conjunto, y quieran formarse una idea de las interpretaciones a que dio lugar la personalidad del autor, consultarán con provecho los estudios de Joaquín del Val *(La Lozana Andaluza,* Madrid,

Resulta curiosa en primer lugar esta novela porque los abundantes comentarios del mismo autor sobre su propia obra, las recomendaciones que multiplica para que se lea correctamente su libro y no se interprete mal, se parecen mucho, en lo que al contenido atañe, a esas coplas de disparates que tuvieron tanto éxito en los Siglos de Oro y que sostenían una idea o una postura y la inversa al mismo tiempo. Veamos algunos ejemplos.

En su *Argumento,* Delicado mantiene la actitud del autor quisquilloso pidiendo que nadie se permita retocar su *Retrato de la Lozana,* ni siquiera para enmendarlo: «Protesta el autor que ninguno quite ni añada palabra, ni razón, ni lenguaje...» E insiste más firmemente aún, agregando una razón, al parecer de peso, al final del mismo *Argumento:* «no quiero que ninguno añada ni quite, que si miran en ello, lo que al principio falta se hallará al fin».

Y luego, ¿qué hallamos al fin? Muy claramente lo contrario, y eso por dos veces en la *Epístola del autor:*

> Mas no siendo obra sino retrato, cada día queda facultad para borrar y tornar a perfilarlo, segund lo que cada uno mejor verá.
>
> Ruego a quien tomare este retrato que lo enmiende antes que vaya en público, porque yo le escrebí para enmendallo...

Y una vez más, pero con cierta restricción y una nueva contradicción, en la *Digresión* final. En este último capítulo, informado por la tópica declaración de modestia, el autor pide excusas a sus lectores por haber dado a la imprenta una obra que no tiene más mérito que el de remediar sus necesidades económicas «que de otra manera —dice él— no lo publicara hasta después de mis días, y hasta que otrie que más supiera lo emendara».

Taurus, 1967, Introducción) y de B. M. Damiani, *Francisco Delicado* (Nueva York, Tawayne Publishers, Inc., 1974). Utilísimos son también los *Nuovi dati intorno alla biografía di Francisco Delicado, desunti della una sua sconosciuta operetta* de F. A. Ugolini (Annali della Facoltá de Littere e Filosofía della Universitá degli Studi di Perugia, volumen XII, 1974-1975).

Aparte de que después de su muerte *(después de mis días)*, no hubiera podido publicarlo *él* —conste que habla en primera persona, lo que muy bien puede ser un descuido, pero también, como espero mostrar a continuación, una voluntad burlesca—, este último deseo del autor contradice a todas luces lo afirmado en el *Argumento,* y también, aunque más parcialmente, en la *Epístola del autor* donde se lee que cualquiera (más exactamente: *cada uno, quien)* podía retocar el retrato, mientras ahora se trata solamente de «alguien que sabe más».

Es evidente que las tales incoherencias no han pasado desapercibidas hasta la fecha; pero se ha intentado explicarlas admitiendo que Delicado publicó su libro a impulso de exigencias económicas insuperables (como él mismo indica, lo cual no se puede negar ni por otra parte defender con pruebas terminantes) y que además lo retocaría en el momento de publicarlo, en 1528, por temor a la censura, y también con la idea de que era «ridículo»[3]. Otra actitud consiste en tomar en serio uno solo de los términos de la contradicción, el que defiende la propiedad intelectual, mientras que el otro término no sería más que un juego paródico bastante mediocre[4].

Yo creo que la verdad es otra; serían muy aceptables las tesis anteriormente expuestas si estas contradicciones sobre las correcciones que se habían (o no) de hacer constituyeran un hecho aislado; pero el caso es que entran en un conjunto más extenso que raya en sistema. Una lectura rápida del *Explicit* convencerá fácilmente de ello, a pesar de que los procedimientos para explotar las contradicciones no se repiten mecánicamen-

---

[3] Es de saber que según declara el propio autor en su libro, acabó de componerlo en diciembre de 1524. Pero luego, como advirtió Menéndez y Pelayo, retocó Delicado su novela ya que —si descartamos la idea de que tuviera dotes de clarividencia— evoca varias veces el saco de Roma de 1527. Además, la *Digresión* final se redactó en Venecia, en el momento de la impresión.

En cuanto a la opinión que expongo, se trata de la de José A. Hernández Ortiz, *La Génesis artística de la Lozana Andaluza, el realismo literario de Francisco Delicado,* Madrid, Gredos, 1974 (en adelante *G. A. L. A.);* véase a este respecto el cap. II, «Experiencia y obra artística», págs. 26-32. No estoy de acuerdo en el punto de interpretar las «cosas ridiculosas» de que habla Delicado en su *Digresión* como *cosas ridículas,* puesto que «ridiculoso» significaría, en mi opinión, «provocante a risa», según otra expresión del siglo XVI.

[4] Es ésta la opinión de Damiani; véase *R. 75,* págs. 75 (nota 13) y 430 (nota 16).

te. Bajo la diversidad de los medios estilísticos aparece una intención parecida, ya se trate de la contradicción que ahora se ha expuesto, ya del juego burlesco que rige la justificación del empleo del término *mamotreto* en vez de «capítulo», y del nombre de *Lípari,* la isla que eligió Lozana al final de su vida como paradero apacible y definitivo refugio.

Consideremos las explicaciones relativas al *mamotreto:*

> Quiere decir mamotreto libro que contiene diversas razones o copilaciones ayuntadas. Asimismo porque en semejantes obras seculares no se debe poner nombre ni palabra que se apertenga a los libros de sana y santa doctrina, por tanto en todo este retrato no hay cosa ninguna que hable de religiosos, ni de santidad, ni con iglesias, ni eclesiásticos, ni otras cosas que se han que no son de decir.

Para quien no hubiese leído la novela parece perfectamente coherente la frase hasta «ni eclesiásticos», porque, formalmente, lo es. Pero, por lo semántico, puede sorprender el final del pasaje: estas «otras cosas que se hacen que no son de decir» no pueden ser, en efecto, sino cosas reprensibles ya que hay que callarlas. Nótese sin embargo que el recurso a la negación «ni» las pone formalmente en el mismo plano que las cosas sagradas que acaban de nombrarse, quedando idénticamente vinculadas a la definición del *mamotreto* por medio de un *por tanto* que anuncia consecuencias:

por tanto
{
no hay cosa ninguna que hable de religiosos...*(a)*

ni otras cosas que se hacen que no son de decir *(b)*

Luego los campos sagrado *(a)* y profano *(b)* están en el mismo nivel de las consecuencias que hay que sacar del *mamotreto;* pero además se llega al absurdo al confrontar ahora *(a)* y *(b)* con la condición de la que emanan, a saber, la definición de *mamotreto,* «capítulo de obra secular», y eso a la luz del contenido real de una novela en la que no faltan las escenas eróticas; de tal modo que *(b)* está en contradicción con su premisa, al mismo tiempo que es contradictoria de *(a)*. En cuanto a esta proposición *(a)*, o sea el campo de lo sagrado, cabe ahora decir que suscitó opiniones opuestas entre los críticos. José Gómez de la Serna, por ejemplo, vio en *La Lozana* un desfile continuo de «cardenales lujuriosos y caprichosos»; para él, uno de los aspectos primordiales del arte de Delicado consiste en «reflejar con un rabioso realismo la vida licenciosa de los eclesiásticos de entonces»[5]. Opónese a tal opinión B. W. Wardropper que se inclina a dar crédito a las conclusiones de Delicado, siendo del parecer que:

> La iglesia no tiene en efecto sino un papel secundario: hay en la obra varios clérigos glotones y lascivos, y un fraile refitolero que paga sus visitas con las provisiones que le dan para el convento, pero son pocos los eclesiásticos de esta clase, y sólo indirectamente se alude en su participación en el pecado colectivo de Roma[6].

Aunque puede parecer exagerada la interpretación de Gómez de la Serna, tampoco es fácil darle la razón a Wardropper. Téngase en cuenta primero que Delicado dice que «no hay cosa *ninguna* que hable de religiosos..., etc.», y que «varios clérigos glotones y lascivos» además de «un fraile» estafador no pueden, en rigor, calificarse de «ninguno». Agreguemos cierto *macero,* o recordemos a ese *valijero* de insaciables apetitos sexuales, tan conocedor del mundo de la prostitución en Roma, o al *Fraile de la Merced*, de pies largos y nariz evocadora y, sobre todo, a ese *Canónigo*, «mayordomo» de una cortesana (es decir que le «administraba» sus bienes), definido en dos pinceladas:

> Cómo fue la Lozana en casa d'esta cortesana, y halló allí un canónigo, su mayordomo, que la empreñó (argumento del mamotreto XXIII).

En ningún caso se puede tomar el concepto —gongorino si se acepta el anacronismo— que este canónigo se forma de las «obras de paternidad» *(la empreñó)* por una «alusión indirecta». Todas estas constataciones nos llevan a concluir que *(a)* no es lógicamente pertinente. Y no me parece fácil achacar las incoherencias a alguna confusión mental o un descuido en la expresión por parte de Delicado, porque se pueden aducir más curiosidades. Consideremos, por ejemplo, en qué términos se

---

[5] *La Lozana Andaluza,* Santiago de Chile, 1942.

[6] B. W. Wardropper, La novela como retrato: el arte de Francisco Delicado, México, *Nueva Revista de Filología Hispánica,* VII, 1953 *[Homenaje a Amado Alonso, II],* julio-diciembre, núms. 3-4.

describe la motivación etimológica del nombre de la isla de Lípari, tierra de elección final para Lozana:

> ...porque antiguamente aquella ínsula fue poblada de personas que no había sus pares, d'adonde se dijeron *li pari:* los pares.

Es claro que, en esta frase, la consecuencia introducida por «d'adonde» contradice su causa formal «no había sus pares», mediante el juego de la oposición entre forma negativa y forma afirmativa: estos pares no tienen iguales. Ya se conocía «el caballo barato que es caro» o «el cretense que asegura que todos los cretenses son mentirosos». ¿No cabe acaso preguntarse ahora si se trata de juegos verbales ecolásticos? Me parece evidente que sí, y por eso, cuando al final de su libro recomienda Delicado que no se lea en las Escuelas, o en la Escuela, la tal petición no podía sino suscitar la hilaridad... en las Escuelas: «sed non legatur in escolis», ¡y lo dice en latín!

Resulta pues bastante difícil admitir sin reservas las explicaciones y comentarios del autor sobre su obra y sus personajes (entre los que figura él). Para ilustrar con un último ejemplo la desconfianza que deberán inspirarnos sus apreciaciones, veamos ahora el que nos suministra la presentación del «saber» de Lozana. Dos veces se afirma que ella tiene que aparecer en la historia más sabia de lo que quería parecer; así lo dice el autor en el *Argumento:* «verná en fábula muncho más sabia la Lozana que no mostraba» y en términos casi idénticos la misma protagonista, en el mamotreto XXXIX: «Y esto se dirá de mí, si alguno me querrá poner en fábula: muncho supo la Lozana, más que no demostraba. Pero se invierte este juego del ser y del parecer cuando Lozana le confiesa al autor: «para ganar de comer tengo de decir que sé muncho más que no sé» (XLII).

En los ejemplos precedentes, la voluntad deliberada de expresar una cosa y (poco más o menos) lo contrario es relativamente fácil de captar. Se puede pensar que tal procedimiento desempeña un papel de aviso, como las luces intermitentes de los semáforos, y funciona como «embrague»[7]. Nos revela una

---

[7] Este procedimiento literario no es privativo de Delicado; véanse mis estudios, escritos en colaboración con R. Cotrait, de un pasaje de *La Pícara Justina* (en *Hommage des Hispanistes Francais à Noël Salomon,* Barcelona, Laia, 1979, pás. 27-47) y de la *Trova cazurra* de Juan Ruiz *(Revue des Langues Romanes,* Montpellier, t. LXXX, núme-

particularidad del texto, discernible en otros pasajes, bajo formas diferentes y a veces más secretas: este es el caso del comentario de los nombres de la protagonista en el cuarto punto del *Explicit*. Para ellos la clave ha de buscarse dentro de la complejidad del significado de cada uno de los términos, y veremos que la idílica definición propuesta por Delicado es muy parcial e incluso lleva intrínsecamente su negación[8].

¿Significará esto que no se puede conceder ningún crédito a las indicaciones del *Explicit?* A pesar de lo dicho, no cabe ser tan categórico. El *Explicit* contiene, en efecto, algo que en toda la obra no sufre ninguna contradicción; me refiero concretamente a la clase de lectura que Delicado exige de su público: «Por tanto, digo que para gozar d'este retrato y para murmurar del autor, que primero lo deben bien leer y entender», teniendo esta frase un eco en el *Argumento:* «Solamente gozará d'este retrato quien todo lo leyere.»

Nótese que Lozana comparte la misma exigencia de lectura total y de calidad; pregona en ocasiones sus gustos literarios, despertando al hacerlo nuestro interés por un rasgo característico de la vida social, relativo a la manera de leer las obras (por lo menos algunas) en el siglo XVI. Delicado se dirige a unos «letores y audientes» *(Epístola del autor),* lo que confirma la protagonista al entablar con Silvano, amigo del autor, la siguiente conversación:

> SILVANO.(...) Dadme licencia, y mirá cuándo mandáis que venga a serviros.
>
> LOZANA.(...) sea el domingo a cena y todo el lunes porque quiero que me leáis vos que tenéis gracia las coplas de Fajardo y la comedia Tinalaria y a Celestina, que huelgo de oír leer estas cosas muncho.
>
> SILVANO. ¿Tiénela vuestra merced en casa?

---

ro 1973, primer fascículo, págs. 57-94). En estos estudios intentamos evidenciar varios niveles de lectura y llamamos «embragües», recogiendo y traduciendo el término *shifter* empleado por Jespersen y Jakobson, aunque con un sentido algo distinto, las palabras y otros elementos textuales (como las contradicciones de Delicado en *La Lozana)* que indican en qué nivel(es) debe leerse el texto; o sea signos que permiten, a modo de embrague, pasar al desciframiento adecuado del (de los) código(s) lingüísticos(s). Cfr. Roman Jakobson, *Essais de linguistique génerale,* París, Minuit, 1963, págs. 178 y ss.

[8] Ver *infra,* entre otros ejemplos, el estudio de los nombres de la protagonista.

LOZANA. Señor, velda aquí, mas no me la leen a mi modo, como haréis vos. Y traé vuestra vihuela y sonaremos mi pandero[9].

Leer y oír, lectores y oyentes, tenemos pues una dimensión social del acto, que se percibe igualmente en el *Prólogo*, al entregar el autor su obra «encomendando a los discretos lectores el placer y gasajo que de leer a la señora Lozana les podrá suceder». Nos aclaran aquí muy bien Damiani y Allegra que precisan:

gasajo: agasajo, «placer en compañía, placer social...» *(D.C.E.L.C., s.v.* agasajar) *[R.75*, nota 13, pág. 71].

Se notará también que, para fomentar dicho placer, Delicado confía en la perspicacia de los lectores, «los discretos lectores». Cabe aquí inferir que la lectura en voz alta debía de recalcar los efectos, y que al lector le incumbía acompañar eventualmente con gestos, e incluso comentarios, ciertos pasajes de contenido ambiguo o poco evidente. Por lo que a Lozana se refiere, salta a la vista que ella insiste para que Silvano sea el que lea («vos que tenéis gracia») porque otros no tienen tanto talento («mas no me la leen a mi modo»). En otra ocasión, expresa también su deseo de comprender la lectura: «querría leer lo que entiendo» (mam. LXII), dice ella trocando curiosamente los términos de la proposición. Lo probable es que Lozana no sepa leer mejor que el asno Robusto del mamotreto LXV; sin embargo el moderno lector de la novela, por más que se jac-

---

[9] Mam. XLVII. En *R. 75*, pág. 330, nota 33, los editores apuntan: *«Vihuela... y mi pandero»: Alusión a la cópula con eufemismos que encubren los órganos sexuales*. Pero el juego lingüístico no quita que las lecturas pudieran ser acompañadas de música, quizá para recalcar ciertos efectos. De hecho, los dos niveles de la frase son conjuntamente aceptables. Es de notar también el cambio de número en la respuesta de Silvano; mientras que Lozana le propone la lectura de tres obras, no parece retener más que la última, *La Celestina*. No creo que se trate de un descuido del autor, pues al contestar Lozana «velda aquí» introduce una ambigüedad que hace confundir la obra *La Celestina* con la mujer Celestina y, desde luego, a esta última con la misma Lozana, de tal modo que este «velda aquí» pueda interpretarse a la par, como «aquí la tengo» y «aquí me tenéis», ambigüedad reforzada por el posible doble sentido de «vihuela» y «pandero». A pesar de estas diversiones, el interés por la «buena» lectura parece innegable.

te de saber, tendría ganas más de una vez de expresar el mismo deseo, siendo muy posible además que, consciente de la no evidencia de sus retruécanos y disparates, se burle un poco Delicado de su lector, tipo de ironía ésta que parece bastante propio de su estilo. Otra posibilidad es que Lozana manifieste un deseo real de leer —en el sentido evocado anteriormente de expresar por la lectura unas obras que entiende, sacándolas todo el jugo— con el fin de compartir con amigos el agrado que se sigue de tales tertulias. El contexto inmediato no permite escoger entre las hipótesis que, por otra parte, no se excluyen una a otra, y quizá sea voluntaria también la ambigüedad. Sea lo que sea, vemos asociadas una vez más lectura y comprensión.

Para satisfacer la exigencia que implica esta asociación, nos queda, en el *Explicit,* una última pista que es la *tabla,* cuya presentación resulta a primera vista desconcertante: «No metí la tabla aunque estaba hecha porque esto basta por tabla.» Esto suena otra vez a burla (véase además *Epístola del autor,* nota 2) que, de no ser así, no sería precisamente una cláusula de *captatio benevolentiae* si se asiente a lo que pensaba Covarrubias:

> el día de hoy los libros que no tienen tablas se aborrecen, por muy curiosos que sean, y casi debemos tanto a los que las añaden como a los que hicieron el libro[10].

En realidad, creo que Delicado juega con el vocablo y que hay que entender *tabla,* en las dos ocurrencias del *Explicit,* con sentidos diferentes. En el primer caso: «índice», cuya ausencia puede evidentemente subrayar, como lo sugieren agudamente Damiani y Allegra, «el carácter de desordenado cuaderno de apuntes que resulta del conjunto de los mamotretos» *(R.75,* nota 9, pág. 426); la *tabla* tendría que interpretarse, en la segunda ocurrencia, como «tabla de salvación». Sería una manera de invitar al lector, para no perderse por el laberinto de los mamotretos, a que siga el eje que fundamentalmente se pone de relieve en el *Explicit.*

----

[10] *Tesoro de la lengua castellana o española,* pág. 503, a, 31, *s.v. elenco* (todas las citas de Covarrubias remiten a la edición preparada por Martín de Riquer, Barcelona, 1943). Evidentemente se puede objetar que el *Tesoro* (1611) es bastante posterior a *La Lozana;* sin embargo hay que considerar que Covarrubias recoge los frutos de una experiencia universitaria más que secular, acortándose por tanto, para todo lo que se refiere al campo lingüístico y al contenido de la enseñanza, la distancia temporal entre las dos publicaciones.

Este capítulo de explicación, en resumen, presenta una estructura, en apariencia bien coherente, en seis fases:

1. Una consideración muy objetiva, con cifras, sobre las proporciones del libro, en la que aparece un autor serio y formal.
2. La definición del «mamotreto», con sus consecuencias.
3. La justificación, por *ethymologia* de Lípari como lugar donde se retira Lozana.
4. La elección por el autor del nombre principal y de los nombres anejos de la protagonista, y el carácter decisorio de dicha elección traducido por el recurso a la primera persona *(la llamé).*
5. La última frase, relativa a la *tabla,* que pretende que el *Explicit (esto)* es suficiente para orientarse (estoy por decir «navegar») por entre los escollos del texto.

Es de notar en fin que el término *retrato* aparece explícitamente mencionado en este quinto punto («para gozar d'este retrato») lógicamente ligado («por tanto») a la dilucidación de los anteriores. Aunque no es objeto de una definición específica en el *Explicit,* el autor le dedica bastantes consideraciones en el *Argumento* y otros capítulos liminares (o sea antes y después de los mamotretos), y *passim,* para que se examine como elemento esencial del eje de significancia de la novela.

Sin menoscabo de otras sugestiones que puedan nacer de estos análisis, dedicaré el resto de esta presentación de *La Lozana* a los fenómenos sobre los cuales el autor llama aquí la atención, confrontando sus explicaciones con la realidad del texto y empezando por la significación de *mamotreto.*

EL MAMOTRETO

El empleo de la palabra *mamotreto* en vez del corriente «capítulo» es capital por sus implicaciones estructurales, o sea en razón de los lazos que unen entre sí las diversas capas de su significado, y éstas con la significación global de la novela.

José Sánchez, en su artículo titulado *Nombres que reemplazan a capítulo en libros antiguos,* no se olvidó de los mamotretos de Delicado y advirtió que, si bien el *Dic. Aut.* se contentaba con las acepciones «memorándum» o «agenda», mamotreto era adecuado también para reflejar la irregularidad de forma y el contenido de elementos inconexos de la novela:

Según el Diccionario de Autoridades, la palabra mamotreto es el libro o quaderno que sirve para apuntar y anotar las cosas que se necesitan tener presentes para ordenarlas después. También puede ser un libro o legajo muy abultado cuando es irregular o deforme. Se recordará que *La Lozana Andaluza* está en forma dialogada y que intervienen ciento veinticinco personajes, lo que produce alguna confusión: el ambiente es semiitaliano, semiespañol, y contiene elementos folklóricos, históricos, supersticiones, noticias de cocina; hay cuentos interpolados; se habla español, italiano y catalán; es decir, de estructura irregular, el libro es un verdadero *mamotreto*[11].

Diez años más tarde, Bruce W. Wardropper había de echar mano de estas consideraciones sobre la adecuación del vocablo a su objeto para completarlas:

El autor de la *Lozana* da una explicación parecida: «Quiere decir mamotreto libro que contiene diversas razones o compilaciones ayuntadas. Ansimismo porque en semejantes obras seculares no se deve poner nombre ni palabra que se apertenga a los libros de sana y santa doctrina»[12].

Pero añadía el crítico:

Una prueba de que su empleo de la palabra era arbitrario y artificial la tenemos en sus numerosos olvidos (cfr. pág. 67: «Estando escriviendo el pasado capítulo»).

Échase de ver en seguida el interés del análisis ya que muestra (en contradicción por otra parte con la afirmación de que era arbitrario ese empleo) los motivos de Delicado para usar el término *mamotreto*. Esta motivación es suficiente para descartar el adjetivo «arbitrario», pero no puedo estar sino de acuerdo con la calificación de «artificial»: efectivamente se trata de un artificio (lo que explica bastante bien los olvidos ocasionales de Delicado) que es el mismo artificio sobre el que descansa la construcción del *Retrato,* fundado en una estructura irregular, y profano por naturaleza. Hay que examinar, pues,

---

[11] *Hispanic Review,* XI, 1943, pág. 157.
[12] *La novela con retrato,* art. cit., pág. 487; Damiani cita igualmente a José Sánchez y adopta las ideas de Wardropper sobre el particular *(R. 75,* nota 2, pág. 77).

la paradójica «tabla» de Delicado para determinar si no hay aspectos válidos en las explicaciones que nos propone de *mamotreto,* confrontando su definición del vocablo con las ocurrencias del mismo en el texto, y también con el contenido global de éste, tratando de ponderar cada uno de los términos de la definición si se quiere leer «según Delicado».

Además de las 66 ocurrencias normales de *mamotreto* para encabezar cada capítulo (y como sustituto de esta última palabra) disponemos de las ocurrencias del *explicit,* evidentemente, de otra en el epígrafe que precede el mamotreto I, pero aún de otras más al fin del mamotreto LXIII, en un contexto que, con toda claridad, hace resaltar un componente erótico en su significado. Como en ninguna otra obra se documenta semejante empleo del vocablo, forzoso es preguntarse si fue puro capricho del autor (motivación discursiva) o si se lo permitía la competencia del signo. Para pronunciarse, son utilísimas las indicaciones que nos proporciona Corominas:

> *Mamotreto:* 'libro grande en volumen y de poco provecho' [Covar.]; 'cuaderno de notas' (ac. que hablo sólo en *Aut.* y que no sé si es la del pasaje allí citado de Lope); 'armatoste', chil., guat., venez., hond., portorr.; tomado del latín tardío y medieval *mammothreptus* y éste del gr. tardío (...) propiamente 'criado por su abuela', después 'el que mama mucho tiempo'... y 'mamón'... de donde 'gordinflón', 'abultado'.

y, en nota, los comentarios:

> Parece carente de fundamento la afirmación de Covarr. de que es el nombre propio de un autor que escribió un libro de esta índole.
>
> Carpentier, en Du C..., dice que *mammotractus* (forma corrupta), al parecer en San Cipriano (siglo III), es el título de un libro donde se explican las dicciones de la Biblia; podría ser título humorístico puesto por un erudito en el sentido de libro predilecto de un viejo, y por lo abultado de tales obras de exégesis habría tomado la ac. castellana; acaso se pueda averiguar este detalle evacuando las citas que ahí da Carpentier. En todo caso se trata de un libro muy célebre y muy leído en las Escuelas en el siglo XVI, pues Rabelais lo pone entre los que el maestro necio hace leer a Gargantúa (cap. 14) y entre los que figuran en la biblioteca de San Víctor de París (Pantagruel, cap. 7), deformándolo ambas veces satíricamente en *Marmotret(us)* y

atribuyéndole títulos burlescos . Plattard (n. 20 de su edición) explica que el *mammothreptus* es un comentario de los salmos y de la vida de los santos *(D.C.E.L.C.,s.v.).*

Notemos, en primer lugar, que se puede reparar mejor, una vez interpretado *mammothreptus* como «libro de exégesis» y «comentario de salmos y vidas de los santos», en la incongruencia de las explicaciones de Delicado cuando afirma que, de conformidad con el término escogido para las divisiones de su obra, ésta no iba a decir palabra de la Iglesia, ni de sus ministros; lo mismo se diga del epígrafe de la primera parte, en el que Delicado afirma que su libro «como había de ser partido en capítulos, va por mamotretos, porque en semejante obra mejor conviene».

Si nos situamos, como creo que hay que hacerlo, en una circunstancia de isotopía cultural y lingüística entre el autor y su lector, la impertinencia de la razón alegada salta a la vista, y esto al principio mismo del relato, en cuanto se lee «mamotreto» a la luz de la tradición literaria sacra. La dimensión paródica de la elección se manifiesta claramente: hay remotivación burlesca de un signo que, además, se prestaba a ello.

La amplia audiencia que conoció el *mammothreptus* en el siglo XVI puede deducirse, como lo hace Corominas, de las menciones de Rabelais: «muy leído en las Escuelas», subraya el lingüista catalán, lo cual corrobora la intención cómica perceptible en el *sed non legatur in escolis,* con el que Delicado remata su *Explicit.* El seudo Alcofribas Nasier juega con el término primero en su *Pantagruel,* y en latín macarrónico, para subrayar la facecia: *Marmotretus de Baboinis et Cingis, cum commento d'Orbellis.* «Marmot» (que, lo mismo que «marmouset», significa «mono» en francés antes de aplicarse al niño), «babouin» *(cinocéfalo)* y «singe» *(mono, mico),* éstos son pues los elementos de la lección rabelaisiana que echa un puente, por decirlo así, con la parodia de Delicado, para rebajar el libro de exégesis dell empíreo al fango [13].

---

[13] Dos años más tarde, en 1534, Rabelais introducirá la forma afrancesada *marmotret* sin más comentario. La evolución es interesante, pues permite ver que la expresión va despojándose conforme las implicaciones burlescas son más conocidas (real o supuestamente). Por otra parte, es tan seca la enumeración de Rabelais que no se puede discernir lo que pensaba exactamente; no obstante, cuando se sabe que el mono compartía con el burro, y otros animales, el privilegio (?) de

Si añadimos a los documentos citados arriba la precisión «de materias frívolas» que aporta Covarrubias en su definición de *mamotreto,* y sin preocuparnos por ahora con la confusión entre el libro y sus capítulos, es posible destacar los rasgos semánticos siguientes:

   a) Volumen imponente e irregularidad de la composición (forma).
   b) Memorándum (uso o función).
   c) Materias frívolas (contenido)

En lo que concierne a *(a),* es verdad que el *Retrato* consta de 74 capítulos, contando los 66 mamotretos, pero si se tiene en cuenta el volumen global no es mucho más grueso que *La Celestina* (si lo es) e incomparablemente menos largo y redundante (en sus situaciones) que *Amadis de Gaula* con sus 139 capítulos. Los 125 personajes de Delicado, cuyo número es innegable que puede engendrar cierta confusión, ¿son más numerosos acaso que en las novelas de caballerías? Lo que parece cierto es que, como en este último tipo de literatura, pasan los más desfilando por el escenario de las operaciones con una aparición única, más o menos breve. Desde este punto de vista, se parece más el *Retrato* a las novelas pobladas de caballeros andantes que a la prestigiosa *Tragicomedia* o a la *Cárcel de Amor.* Esto no quita que, en su *Explicit,* el autor de *La Lozana* empiece por indicar con precisión el número de personajes y de capítulos como si desease que el término *mamotreto* se aplicara a su novela con plena propiedad, con la diferencia sin embargo de que no son voluminosos los mamotretos sino su conjunto, o sea la novela, que es relativamente larga.

El grupo *(b),* «memorándum», definición arrojada por *Autoridades,* es igualmente pertinente. Nada se opone a que entre en la definición del *mamotreto* delicadiano (permítaseme la creación, si lo es), ya que, al precisar las finalidades de su *Retrato,* el autor pretende escribirlo «también por traer a la me-

---

simbolizar la lujuria en la iconografía del Renacimiento, resulta fácil observar una coincidencia entre la elaboración de Rabelais y la orientación erótica que le confiere Delicado al *mamotreto.* Sea lo que fuere, tales lecciones «símicas» del *mammothreptus* no pueden en ningún caso tomarse por encarecimiento. Por otra parte, no creo procedente afirmar que los juegos de Rabelais se inspiran en el *Retrato*, y más prudente y lógico suponerles una fuente y un blanco común.

moria munchas cosas que en nuestros tiempos pasan, que no son laude a los presentes ni espejo a los a venir» *(Prólogo)*.

Así pues, *mamotreto* significaría «traído a la memoria»; es de notar que, por paronimia, el significante evoca ese significado, si nos contentamos con la aproximación *mamo/memo*, puesto que *treto* era probablemente aceptable como participio pasado de «traer» en el siglo XVI, al menos para un público culto o informado, y tratándose de una voz tan curiosa como *mamotreto*[14]. Cuanto más que existió una forma *mammotractus* (véase *supra* art. Corominas) e incluso *mammotrectus*[15].

Con este significado «memorándum» *(traído a la memoria)* se abre una perspectiva moralizadora; pero no ha llegado aún el momento de justipreciar la seriedad de las intenciones didácticas del autor, pues esto no se puede hacer sin previo examen del contenido de la novela.

Éste, si nos atenemos al significado de «mamotreto», se define como «materias frívolas», frivolidad de marcado carácter erótico en *La Lozana*. Así se deduce de la réplica de la protagonista en que aparece el término, curiosa a primera vista, y que en mi opinión merece comentario, pues al parecer los críticos no le han concedido hasta ahora la suficiente atención

---

[14] Sabido es que, antes de su regularización en «traído», la evolución fonética normal daba «trecho» para el participio de *traer*. Ahora bien, aunque se dan pocos ejemplos, la evolución en *-eto/-eta* (en vez de *-echo*) no es un caso aislado en castellano, aunque fuera bajo la influencia de otras lenguas, especialmente del catalán. Hállase en don Juan Manuel el siguiente ejemplo: «Et por ninguna manera non le deven [los señores al rey] poner bollicias en el reyno nin le deven fazer ninguna mal *feta* et guardarse del'fazer enojo» *(Libro de los Castigos,* cap. IV, Madrid, B. A. E., t. LI, 1952, págs. 268, b,). Lo mismo que tenemos *feto* (o *feta) en lugar de fecho* (o *fecha),* podría interpretarse *treto* como *trecho* (ant. por *«traído»).* Esta vacilación lingüística debió de durar bastante, porque se leen en Correas este refrán: «Putas i alkagüetas todas son tretas», acompañado de un comentario que prueba que la asimilación *tretas/trechas* es evidente («ke están travadas unas kon otras komo las trechas del axedrez»). Cito siempre a Correas por la edición de Combet (Burdeos, 1967).

[15] Indica Ugolini como referencia directa de Delicado un *Mammothreptus super Bibliam,* con la indicaciún de «che fu stampata a Venezia nel 1482 —per i tipi di Ottaviano Scoto de Modoetia—» (en *Nuovi dati.., op, cit.,* pág. 496). Personalmente, no creo que fuera ésta la única fuente de inspiración, pero de ser así, no carecería de gracia lo de «sobre la biblia» referido al *Retrato.*

31

como para revelar todas sus implicaciones[16]. Se trata en conclusión de un mamotreto cuyos aspectos obscenos apenas si se han evidenciado hasta ahora; en este capítulo, Pelegrina, la simple, le pide informaciones a Lozana sobre las particularidades, misteriosas para ella, de la sexualidad de los hombres («¿qué quiere decir que cuando los hombres hacen aquella cosa se dan tanta prisa?»), para terminar con esta pregunta:

> Decíme, señora Lozana, ¿qué quiere decir que los mozos tienen más fuerza y mejor que sus amos, por más hombres de bien que sean?

Y Lozana contesta:

> Porque somos las mujeres bobas. Cierta cosa es que para dormir de noche y para sudar no's hacéis camis sotil, que luego desteje. El hombre, si está bien vestido, contenta al ver, mas no satisface la voluntad, y por esto valen más los mozos que sus amos en este caso. Y la camisa sotil es buena para las fiestas, y la gorda a la continua; que la mujer sin hombre es como fuego sin leña. Y el hombre machucho que la encienda y que coma

---

[16] Ya señalé esta ocurrencia de *mamotreto* que, a lo que creo, no se había mencionado hasta esa fecha, en un seminario del Congrés National des Hispanistes Français, celebrado en Grenoble en marzo de 1972, indicando, a título de esbozo, las grandes líneas de interpretación que lleva consigo la semantesis del término (ver *Actes du VIIIe Congrès des Hispanistes Français*, Grenoble, 1972, Université des Langues et Lettres págs. 101-102). Después les llamó también la atención este componente erótico a J. Hernández Ortiz (1974) y a Damiani (1975). H. O. escribía: «el, muy probable, sentido erótico de la palabra *mamotreto* en este párrafo podrá ser aplicado a los capitulillos en que se divide el libro, el cual aumentaría así su tono general de sensualidad; dicho término adquiriría entonces una dimensión más que añadir a la que el autor no da en su "explicación" final: *quiere decir mamotreto libro que contiene diversas razones o copilaciones ayuntadas (G.A.L.A.)*». Me parece demasiado prudente esta formulación, pues a mi parecer, no puede haber duda alguna; además no es una «dimensión más» lo que se añade a la explicación final, puesto que ésta contiene, como veremos, la misma indicación aunque expresada en otra forma. Lo mismo se puede decir de Damiani que, después de subrayar la pertinencia de los semas «memorándum», añadía: «en cuanto al mamotreto, existe, además, otra posible justificación para su uso. Obsérvese la relación que hay entre el contenido sensual de la obra y el doble sentido de la palabra» *(R. 75, pág. 18)*.

torreznos porque haga los mamotretos a sus tiempos. Y su amo
que pague el alquilé de la casa y que dé la saya. Y ansí pelallos
y popallos, y cansarlos, y después de pelados, dejallos enjugar.

En función del contexto anterior, la pregunta de Pelegrina
es sin lugar a dudas de orden sexual, lo cual confirmaría la respuesta de Lozana, si fuera necesario. Hay otros pasajes en el
Retrato que permiten interpretar «hombres de bien» como «viriles» (nivel sexual), y a este mismo nivel conviene igualmente
entender «más fuerza y mejor». Por tonta que sea, Pelegrina introduce, en la oración jocosamente concesiva, una ambigüedad
festiva: entiéndase en efecto «hombre de bien» conjuntamente
como «noble» (y por esa calidad no es forzosamente el amo...
pronus ad venerem) y como «viril», pero nunca tanto como su
criado (el mozo), ni cuantitativa ni cualitativamente («más fuerza y mejor»). Importa precisar aquí que, a pesar del virtuosis-
mo de Delicado en tales juegos semánticos no son éstos creación suya; las palabras que normalmente encubren nociones de
nobleza, honra, etc., aparecían desviadas hacia un contenido
erótico o canallesco ya virtualmente en *La Celestina* (obsérvese el empleo de la palabra *honra* en la *Tragicomedia,* o considérese el nombre de Centurio, por ejemplo); y con toda evidencia en el *Cancionero de Obras de burlas provocantes a risa*
que Delicado menciona en otro capítulo, dándole el título de
Coplas de Fajardo [17]. Lo mismo pasa con «fuerza», y toda una
serie de conceptos que, como escribe Manuel Criado de Val,
sufren una contaminación erótica [18]. Tales antecedentes mues-

---

[17] En el mamotreto XLVII. En el *Cancionero* (en adelante, C. O. B.)
se leerá con interés, por el uso que se hace de *fama, nobleza,* etcétera, el comentario de la copla LXXIX dedicada a la Contreras (si bien
es cierto que ella había sido prostituta en la *corte):* «Esta Contreras es
segunda de la fama; mujer de jentil parecer: ha sido ramera en la corte
mucho tiempo; agora es casada con un capitán de Cornualla; reside en
Valladolid. La copla publica bien su nobleza, mas no todo lo que'ella
se merece. Nuestro Señor cumpla lo que yo falto.» Y se podrían aducir
más ejemplos.
[18] A M. Criado de Val corresponde el mérito de haber sido el primero, en sus *Antífrasis y contaminaciones de sentido erótico en «La
Lozana Andaluza»,* (en *Homenaje a Dámaso Alonso,* Madrid, 1960,
Gredos), en evidenciar la existencia de un vocabulario erótico sistemáticamente organizado en el *Retrato.* Señala, aunque para otros pasajes
que el que comento ahora, el empleo erótico de «fuerza». No dice nada
de «hombre de bien», pero sí menciona «hidalgo». Remitiré frecuente-

tran que esos juegos semánticos eran de una evidencia más o menos inmediata para un contemporáneo informado, y esto es capital para apreciar el grado de hermetismo de la obra; sería un contrasentido creer que lo que hoy día pueda ser dificultad lo fue siempre, y atribuir a Delicado unas preocupaciones anacrónicas.

Volvamos a la respuesta de Lozana a Pelegrina; desarrolla una argumentación en forma de comparación entre el mozo, asimilado a una camisa gruesa, y el amo, a una camisa fina. La oposición puede sistematizarse así:

criado/camisa	referencias	amo/camisa
gorda	camisa	fina
(para) sudar	camisa	desteje
voluntad	[satisfacción]	(al) ver
a la continua	camisa buena [*i.e.*, útil]	para las fiestas

Lozana afirma así la superioridad del criado «en este caso» y concluye por una oposicion entre «amo» y «hombre machucho», siendo éste naturalmente el mozo y definiéndose cada uno en relación a la mujer. La función del criado, primera expuesta, aventaja a la del amo, pero las dos funciones son complementarias y están indisolublemente ligadas. En cuanto a la asimilación hombre/camisa, no causará gran sorpresa si se examina la asociación natural «camisa/sudar» a la luz de los em-

_____

mente a este léxico, utilísimo a pesar de no ser —y es muy comprensible— exhaustivo. No puedo sino lamentar que el autor haya preferido abstenerse de comentar o proponer equivalencias: «Naturalmente, dejamos al contexto la misión de explicar el exacto sentido de cada palabra y cada ejemplo. No permite más la naturaleza del tema.» Desgraciadamente, el recurso al contexto no es suficiente para numerosos casos. Afortunadamente, la crítica ha adoptado ahora otra actitud, menos pudibunda, frente a los temas escabrosos que no hay razón válida de pasar en silencio, ya que concurren, por su misma presencia, a la significación de las obras literarias que informan.

pleos de *sudor* como «coito», con el correspondiente sentido para *sudar,* documentados en otros pasajes del *Retrato* [19]. Y el verbo *destejer,* aplicado con la mayor naturalidad a la «camisa sutil» y por consiguiente al amo, forma parte de un paradigma erótico del que Criado de Val apunta algunos elementos, como *hordir* («urdir») y *tramar,* habiendo que agregar *tejer,* y más generalmente todos los términos relativos a las labores de aguja o punto con la mayor parte de los instrumentos que requieren [20]. *Voluntad* está claro ya que tiene parentesco con «querer», pudiendo alternar hasta la época contemporánea con «amor» o «ley», pero hay que conservarle, en este pasaje del *Retrato,* todo su vigor etimológico, con aplicación a un deseo carnal exento de melindres y discreteos cortesanos; su oposición a *ver* debe enfocarse desde la perspectiva de la tradición celestinesca y de su evolución. Bien es cierto que no se dice nada en la *Tragicomedia* de tales deficiencias de Calisto, arquetipo del amo; sin embargo su narcisismo ha venido interpretándose en las imitaciones y continuaciones como sospechoso por considerarse afeminador el exceso de esmero indumentario. Pierre Heugas advierte con suma perspicacia que, en la *Segunda Celestina* (1534), «Areusa ofrece un retrato engolosinado de Felides. Lo único que le reprocha es su manera de vestir, prefiriendo la moda que ilustran los rufianes de la celestinesca. La vieja [alcahueta] vuelve bastante brutalmente a colocar las cosas en su sitio al recordar que la belleza que afemina al protagonista de *tipo Calisto* no es lo que da contento a las mujeres [21]. Si Feliciano de Silva no se inspira en el dato del *Retrato* (que, quizás, no conoció), no es impensable que cundiera la idea en aquellos ámbitos en que *La Celestina* era leída y comentada, y que Delicado y él hubiesen pescado en ellos, aun-

---

[19] Criado de Val, *Antífrasis,* apunta *sudor* pero no *sudar:* se conoce que este pasaje le pasó inadvertido. En otro pasaje, memorable, del *Retrato,* el del primer asalto amoroso entre Lozana y Rampín, en el mamotreto XIV, exclama la mujer: «Quitaos la camisa que sudáis», siendo muy explícito en tal caso el binomio «sudar/camisa».

[20] Véase más adelante: Onomancía: Aldonza y Diomedes.

[21] Es de todo punto imprescindible para entender el espíritu que presidió la fortuna literaria de los tipos y personajes e ideas de la *Tragicomedia* la magnífica tesis de Pierre Heugas, *La Célestine et sa descendance directe,* Burdeos, 1973, Institut d'Études Ibériques et Ibéro-Americaines. La cita que traduzco aquí está en la página 449. Por otra parte, en lo que atañe a Calisto y la interpretación «afeminada» a que dio lugar su descendencia literaria, ver *infra* nota. 90.

que por separado, esa visión común del «amo» celestinesco. Sea lo que fuese, a ese amo de buen parecer, Lozana va a oponer un criado, «hombre machucho».

Ella enuncia en primer lugar el axioma de que la mujer sin hombre es como el fuego sin leña, es decir, que su (metafórico) fuego se apaga a falta de alimento: al «hombre machucho» le corresponde mantener la llama; de ahí que Damiani interprete *machucho* como un italianismo que significaría «gavilla de leña», idea ingeniosa por cierto, pero a mi parecer poco convincente[22]. Sin hablar de la dificultad de la derivación, en el campo fonético, del italiano «mazzocchio» al español «machucho», es de notar que la voz española reaparecería años más tarde (Corominas la documenta en 1618) exactamente con el mismo significante, pero sin relación alguna en el significado con la leña, y con un étimo árabe mucho más probable que el italiano propuesto en *R.75*[23]. Sería verdaderamente milagroso que dos étimos tan distintos viniesen a parar en un significante idéntico, y no creo en la coincidencia; pero no por eso queda resuelto el problema del significado de *machucho,* que Bonneau traduce por «homme mûr», o sea «hombre maduro», lo que corresponde a una acepción que , si bien debía de existir ya (cfr. mam. XX, nota 22), no cuadra nada con el contexto analizado aquí, donde se aplica precisamente al mozo[24]. A principios del XVII, se documenta con el valor de «sosegado, juicioso», lo que convendría mejor puesto que el término se opone a la condición de un amo bueno solamente para pagar. Pero el contexto demuestra con toda evidencia que el vocablo es polisémico y dotado de un significado más adecuado al predica-

[22] *R. 75,* pág. 409, nota 22; Damiani y Allegra ven igualmente en la frase «la mujer es como fuego sin leña» una adaptación del refrán «el hómbre es fuego y la mujer estopa, viene el diablo y sopla» (Correas, 245). Notemos que, en tal caso, habría una inversión de los papeles del fuego y del combustible. Además, en razón de su interpretación de *machucho,* Damiani y Allegra adoptan la puntuación: «y el hombre, machuho...», lo cual es coherente, siendo machucho en este caso sustantivo. Cae por su peso que la mía no admite la coma.

[23] Es de señalar que Corominas no utilizó el *corpus* de *La Lozana* para su *Diccionario etimológico,* como lo prueban varias voces, presentes en la novela, para las que el lingüista catalán propone una fecha bastante posterior, empezando por *retrato* como se verá más adelante.

[24] F. Delicado, *La Gentille Andalouse* (1.ère édition, París, 1888), Lausana, Ed. Rencontre, II, 1961, pág. 462.

do verbal «que la encienda», en el que se reitera la imagen del fuego amoroso. Parece claro que, de una forma u otra, etimología popular o paronimia (juegos predilectos de Delicado), *machucho* puede analizarse en *mach-ucho,* convirtiéndose así en un derivado de *macho* con sufijo *-ucho.* ¿Será esto solicitar el texto? Prueba claramente que no la equivalencia que establece Oudin en su *Trésor: hombre macho y machucho* = «homme fort», lo que sería imposible si los significados «juicioso» y «entrado en años» hubiesen sido los únicos componentes semánticos de la palabra en aquella época. Al tener presente ahora que Lozana está contestando a la pregunta de Pelegrina «¿qué quiere decir que los mozos tienen más *fuerza...?*», parece lógico suponer que responde con precisión, escogiendo un significante más expresivo aún, susceptible de figurar en un verdadero paradigma erótico *«mache* (útero), *Machin* 1- madre; 2- Cupido, bajo la forma Dios M.), *macho* (varón viril)», e incluso, en razón del parecido de los significantes y del empleo en contexto erótico, «machucar» (de *mach-ucho/uco,* por derivación popular o festiva).

En definitiva, el «machucho» sería en *La Lozana* un hombre basto, pero listo y dotado de capacidades sexuales apreciables, en contraste como tal como un amo refinado, pero algo flojito y fácil de engañar. A partir de ahí amo y criado tienen, para Lozana, funciones diferentes y opuestas: el amo para pagar y el criado para gozar.

El papel del criado o mozo consiste en «satisfacer» a la mujer. Primero, despertar sus apetitos («que la encienda»), luego, como continuación lógica, «que coma torreznos» *(coito),* expresión que alterna en el *Retrato* con «comer cocho», de igual sentido. Tenemos en la novela tres términos, aplicables al acto sexual, que hacen especialmente referencia a la carne, cualquiera que sea su clase o el tipo de cocción: *asado, cocho* y *torrezno.* El significado erótico de *asado* y *cocho* los había indicado ya Criado de Val: el contexto en que aparecen es inequívoco. Cuando, después de un periodo de abstinencia, Lozana satisface sus deseos con Rampín, exclama: «¡Cuánto había que no comía cocho!» (mam. XIV). Para *asado, cocho, torrezno,* resulta relativamente fácil evidenciar la matriz semántica de su aplicación erótica; partiendo del tópico del *amor ardiente,* de los *fuegos amorosos* (y de ahí *encender,* etc.), y cruzándolo con expresiones como v. gr., *amor carnal,* se llega rápidamente a la noción de *carne cocida.* Entonces, en virtud del principio de la sustitución sinonímica todo plato de carne es competente para significar el acto sexual[25]. Por no haber visto dicha sinonimia, Damiani interpreta, erróneamente a mi ver, *cocho* como «experta en amor» y *asado* como «virgen» en una frase con la cual declara el autor que ya empezó la luna de miel de Aldonza y Diomedes: «Juntos a Cáliz, y sabido por Diomedes a qué sabía su señora, y si era cocho o veramente asado»[26]. No se puede negar que *cocho* se opone formalmente a *asado* en esta frase; sin embargo soy del parecer que se trata de una de esas contraposiciones burlescas, por oponer cosas de una misma categoría como en esas frases proverbiales de sabor cómico que cita Correas: «Kocho i asado, todo en un puchero», o aun «Muchas mañas ai en kastañas, dellas son kochas, dellas son asadas», lo que permitiría captar en seguida a qué tipo de diferencias estaba expuesta el gusto de Diomedes al probar a su señora.

Vayamos ahora, a la luz de lo anterior, a la expresión que nos interesa fundamentalmente: «porque haga los mamotretos (a sus tiempos)», que, con ese significado tan preciso, debe de ser una creación personal de Delicado. Esta es la fase tercera, o sea el punto culminante del placer, en el acto carnal. Opónese en el texto, con sus semas de liquidez, a «dejallos enjugar» aplicado a los amos, estando cada expresión al fin de sendos periodos gramaticales. «A sus tiempos» añade Lozana a propósito de los mamotretos y Bonneau traduce «en temps utile», solución aceptable como la de Damiani y Allegra, con la equivalencia «la pueda satisfacer cuando quiera que tenga ganas» *(R. 75,* nota 24, pág. 409). No obstante, impónese la idea de que lo expresado aquí («en el momento apropiado») es una exigencia de armonía física, al tener presente la exclamación de Lozana, con motivo de ciertos retozos con Rampín:

¡A la par a la par lleguemos a Jodar![27].

[25] Para más detalles sobre este fenómeno semántico, véase *Allaigre 1980,* págs. 28 y 38.

[26] Mam. IV. La opinión de Damiani en *R. 75,* nota 3, pág. 88. Además, según el diccionario italiano de Ferrari y Angeli (Garnier, París, s. f.) o *veramente* que es variante morfológica de *ovveramente* u *ovvero,* puede ser asociativa o disyuntiva: «o bien» o «asimismo» [véase también mam. XLIV, nota 9]. Considérese también para el juego sobre *saber* («sabor» y «ciencia») el refrán: «sabe más que un torrezno» (Correas, 573, b.)

[27] Mam. XXII. Damiani nota agudamente que se «alude al pueblo

y sabiéndose además que se trata de un tema relativamente corriente de la poesía erótica del siglo XVI[28]. Evidentemente no cabe esperar semejante concordancia con el amo, demasiado débil; siendo de notar, en el nivel estilístico, el plural que caracteriza la última frase («y ansí pelallos..., etc.): el *machucho* es (relativamente) único frente a la diversidad de los sujetos por pelar —o desollar— y enjugar —o dejar secos de cualesquiera bolsas que se trate.

Así pues, si es válido el análisis, el pasaje tiene su coherencia, con una progresión, para el mozo, *encender-comer torreznos-hacer los mamotretos a sus tiempos,* es decir, apetitos-ejecución-culminación compartida, progresión lógicamente satisfactoria que halla un paralelismo bastante divertido en la lastimosa suerte del amo, que paga como «un pardillo», y a quien se abandona exhausto cuando ya no queda nada que sacarle. Este tipo de oposición entre dos clases de hombres no es una novedad literaria en la época del *Retrato* ya que aparece, grosso modo, el mismo en el *Cancionero de Obras de Burlas,* tratándose probablemente de un lugar común que, algunos decenios después, Góngora había de adaptar a otra pareja, el clérigo y el noble[29].

Lugar común no significa sin embargo desprovisto de inte-

---

de Jaén llamado Jódar que, quizá por la rima deba acentuarse Jodár»; estoy de acuerdo y quiero solamente añadir que es frecuente que los retruécanos no tomen en cuenta el acento tónico, y por eso me permito no poner la tilde, destructora de la deseada ambigüedad.

[28] Se consultará con mucho fruto para todo lo relativo a los temas y al vocabulario de este campo la estupenda antología, *Poesías eróticas del Siglo de Oro (con su vocabulario al cabo por orden del a. b. c.,* recopiladas por Pierre Alzieu, Robert James e Yvan Lissorgues, Tolouse, 1975, France Ibérie Recherche. El documento es de excepcional riqueza tanto por su contenido como por los problemas lexicales que permite resolver. Sobre el tema evocado ahora hay cuatro ejemplos: véanse el comentario de la página 199 y la nota 42 de la página 201 [en adelante las referencias a este libro se señalarán mediante la abreviatura *P.E.S.O.].*

[29] Véase *C.O.B.*, pág 181, coplas LXXXII y LXXXIII (con una oposición muy parecida a la del ejemplo lozanesco, entre los viejos ricos que pagan a las prostitutas y los valientes jóvenes que por sus hazañas se merecen la gratuidad), y de Góngora la letrilla *A toda ley madre mía,* («Sólo a éstos doy mi amor / y mis contentos aplico / madre, al uno porque es rico / al otro porque es hechor / (...) / regalos de señoría / y obras de paternidad»).

rés, y en la novela de Delicado es notable el engarce del tema en la trama general pues, ¿a quién se le escapa que Lozana, discurriendo en un nivel general, está, de hecho, hablando de sí misma con cinismo? Adquiere así las dimensiones de una protagonista propiamente ejemplar.

Rampín es el elegido por ser su fuente de placer, mientras que los demás hombres sirven (menos dos o tres casos no tan claros) para alimentar su monedero. Lozana descubre definitivamente las habilidades de Rampín en el mamotreto XIV, en la famosa «escena de la cama», como la calificó Alfonso Reyes, a quien intrigó bastante, después de haber llamado también la atención de B. W. Wardropper. Aquél, en su artículo «Un enigma en *La Lozana Andaluza»,* declara que «la escena sigue suspendida en el vacío como una extraña maravilla»: aceptemos lo de «maravilla», pero, por lo demás, lo de «suspendida en el vacío», siento discrepar pues este tipo de escena no constituye un caso aislado, ni en la literatura española en general, como lo prueban numerosos poemas eróticos, ni en el mismo *Retrato* puesto que hay otra, más corta, en el mamotreto XXII; y sobre todo porque tampoco vale la afirmación si se consideran las relaciones estructurales en la novela. Con el pasaje del mamotreto XXII —que permite ver que el placer experimentado por los dos amantes no era fortuito— esta escena proyecta cierta luz sobre la pareja Lozana-Rampín, cuando se la considera también desde la perspectiva de la respuesta de Lozana a Pelegrina. No es frecuente, en las otras aventuras galantes de la andaluza, que se subraye el placer que experimenta, aunque a veces se pueda imaginar. Lo que sí, en cambio, se acentúa son las ganancias que realiza o espera realizar, o su despecho al no conseguirlas, como con ese Trujillo que la engaña a ella (mam. L y LI). Así, aclarada ya la respuesta de Lozana a Pelegrina, se halla precisada la figura de Rampín, con unos rasgos que después serán con frecuencia los de los pícaros literarios. Ha sido criado de varios amos y teóricamente lo es de Lozana, pero en este caso de manera ficticia.

Primero, Lozana le enseña a no apresurarse demasiado —y cabe recordar que una de las preguntas de Pelegrina se refería a esa lamentable prisa que se dan los hombres—, para concluir que Rampín será dueño de la situación::

> LOZANA (…) Pasico, bonico, quedico, no me ahinquéis. Andá comigo, ¡por ahí van allá! ¡Ay qué priesa os dais, y no miráis que está otrie en pasamiento sino vos! Catá que no soy de aqué-

llas que se quedan atrás. Esperá, vezaros he: ¡ansí, ansí, por ahí seréis maestro![30].

Podría creerse que *maestro* aquí significa solamente «experto», pero se añade una dimensión más, como lo muestran las confidencias ulteriores de Lozana a Rampín:

> Mirá que yo no tengo marido ni péname el amor, y de aquí os digo que os terné vestido y harto como barba de rey. Y no quiero que fatiguéis, sino que os hagáis sordo y bobo, y calléis aunque yo os riña y os trate de mozo, que vos llevaréis lo mejor, y lo que yo ganare sabeldo vos guardar (mam. XV).

A través de una actuación mejorable («vezaros he») Lozana ha sabido discernir una competencia tal que él podrá llegar a ser un señor mimadísimo a quien la mujer ya no abandonará más, según una decisión tomada sin más contemplaciones: «¡No es de dejar este tal unicornio!»[31].

Quedan así echadas las bases de una unión sólida; la pareja Lozana-Rampín, vista en su singularidad en los mamotretos XIV, XV y XVII, es un ejemplo de vida generalizable, y Lozana es quien saca en el mamotreto LXIII (¡41 y 49 capítulos después!) una lección aplicable a todos, en su réplica a Pelegrina: «las mujeres... el hombre... el amo...». Paralelamente a la

---

[30] Mam XIV. La exigencia de armonía física de Lozana no puede expresarse más netamente que aquí, lo mismo que la prisa de Rampín que intenta canalizar, echándole en cara además su egoísmo.

[31] Mam. XIV. Damiani, en *R. 75*, da para *unicornio* la equivalencia «hombre bien dotado sexualmente» y remite a Criado de Val, *Antífrasis*..., nota 35. Yo creo que no es sino parcialmente válida esta definición. El elogio enunciado por Lozana lo expresa todo el sintagma «este tal unicornio» y no solamente el sustantivo, concebible igualmente, según creo, en contexto peyorativo. Y hay más, porque *unicornio*, a pesar de la restricción que indica el prefijo singularizador, connota la familia «épica» en procedencia de Cornualle, la patria de los cornudos, ingenuos o de profesión (véase *supra*, nota 17 y *Lozana*, mam. XIV). El término *unicornio* se aplica, pues, con toda propiedad a Rampín, amante, y después marido complaciente. Por otra parte no he podido documentar en otros textos esta misma referencia al fabuloso animal, pero aquí el contexto no deja lugar a dudas, y la metáfora formal parece evidente. Sea o no sea un hallazgo de Delicado, la exclamación de Lozana resulta tanto más divertida cuanto que el unicornio es símbolo de castidad *(vid.* Covarrubias, *Tesoro*, 986.a).

censura de tipo celestinesco a que remite, Delicado desenvuelve en su novela una temática que había de ser, después, la de la llamada novela picaresca. La ejemplaridad cambia de punto de aplicación, relativamente a la *Tragicomedia,* en la medida en que la atención se enfoca más sobre el mundo de los criados, y más ampliamente de los bajos fondos, de donde proceden los protagonistas del *Retrato.* Sin embargo, no está rota la trabazón con *La Celestina* de la que Delicado propone, indirectamente, cierta lectura, como ya se vio a propósito de las galas masculinas. Lozana y Rampín, caricaturas de Calisto y Melibea, más recargadas de lo que eran Pármeno y Areusa, delatan el verdadero lazo que une a todos los amantes, a saber el *mamotreto* o realización del apetito venéreo.

Respecto de la elección de este término en vez de capítulo, que nos queda por comentar para concluir, tampoco es imposible que proceda, en parte, de una sugerencia de la *Tragicomedia* dividida en *autos.* Estos *autos* debían de ser, para varios sucesores de Rojas, algo más que simples actos (o jornadas) en el sentido teatral de la palabra. Es verosímil que constara también el *auto* de semas de reprobación, tomándose *au(c)to* en su acepción forense. Feliciano de Silva divide la *Segunda Celestina* en «cenas», «escenas» si se quiere, pero que en razón del significante definitivamente escogido denota un semantismo «comida» (y «comida de la noche») que guarda estrecha relación con el erotismo; en este aspecto , no cabe duda de que semejante elección de términos supone una interpretación específica de los *autos* de Rojas. De estos *autos* Delicado propone a su vez una lectura particular; no pretende, por cierto, aplicarla a la *Tragicomedia* (en la que tal significado no podría cuadrar más que en calidad de connotación) sino a Lozana. Más exactamente, Lozana es quien se lo aplica a sí misma: «Porque me contrahace [el autor] tan natural mis meneos y autos, y cómo quito las cejas...», donde *autos* asociados a *meneos* adquiere una coloración por lo menos sospechosa[32]. Con relación a su antecesor de *la Celestina* o a su contemporáneo

---

[32] Sobre todo para quien se acuerde de la comparación explícita entre Lozana y Celestina, y de su casa con una «cárcel de amor», en el mam. XLVI. En este pasaje precisamente, Criado de Val apunta la ocurrencia de *autos* en sus *Antífrasis* (si tiene razón Criado de Val, esto quiere decir que, para Delicado, *auto* remite a lo erótico, a no ser que, por motivación discursiva, lo proponga como equivalencia de *mamotreto).*

de *La Segunda Celestina,* Delicado da un paso más hacia la adecuación del nombre de los capítulos al contenido de la obra, puesto que, en efecto, *mamotreto* es signo de:

— La división formal del libro (sus capítulos, su composición).
— Memorándum (perspectiva didáctica, ejemplaridad, orientación).
— Paroxismo erótico (materia, objeto principal del libro).

Este último avatar del *mamotreto* tiene como corolario, nuevo y terrible en la época de la novela, el mal francés o sífilis que se cierne sobre toda la obra: se entiende ahora por qué, en su *Explicit,* el autor lo opone tanto a *sana* doctrina como a *santa* doctrina (pero en este caso *cum grano salis* si *mammothreptus* hacía referencia antes a libros de exégesis o *super bibliam*). El *mamotreto* se opone también al capítulo, puesto que el capítulo es la cabeza (cfr. etimología), lo que debe gobernar y regir, mientras que *mamotreto* se dice de lo sensual, que tiene que obedecer. Para traducir la inversión de valor de que la novela quiere ser imagen, es más adecuado *mamotreto,* como lo indica Delicado al principio del primero, en una frase ya citada:

y como había de ser partido en capítulos, va por mamotretos porque en semejante obra mejor conviene.

La inversión de la relación *cabeza/sexo* está presente en el texto, punto culminante de una transposición ya declarada para otros valores establecidos como la nobleza. Por medio del juego que equipara «hidalguía» u «hombría de bien» con «potencia sexual», los criados son más nobles que sus amos. En un soliloquio que, *mutatis mutandis,* recuerda las cuentas de la lechera, Lozana exclama: «Otros vernán que traerán el seso en la punta del caramillo» (mam. XLI). No quiero decir que esta asimilación fuera original, pues se halla otra parecida —con el polisémico «razón»— en el *Cancionero de Obras de Burlas*[33], pero Delicado la utiliza para mostrar, en el mamotreto LXV

---

[33] «Sacaron vuestra razón / de las bragas encogida / etc.» *(Coplas del Conde de Paredes a Juan Poeta, cuando le cautivaron los Moros de Fez; C. O. B.* pág. 74).

que precede inmediatamente al retiro de Lozana a Lípari, que la sabiduría según el mundo es un género venal: se gradúa así un asno de bachiller. Para obtener semejante resultado hacen falta dos auxiliares; el primero es el dinero, que sirve para untar las manos útiles, y esta sátira de las «propiedades qu'el dinero ha» tiene un origen conocido. Dejemos a Lozana presentar el segundo.

> Y hacé vos con vuestros amigos que os busquen un caballerizo que sea pobre y joven, y que tenga el seso en la bragueta, que yo le daré persona que se lo acabe de sacar; y d'esta manera venceremos el pleito, y no dubdéis que d'este modo se hacen sus pares bacalarios.

Capítulo y *mamotreo* están en la misma relación que *seso* y *bragueta* cuya asociación pudo ser favorecida no solamente por la paronimia *seso/sexo* (documentado este útlimo ya en 1440, y además presente en el *Retrato:* «sexu») sino también por la etimología de *seso* que los eruditos no podían ignorar ya que la declaran Nebrija y Covarrubias, entre otros.

Nos falta ahora, para concluir esta indagación, ver si la «tabla de salvación» que nos ofrece Delicado para navegar por el *Retrato* es digna de confianza, en lo tocante a *mamotreto* al menos. Así lo define: «Quiere decir mamotreto libro que contiene diversas razones o copilaciones ayuntadas.» De *razón,* no se vuelva a hablar: ya se ha dicho que, por su polisemia, se prestaba a los juegos más verdes. *Copilaciones* evoca con demasiada facilidad *copulaciones* para que se insista aquí[34]. En cuanto al participio *ayuntadas* que las especifica, pertenece a un verbo tan normal en el contexto erótico (como el sustantivo *ayuntamiento)* que no puede caber duda de que Delicado nos había descrito enteramente el contenido semántico de *mamotreto*. En efecto, la connotación así creada no destruye la denotación (la definición que arroja), es decir el mamotreto como compilaciones ayuntadas. Como toda compilación supone referencias a obras anteriores, cabe preguntarse si toda la originalidad de Delicado (que, sin embargo, parece cierta), no con-

---

[34] Bien es cierto que se dice académicamente «cópula»; pero la jocosidad también tiene sus derechos. Además, hubo tantos ejercicios más o menos procaces, en la literatura festiva, sobre *copla, acoplar,* y otros, que era difícil que un miembro de la familia, como *copilación,* no entrara en la danza.

sistió en ensamblar piezas ya existentes. *Stricto sensu,* es lo que declara el autor en la definición que propone en el *Éxplicit*, contradiciendo así lo que afirma en el *Argumento* y otras partes, de que saca el «retrato» de Lozana del natural. Cabe preguntarse por tanto lo que entiende Delicado al hablar de *retrato.*

EL RETRATO

«No siendo obra sino retrato»: esta precisión que Delicado aplica a su novela nos da la medida de la importancia que conviene conceder a la presencia de la palabra *retrato* en el título de la obra, como lo subraya muy justamente B. W. Wardropper[35]. Pero sería un error creer que el significado de «retrato» se limitaba, a principios del siglo XVI, a la acepción que tiene en el español de hoy. Todo induce a pensar que el signo era polisémico y que Delicado lo explotó como tal, hasta el extremo quizá de sus virtualidades expresivas. Existe, en efecto, toda una red de correlaciones estructurales entre varios temas fundamentales de la novela y el significado complejo del término que viene a ser uno de sus signos privilegiados, esto es el *retrato,* en cuyo contenido se pueden discernir cuatro semas[36]:

S$_1$: imagen.
S$_2$: reprobación.
S$_3$: retiro, retraimiento.
S$_4$: sentencia, proverbio.

Despréndese de tal complejidad semántica, y de la puesta por obra de sus implicaciones en la arquitectura de la novela (si son reconocidas) que vuelven caduca toda interpretación que no retuviera más que uno de los componentes. Si bien es cierto que una parte solamente del significado del *retrato* se actualiza

---

[35] En su ya citado estudio cuyo título es precisamente *La novela como retrato; el arte de Francisco Delicado,* B. W. W. dice que «no es mera casualidad que emplee *retrato* en el título» (pág. 487).
[36] Uno aquí y en adelante la palabra *sema* algo caprichosamente ya que en rigor se trata de núcleos semánticos y no de elementos simples de la significación. Válgame el artificio que me hace más cómoda la exposición del fenómeno.

en función del contexto inmediato, esto no obsta para que Delicado explote su polisemia en varias ocurrencias. Por su presencia en el título, no remite al texto entero, pero hay más, puesto que, gracias a un artificio de composición, el título de la novela, primer sintagma de la obra, resulta ser también el último. Así, y con otros medios, el autor consigue poco más o menos la adecuación del significado potencial de *retrato* y de sus fines conceptista y jocoso en *La Lozana*.

Se observará, en primer lugar, que el significante verbal *retratar* no aparece en la novela, y que al sustantivo *retrato* corresponde exclusivamente el verbo *retraer*, como advirtió, de paso y sin concederle mucha importancia, Menéndez y Pelayo: «No es sólo el mundo lupanario el que Delicado retrata o *retrae* (como él dice) aunque sea el centro de su obra.»

Es de notar también, por otra parte, que el sustantivo *retrato* no aparece en castellano antes de su empleo por Delicado, arrojando incluso Corominas una fecha que corresponde a su uso por Fray Luis de León, con las siguientes indicaciones:

> *Retraer:* «echar hacia atrás», h. 1300 (...)
> *Retrato:* 1570, del it. *ritratto, íd.,* derivado de *ritrarre,* «retraer» y «retratar»; *retratista, retratar,* 1570, it. *ritrattare.*

Dado el origen italiano del significante (y aun si pudieron intervenir otros factores), no es extraño que Delicado fuera, ya en 1524, uno de los que primero lo usaron. Sin embargo, es notable que, salvo error mío, el verbo *retratar* no aparezca nunca bajo la pluma del andaluz (que las más veces recurre a *retraer* y, en alguna que otra ocasión, a la locución *hacer un retrato),* sobre todo al considerar que el italiano disponía ya de *ritrattare.* Correlativamente, el único sustantivo que en *La Lozana* corresponde a *retraer* es *retrato,* y eso que *retraimiento* había penetrado con anterioridad en la lengua —como lo indica también Corominas— puesto que Nebrija daba en 1495 las equivalencias latinas siguientes:

> retraymiento - *receptus-us. Receptaculum-i.*
> retraerse en la batalla - *cano receptui*
> retraymiento (o retrete) - *recessus-us. Penetrale-is*[37].

---

[37] *Vocabulario de romance en latín.*

Delicado, que se proclama a la vez discípulo de Nebrija y fiel lector de *La Celestina,* no podía ignorar este vocablo ya que la vieja alcahueta lo usa con la misma acepción: «¿Qué es eso Areusa? ¿Qué son estas extrañezas y esquivedad, estas novedades y *retraimiento?*»[38].

Interesante es también la forma que existiera anteriormente, obtenida por sustantivación del verbo, documentada en Juan Ruiz:

> Verdad es lo que dicen los antiguos retraeres:
> «Quien en el arenal siembra non trilla pegujares» (190, c,d)

y aun

> Cuando hablares con dueñas, diles doñeos apuestos,
> los hermosos retraeres tien'para decir aprestos,
> sospirando la fabla, ojos en ella puestos (549, b,c,d)

En su edición, Cejador comenta la ocurrencia de 549, c, sólo con la equivalencia de «proverbios, dichos», pero, para la de 170, c donde *retraeres* está en fin de verso, añade: «Retráheres parece que sonaba, y aun así, no consuena del todo bien. Son los refranes, y mejor las semejanzas y comparaciones que en ellos suele haber, como el que cita el autor. De *re-traer,* por parecerse, ser semejante.» Esta aclaración tiene el mérito de hacer resaltar la relación entre los semas S_1 (imagen) y S_4 (proverbio) del signo *retraer,* verbo o sustantivo. Para volver a Delicado, es probable que se le antojara fácil usar el italianismo *retrato* con los significados de *retraimiento* y *retraer* (sustantivo) puesto que era la palabra que no carecía de motivación en castellano, como si de semiología o de etimología se tratase[39].

---

[38] Cito por la edición de Espasa Calpe, Clásicos Castellanos, número 20, I, Madrid, 1963, pág. 259.

[39] Parto del principio (expuesto por G. Guiraud, en *Structures etymologiques du lexique français,* París, Larousse, 1967, de que —lo mismo en español que en francés y las otras lenguas románicas— el signo lingüístico no puede ser totalmente arbitrario, so pena de resultar absolutamente incomprensible, por no poder fundarse ningún consenso en torno al aspecto exterior (gráfico o fónico) revestido por la noción aludida. De forma que tiene que haber una motivación por parte doble, a la vez semiológica y etimológica, manteniendo las dos una relación de reciprocidad. Para más detalles, véase la obra citada de Guiraud, más especialmente, pág. 167.

Retraer se ha percibido siempre como un compuesto, con prefijo, de *traer*; ahora bien, si *traer* tiene un doblete, *tratar*, ¿por qué le sería negado a *retraer?* El caso de la pareja lexical *maltraer-maltratar* prueba con toda evidencia que un prefijo no obsta para que se produzca la evolución, y que la tal derivación forma parte del genio de la lengua castellana. No quiero negar que hubiera influencia italiana en la formación de las voces españolas *retrato* y *retratar*, sino solamente apuntar que su papel fue de mero acelerador de las tendencias intrínsecas del castellano[40]. A fines del siglo XV, Nebrija traducía *retratar* (al latín) por «retracto-as» y «detracto-as», o sea por los semas S_2 y S_3 indicados anteriormente para *retraer*, mientras que el sustantivo correspondiente era *retratación*[41]. Siglo y medio después, *retraer* significaba para Oudin «retirer», «retraire»... «reprocher» y *retraerse*, «se retiren», «se mettré a sauveté», es decir, lo mismo que *retratar* para Nebrija (S_2 S_3), mientras que S_1 («imagen») y S_4 («proverbio») no eran mencionados.

Sábese por otra parte que la forma *retractar*, apuntada por Oudin, acabará imponiéndose, por cultismo, con los semas que siguen actualmente siendo los suyos. En la misma época de Delicado, el verbo *retra[c]tar* aparece en el *Cancionero de Obras de Burlas* con los mismos semas que retraer[42], lo que permite decir que, en un nivel semántico, era delgada y permeable la frontera entre *retra[c]tar* y *retraer:* por eso era fácil, alrededor de 1520, que el sustantivo retrato encubriera unos significados

---

[40] A propósito de *maltrecho*, el diccionario etimológico de Corominas da lo siguiente: «1220-1250, que en el siglo XIII era todavía mero participio pasivo del ant. *maltraer*, "maltratar, reprender"», hoy sólo conservado en la locución *traer o llevar alguno a maltraer. Maltratar,* h. 1275.

No sorprenderán a nadie estos dobletes *traer/tratar* al tener presente que *tractare* no es en latín otra cosa que el frecuentativo de *trahere*, teniendo que dejar ciertas huellas este parentesco etimológico. Con el prefijo *re-, trahere* y *tractare* son la fuente de una familia semántica cuyos miembros pueden, en lo sucesivo, oponerse o confundirse. Así, al lado de *retraer*, tenemos un *retractar* que las peculiaridades fonéticas de los siglos medievales y de Oro reducen a *retratar* (como *maltratar)* introduciendo así, en determinadas épocas, una confusión morfo-semántica que no puede aclarar sino un contexto particular. Este estado lingüístico seguía vigente en la época de Luis XIV (cfr. César Oudin).

[41] *Vocabulario, op., cit.,* pág. 170, a.

[42] *C.O.B., op. cit.,* págs. 69 y 173, y, para más detalles, *Allaigre 1980;* págs. 46-47.

envueltos hasta ahí en ambos verbos, pero preferentemente en un *retraer* cargado de historia.

Este *retraer* lleva consigo, desde los orígenes de la lengua, el sema S_2 (reprobación), que sigue con plena vigencia en los versos de Juan Ruiz como en la prosa de Don Juan Manuel y,mucho más tarde, en el refranero de Correas: no puede pues caber duda de que este sema S_2 se percibía claramente en *La Lozana*[43]. Lo mismo pasa con S_3 (retiro, retraimiento), del que sería fácil aducir numerosos ejemplos[44]. Y, sin volver a hablar ahora de S_4 (proverbio), sólo diré de S_1 (imagen) que es demasiado evidente en *La Lozana* para que se demuestre aquí su existencia: en nuestra novela su presencia bajo el signo *retraer* no puede plantear problema.

Este sema S_1 «imagen», sin embargo, bajo la presión probable de las necesidades de la significancia lingüística que actuarán en el sentido de una disimilación, irá desapareciendo poco a poco del significante *retraer;* ya se está extinguiendo por los años 1570 en que se le nota en concurrencia con *retratar*, que por un lado va a suplantarlo, y por otro a desatarse en lo semántico, aunque más tarde, de *retractar*[45]. Tres o cuatro decenios más tarde, le será imposible a *retraer* expresar lo mismo que *retratar*, el cual, desvinculado de la sinonimia podrá adquirir otros matices (cfr. Covarrubias), pero por los años 1530 *retrato* guardaba estrecha relación con *retraer,* que en el plano verbal lo expresaba. Disertando sobre el prefijo *re-*, Juan de Valdés establecía una relación explícita entre los semas S_1 «imagen» y S_2 «reprobación» de *retraer*.

> Otras veces muda la significación como en *requebrar,* que es otro que *quebrar,* y en *traer* que es otro que *retraer*, el cual vo-

---

[43] Véase *Cantar de mio Cid,* 2548, 2546, 2733, 3359 y 3283 ; Don Juan Manuel, *El Conde Lucanor,* Madrid, Castalia, 1969, pág. 96 y la nota de J. M. Blecua; Juan Ruiz, 322, 372; Correas (ed. Combet), página 599, b.

[44] Así en *La Celestina,* en el *Cancionero de Obras de Burlas* o en Correas, es decir, de 1500 a 1627.

[45] Fray Luis de León se vale indistintamente de *retraer* o *retratar* para evocar el cuerpo y el alma de Cristo como imágenes más perfectas de la figura divina; y, desde luego, es impensable que para él, en este caso, el verbo *retraer* pudiera connotar ni remotamente cualquier tipo de censura (cfr. *Los Nombres de Cristo,* 1, I, *Faces de Dios,* en *Obras completas castellanas,* Madrid, Biblioteca de Autores Cristianos, MCMLIX, Madrid, 3.ª edición, págs. 428-430).

cablo unas veces significa lo que en italiano, en la cual significación he también oído usar de otro vocablo que yo no usaría, que es *asacar*, y otras la usamos por «escanecer», creo sea porque, así como el que retrae a uno, su intento es imitar su natural figura, así el que escarnece a otro parece que quiere imitar o sus palabras o sus meneos[46].

Por muy cuestionable que nos parezca hoy esta opinión, es verosímil que Delicado la compartía y, sea lo que fuese, la descripción de Valdés corresponde muy exactamente a las alegaciones del cordobés (cfr. *Argumento):* «no hay persona que haya conoscido... Lozana... que no vea claro ser sacado de sus actos y meneos y palabras».

Este, en resumen, disponía del significante *retrato*, capaz de declarar un posverbal de *retraer* e igualmente competente para actualizar en nivel nominal, caso necesario, todos los semas de dicho verbo. Por poco que el autor desease jugar con la polisemia, le convenía mejor que *retraimiento*, más limitado por unos treinta años (documentados) de uso que no podían sino haber fijado una dimensión semántica difícil de rebasar sin abuso exagerado. Efectivamente, si la motivación del signo es en parte etimológica, el neologismo sacado del italiano ofrecía a la voluntad conceptista del andaluz un campo sumamente fértil; y, de hecho, es fácil ver que en *La Lozana* se empeña él en privilegiar el lazo que une *retrato* a *retraer*, evidenciado también el que le parece existir entre las diversas acepciones del verbo, intención que salta a la vista en varias ocurrencias de los dos vocablos:

Solamente gozará d'este *retrato* quien todo lo leyere (...) ni quise nombre, salvo que quise *retraer* munchas cosas *retrayendo* una, y *retraje* lo que vi que se debría *retraer*, y por esta comparación que se sigue verán que tengo razón.

Todos los artífices que en este mundo trabajan desean que sus obras sean más perfectas que ningunas otras que jamás fuesen. Y vese mejor esto en los pintores (...) porque cuando *hacen un retrato* procuran sacallo del natural (...) Y porque este *retrato* es tan natural (...) que no vea claro ser sacado de sus actos y meneos y palabras (...) sacaba lo que podía, para redu-

[46] Juan de Valdés, *Diálogo de la lengua,* Madrid, Espasa Calpe, Clásicos Castellanos, núm. 80, 1953, pág. 102.

cir a memoria, que en otra parte más alta que una picota *fuera mejor retraída* que en la presente obra *(Argumento)*.

....

Y si alguno quisiere saber del autor cuál fue su intinción de *retraer reprehendiendo* a la Lozana y a sus secaces, lean el principio del *retrato* (...) Y si dijeren por qué perdí el tiempo *retrayendo* a la Lozana y a sus secaces (...) Si me decís por qué en todo este *retrato* no puse mi nombre (...) El ánima del hombre desea que el cuerpo le fuese par perpetuamente; por tanto, todas aquellas personas que *se retraerán* de caer en semejantes cosas, como éstas que en este *retrato* son contadas, serán pares al espíritu, y no a la voluntad ni a los vicios corporales, y siendo dispares o desiguales a semejantes personas, no *serán retraídas* y serán y seremos gloria y laude (a) aquel infinito Señor que para sí nos preservó y preservará, amén. *(Cómo se excusa el autor...)*

Estos fragmentos requieren algunas advertencias, sobre los semas actualizados en las ocurrencias de *retrato* y *retraer*, pero también sobre la estructura arquitectónica de la novela.

Empezando por este último punto, es notable que el tema del *retrato-retraer* sea primordial en los capítulos finales (el de excusas y el *Explicit)* y también en el *Argumento,* al principio de la novela. El lazo semántico y retórico entre principio y fin determina una estructura circular de la que no cabe dudar que sea consciente y orgánica porque la recalca el autor:

«solamente gozará d'este retrato quien *todo* lo leyere»

«lo que al principio falta se hallará al fin»

(Argumento)

«y si alguno quisiere saber... lean el principio del retrato»

(Cómo se excusa el autor...)

Grande sería la tentación de juzgar un tanto torpe el artificio, si, precisamente, no tradujera una intención paródica: sabido es, en efecto, que los autores de tratados morales, en su voluntad de que la perfección formal fuese reflejo de la perfección del contenido de la enseñanza, adoptaban el círculo como modelo retórico, por ser esta figura geométrica símbolo de la

51

perfección (concurren en esta apreciación la escolástica y las filosofías esotéricas). Ahora bien, toda parodia tiene la obligación de ser un calco suficientemente fiel del modelo, como para que se reconozca a éste, aunque, contradictoriamente sea preciso que se distancie lo suficiente para denunciarse, e incluso proclamarse como tal, so pena, en el caso contrario, de que no resulte patente la intención cómica. Así pues la parodia exige, para ser entendida como tal, que se vea reconocido su objeto y apreciada a la vez la distancia que la separa de él; la caricatura, la exageración de los rasgos son, por consiguiente, sus recursos naturales, de forma que no es de extrañar la tosquedad estilística del *Retrato de la Lozana* a fin de subrayar la circularidad del relato, puesto que esa misma basteza participa de su condición paródica: es un tratado *ad jucundum*, lo cual origina ambigüedades y contradicciones que, en definitiva, constituyen una característica genérica.

Delicado pregona por un lado la perfección de su tratado en el *Argumento* («Todos los artífices... este retrato es tan natural»), y por otro su vanidad («estas vanidades», en *Cómo se excusa...*) o su ilegitimidad en la *Digresión,* «por ser cosas ridiculosas» . La intención moral *(reprobatio amoris)* de los tratados serios, sin dejar de constituir la materia del *Retrato* que la implica[47], sufre deformaciones que, como veremos, pueden rayar en su negación.

Esta clase de juegos, a base de contradicciones, ha sido causa de que la crítica adoptase posturas antagónicas. Wardropper, por ejemplo, para quien *retrato* no tiene más significado que el de hoy («imagen») afirma: «Delicado no tiene ningún afán moralizador» y su «credo artístico es la verdad, no la belleza»[48], mientras que otros, sin negar el «realismo» del retrato toman al pie de la letra la afirmación del didactismo del autor[49].

---

[47] ¿No sugiere acaso Delicado que el *Retrato* es un tratado cuando dice: «si os veniere por las mamas *un otro tratado*»?

[48] Wardropper, *La novela como retrato, op, cit.,* pág. 478.

[49] Este es el caso de Hernández Ortiz, cuyas observaciones no carecen sin embargo de sutileza: «... se puede llegar comprobando que las pasiones no son sólo vanidad y que todo se lo lleva el tiempo: a esta conclusión llega la heroína quien deja la farsa humana y se retira a la paz...» (en realidad, este retiro no es tan apacible como cree H. O., cfr. *infra,* «Vellida» y «Lípari»). H. O. prosigue: «También para el autor su vida pasada le lleva a la visión del alma que rechaza la percepción de los sentidos corporales, con lo que su obra queda, por un lado, como

Me parece que el error, en ambos casos, consiste en no tener en cuenta la relación jerárquica entre el propósito (burlesco) y su formulación, o mejor dicho sus formulaciones contradictorias (moral/vs./no moral; perfección/vs/no perfección, etc.) que son al mismo tiempo su materia y uno de sus medios. El desorden efectivo y multiforme —del que es *mamotreto* el signo más adecuado, pero que Delicado siembra también por los otros capítulos— queda superado por otra categoría que, integrándolo y trascendiéndolo, le confiere cierta coherencia, a saber, un propósito burlesco asolador (del que es medio a su vez la parodia) que se lo lleva todo más allá de lo verdadero y de lo falso, del bien y del mal.

Volvamos ahora a los semas actualizados en el *Retrato* por *retrato* y *retraer* para que quede manifiesto el juego del autor. De Lozana declara él: «que en otra parte más alta que una picota fuera mejor retraída que en la presente obra», frase en la que la comparación *(mejor... que)* relaciona la obra, lugar del retrato («imagen») con otro lugar o «parte» donde quedaría más perfecto el retrato; pero este último lugar es también objeto de una comparación («parte más alta que una picota») que lleva consigo la idea de castigo por significar la picota exposición pública a la vergüenza. Como Delicado establece una comparación sistemática entre Lozana y Celestina, lo mismo que entre el *Retrato* y la *Tragicomedia,* la picota mencionada en la novela tiene que concebirse por referencia a la tradición celestinesca. De la ilustre alcahueta decía Lucrecia:

---

retrato y, por otro, le ha servido de trayectoria para llegar a la lección final. Entonces las palabras *retratar* y *retraer* cobran un mismo significado; y así dice Delicado que los que se retraigan de caer en lo que el retrato ha mostrado, no serán retratados o no serán retraídos, en otras palabras, no necesitarán la lección de la realidad porque han encontrado ya el camino de la verdadera virtud» *(G. A. L. A.,* pág. 63). A pesar de algunos puntos de contacto entre la interpretación de H. O. y la mía, creo que también tienen sus diferencias; no estoy de acuerdo, por ejemplo, en decir que *«retratar* y *retraer* COBRAN un mismo significado»* porque pienso que Delicado se vale de la polisemia de *retraer* (dato de lengua que no creación discursiva como implica el verbo «cobrar»). No obstante, y aunque la interpretación de H. O. no evidencia el propósito cómico, tiene el interés de llamar la atención sobre la multivalencia semántica del *Retrato* y también de poner de realce la relación estructural entre la «trayectoria» de la protagonista, la del autor, y el supuesto mensaje moral.

¡Jesú! ¡Señora! más conoscida es esta vieja que la ruda. No sé cómo no tienes memoria de la que EMPICOTARON por hechicera, que vendía las mozas a los abades y descasaba mil casados [50].

Pero Lozana se merece más, y la picota no es una pena bastane fuerte (alta) para ella: es lo que también quiere decir Delicado, y lo expresa mediante el juego conceptista sobre *retraer*. En la cláusula «fuera (mejor) retraída», el verbo funciona con dos denotaciones (S_1 «imagen» y S_2 «reprobación») y una connotación (S_3 «retraimiento»).

Los semas S_1 y S_2 que pueden ser declarados, digamos sintéticamente, por *retraer*, aparecen disociados en cierta ocasión, de forma que quede bien patente la voluntad del autor, por un lado de bosquejar un retrato y por otro de condenar. Es lo que pasa cuando afirma «su intención de retraer reprehendiendo a la Lozana», frase en la cual la solución gramatical escogida, a pesar de analítica, confiere una gran unidad a ambos designios, siendo de hecho la «intención» —como lo demuestra el singular— única.

Las más veces sin embargo Delicado se limita al empleo del verbo *retraer* sólo para expresar los dos semas S_1 y S_2, como pasa en las frases:

«quise retraer munchas cosas retrayendo una»
«retraje lo que vi se debría retraer»
«por qué perdí el tiempo retrayendo a la Lozana y a sus secaces»

En el último ejemplo la connotación despectiva de *secaces* (i.e., «secuaces») que Delicado había subrayado ya anteriormente («retraer reprehendiendo a la Lozana y a sus secaces»), se proyecta por recurrencia sobre *retraer* para que se actualicen en él los semas S_1 «imagen» y S_2 de «reprobación».

En cuanto al sema S_3 «retiro, retraimiento», aparece normalmente expresado en el Siglo de Oro por *retraerse*, lo mismo en *La Lozana* que en otras obras. Su «tía» le dice a la joven protagonista, a propósito de Diomedes:

y si os tomare la mano, retraeos hacía atrás, porque, como dicen, amuestra a tu marido el copo, mas no del todo (mam. III).

---

[50] *La Celestina, op, cit.,* pág. 160.

Y el valijero del mamotreto XX, enumerando las diversas categorías de prostitutas en Roma, menciona:

... otras que se retraen a buen vivir en burdeles secretos y publiques honestos.

Es a todas luces el mismo sema S_3 que, bajo la misma forma *retraerse,* aparece en *Cómo se escusa el autor,* al referirse ésta a «todas aquellas personas que se retraerán de caer en semejantes cosas».

Sin embargo, en virtud de las particularidades morfosemánticas de la lengua del Renacimiento, la forma «ser + part. pas.» es la que detenta (en el plano verbal se entiende) la competencia más amplia, y Delicado la usa con una intuición de las más seguras[51]. Así, *ser retraído* (que en su propio campo puede corresponder a *retraer* o *retraerse)* aparece en oposición burlesca en la última frase de *Cómo se escusa el autor,* en la que se apoya Hernández Ortiz para evidenciar el mensaje moral del *Retrato*[52]. Se ve ahí que el verbo *retraerse* («que se retraerán de caer), inmediatamente relevado por el sustantivo retrato («libro» e «imagen»), viene a ser predicado de un sujeto («todas aquellas personas») que también lo es de «no serán retraídas» última ocurrencia del verbo en *Cómo se escusa el autor.* Claro que es posible no ver más que el sema S_3 de «retiro» en *retraerse* y el S_2 de «reprobación» en *ser retraídas* (y acaso S_1 de «imagen»), pero no me parece que el autor nos convide a una lectura tan insípida, porque la acumulación conceptista de las ocurrencias de *retrato* y *retraer* en el *Argumento* y en *Cómo se escusa el autor* invita a calar más hondo, tanto más cuanto que para expresar el vituperio o el retiro disponía Delicado de otros medios lingüísticos, de los que se vale además en otras ocasiones.. Si se admite simplemente que el sema S_3 «retiro» está presente en «ser retraídas», la grandilocuente lección mo-

[51] Buen ejempló es la frase del retrato-picota citada anteriormente; recordemos que en aquella época la construcción «ser + part. pas.» podía declarar la voz pasiva de todos los verbos (pasiva operativa o pasiva de estado) y también el aspecto trascendente de los verbos deponentes y pronominales, es decir, que un verbo como *caer(se)* por ejemplo se construía tambiénm con el auxiliar *ser* y no exclusivamente con *haber* como en el español actual: «caido so, muerto so» exclamó Calisto al expirar *(La Celestina).* Para más detalles gramaticales, ver M. Molho, *Sistemática del verbo español,* Madrid, Gredos, 1975.

[52] Ver *supra,* nota 49.

ral se halla minada por una magnífica perogrullada: «aquellas
personas que se retraerán... no serán retraídas», lo que, desde
luego, cae de su peso. Y este juego parece más en conformidad
con el genio del libro que vuelve a dar vida al lugar común por
la facecia y la malicia. Si la última frase «El ánima del hombre... Amén», no es una perorata vulgar, un emplasto retórico
apegotado al final del último capítulo antes del *Explicit*, se debe
por una parte a dicha perogrullada y por otra a un juego sobre
los términos *pares/dispares/desiguales* que, a través de Lozana (ya que a ella remite «semejantes personas»), evocan una
sin par que tiene pares[53]. Pero, para terminar con esta ocurrencia de «no serán retraídas», hay que precisar que la presencia del sema S_3 «retraimiento», que permite el efecto cómico,
no impide la de los otros, siendo posible entender normalmente: «aquellas personas» (sujeto gramatical) tampoco serán objeto de retrato («imagen») ni reprobación. Recapacitando, la última ocurrencia en cuestión de *retraer* consta del sema S_3 «retiro» (al asumir el significado del *retraerse* anterior), del sema
S_1 «imagen» (al recordar el término *retrato)* y del sema S_2 «reprobación» (como lo corrobora lo que sigue: «no serán retraídas y serán y seremos laude(a) aquel infinito Señor»).

Por lo que se refiere al sustantivo *retrato*, se puede decir que
tiene para Delicado la misma competencia semántica que el verbo al cual corresponde, cualquiera que sea la voz *(retraer, retraerse, ser retraído),* detentando así las mejores posibilidades
para un empleo polisémico. En función de la estructura circular evocada anteriormente, de la que hay otros indicios en la
novela, el título, donde *retrato* ocupa un lugar eminente, viene
a ser conjuntamente conclusión. Anunciando, en un primer
tiempo, el tema de la obra, acaba por resumirla para memori-
zación («traer a la memoria», «reducir a memoria») después de
una lectura según las indicaciones de Delicado: «Quien todo lo
leyere» al principio, y «lean el principio del retrato» al final.
Todo exige una lectura exhaustiva, por cierto, pero no solamente en el sentido sintagmático —lectura normal sobre la cual
no valdría la pena insistir— sino también paradigmática de los
significados de algunas palabras-claves sobre las que Delicado
llama la atención en su *Explicit*.

«Lean el principio» solicita además una lectura recurrente, y
con esa doble exigencia se define una lectura óptima, capaz de

---

[53] Volveré sobre este punto al estudiar por qué se llama Vellida al
fin de su vida.

revelar cuáles son las relaciones axiológicas (como dice P. Zumthor) entre las palabras-claves y la construcción de la novela. El *retrato* es, en primer lugar, la pintura o «imagen» de Lozana; después es su condenación («reprobación») por sus extravíos y, finalmente, es la *trayectoria* que sigue, cuyo punto final es el retiro o retraimiento a Lípari. Paralelamente, puesto que define un eje de la novela, ese reflujo de Lozana, su «retrato», es también el del autor que lo escribe y el del lector que lo lee: la lección moral (sin que se tenga en cuenta por ahora su dimensión burlesca) es invitación a apartarse de Lozana (no seguirla, no formar parte de sus «secuaces»). Así pues, el título *Retrato de la Lozana Andaluza,* una vez leída la novela, no significa sólo que la protagonista está en ella retratada y condenada, que se retira o se retrae, sino también, gracias a la anfibología de la preposición *de,* que hay que apartarse de ella, e incluso que hay que retraerse de ella, echándose atrás. ¿Por qué, en efecto, negarse a ver en una de las últimas justificaciones del autor «no siendo obra sino retrato» otra apicarada facecia? ¿No será sospechosa acaso esta precisión al comprobar que el mismo Delicado establece explícitamente una equivalencia entre *obra* y *retrato*[54].

Es evidentemente fácil reconocer en este caso el sistema de contradicciones anteriormente expuesto, pero ¿cómo dar cuenta de ésta? Más allá de la consecuencia absurda (una obra que no es obra) que también forma parte de la panoplia cómica del autor, quizá quepa pensar en otro juego con la polisemia —ampliamente explotada en contexto erótico— de *obra*, tanto más cuanto que Delicado se vale de ella en otros pasajes de *La Lozana*[55]. En estas condiciones, por el juego de la oposición *obra/retrato,* este último término parecería capaz de expresar una retirada muy específica, significando, en una última guiñada, la ruptura con las *compilaciones ayuntadas,* o sea, los *mamotretos* u *obras.*

El contenido erótico de *retrato* no puede, por otra parte, dejar lugar a duda si se admite la equivalencia de *retrato* y *re-*

[54] Véase *Argumento:* «Todos los artífices que en este mundo trabajan desean que sus *obras* sean más perfectas...» y «fuera mejor retraída que en la presente *obra*».
[55] Sobre el significado erótico de *obra*, ver *supra,* nota 29, la letrilla de Góngora, y también *P.E.S.O.*, *op. cit.*, 76, 33, pág. 132; 131, nota v. 6, pág. 260; y para su explotación en *La Lozana*, Criado de Val, *Antífrasis, op. cit.,* pág. 449, b.

traimiento ya que este último significa para Nebrija, como hemos visto, lo mismo que el latín *recessus* y que, en 1495, González de Palencia lo define explícitamente, entre otras acepciones, como interrupción por parte del hombre del acto carnal.

Después de lo dicho, sería fastidioso y ocioso, pasar lista de todas las ocurrencias del término *retrato* en los fragmentos citados, pudiendo cada cual examinar sus implicaciones en función del contexto. Por eso más vale ensayar una conclusión sobre esta polisemia y el uso que de ella se hace en *La Lozana*.

Son los azares de la evolución de la lengua los que, en resumen, han oscurecido para los siglos siguientes, las intenciones lúdicras del autor de *La Lozana*. Para servirlas, Delicado se halló en posesión de un sustantivo novísimo, *retrato*, que, antes de reducirse al campo que le conocemos hoy día, tuvo la capacidad de integrar toda la polisemia del verbo correspondiente *retraer*, en el momento en que precisamente dicha polisemia estaba en sus postrimerías.

Probablemente consciente además de habérselas con un neologismo, Delicado se esmeró en privilegiar, estilísticamente, el lazo que unía el sustantivo con un significante verbal ante el cual, como hemos visto, algunos contemporáneos suyos, como Valdés, tuvieron impresiones comparables. Parece que nos hallamos, por lo que se refiere a esos fenómenos lingüísticos naturales como son polisemia y homonimia, y más aún a las posibilidades que ofrecen, en presencia de un hecho de civilización; ciertos españoles del Renacimiento descubren, maravillados, esas posibilidades en su propia lengua, atribuyéndole unas virtudes que creen privativas de ella:

> digo que tenemos muy muchos vocablos equívocos, y más os digo que, aunque en otras lenguas sea defecto la equivocación de los vocablos, en la castellana es ornamento, porque con ellos se dicen muchas cosas ingeniosas, muy sutiles y galanas[56].

La supremacía de la lengua castellana no se afirma solamente en este campo, y Valdés no vacila en generalizar:

> Ni nos faltan vocablos con que sprimir los concetos de nuestros ánimos porque si algunas cosas no las podemos esplicar

---

[56] J. de Valdés, *Diálogo de la lengua, op. cit.*, pág. 126; lo que Valdés llama *equivocación* no es, como lo prueban los ejemplos que aduce, sino el uso equívoco de la polisemia o la homonimia de algunos

con una palabra, esplicámoslas con dos o tres como mejor podemos, ni tampoco hazemos fieros con nuestra lengua, aunque,
si quisiéssemos, podríamos sallir con ellos, porque me bastaría
el ánimo a daros dos vocablos castellanos, para las quales vosotros no tenéis correspondientes, por uno que me diéssedes tos-
cano, para el qual yo no os diesse otro castellano que le
respondiese.

Coriolano.—Essa bravería española no la aprendistes vos en
San Pablo.

Valdés.—Abasta que la aprendí de San Pedro y en Roma.
Pues más quiero dezir, porque veáis quién son los chacones,
que haré lo mesmo con la lengua latina[57].

Es evidente que sería preciso disociar la manifestación del or-
gullo personal de Valdés de la alabanza de la lengua castellana, que vienen aquí estrechamente ligadas, para apreciar mejor
hasta qué punto se trata de la superioridad intrínseca del español respecto de las demás lenguas, pero me parece indudable el sentimiento «imperialista» (como se ha dicho) relativo a
la lengua; y esa actitud no debía de ser ajena a Delicado puesto que añadió a continuación el título «en lengua española muy
claríssima», mención que Menéndez y Pelayo, llevado de su furor antilozanesco, no quiso entender en su plenitud al declarar:

> lejos de estar escrita en «lengua castellana muy claríssima», como
> lo anuncia el frontis, lo está en aquella lengua franca o jerigon-
> za italo-hispana usada en Roma por los españoles de baja es-
> tofa que llevaba mucho tiempo de residir allí, y que, sin haber
> aprendido verdaderamente la lengua ajena, enturbiaban con
> todo género de italianismos la propia[58].

Este juicio no tiene en cuenta más que una cara del significado de *claro* «no obscuro» —y, de hecho, no sería extraño

vocablos. Pero esa naciente conciencia lingüística no ha superado aún
la etapa de las contradicciones, y aunque Valdés encarece aquí la virtud de las polisemias, no deja de censurarlas en otros casos (véanse las
págs. 120-121 del mismo *Diálogo*).

[57] *Ibíd.*, pág. 141.

[58] *Orígenes, op. cit.*, pág. 67. Se podría creer, por otra parte, que
don Marcelino pensara que Delicado formaba parte de esos «españoles de baja estofa» que ya no sabía su lengua materna, pero si ésta fue
verdaderamente su opinión, no la comparto (véase *infra* la nota 120
de la presente Introducción).

que Delicado jugara con el equívoco— mientras que el adjetivo significa también «excelso, egregio, ínclito», como en «claros varones» o «claras mujeres», y es así como hay que entenderlo, de la misma manera que la otra afirmación de Delicado relativa a *La Lozana,* escrita «en la polida lengua de Andalucía». Además, si bien es cierto que los italianismos (como el recurso a otras lenguas) cumplen con la misión de autentificar el ambiente romano del *Retrato,* no todos se sentían como elementos turbios al tomar carta de vecindad en el caudal léxico del español, y Juan de Valdés justifica los emprésitos con su acostumbrada vehemencia:

> De manera que, pues yo no compongo vocablos nuevos, sino que me quiero aprovechar de los que hallo en las otras lenguas con las quales la mía tiene alguna semejanza, no sé por qué no os ha de contentar[59].

Así que el mencionado imperialismo no se caracteriza sólo por su influencia, sino que la «clarísima lengua» tampoco teme el roce con las extranjeras, de las que también se nutre, y el italianismo *retrato,* como tantos otros, viene a enriquecerla, pasando su significado por las fases que he intentado describir.

Adquisiciones léxicas y juegos de palabras son, en definitiva, cosas que apreciaban, o al menos no desdeñaban, no pocos españoles cultos del siglo XVI, y Delicado, por más que extremara la actitud, no deja de ser revelador del espíritu de una época. El origen italiano de *retrato* y la explotación de las diversas facetas de su significado no constituyen más que un ejemplo del fenómeno, pero un ejemplo altamente significativo.

Como ya lo di a entender anteriormente, es en el título, que remite a toda la obra (y en ausencia de contexto limitador), donde la palabra *retrato* cobra su plenitud máxima. La expresión *Retrato de la Lozana Andaluza* ofrece, pese a su concisión, una riqueza semántica digna de un «fermoso retraer» (sema de proverbio que Delicado conocía probablemente) recuperado de hecho en *retrato*[60] que, finalmente, comprendería:

---

[59] *Diálogo de la lengua, op. cit.,* pág. 140. De los ejemplos que aduce Valdés, los más son ahora perfectamente españoles: paradoja, idiota, ortografía, ambición, excepción, dócil, superstición, objeto, fantasía, facilitar, aspirar, etc.

[60] En la *Digresión* que no carece de sabor cómico, añadida en Venecia para justificar la publicación de esa obra «ilegítima», el autor con-

S_1: retrato/imagen de Lozana.

S_2: censura o reprobación de Lozana y secuaces.

S_3: retraimiento/retiro (Lozana en Lípari; el autor y los lectores advertidos por una *obra* que, de *obra* pasa a ser *retrato*.

S_4: máxima/proverbio (ejemplaridad bajo forma de moraleja concisa fácil de recordar).

Para comprender, con toda su matizada complejidad, en qué consiste dicha ejemplaridad, conviene ahora analizar el retrato/pintura de la heroína, y los medios que pone por obra. De inmediato, veamos por qué lo califica el autor de *natural*.

LO NATURAL DEL RETRATO

Las paradojas de Delicado, los significados multidimensionales de *mamotreto* y *retrato*, signos que ocupan en *La Lozana* un lugar privilegiado, infieren inevitablemente la noción de código[61]. Se trata evidentemente en este caso de un concepto operativo de la lingüística moderna, pero es posible afirmar, sin riesgo de equivocarse, que, si bien, con otro atuendo, el código figura en la construcción consciente del *Retrato:*

> no quiero que ninguno añada ni quite; que si miran en ello, lo que al principio falta se hallará al fin, de modo que por lo poco entiendan lo muncho más ser como deducción de canto llano *(Argumento)*.

La Academia define *deducción*, en música, como una «serie de notas que ascienden o descienden diatónicamente o de tono, en tonos sucesivos»; aquí, la progresión invita al lector a ir de «poco» a «mucho más», más allá de la comprensión obtenida tras una lectura corriente, única y sencilla, según parece indicar el significado «sacar consecuencias, inferir» del verbo *de-*

---

cluye: «Espero en el Señor eterno que será verdaderamente retrato para mis prójimos.» Es difícil entender esta última ocurrencia del término en toda la novela como *retrato/pintura* e incluso como *reprobación;* en cambio, aunque no sea totalmente de descartar el *retraimiento,* cabe perfectamente el propósito moralizador de una *sentencia* o *máxima.*

[61] Código significa aquí, como en «código de señales», pero en nivel lingüístico, sistema convencional de comunicación.

ducir[62]. Podría parecer abusivo explicar la expresión *deducción de canto llano* mediante el significado del verbo *deducir* si no se tuviera en cuenta el que dicha expresión se entendía sin dificultad algunas gracias a otra, *llevar el canto llano,* de la que Covarrubias declaraba:

> dezimos llevar el canto llano quando va muy sucinto, dando lugar a que otros discanten sobre lo que ha dicho *(Tesoro,* 774,a,57)

¿Será esta una de las claves del código? A decir verdad, Delicado sugiere una cuando escribe en el prólogo «vi que mi intención fue mezclar natura con bemol». Desgraciadamente, la crítica, tomando lo accesorio por lo esencial, o más exactamente ciertos aspectos de la formulación por el propósito fundamental, iba a cometer, fundándose en algunas declaraciones del autor interpretadas con demasiada prisa, un error capital sobre esa *natura,* o del *natural* vinculado a ella, y el *Retrato* pasó así a aumentar el número de las obras realistas.

Esta interpretación tiene su historia de la que es fuerza indicar los grandes rasgos. Pues si bien Francisco Delicado insiste varias veces sobre el «natural» del retrato que nos ofrece , es imposible determinar de antemano, a mi modo de ver, la naturaleza y la función de la realidad en *La Lozana,* pero sí hay que preguntarse lo que significan *natura* y *natural* en la novela.

Habiendo reunido cierto número de presunciones que tendían a mostrar que la Garza Montesina, cortesana de alto vue-

---

[62] Nos hallamos entonces en una situación artificial o artísticamente creada que contraría el juego lingüístico «normal» que B. Pottier describe así: «Es en el nivel semántico donde la sucesividad de los signos es de mayores consecuencias. El discurso se desarrolla normalmente con cierta continuidad temática (isotopía), y si no [y este «si no» añado yo, introduce el caso de los textos tipo *Lozana]* es que se hacen juegos de palabras, tenemos salidas de pie de banco o se dicen patochadas o una cosa por otra, creándose posibles quid pro quo. Es difícil saber qué es *comprender* un texto. Se sabe sin embargo que la *comprensión no es lineal.* El discurso enunciado se transforma en conceptos constantemente renovados por la aportación conceptual de su propia continuación. El *olvido* de una parte cuantitativamente sensible del texto leído u oído es la condición misma de la retención memorial. Lo semántico va convirtiéndose sin cesar en lo conceptual» *(Linguistique Générale. Théorie et description,* París, Klincksieck, 1974, pág. 36). En el *Retrato,* estamos frente a una petición expresa de *retener, inferir, atar cabos, leer el principio en función del fin* (recurrencia), etc.

lo y personaje de *La Lozana*, había vivido realmente en la
Roma de Delicado, Alfonso Reyes se preguntaba si el *Retrato*
no era de «absoluto realismo»[63]. Para Wardropper, la respuesta no daba lugar a dudas ya que sola la voluntad de permanecer fiel a la realidad podía rendir cuenta de la estructura peculiar de la obra: si se quiere pintar del natural a un personaje
tan bullicioso y exuberante como Lozana, es, en efecto, impensable pedirle que se esté quieta e imposible seguirla por todas
partes. De ahí las interrupciones entre los diversos momentos
del relato. Pero esas rupturas, con las incoherencias superficiales que engendran, contribuyen también a la verdad del retrato
puesto que las entraña la naturaleza del modelo. Wardropper
pensaba así, sin duda, hacer tabla rasa de la condena ferozmente formulada por Menéndez y Pelayo, para quien el *Retrato* era un libro «en que la realidad se exhibe sin género de selección artística y hasta sin plan de composición ni enlace orgánico»[64]. Cabe añadir que, para Wardropper, Lozana era una
mujer a quien el autor había podido observar, «una mujer conocida de él», dice, para restituirnos fielmente su imagen:

> Delicado se encuentra ante el mismo dilema que el pintor: retratar fielmente o adular al sujeto; y decide ser artista verídico,
> dejar que la verdad sea su principio guiador. «Solamente diré
> lo que oí y vi», declara, «retraje lo que vi que se debería
> retraer»[65].

Como se ve, realismo significa aquí por un lado fidelidad a
la historia, y por otro, no idealización de la realidad. Sin embargo, el crítico descubre en la novela de Delicado una transposición de plano cuya clave se halla en el prólogo:

> La naturaleza está presente en el libro, pero la naturaleza tal
> como se encuentra en una ciudad. Roma ha transpuesto la vida

---

[63] *La Garza Montesina (Retrato imaginario),* en *Capítulos de literatura española,* 1.ª y 2.ª series, México, Fondo de Cultura Económica, 1957, (artículo de 1917).

[64] *Orígenes de la novela,* IV, *op. cit.,* pág. 54. A don Marcelino, ofendido por la aparente incoherencia de los diálogos y de la composición así como por el contenido escabroso del libro, le dejó perplejo la lección moral; a propósito de la frase «vae tibi civitas meretrix» no pudo menos de concluir: «con esta inesperada lección acaba un libro de tan frívolas apariencias y vergonzoso contenido» *(ibíd.,* pág. 53).

[65] B. W. Wardropper, *La novela como retrato,* art. cit., pág. 476.

natural a una clave distinta, y ésta es la clave que emplea Delicado cuando se decide a «mezclar natura con bemol»[66].

De forma que, según esta teoría, el *Retrato*, confiriéndole su precio al éxito de la empresa, tiene valor de testimonio sobre una realidad urbana que se revela, mediante una transposición de plano, a través de un personaje real.

Más matizada y todo, la opinión de J. A. Hernández Ortiz, de que el retrato encubre una intención didáctica, no deja por eso de afirmar el realismo de la obra, ya que la enseñanza nos la brinda la misma vida:

> *La Lozana Andaluza* es un retrato, obedece a la idea de una copia de la realidad, la didáctica en ella proviene de la vida, se acerca más a la idea de historia[67].

Apoyándose en ejemplos, precisa:

> Delicado saca sus escenas de la misma vida y por eso insiste en la cualidad de lo natural y en el usò de la palabra natural como vemos en los siguientes ejemplos: «Y porque este retrato es tan natural», «la historia o retrato sacado del jure cevil natural de la señora Lozana»[68].

Hernández Ortiz establece sin embargo una diferencia entre Lozana y los demás personajes:

> Los personajes de Delicado representan algo genérico, no individual, es decir, aspectos univesales de la naturaleza humana cuya suma da la imagen de la Roma real y de la Roma alegórica (moral), y esta última vino a ser el ejemplo vivo de la corrupción, en oposición a Lozana quien trasciende del tipo a la

---

[66] *Ibíd.,* pág. 477. Wardropper indica en su nota 7 cómo entiende *mezclar natura con bemol:* «La frase se entiende por el contexto: Y así vi que mi intención fue mezclar natura com bemol, pues los santos hombres por más saber, y otras veces por desenojarse, leían libros fabulosos y cogían entre las flores las mejores», y añade: Rafael A. Suárez, *Metáforas musicales en el idioma castellano,* estudia la palabra *bemol* sólo con el sentido de *dificultad.*

[67] J. A. Hernández Ortíz, *G.A.L.A., op. cit.,* pág. 133. Recordemos que el subtítulo del estudio es: *El realismo de Francisco Delicado.*

[68] *Ibíd,* pág. 63.

persona y que se salva por seguir los dictados de su naturaleza y no los de la sociedad[69].

Lozana sería entónces una persona en el pleno sentido de la palabra y, porque con sus cualidades y sus defectos, se asumiría como tal, serviría de revelador de las contradicciones y de las alienaciones de una sociedad marcada negativamente por la aparición del capitalismo[70]. Aunque más sociológica, esta postura coincide, con la excepción de algunas conclusiones, con la de Wardropper en varios aspectos, especialmente al dar cré-

---

[69] *Ibíd*, pág. 103.

[70] Un ejemplo sería que Lozana prefiere que no la paguen con dinero sino con regalos (prendas para vestir, comida, carbón, etc.): «Su conducta, contraria al dinero, concuerda con una ideología no capitalista que miraba las monedas como un mal social (...) La no aceptación del dinero como mediación permite el contacto personal (...) Como anticipándose a las leyes económicas de la oferta y la demanda, la Lozana... obtiene la mayor ganancia posible de cada persona (...) Es decir, que Lozana, siguiendo un método tradicional y doméstico, al estilo de los tiempos pasados en Andalucía, consigue resultados de economía capitalista de la época y, al mismo tiempo, mantiene el prestigio de gran señora actuando, no como trabajadora por el lucro económico sino como proveedora, a lo grande, de sus necesidades humanas» *(Ibíd., págs. 75-77)*. Por más simpática que le resulte al lector moderno esta visión socializante de la heroína, fuerza es reconocer que, si el autor del estudio no se dejó llevar de un prurito teorizador, su perspicacia ha sido sorprendida. En efecto, el lector del *Retrato* queda anegado bajo un diluvio de moneda, y la misma Lozana es la que habla, no cesa de hablar, del dinero que gana o ha ganado o espera ganarse. Tres ejemplos, entre los muchos que sería fácil aducir, bastarán para mostrar que Lozana no tiene una conducta contraria al dinero: «y como les sea poquedad sacar un bayoque, sacarán un julio y un carlín, y por ruin se tiene quien saca un groso» (mam. XLI), y tres mamotretos más lejos, dirigiéndose a Silvano: «No como cuando yo me recuerdo, que venía yo cada sábado con una docena de ducados ganados en menos tiempo que no ha que venistes, y agora cuando traigo doce julios es muncho (...) y agora este Sábado Santo con negros ocho ducadillos me encerré» (XLIV); Lozana incluso sabe que cualquier ganancia, por mínima que sea, no es para despreciarse: «Veis, viene madona Pelegrina, la simple, a se afeitar; aunque es boba siempre me da un julio, y otro que le venderé de solimán serán dos» (LXIII). Entonces, si bien es cierto que en ocasiones Lozana no vacila en decir «omnia per pecunia falsa sunt» (LXV), es imposible pretender que es hostil a la retribución en metálico. Lo que pasa es solamente que habla y actúa como Celestina, quien sabía adaptar los refranes y adagios, truncándolos caso necesario, a las exigencias de la situación.

dito a varias aserciones de Delicado de las que se ha dicho ya lo sospechosas que eran.

El sentido de *mezclar natura con bemol* no se desprende inmediatamente, por más que se diga, del contexto, ni por consiguiente de la nota de Wardropper. Es más, la justificación (que cita) de Delicado va en una dirección diametralmente opuesta a sus conclusiones:

> Y así vi que mi intención fue mezclar natura con bemol, pues los sanctos hombres, por más saber, y otras veces por desenojarse, leían libros fabulosos y cogían entre las flores las mejores.

Hernández Ortiz ha puesto de manifiesto en esta frase una influencia directa de López de Cortegana, quien escribió: «pues que los sanctos doctores por más saber, y otras veces por desenojarse, leían libros de gentiles y los tenían por familiares[71]. Este cotejo suscita varias reflexiones. López de Cortegana no intentaba justificar una «intención de mezclar natura con bemol» sino su traducción de Apuleyo, de ahí que Delicado tuviera que adaptar el pasaje en que se inspiró a sus fines propios. Después de notar de paso que la definición del *mamotreto* como «copilaciones ayuntadas» encierra, por lo que a compilar se refiere, una parte de verdad, veamos qué clase de libertades se toma Delicado con sus fuentes y si los cambios son significativos; no parece a priori necesario cambiar *doctores* por *hombres,* lo mismo que no había razón imperiosamente lógica para que *cogían entre las flores las mejores* sustituyera a *los tenían por familiares,* tratándose a primera vista de una simple diferencia estilística. En cambio le era difícil a Delicado quedarse con los *libros de gentiles* puesto que hubiera sido afirmar el propio paganismo, pero hay tantos adjetivos en español que no se entendería por qué los libros pasan a ser *fabulosos* (y fabuloso por consiguiente el *Retrato* a pesar de la insistencia del autor en subrayar lo natural del mismo en otros pasajes) si no se introdujera así una disonancia más para alertar a lectores y oyentes, pues es difícil admitir que *fabuloso* califique una intención de pintura realista[72]. Para Damiani, *mezclar na-*

---

[71] *G.A.L.A., op. cit.,* pág. 46.
[72] *Fabuloso:* «Lo que no contiene verdad, ni el que lo dice o escrive es con intento de persuadirlo a nadie, porque entonces no sería fabulador, sino engañador y mentiroso hablando en rigor» (Covarrubias, *Tesoro,* 580, a, 61).

tura con bemol «alude a la aspiración renacentista de presentar en la obra literaria verdad y entretenimiento»[73], pero tampoco él tiene en cuenta la consecuencia sacada por Delicado. Menciona, como Wardropper, y con idénticas palabras, el significado «dificultad» que Rafael A. Suárez atribuye a *bemol*, pero sin concederle importancia ni valor explicativo para el caso. Yo creo sin embargo que «dificultad» sería una explicación más satisfactoria por tener todo código... sus bemoles; pero no basta para rendir cuenta de la expresión. *Mezclar natura con bemol* (clave, pues, que corrobora así *deducción de canto llano)* aporta más precisiones en cuanto se considera que el *Retrato* es un tratado *de reprobatione amoris* cuyo registro, en conformidad con lo que indica la bemolización, se desplaza hacia abajo.

Aunque *natura* designa, en música, «la escala natural del modo mayor», no ha perdido el término al pasar del latín al español su significado sexual, y Delicado, como otros muchos autores de su siglo, no se privó de jugar con la polisemia del vocablo. Es cierto que varias veces, en el *Retrato, natura* aparece con un solo sentido:

> ... se le derramó la primera sangre que del natural tenía (mamotreto I).
> ... sé medicar la natura de la mujer (XLII).
> ... y él era hombre y mujer, que tenía dos naturas, la de hombre (...) y la de mujer (XXXIX).

Pero, en la *Carta de Excomunión,* surge la ambigüedad:

> Y lo demás y su natura
> (por más honesto hablar)
> se torne de tal figura
> que d'llo no pueda gozar (versos 113-116)

Y el juego puede presentarse más elaborado aún, corriendo incluso de un mamotreto a otro; así es como el axioma filosófico de que la naturaleza tiene horror al vacío es objeto de la paráfrasis siguiente (dramatizada):

> LOZANA: ...y el *coño* de la mujer, el cual no debe estar vacuo según la filosofía *natural...* (LXI).

---

[73] *R. 75,* pág. 71, nota 11.

MÉDICO: ... Mas si la señora Lozana quiere, ya me puede dar una espetativa en forma común para cuando Rampín se parta, que entre yo en su lugar, porque, *como ella dice,* no esté lugar vacío, la cual *razón* conviene con todos los filósofos que quieren que no haya lugar vacuo (LXII; el subrayado es mío).

De hecho, si es relativamente fácil aislar el significado sexual en ciertas ocurrencias inequívocas, lo es mucho menos, en *La Lozana,* aislar los otros: por más vueltas que se les dé, salvo omisión de mi parte, siempre llevan, al menos como connotación o por contaminación, una referencia a las partes genitales, y este es el caso en *mezclar natura con bemol* como en el *retrato sacado del jure cevil natural.* Pero es más, en el primer caso, porque el juego sobre la polisemia de *natura* (música/sexo) induce a otro, por metáfora nocional, sobre *bemol,* evidentemente de igual orientación. Este apicarado juego no es privativo de Delicado; en cierto poema, quejándose de la falta de ardor de su amigo, exclama una mujer:

> si la clave es de natura
> ¿pra qué tanto bemol?[74]

Con esta blandura, inspirada quizás en la mollicie etimológica del bemol, penetramos en un segundo nivel de *mezclar natura con bemol,* «refrenar las pasiones amorosas», bien acorde con la declarada intención moralizadora del *Retrato.* Si la *natura* es de hombre, y a sabiendas de que el mal francés, tema capital de la novela, no es ajeno a la baja de tonalidad significada por el bemol, estaríamos en la novela frente a una intensión tanto como a una *intención*[75]. Tampoco es inconce-

---

[74] *P.E.S.O., op. cit.,* pág. 162 y nota 25, pág. 163. Con éste y otros ejemplos, puédese afirmar, en oposición a lo que sentenció Menéndez y Pelayo, que *La Lozana* no es «una producción aislada», si nos atenemos a lo temático. Por otra parte, para apoyar su interpretación del bemol en la obra de Delicado («suavizar, artísticamente, el cuadro de la Naturaleza»), Damiani, en *R. 75* (pág. 15, nota 24), cita *La Pícara Justina:* «Nació el sol sin bemol / con cuernos de caracol» (Madrid, Ed. Puyol y Alonso, 1912, II, 291); pero, por lo visto, no le pareció muy malicioso ese sol naciente, a pesar de que naciera más que de pie, levantado (cfr. el poema *Dormidito estás caracol / saca tus cuernos al rayo del Sol,* en *P.E.S.O., op. cit.,* *88,* págs. 161 y ss.).

[75] *Intensión* pudo tener en español clásico un sentido opuesto al que le conocemos ahora, pudiendo significar *no tensión* (véase Baltasar

bible un tercer nivel en la expresión; por metáfora formal, el signo musical podría representar los atributos viriles *(virilia)*, refiriéndose en este caso *natura* a la mujer *(muliebria)*. Sabido es que con su sentido de «dificultad», *bemol* aparece, la verdad que en plural, en una suerte de paradigma semántico del que varios elementos significan «testículos»[76]. Sin embargo, la existencia de este paradigma no está documentada a principios del siglo XVI, y, viniendo en singular la forma de *La Lozana,* el significado erótico segundo, después de «mollis», sería *virilia* más bien que *testes.* Sin embargo, me inclino a creer que existe, pues *bemol* aparece, en otra página de la novela, netamente ligado a las actividades de medianera de la protagonista. En el mamotreto LVII, un personaje llamado Ovidio, y otro simplemente denominado Galán, al pretender granjearse los favores de la cortesana conocida como Jerezana, tratan de prescindir de los servicios de la alcahueta; pero se entera la omnisciente Lozana, y cuando ellos después de su fracaso vienen a visitarla, les declara la andaluza:

> ¿Qué cosa es ésta? ¿Quién os dijo que yo había de ir a casa de la señora Jerezana? Ya sé que les distes anoche música de falutas de aciprés porque huelan, y no sea menester que intervenga yo a poner bemol. Hacé cuanto quisiéredes, que a las manos me vernés.

Los detalles de esta frase, globalmente clara, carecen de evidencia, ya se trate de las «flautas de ciprés» o de «poner bemol». Normalmente el ciprés no es árbol de hacer flautas y, de dar crédito a Covarrubias, la flauta no parece adecuada para deslumbrar a una hermosa que se precie de su estado:

> La música de flauta no es ejercicio ni entretenimiento de hombre noble, por cuanto priva de poder hablar *(Tesoro,* 600,a, 4).

Gracián, *El Criticón,* Filadelfia, 1938-40, ed. M. Romera-Navarro, II, 158) ; además, la fonética del siglo XVI, con su oposición muy tenue de la africada y la fricativa, favorecía el erudito juego sobre las palabras *intención* e *intensión.* Por otra parte, la sífilis se llama a veces en el Siglo de Oro *tenquedo,* lo que revela bastante bien los efectos de la enfermedad.

[76] Véase C. J. Cela, *Diccionario secreto,* s. v., *cojón,* donde Camilo José establece una sinonimia entre *tener cojones una cosa* y *tener bemoles una cosa* en el sentido de «ser difícil».

Además, el grabado que ilustra el pasaje representa a los galanes tocando vihuela[77]. Si se añade que «flauta» podía ser metáfora de «pene» lo mismo en el Siglo de Oro que hoy día[78], esas flautas no pueden dejar de parecer sospechosas.

Por su parte, el ciprés tiene características conocidas:

> «nunca la [hoja] pierde... y es de olor fuerte» (Covarrubias, *Tesoro*, 422,a, 30).

lo que basta para explicar la presencia del verbo oler en «porque huelan». Este árbol, según Covarrubias siempre, informa un simbolismo tupido, fundado en sus características y el uso que de él se hace. El tercer símbolo del ciprés «parece condenar la curiosidad impertinente de hombres cerimoniosos y circunspectos en cosas que no son de consideración, de provecho, ni de fruto (...) Y tales son también los *elegantes* en palabras, y tan sólo deleitan, *sin hacer fruto en los oyentes... (Tesoro*, 423,a, 5; subrayado mío)». Aplicado a la situación de los enamorados del *Retrato,* el símbolo, manejado por Lozana, podría significar: «vuestro instrumento *(flauta)* es oloroso, duro quizás *(de ciprés),* pero su producción *(música)* será nula (símbolo del ciprés: *sin fruto)*». La segunda finalidad de la serenata, según Lozana, es que no «intervenga [ella] a poner bemol». Aunque, en esta metáfora continuada, *bemol* puede muy bien significar «dulzura», esto no obsta para que esa dulzura nazca precisamente de la actividad de Lozana, consistiendo justamente dicha actividad en concertar la unión *(dulce* unión si se quiere) de la dama y del galán: este sentido es el que me parece, en el contexto, de más coherencia para «poner bemol». Parece confirmarlo la frase que sigue «Hacé cuanto quisiéredes que a las manos me vernés», sobreentendiéndose «si queréis éxito». Subyace verosímilmente a todo el pasaje la expresión proverbial «Quien las sabe las tañe», que se halla también en *La Celestina,* y el arte de Lozana consigue inmediatamente el fin de-

---

[77] No es tomar a la ligera, creo yo, esta prueba iconográfica. Las ilustraciones de la edición de Venecia de 1528 tienen una pertinencia al texto muy digna de tenerse en cuenta, siendo algunas absolutamente necesarias para su comprensión, como la del *memento mori,* o el *nudo de Salomón* del mamotreto LXVI. Volveré al tema más adelante, pero por ahora quiero indicar la función de embrague que me parece cumplir la disonancia entre la flauta del texto y la vihuela del dibujo.

[78] Véase *P.E.S.O., op. cit., 138, 11,* pág. 283.

seado ya que, gracias a la tercera a quien recompensan, los galanes van a poder entrar en casa de la Jerezana.

Proyectada por recurrencia sobre mezclar *natura* con *bemol*, el *poner bemol* (que consisten en reunir sexos) nos hace concebir para la «intención» de Delicado un significado de los más pertinentes para su *Retrato* articulado en *mamotretos.* Y la otra modificación que Delicado hace sufrir a la frase de López de Cortegana va probablemente en el mismo sentido: «cogían entre las flores las mejores». Cabe pensar que no es ésta una actividad tan inocente como parece a primera vista, al entender *flores* en el campo de la excelencia literaria o filosófica. Lógicamente relacionadas a mezclar *natura* con *bemol* por *pues,* es fácil interpretar esta(s) *flor (es)* desde otra perspectiva, la que por ejemplo ofrece una letrilla atribuida a Góngora:

> Que esté el padre confiado
> en que su hija es doncella,
> porque siempre ha visto en ella
> un término muy honrado,
> pero que viva engañado
> porque hubo quien a pie enjuto
> *cogió flor* y dejó fruto
> trocando tanto por tanto
> no me espanto[79].

Este *Collige rosas* a la española es un tema trillado (con variantes sobre el sentido de *flor*) de la poesía erótica:

> Espero contentar a las discretas;
> y si alguna huyere de mis flores,
> será de las mohínas indiscretas.
> Si no, muéstrenos otras mejores,
> o, a lo menos, confiese si en la cama
> contenta quedaría con peores[80].

La misma Lozana, cómplice habitual de Delicado e ilustradora de su mensaje y explicaciones, dirigiéndose en cierta oca-

[79] *Góngora, Letrillas,* ed. Jammes, *op. cit.,* pág. 477.
[80] *Jardín de Venus,* con otro (y parecido) título, *Jardín de flores,* en *P.E.S.O., op. cit., 1,* 19-24, pág. 3. En cuanto a la necesaria selección de flores aludida por Delicado, existen otras expresiones de ella: «Allá

sión a su amante Rampín, exclama chistosamente: «¿Qué aduanaré? Vos me habéis llevado la flor» (XV). Antes de concluir sobre la intención de Delicado de mezclar *natura* con *bemol,* advirtamos que la parte intacta de la frase de López de Cortegana («por más saber... y desenojarse») no lo es sino aparentemente pues el verbo *saber* entra ahora a formar parte de otro registro, en el que cabe *desenojarse,* que se define con la mayor claridad en el mamotreto IV, cuando el autor escribe: «Juntos a Cáliz, y *sabido* por Diomedes *a qué sabía* su señora, si era concho o veramente asado...» Podría sorprender aún, sin embargo, el que los *sanctos doctores* de López de Cortegana viniesen a ser *santos hombres* en la novela de Delicado; pero si se advierte que el autor está hablando de sí mismo *(«mi intención»)* confesando en otro lugar ser «iñorante y no bachiller»[81], no hay por qué admirarse de que la palabra *hombre,* con todas sus implicaciones, convenga mejor que *doctores.* Y *santos*, que se mantiene, ¿será acaso un sacrilegio? Recuerdo tan sólo que, según el autor, no hay NADA en TODO el *Retrato* «que hable de religiosos, ni de santidad» *(Explicit).* Entonces, ¿por qué más en el prólogo que en otra parte? Con esta última malicia, resulta contaminada toda la frase, de tal forma que sostener la tesis del realismo de la obra apoyándose en ella es punto menos que... irrealista: con su contradicción interna *natura/libros fabulosos,* y ese *bemol* que abre camino a otro nivel de lectura, dicha frase no adquiere coherencia plena —creo yo— sino en un registro cómico y erótico (o mejor: erocómico) que, en el *Retrato* es el menos cuestionable.

Lo «natural» del retrato se demuestra, en el *Argumento*, mediante una comparación con el arte del pintor, y los partidarios del realismo de *La Lozana* se han valido también de este paralelismo entre pintura y literatura; pero eso era no ver el truculento cazurrismo que remata un capítulo sumamente bufón, inaugurado por una frase cuya seriedad no hace sino realzar, con el desfase así creado, las bromas que vienen a continuación. Desde la segunda frase ya la lógica queda hecha trizas:

---

dama, esa flor podéis vendella / entre cobarde y temerosa gente, / que un buen carajo no recibe engaño» *(Ibíd., 119* pág., 236).

[81] *Cómo se escusa el autor.* Fijarse en la nueva contradicción entre «coger entre las flores las mejores» (nivel literario) y esta declaración de ignorancia que viene a contestar una hipotética pregunta: «Si me dicen por qué no fui más elegante...»: ¿no es ésta una invitación a interpretar *flores* en otro registro que el literario?

aquí no compuse modo de hermoso decir, ni saqué de otros libros, ni hurté elocuencia, porque «para decir la verdad poca elocuencia basta», como dice Séneca.

La gravedad del tono no puede (y además no quiere) disimular una mentira desvergonzada («ni saqué de otros libros»), en contradicción patente con la definición del mamotreto como compilación. Y ¿cómo comentar el recurso a la autoridad de Séneca para rechazar la elocuencia? Pero éste no es más que el preludio del *opus* colocado así bajo la luz de la comicidad; viene luego la comparación con el pintor destinada a demostrar la preeminencia del retrato, o más bien del *retrato-retraer* con las características conceptistas que se expusieron antes. Presento ahora algunas frases de las que comento en nota[82] las palabras subrayadas:

a) Todos los *artífices* que en este mundo *trabajan* desean que sus obras sean más perfectas que ningunas otras jamás fuesen.

----

[82] Estas citas, a las que doy los indicios *a)*, *b)*, *c)* y *d)* se hallan todas en el *Argumento*. Para evitar una prolijidad excesiva me limito a subrayar las palabras-claves del cazurrismo (u obscenidad velada) que, sin menoscabo de otras lecturas, me propongo leer a la luz de las indicaciones que siguen, expuestas con la mayor brevedad posible:
a) —*obra* (carnal). Véase *supra,* nota 55.
  —*trabajar:* «mostrar ardor en el asalto amoroso»: cfr. «A mi lado se me asienta / y saca su herramienta / la cual es / dos piezas, y uno son tres / de fino acero. / Mi marido es cucharetero, / dióméle Dios y así me le quiero. / / Aquí *trabaja* y porfía, / más de noche que de día / ...» (*P. E. S. O., op. cit.,* pág. 129). O aún más explícito: «Echado entre las piernas de su moza, / Lagunas. que del Nuncio fue lacayo, / mozo rollizo, robustazo y bayo hecho ya a *trabajar* en toda broza, / / tentando el vado y la espaciosa poza / donde cifró el Amor su abril y mayo / ...» (*Ibíd. 107,* pág. 218). Se ve pues que el eufemismo era corriente, y Lozana lo emplea también (véase *in situ* «mas yo lo trabajaré» (XXXVI).
  —*artífices:* contaminación regresiva de *obra* y *trabajar.*
b) —*pintor:* ver adelante *pincel* (en c).
  —*retrato (hacer un):* «echarse atrás».
  —*lo* (en *sacallo, sacarlo*): sobre *lo* «partes sexuales» y aquí por el contexto «pene», remito a Criado de Val (*Antífrasis..., op. cit.)* que le dedica especial atención.

b) Y véese mejor esto en los *pintores* que no en otros artífices, porque cuando *hacen un retrato* procuran sacallo del *natural* y a esto *se esfuerzan.*

c) Y cada uno dice su parecer, mas ninguno toma el *pincel* y emienda, salvo el *pintor* que oye y vee la *razón* de cada uno; y así emienda.

d) Lo que munchos artífices no pueden hacer, porque después de haber cortado la *materia* y dádole *forma,* no pueden sin *pérdida* emendar[83].

Evidentemente, el autor se había implicado antes en este *retrato,* aunque quisiese conservar el anonimato, huyendo de la gloria:

ni quise nombre, salvo que quiso *retraer* muchas cosas *retrayendo* una, y *retraje lo que vi que se debría retraer,* y por esta comparación que se sigue, verán que tengo razón[84].

—*natural:* «partes sexuales», aquí de la mujer; a pesar de la presencia en esta frase de los verbos *procurar* y *esforzarse* (que recalca *trabajar)* es de suponer que tal marcha atrás no es de las más difíciles. Repárese además en la cuasi perogrullada. Esta lectura proyecta una luz turbia sobre la súplica contenida en el prólogo, haciendo resaltar su impertinencia: «Y pues todo retrato tiene necesidad de barniz, suplico a vuestra señoría se lo mande dar, favoreciendo mi voluntad.» Ya se ha glosado aquí *voluntad* como «amor» o «pasión», pero se puede recordar también una frase de *Cómo se escusa el autor:* «serán pares al espíritu y no a la *voluntad* ni a los vicios corporales». La connotación del *barniz* puede de prescindir del comentario.

c) —*pincel,* etim. «pene», sin menoscabo de la metáfora formal.
—*pintor:* se entiende mejor por qué goza de un lugar privilegiado entre los artífices.
—*razón:* véase *supra* nota 33, y adviértase la malicia del verbo *veer* si se acepta *stricto sensu.*

d) —*materia y forma:* véase mam. LXIV, nota 11, y cfr. mamotreto XXXVIII, nota 9.
—*pérdida:* cfr. «Una regla se te acuerde / nunca hacértelo arrimada, / porque sin *lo que se pierde,* / te hallarás dello cansada, / la espuma vaciada / al tiempo de remeter, / alzando las piernas arriba, / y con el culo cerner» *(P. E. S. O.,* 99, pág. 203).

[83] Cualquiera que sea el arte de que se trate, se advertirá que la afirmación es gratuita, y sofisticada si se toma en serio.

[84] *Argumento.* Lo mismo se diga de *una* (que remite a *cosa)* como de *lo (supra,* n. 82, b); para *razón,* ver 82, c y para las ocurrencias subrayadas de *retraer,* cfr. *hacer un retrato,* nota 82, b.

El «deber retraerse» de esta frase, con sus visos de apremio, ¿no expresaría acaso la obligación a retirarse que impone el mal de Nápoles?

Delicado bien puede afirmar entonces que su «retrato es tan natural», o hablar de la «historia sacada del jure cevil natural de la señora Lozana»: no va a resultar fácil olvidarse de que ese *natural* tiene siempre que ver con Venus. Y no se cuente con el *jure cevil* para cambiar de rumbo; en efecto, el autor se esmera en contaminarlo, desacreditando la actividad jurídica que lleva consigo, así como a los hombres que tienen a cargo dicha actividad. *Jure* es un latinismo que le permite al autor, gracias al significante único, fingir una confusión de tres significados, a saber «derecho», «estado civil» y «renta». El adejtivo *cevil* («civil») le sirve para su doble intención:

> Usamos también civil en contraria significación que lo usa el latín, diciendo en un refrán: *caséme con la civil por el florín,* adonde está por vil y baja[85].

El juicio que merecen los registros del *jure cevil,* claramente peyorativo, no es sin embargo de una claridad meridiana ni inmediata; así concluye el mamotreto XXIV:

> AUTOR: Pensá que llorarán los barbudos y mendicarán los ricos, y padecerán los susurrones, y quemarán los públicos y aprobados o canonizados ladrones.
> COMPAÑERO: ¿Cuáles son?
> AUTOR: Los registros del jure cevil[86].

Y, ¿por qué ladrones? Porque, en este *Retrato* que ofrece una sátira más amplia del mundo de los leguleyos, los «registros ladrones» guardan relación con las «aves de rapiña» a quienes Lozana menciona en la siguiente diatriba:

> Estos dos que vienen aquí, si estuviesen en sus tierras serían alcaldes, y aquí son mandatarios, solicitadores qu' emplazan, y si fuesen sus hermanas casadas con quien hiciese aquel oficio,

---

85 J. de Valdés, *Diálogo de la lengua,* Clásicos Castellanos, número 86, pág. 189.

86 Mamotreto XXIV. *«Canonizados* ladrones» aquí, *«santos* hombres» en el prólogo, bien se echa de ver que el lenguaje de la religión no constituye ningún tabú.

dirían que más las querrían ver putas que no de aquella manera casadas, porque ellos fueron letrados o bueitres de rapiña.
Todo su saber no vale nada, a lo que yo veo, que más ganan
ellos con aquellas varillas negras que con cuanto estudiaron en
jure. Pues yo no estudié, y sé mejor el jure cevil que yo traigo
en este mi canastillo que no ellos en cuantos capítulos tiene
el cevil y el criminal; como dijo Apuleyo: «bestias letrados» (LX).

Lozana se estima superior a los juristas por una cuestión de
rentabilidad[87], y declara preferible el *jure cevil* que lleva en su
cesta. Entonces, su *jure cevil* es su panoplia profesional y,
en ocasiones, su propia persona (cfr. el epígrafe del mamotreto LVII: «Cómo salió la Lozana con su canastillo debajo, con
diversas cosas para su oficio»).

Reforzándose y completándose los adjetivos *civil* y *natural*,
hay latitud para explicitar «historia o retrato sacado del jure
cevil natural», sintagma en el que el participio *sacado* no deja
de vocar varios semas de *retrato* y de *mamotreto*, de la manera
siguiente:

	del jure	civil	natural de la señora Lozana[88]
historia sacada			
	de la renta	vil	del sexo

Y de hecho, Delicado va a contarnos de dónde saca Lozana
sus rentas *(de la natura)*, completando su relato con una «reprobación» *(vil, civil):* la relación semántica con *mamotreto* y

[87] «Pescaré yo aquí sin jure», declara ella en el mismo mamotreto.
[88] Damiani se hace eco de una interpretación que comparto. «El pro-
fesor Francisco Márquez Villanueva me ha sugerido que la frase... es
ambiguamente obscena. Cevil puede ser adjetivo (algo así como vil o
infame) y natural (de natura), seco [que es a todas luces errata por
sexo], miembro natural» *(R. 75,* págs. 16-17). Lo que, en cambio, no
acabo de entender muy bien, es cómo después de recoger tal interpretación, Damiani pudo seguir valiéndose de la misma frase para apuntalar su tesis del realismo del *Retrato:* en efecto, no es el significado
más aparente el que confiere su coherencia a la novela sino el significado que me atreví a calificar de «erocómico». Por otra parte, si privilegio el significado «renta» de la palabra *jure,* es, en primer lugar, porque —con la excepción de la locución «juro de heredad»— el tal significado es el único en el Siglo de Oro para *juro* (véase Oudin, *s. v.),*
y luego porque alude claramente a las fuentes de ingresos de Lozana:
hemos visto que ella misma asocia *jure cevil* y «rentas» o «ganancia».

retrato no puede ser más clara, ni tampoco la coherencia del designio.

La fuerza y el subrayado de los contornos obligan a descartar el adjetivo *realista* de la especificación del *Retrato;* las pruebas sacadas de las aserciones del autor, como se ha dicho, se vuelven del revés; y más aún, su dilucidación nos lanza por otras vías. Es cierto que el sesgo crítico desde el cual se las puede considerar no permite rechazar en totalidad las impresiones o efectos de la realidad que el retrato de la andaluza en Roma puede comunicar al lector. Pero captar lo real, en sí y por sí, dándole la preferencia, es bastante diferente a ponerlo al servicio de otros fines, y, al respecto, cualquiera que sea la naturaleza y cualquiera que sea el signo, positivo o negativo, del simbolismo de la obra, no cabe duda de que el anclaje en la realidad, como para todo *exemplum*, está subordinado a ese simbolismo. Esto no es lo mismo que negar, pura y sencillamente, toda presencia de lo real en *La Lozana;* ya se trate de obra burlesca, paródica o humorística, en el sentido más lato, imposible que no haya un fondo de realidad, más o menos esquematizada. En el orden satírico, la frontera es aún más borrosa según el punto de aplicación de la sátira. La obra satírica puede, en rigor, ser realista si se limita a satirizar comportamientos individuales, pero en cuanto se aplica a comportamientos generales, si aspira a ser ejemplar, entonces fatalmente se impone el aspecto simbólico. Es lo que pasa con los tratados *de reprobatione amoris,* de los que Pierre Heugas pudo decir, pensando en *La Celestina:*

> Dans l'ordre de la prose l'Archiprêtre de Talavera, s'inspirant de son propre aveu du Troisième Traité d'Andre le Chapelain, recrée son modèle en projetant sur le monde des symboles moraux la présence impérieuse d'un monde savoureusement réel et quotidien. Ainsi l'auteur anonyme des Quinze Joyes de Mariage[89].

---

[89] P. Heugas, *La Célestine et sa descendance directe, op. cit.,* III, pág. 90. Traduzco libremente: «En el orden de la prosa, el Arcipreste de Talavera, inspirándose, según confiesa él, en el Tercer Tratado de Andreas Capellano, recrea su modelo proyectando sobre el mundo de los símbolos morales la imperiosa presencia de un mundo que sabe a real y cotidiano. Lo mismo hace el anónimo autor de los «Quince Gozos de Matrimonio».

Y lo mismo Delicado, añadiría yo, cuando, en *La Lozana*, se decide a «mezclar *natura* con *bemol*» o a sacar su retrato del «*jure cevil natural*» de la protagonista, sometiendo además ese simbolismo a otro imperativo, que es la jocosidad, el cual viene a aumentar la complejidad estructural:

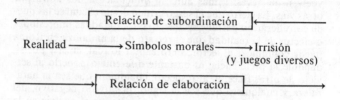

Es obvio que hay interacción entre la realidad y los símbolos: ¿no tienen éstos por misión poner aquélla en orden? De ahí que también se vea el mundo real a través de los símbolos o que se pinte mediante ellos. Quizás sea esto lo que pasa en el *Retrato*, pero cualquiera que sea el sentido, cualquiera que sea la dirección de la mirada, la realidad sale con colores y matices que no son los propios, aun si se la puede reconocer. Muchos cuadros romanos de *La Lozana* dan la impresión de lo verdadero, pero los rasgos están seleccionados y orientados: en oposición a la interpretación de Wardropper, es lo que expresa *también* el polisémico «Retraje lo que vi que *se debría* retraer». El mismo retrato de la protagonista viene ordenado según un esquema preciso, con una estructuración orientada hacia la ejemplaridad: desde la niñez y juventud (Aldonza) hasta la vejez (Vellida), pasando por el periodo de actividad y madurez (Lozana). La heroína, aunque tenga rasgos sacados de la realidad, encarna una trayectoria ideal hacia la sabiduría, con la pespectiva del fatal desenlace; pues, en rigor, la muerte, aun pudiendo estar al servicio de una simbólica, es también muy real. Esa progresión hacia la vejez y la muerte es lo que subraya Delicado, en *Cómo se escusa el autor,* al recordar los tres nombres de que gozó (como él dice): «en España, Aldonza, y en Roma, la Lozana, y en Lípari, la Vellida».

Los datos geográficos evidencian la preocupación del escritor por establecer una relación estructural entre los nombres de la mujer y la progresión de la obra. La abundancia de los atropellados capítulos del libro pudieron hacer creer que el desorden señoreaba toda la obra (lo que es cierto además en algunos aspectos, ya que el *mamotreto* es, como se ha dicho, signo de desorden); pero importa advertir que, bajo esa lujuriante capa, yacen unas grandes líneas constructoras de un orden cierto. Una de estas líneas nos la suministra la progresión de los nombres de la protagonista, nombres motivados en la misma obra:

> Item, ¿por qué más la llamé Lozana que otro nombre? Porque Lozana es nombre más común y comprehende su nombre primero Aldonza, o Alaroza en lengua arábica, y Vellida lo mismo, de manera que Lozana significa lo que cada un nombre d'estos otros significan. Ansi que Vellida y Alaroza y Aldonza particularmente demuestran cosa garrida o hermosa, y Lozana generalmente lozanía, hermosura, lindeza, fresqueza y belleza *(Explicit)*.

Con esta motivación, henos aquí de vuelta a la *tabla* propuesta por Delicado. La insistencia sobre los nombres de la protagonista abre una pista para el lector, pero éste sabe que Delicado *lleva el canto llano* y le incumbe a él «deducir». En realidad, el lector contemporáneo de la obra estaba sin duda en condiciones para percibir directamente, en razón del contexto cultural en el que se desenvolvía, que se trataba de predestinar a la heroína mediante la sucesión de sus nombres. Semejante onomancia que nos cuesta trabajo a nosotros interpretar, debía de ser para él un filme sin demasiadas complicaciones; en este sentido, Delicado no mentía —pero sí jugaba con el adjetivo *maliciosas*— al declarar:

> Y si alguno quisiere decir que hay palabras maliciosas, digo que no quiera nadie glosar malicias imputándomelas a mí, porque yo no pensé poner nada que no fuese claro y a ojos vistas; y si alguna palabra hubiera, digo que no es maliciosa... *(Cómo se escusa el autor)*.

Pese al consejo (¿o la guiñada?), imputaré a Delicado las malicias que los nombres de la protagonista envuelven, y la excusa mía consistirá en alegar que la onomancia no es tal vez tan evidente hoy como lo fuera, y que no resulta tan fácil como entonces pronosticar la conducta de una Aldonza por el mero hecho de que así se llamara.

Onomancía: Aldonza y Diomedes

El procedimiento de la onomancía es antiguo ya en las letras españolas cuando Delicado escribe su *Lozana*, ilustrándolo en el *Libro de Buen Amor* personajes como Trotaconventos, don Melón y doña Endrina, etc., y constituyendo un rasgo de no poca monta en la *Tragicomedia* a la que el cordobés pretende aventajarse, con la dulce vida de Melibea, la pulcritud de Calisto o la rufianería épica y ridícula de Centurio. Pero no pudo escapársele a Delicado que la gran Celestina ofrecía, según se lo permitía la talla de su personaje, una característica particular con su nombre etimológicamente motivado por partida doble y contradictoria: *caelestina* por una cara y *scelestina* por la otra, cielo y crimen[90]. Entonces Lozana no podía ser menos.

Para revelarla mejor en sus diferentes fases, su nombre va a cambiar a lo largo del relato, en función de los lugares donde vive la protagonista, y así llevará tres nombres. Sin embargo, no hay que dejarse engañar; a pesar de esas transformaciones no se rompe la continuidad y si damos crédio al *Explicit* todo en ella no es sino elegancia y hermosura. Pero, aunque no revela explícitamente al lector más que una cara del significado de cada uno de los nombres, Delicado no se ha olvidado de la lección «celestinesca», ni de aquella promesa de un infierno celestial, a no ser de un cielo infernal; la ambigüedad, que se prolongará hasta la paz de Lípari, se manifiesta a través de todas las metamorfosis onomásticas de Lozana.

La elección del nombre genérico, el que aparece en el título, precedido del artículo para poner de relieve su carácter significativo (La Lozana Andaluza, y no: Lozana, la andaluza) se

---

[90] Covarrubias es quien arroja la equivalencia Calisto/*pulcherrimae* (269, b, 30). Se percibe entonces cómo pudo nacer entre los epígonos e imitadores de *La Celestina*, la idea de un amo demasiado atento a su aseo y atuendo y, por lo mismo, afeminado: el nombre del héroe invitaba, por *ethymologia*, a tales desarrollos, lo que tendería a mostrar que la motivación onomástica tenía tanta fuerza como la caracterización por el comportamiento. En cuanto a Celestina, es objeto, en el *Retrato*, de un juego significativo. En el mamotreto LV, a Coridón, joven italiano que experimenta ciertas dificultades para pronunciar el español, Lozana pregunta: «¿Me dirás celestial sin tartamudear?», y le contesta él: «celestinal».

debe precisamente a que tiene un valor más general: «lozana significa lo que cada un nombre d'estos otros significa». El nombre Aldonza está presentado, desde el punto de vista de su significado, como una particularidad incluida en *lozana*, a la vez nombre y antonomasia. Y en razón de la evolución del relato, que hace de Lozana una conclusión de Aldonza, se puede entender que Aldonza es una Lozana en ciernes.

Como propone Delicado para todos los nombres de la protagonista una equivalencia semántica, cabe preguntarse hasta qué punto es válida. Para lo que atañe al significado de Aldonza, podemos aprovecharnos de las investigaciones de los cervantistas ya que éste era el nombre original de Dulcinea en el *Quijote*. Así, Rafael Lapesa muestra que una etimología popular, habiéndose oscurecido la verdadera filiación, introdujo entre Aldonza y dulce una confusión que duró desde el siglo XIII hasta el siglo XVII[91]. La evocación de la dulzura, mediante el nombre, era pues directa en la época del *Retrato*, y no le venía tan mal a la heroína, por más que la hermosura, concebida como *lozanía,* no evoque especialmente la dulzura. La sinonimia propuesta por Delicado es, por lo mismo, bastante aproximativa, pero, en realidad, la equivalencia *dulce-lozana* no es aceptable sino por referencia a un tercer término que es «cosa garrida o hermosa». Sea: digamos que todos los significados en cuestión tienen en común una idea de «atractivo». Además, la dulzura de Aldonza tiene otra justificación por perfilarse tras ella el personaje de Melibea, del que Delicado ofrece, por tanto, una interpretación personal.

Es de notar, sin embargo, que este nombre Aldonza venía cargado, en el Siglo De Oro, de connotaciones peyorativas, como lo establece un estudio de Francisco Márquez Villanueva, según el cual Cervantes habría sacado del nombre de la protagonista del *Quijote* del refranero.

— Aldonza, con perdón.
— Aldonza sois, sin vergüenza.
— Moza por moza, buena es Aldonza.
— A falta de moza, buena es Aldonza[92].

---

[91] R. Lapesa, *Aldonza, Dulce-Dulcinea,* en *De la Edad Media a nuestros días,* Madrid, Gredos, B. R. H. [Estudios y ensayos, 104]; páginas 212-218. Covarrubias también arroja la misma equivalencia *(Tesoro,* 79, b, 65).

[92] F. Márquez Villanueva, *Sobre la génesis literaria de Sancho Pan-*

El nombre, pues, de Aldonza, introduce un sesgo crítico en cuanto al saber y la moralidad de la mujer aludida; ahora bien, salta a la vista que a la joven Aldonza del *Retrato* no la corroen los escrúpulos. Pero no es ésta la única relación estructural entre la denominación de la heroína y el conjunto de la obra, porque, como lo vamos a ver, la joven, por sus actos y por sus orígenes, se merece totalmente su nombre. No obstante, antes de tratar de este punto, quizá sea procedente resolver el problema que plantea el autor al traducir Aldonza por Alaroza «en lengua arábica», como si tuvieran los dos nombres implicaciones semánticas de absoluta identidad.

Bien mirado todo, parece curiosa la traducción puesto que Aldonza significa «dulce» mientras que Alaroza quiere decir «novia» o «esposa», y otra vez estamos con una sinonimia de las más aproximativas, por más dulces que sean las cadenas que sujetan a los desposados. Y esto debe incitarnos sin duda a la vigilancia, y entonces se advierte que es insuficiente el sema de «novia» para describir el significado de *alaroza*.

Jaime Oliver Asín al tratar de establecer una lección co-

---

za, en *Anales Cervantinos,* VII, 1958, págs. 123-155. Los mismos refranes aparecen en el *Vocabulario de refranes* de Correas *(op. cit.,* págs. 50 y 559) en el que «Aldonza sois, sin vergüenza» tiene por variante «Aldonza soy, sin vergüenza», que Correas comenta así: «tiene gracia en torcer el sentido. Quiere decir que se llama Aldonza, que no tiene por qué negar su nombre, y que puede mostrar su cara descubierta, sin cosa ninguna por qué avergonzarse, mas tomándolo como suena, dice *soy Aldonza, sin vergüenza ninguna,* y en esto está la gracia». Conviene añadir que con la forma *Aldonza sois* no es tan fácil la ambigüedad, resaltando quizás mejor el aspecto despectivo del refrán. «Aldonza, con perdón», también comentado por Correas, va en el mismo sentido: «nota la rustiquez de algunos que piden perdón para nombrar algunos vocablos, sin ser menester salva para ellos». Con estos refranes, no se tacha pues, en un principio, el desparpajo o la falta de moralidad, sino cierta desmaña en el manejo de la lengua, pero como el juego estriba en la presencia o ausencia de *vergüenza,* no puede sino acarrear matices peyorativos al nombre que es objeto de la burla. «Moza por moza, buena es Aldonza» encubre una ambigüedad del mismo tipo, por prestarse su estructura a expresiones ponderativas (cfr. «Aldea por aldea, Jarahiz en la Vera») lo mismo que a la mofa, pero «en esto está la gracia», debiéndose al aspecto peyorativo del refrán, confirmado por la variante «a falta de moza», al empleo, normal y corriente en la época, del adjetivo «buena» con el sentido de «puta» (volveré sobre este punto más adelante). Nótese también que en los refranes de encarecimiento no es necesaria la adjetivación.

rrecta para el verso 1392,c del *Libro de Buen Amor,* se interrogó por las implicaciones del término, siendo el citado verso:

que con tazas de plata (e) estar alaroza [o: a la roza]

Oponiédose a Cejador que interpretaba «a la roza» como «muy pegado», Oliver Asín propone leer

Bien así acaece a vos doña Garoza
queredes en convento, más agua en la orza
que, con tazas de plata, estar como alaroza
con este mancebillo que os tornaría moza.

Esta lección se justifica por la medida, pero también por el sentido, que es lo que aquí interesa. Si bien la palabra *alaroza* significa «novia», es preciso ver que la costumbre árabe del matrimonio exige que dé la dote el marido, no la mujer. Cervantes se indignaba de tal uso: «En esta nación confusa / que dé, el marido, se usa / la dote, y no la mujer.» Según Oliver Asín, es así como debe entenderse también la comparación del Arcipreste de Hita, como lo prueban los versos subsiguientes en los que la medianera Trotaconventos, prosiguiendo su arenga, evoca para la monja Garoza todos los regalos que podría recibir si aceptase ser la amiga de Juan Ruiz. De ahí una serie de juegos sobre las palabras Garoza, Galaroza y Alaroza.

El significado declarado en este caso por Oliver Asín puede aplicarse con toda propiedad a la protagonista del *Retrato: alaroza* es, ya que la retribuyen (con regalos o en dinero) a cambio de sus favores. El tema de la dote, implicado por la alusión a la costumbre mora del matrimonio, no está ausente de los tres primeros mamotretos, periodo en que Lozana se llama Aldonza o *Alaroza:* «pues que quedé sin dote», dice (mam. II). Lo cual no es tan negativo como parece, puesto que, veremos cómo ella tiene en realidad una.

Otra posiblidad de interpretación de Alaroza se superpone a la de Oliver Asín, sin descartarla, al menos en el *Retrato.* En esta novela se emplea el verbo *rozar* con el sentido de «comer» que tenía en germanía, según Hidalgo (véase mam. LX): «traé que rozar, que allá está mi Rampín que lo guise». Dado el carácter particular del *Retrato,* ¿por qué excluir que Delicado jugara en ambos registros? A todo lo largo de la novela, Lozana se pasa la vida buscandoo de qué comer *(a la roza)* y exaltando el arte culinario (cfr. mam. II), péro portándose al mismo tiempo como una «novia mora» *(alaroza)*, pendiente siempre de la dote que le pueda deparar el marido o el amante de turno.

En cuanto a la connotación «sin vergüenza» que lleva consigo el nombre de Aldonza, era fácil que la captase en seguida un lector prevenido, reforzándose así el trasfondo erótico de la palabra *alaroza:* ya desde el *Prólogo,* Delicado insiste en que Lozana no tiene conciencia ni vergüenza[93]; y en los tres primeros mamotretos la licencia sexual de la joven constituye el telón de fondo de las peripecias que se evocan, sin que estorbe nada la interpretación cazurra el que su primera aventura galante contada sin rodeos no aparezca sino en el mamotreto IV.

No puede caber duda acerca del relato de su edad tierna, pues dos confidencias de Lozana lo aclaran elocuentemente. La primera se dirige a una sevillana:

> fui festejada de cuantos hijos de caballeros hubo en Córdoba, que de aquello me holgaba yo. Y esto puedo jurar, que desde chiquita me comía lo mío, y en ver hombre se me desperezaba y me quisiera ir con alguno, sino que no me lo daba la edad (VII).

La segunda está en el mamotreto LIX:

> me la dio a mí un caro amante que yo tuve , que fue mi señor Diomedes, el segundo amor que yo tuve en este mundo.

La confesión no puede ser más clara: Diomedes, el amante del mamotreto IV, no fue el primero, de lo que da cuenta cierto prurito sexual («me comía lo mío»).

El cazurrismo de Delicado se vale esencialmente, sin menoscabo de otros medios que indicaré de paso (porque las alusiones obscenas pueden provenir de todos los ámbitos del lenguaje), de cuatro familias lexicales. Se trata de los términos de la parentela, de los del derecho y los negocios, los de la comida y los de las labores del coser y del tejer. La explotación de la relación *un significante/vs./varios significados* no es privativa de Delicado, como lo prueba con abundancia la poesía erótica de los siglos XVI y XVII, lo mismo que el refranero; pero, si bien

---

[93] Véase *infra, 'Prólogo,* nota 4.

se sitúa en una tradición conocida, el cordobés la domina con una maestría sin par.

La polisemia de *madre* parece ser origen de la de los demás lexemas de la parentela. Además de la relación de parentesco, *madre* quería (y quiere) decir «matriz», pero en el dominio particular de la prostitución, era frecuente aún que a la «madre de mancebía» se la tratara solamente de «madre»; y éste era el nombre que le daban las rameras a sus clientes: así, por ejemplo, en *La Celestina*. Por analogía (y complementariedad), *padre* podrá ser «genitor» o «pene», según los casos, mientras que *tía* y *parienta* sustituirán a *madre,* caso necesario, sobre todo en el sentido de «alcahueta». *Huérfano* y *huérfana* se aplicarán entonces, no solamente a los que han perdido a sus padres, sino también a los que no tienen *madre/matriz* para satisfacer sus deseos, o a las que no tienen *padre/pene* a su disposición. La venerable *abuela* pierde toda dignidad en cuanto se explicita como *madre de una madre* (o de *un padre)*, con todas las combinaciones semánticas imaginables. El archilexema *parentado* (o *parentela)* tiene, desde luego, todo lo preciso para recoger rasgos idénticos.

Buena muestra de este registro lingüístico peculiar se halla al principio del mamotreto LXIV, en el que unos pobres palafreneros visitan a Lozana para quejarse:

> —Señora Lozana, nosotros, como somos huérfanos y no tenemos agüelas, venimos con nuestros tencones [*i.e.:* «penes] en las manos a que nos ensalméis, y yo huérfano, a que me beséis.
>
> LOZANA. —Amigos, este monte no es para asnos...

Estos jóvenes son huérfanos porque no tienen *madre* («matriz», y, por sinécdoque «mujer»), ni nadie que se la suministre, o sea, que no tienen *abuela* en el sentido de *madre* (de mancebía) de una *madre* («mujer»)[94].

Hay que repetir sin embargo que el juego no es propio de Delicado puesto que un refrán rezaba: «Quien tiene madre en la putería no es huérfano» (Correas, *Refranes,* 413,a).

Siendo por otra parte la prostitución un negocio —sin me-

---

[94] El juego *madre/huérfano* aparece más explícito aún en el *C.O.B.,* pudiéndose leer a propósito de una tal Isabel de Herrera que era «diosa de la lujuria, madre de todos los huérfanos cojones...» (nota de la copla LXII, pág. 179).

noscabo de la paronimia *venal*/*venéreo* que bien puede funcionar como etimología jocosa—, las actividades mercantiles, con los trámites jurídicos que en ocasiones requieren, van a poner su vocabulario con la mayor naturalidad a la disposición del erotismo. El refranero es testigo de la extensión del fenómeno: «Sácote sangre del ojo del culo, y ande el pleito», refrán que Correas comenta así: «lleva pulla, y es como decir: *súbote y quítote el virgo (op. cit.,* 273,b).

Pleito, pues, y ciertos sinónimos o cuasi sinónimos, pertenecen a la vez a los dos planos. Cierto galán que se arruina en pleitos, también tiene que recurrir a Lozana para llevar a cabo la conquista de una cortesana; y quéjase así, ante los gastos de la operación:

> Es porque no tiene pleitos ni letigios que le turen de una audiencia a la otra, como nosotros, que no bastan las bibalías que damos a notarios y procuradores, que también es menester el su solicitar para nuestros negocios acabar (LVI).

Equiparada con *notarios* y *procuradores,* Lozana acaba asimilándose totalmente con ellos al calificar a sus clientes de *pleiteantes:* «¿Quién son aquellos tres galanes que están allí? Cúbranse cuanto quisieren, que de saber tengo si son pleiteantes»[95]. Ovidio, uno de los tres, había podido apreciar antes, entre otras habilidades, las aptitudes «jurídicas» de la medianera: «ella de todo sabe tanto que revienta, como *Petrus in cunctis,* y tiene del natural y del positivo, y es universal *in agibilibus*» (LVI). Entiéndase: «derecho natural» y «derecho positivo»[96]; el juego entre los planos jurídico y erótico queda aquí perfectamente establecido, así por la polisemia, ya evocada, de *natural*

---

[95] LVII: el autor se empeña en contaminar especialmetne el término *notario*. Observando el bullicio a la puerta de la casa de Lozana, le pregunta a su amigo Silvano: «¿no veis qué prisa se dan a entrar putas y notarios?», habiendo afirmado antes: «yo me quiero estar aquí y ver aquel palafranero a qué entra allá, que no estará muncho, que ya viene el notario o novio» (mam. XLIII).

[96] Es indudable que Damiani comete un contrasentido al traducir al español moderno por «de lo positivo» *(R. 75,* nota 7, pág. 374) pues el *D.R.A.E.* da: «derecho positivo —el establecido por leyes, bien sean divinas, bien humanas. Se usa en contraposición al derecho natural» y «derecho natural —primeros principios de lo justo y lo injusto, inspirados por la naturaleza y que como ideal trata de realizar el derecho positivo». Es evidente que Delicado juega con estas expresiones.

(menciona Criado de Val su contaminación erótica en esta ocurrencia), como por la elipsis de la palabra «derecho» que permanece subyacente. Pero el «saber» de Lozana, como lo delata el despecho de Ovidio, no debe tomarse a bien. Valga otra vez la paremiología: «Ni moza adivina, ni mujer latina, ni mozo Pedro en casa» (Correas, 238,a). Tengo la impresión, una vez más, de que hay que buscar las raíces de Lozana en el folklore más que en la realidad histórica, digo en los hechos y personas reales, del siglo XVI. Obsérvese que sabe ella o pretende saber revelar el porvenir (aunque el *adivina* del proverbio no tenga exactamente el mismo sentido), que no puede ser más *latina* de lo que es, y que el «mozo Pedro en casa» del refrán evoca fácilmente el *Petrus in cunctis* de la novela (a saber, según el *D.R.A.E.,* «Pedro en todo, loc. lat., con que se moteja al muy entremetido»), y se podrá pensar que el refrán está cortado a las medidas de nuestra protagonista.

Del vocabulario de la cocina aplicado a los apetitos venéreos hablaré poco aquí por haber aludido ya a la cocción de la carne como metáfora erótica. Cabe recordar sin embargo que el fenómeno es de gran extensión, y no se limita ni a la carne, ni al español, como se podría mostrar citando *v. gr.* varios cuentos de La Fontaine[97]. Veremos un poco más adelante cómo Delicado utiliza para sus fines burlescos un tema tradicional de la literatura *de reprobatione amoris* que une lujuria y gula, haciendo alternar cazurrismo y obscenidad directa. Pero antes, queda por evocar el campo de las labores de aguja, huso y rueca como manantial de imágenes y metáforas eróticas.

Había, en el arsenal de Lozana, algunos talentos en estas artes, aunque el autor introduce una reserva: «Aquí la madre quiso mostrarle el tejer, el cual oficio no se le dio ansí como el ordir y el tramar»[98]. Tiene que sentirse perplejo el inadvertido lector que siempre se había creído que tejer consistía precisa-

---

[97] Para más detalles, *vid. Allaigre 1980,* pág. 88.

[98] Se ve por esta frase del mamotreto I que hay evidentemente interferencias entre los diversos campos del cazurrismo, estando aquí *madre* en unión de *tejer:* «la parentela» también «come» o «negocia», etc. (ver, *in situ,* «negociar por amor del padre», XXIV). En *R.75* se comenta así la frase «no se le dio... y tramar» (nota 7): «Es decir, era Lozana más hábil y dispuesta al trabajo de urdir y tramar que el de tejer. Urdir y tramar, palabras de doble sentido sexual por su asociación con *pasar, atravesar* hilos en el telar.» Se sugiere así que urdir y tramar se oponen a tejer en el campo erótico; yo no comparto esta interpretación por los motivos que expongo a continuación en el texto.

mente en urdir y tramar. Y es cierto que los tres verbos son
polisémicos y, menos en técnica pura, prácticamente intercam-
biables; por eso es fácil justificar la oposición: los tejemanejes
de la alcahuetería por un lado[99] y el tejer verdadero por otro.
Pero el contenido erótico pone por obra una de aquellas falsas
oposiciones por las que Delicado, como se ha visto, siente afición: en este campo, oponer *urdir* y *tramar* a *tejer* no es sino
cosa de gracia. Y quizá pierda el lector su perplejidad inicial
al ver cómo en los siguientes versos se urde curiosamente... la
trama:

> aquel urdir después la dulce trama,
> luego despacio, luego más aprisa,
> y aquel dalle los besos muy de prisa
> al tiempo que lo dulce se derrama...

> *(P.E.S.O.,* 15, pág. 25)

No se mete pues aquí ninguna coladura técnica, ni parece
útil recurrir a la proverbial ceguera del amor para justificarla,
aunque bien se trata de amor y de sus retozos, pues para eso
da igual que se teja, urda o trame. Es lógico suponer que Lozana tenía tanto talento como la Marita (o Mariquita) del refrán recogido por Correas (526,b):

> — Marita, ¿y con un pie tejes?
> — Y con el culo a veces.

Gracias a semejantes hazañas, algunas mujeres laboriosas
consiguen lo necesario para poner la casa, como María de Burgos que, prostituta novel, «Comenzó a ganar su ajuar en Medina del Campo» *(C.O.B.,* pág. 172). Sería posible seguir jugando a ensartar poemas y refranes para ilustrar todas las posibilidades del campo lingüístico de la ropa y sus requisitos la-
borales: baste decir sin embargo que todas las actividades, con
sus correspondientes instrumentos, pueden entrar en la danza
erótica, lo que acaba de convencer de que Delicado tenía razones muy válidas para suponer que sus bromas hallarían un
eco entre sus lectores.

---

[99] En efecto, *tramar* puede expresar esta actividad específica,
cfr. «Yo soy aquél que con poquitas tramas / mi gusto satisfago sin
billetes / huyendo de terceras casi brujas» *(P.E.S.O., 120,* 9-11, página 237).

Veamos ahora, a base de las precedentes advertencias, cómo por su comportamiento, la joven protagonista del *Retrato* justifica el pronóstico implícito en sus nombres de Aldonza y Alaroza.

El mamotreto I se inicia con la presentación, aparentemente admirativa, de las aptitudes intelectuales de Aldonza, en la que no obstante aflora una crítica: «natural compatriota de Séneca, y no menos en su inteligencia y resaber». Si bien el *D.R.A.E* define *resaber* como «saber muy bien una cosa», parece relativamente reciente esta acepción, y para Covarrubias la palabra era despectiva: «*Resaber* y resabido: el que es demasiado bachiller y causa enfado a los que le oyen» (906,b) añadiendo más lejos: «resabido: el que sabe para mal» (918,a). La frase de presentación anuncia, pues, así el juicio de Ovidio citado anteriormente, y más si no se excluye que *resaber* se perciba como afín a *resabio* en su sentido de «tacha o mala calidad o costumbre» (Covarrubias, 906,b). La naturaleza del saber de Lozana se complementa en su definición unas líneas más adelante: «tinié tanto intelecto que casi excusaba a su *madre procurador* para sus *negocios»,* frase en la que me limito a subrayar las palabras cazurras y a llamar la atención sobre la anfibología del posesivo. Habiendo dado a entender así que la joven Aldonza se entregaba al goce solitario (cfr. «me comía lo mío»), Delicado afirma que a los diez años —sobre poco más o menos— era capaz de defender los intereses de su progenitora: ¡qué prodigio de niña! Se prosigue el juego y, siendo de la misma índole los medios lingüísticos, basta también en este caso con subrayar las ambigüedades: «Siempre que su *madre* le mandaba *ir* o *venir,* era presta, y como *pleiteaba su madre,* ella fue en Granada mirada, y tenida por *solicitadora* perfecta y pronosticada futura[100]. Por eso, el lector que se haya percatado de la segunda intención no se admirará del consejo que le da su tía Aldonza, algunas líneas más adelante, sobre todo si tiene presente el significado que Covarrubias da para *buena* («puta») y *bueno* («cornudo»): «Hija, sed buena, que ventura no os faltará», donde, además, *ventura* remite a *futura* por lo semántico y lo etimológico puesto que «lo por venir» y «lo que debe ser» no difieren sensiblemente.

---

[100] *futura:* aunque *futura* como «novia» le cuadra perfectamente a Aldonza, creo que Delicado se vale de la paronimia con las palabras latinas *futuere* y *futura:* el jugar de las dos lenguas le es familiar, y así, el contenido del pronóstico, resulta bastante claro.

Cuando su tía le da ese consejo de buena vida, en Sevilla, tendrá nuestra Aldonza unos doce años de edad, ya que en la etapa anterior, en Granada, tenía once: «Señora, de once años fui con mi señora a Granada, que mi padre nos dejó una casa en pleito por ser él muy putañero y jugador, que jugara el sol en la pared» (VII).

Con esta genealogía propiamente picaresca (este padre y una madre probablemente prostituta puesto que cabe sacar TAMBIÉN esta conclusión del polisémico «pleiteaba su madre»), no es de extrañar que Aldonza, siga la misma vía, en la que entra en los doce años como Dios (digo Cupido) manda:

> CAPITÁN.—Señora Lozana, ¿cuántos años puede ser una mujer puta?
> LOZANA.—Dende doce años hasta cuarenta (XXXIX).

De forma que el crimen no sería en Granada («pues no se lo daba la edad») sino en Carmona que era donde su madre intentaba en balde «mostrarle el tejer», porque «Aquí conversó con personas que la amaban por su hermosura y gracia; asimismo, saltando una pared sin licencia de su madre, se le derramó la primera sangre que del natural tenía. Y muerta su madre, y ella quedando huérfana vino a Sevilla...» (mam. I).

Los elementos de relación tienen, en este tipo de literatura, una importancia que no se ha subrayado lo bastante; las conclusiones más inesperadas se siguen, en efecto, de premisas aparentemente anodinas. Como *asimismo* no puede significar aquí «del mismo modo», tiene que ser la expresión de «de este modo», si nos atenemos a la alternativa que propone la Academia. Entonces «se le derramó la primera sangre» aparece como consecuencia directa de la conversación «con personas que la amaban» (nótese el plural), y cuyo amor no debía de ser de los más platónicos. ¿Habrá que concluir que, si Diomedes fue su segundo amor —suponiendo que la embustera Lozana diga la verdad—, convendría aceptar dicha clasificación en lo sentimental y no en lo físico? Yo soy del parecer que no hay que buscar demasiada lógica en el relato, aceptando más bien *segundo amor* como un indicio que recuerda al lector el código adecuado para descifrar los tres primeros mamotretos. Y ahora el cómo perdió Lozana su doncellez: «saltando una pared sin licencia de su madre».

No me parece absurdo ver en este caso una referencia a la pareja Melibea-Calisto de *La Celestina* aun si los datos de la

Tragicomedia quedan bastante malparados bajo la pluma del iconoclasta Delicado y su trituradora técnica de compilación. En primer lugar *saltaparedes,* que Melibea aplica a Calisto cuando la primera «embajada» de la vieja, en el auto IV, cobra nuevo vigor en la prosa de Delicado al convertirse en perífrasis verbal, *saltando una pared,* que no pierde nada del sentido inmoral del sustantivo, pero si, por decirlo así, lo «dramatiza». En segundo lugar, no creo que se pueda descartar una interpretación burlesca de las quejas de Melibea después de sucumbir a la recuesta de Calisto, con la diferencia de que el monólogo de Melibea (que se dirige sin embargo a *su madre* después de lloriquear entre los brazos de su amante) viene en estilo directo, mientras que de Aldonza se habla en tercera persona. Me limito aquí a indicar el paralelismo, sintagma por sintagma, dejando a la sagacidad del lector el descifrar la lectura delicadísima de la *Tragicomedia:*

Melibea	Delicado (hablando de Aldonza)
¡Oh mi vida y mi señor!	conversando con personas que la amaban por su hermosura,
¿Cómo has quisido que pierda el nombre y corona de virgen por tan breve deleite?	saltando, una pared, se le derramó la primera sangre que del natural tenía...
¡O pecadora de mi madre, si de tal cosa fueses sabidora!	sin licencia de su madre...
¡Cómo tomarías de grato tu muerte y me la darías a mí por fuerza! ¡Cómo sería cruel verdugo de tu propia sangre!	y muerta su madre, y quedando ella huérfana,

Una vez asentadas las equivalencias *Calisto/personas que aman, madre/natural* y *sangre/muerte,* amén de *no ser sabedora/no otorgar* (o «sin licencia») un poco más aproximativa, Delicado debió de sentirse muy cómodo para sacar como consecuencia de la aventura de Aldonza —a quien se le saltó, pues, una *pared* o *membrana,* si se repara en la anfibología del ge-

rundio *saltando*— la muerte de su madre, por lo que quedó
huérfana la pobre chica. En tal embrollo conceptista, resulta
difícil desenmarañar, valiéndose solamente de criterios funcio-
nales, las denotaciones y connotaciones. El razonamiento de
Delicado salta de una categoría a otra, hace malabarismos con
las referencias literarias y las más mínimas parcelas del significado, para orientar el relato hacia su continuación. La coherencia sigue, bien es cierto, otras vías que las que se esperaba
Menéndez y Pelayo en una novela: *se le derramó la primera
sangre que del natural tenía* —que se entiende, de buenas a primeras, como manifestación de la pubertad de Aldonza— acaba por significar, mediante la explotación de las polisemias, la
pérdida de su madre, y la de su relativa inocencia, lo que no
pudo sino incrementar un saber ya considerable.

Pero la sinvergüenza de Aldonza tiene que ser además golosa, porque así lo requiere la tradición literaria *de reprobatione
amoris.* Ya vimos un ejemplo de los vínculos que unen la gula
con el erotismo de el *Libro de Buen Amor,* intentando Trotaconventos seducir a doña Garoza con los platos refinados de
que podría disfrutar en compañía de Juan Ruiz; pero la enumeración culinaria del mamotreto II guarda más bien relación
con el truculento capítulo XXXIV de la primera parte del *Corbacho,* que empieza así:

> El quinto pecado mortal es gula. Déste non se puede escusar
> el que ama o es amado de muchos excesivos comeres o beveres
> en yantares, cenas (e) plaseres con sus coamantes, comiendo (e)
> beviendo ultra mesura[101].

Siguen 24 líneas de enumeración de platos a cual más sabroso y rico, interrumpidas solamente por una reflexión sobre los
efectos físicos de la francachela, concluyéndose así el capítulo:

> Por ende conviene, después de mucho comer e de mucho be-
> ver muchas, diversas e preciosas viandas, luxuria cometer.

Evidentemente, Delicado no trata el tema de manera idéntica, por situarse en otro registro y por motivos de técnica del
relato, siendo la misma Aldonza quien presenta los talentos
propios. Entonces no puede haber, como en el libro del arci-

---

[101] Alfonso Martínez de Toledo, Arcipreste de Talavera, cito por la
edición de Mario Penna, Turín, s. f., Rosenberg et Sellier (págs. 63-64).

preste, condena directa del pecado de gula, ni tampoco lazo explícito entre el quinto pecado mortal y el sexto. Fuertemente respaldado sin embargo por una tradición que sabe (o supone) conocida del lector, Delicado va a sembrar por la enumeración de los platos unas recetas no exentas de malicia, inscribiendo así, a su manera, el componente erótico tradicional. Aldonza empieza a informar a su tía:

> cuando era vivo mi señor padre, yo le guisaba guisadicos que le placían, y no solamente a él, mas a todo el parentado (mamotreto I).

Leído esto a la luz de la contaminación erótica de los términos de la familia, el «guisado» no puede resultar sino sospechoso, sobre todo sabiendo que, además de significar «mancebía» en germanía (véase: Hidalgo,s.v.), se prestaba a la expresión erótica, como lo prueba su empleo por Góngora que, en su letrilla, ilustra así el tema de la malcasada: «De doncella que entra en casa / porque guisa y porque amasa / y hace mejor un guisado / con la mujer del honrado / que con clavos y gengibre / Dios me libre.»

Podrá llamar la atención también otra especialidad de Aldonza: «deprendí hacer... albondiguillas redondas apretadas con culantro verde. ¿Existen acaso albóndigas que no sean redondas? Recalcar su forma y unirlas al *cul*antro (considérese su etimología aparente) mediante el verbo apretar, tan idóneo para los acoplamientos, no me parece del todo inocente. Iguales o parecidos comentarios merecerían los *nuégados*, y *los letuarios de arrope, con miel para presentar,* o aun la *cazuela con ajico y cominico,* sin hablar de los *nabos sin tocino y con comino* [102]. Sin perder más tiempo con las evidentísimas batallas «nabales» de Aldonza, notemos que la exposición termina con la olla:

> Pues, ¿ollas en tiempo de ayuno? Éstas y las otras ponía yo tanta hemencia en ellas que sobrepujaba a Platina, *De voluptatibus,* y Apicio Romano, *De re coquinaria,* y decía esta madre de mi madre: «Hija Aldonza, *la olla sin cebolla es boda sin tamborín.*»

---

[102] Me limito a remitir, para estos vocablos, a *P.E.S.O. (passim)* y a varias notas de pie de página de la presente edición.

Autorizado con dos tratados de gastronomía probablemente prestigiosos, el refrán que concluye el pasaje parece, a primera vista, consejo serio, como corren tantos por los refraneros. Sabido es, además, que el tamboril era imprescindible en una boda, ya que se usaba la expresión «como tamboril en boda», hasta una fecha reciente, para evocar algo inevitable. Pero la *olla* aparece también en el folklore con valores metafóricos. Si se considera que los tratados mencionados por Aldonza crean un ambiente de sensualidad, porque *voluptuosidad* se define en *D.R.A.E.* como «complacencia en los deleites sensuales», y evocando *De re coquinaria* un *cocho*, del que ya se ha hablado aquí, será difícil que no se capte *madre de mi madre* en sus virtualidades eróticas. El mismo hecho de que sea la abuela la que hable de olla es muy propio para suscitar la evocación de otro proverbio, cuya dimensión celestinesca es incuestionable: «la mujer vieja, si no sirve de olla, sirve de cobertera» (Correas, 207,a). Pero, a pesar de estas condiciones favorables para evocar el erotismo, el refrán de Aldonza no puede interpretarse a lo cazurro más que si sus elementos constitutivos lo permiten, y precisamente éste es el caso. A propósito de la frase proverbial: «Hágale aire, que no está cocido», Correas comenta:

> Esto es: avive la lumbre y aviente para que cueza el *puchero*. Quería decir con este símil una dama a su pretendiente que la diese más y más, que aún no la tenía *sazonada* y satisfecha (584,b)

También hay un «reportaje» folklórico sobre una noche de boda, cuya concisión es elocuente:

> Hierve olla, y cuece, cebolla;
> Contarte he de la noche de mi boda.

El parentesco de este último con el refrán de Delicado salta a la vista, y su evidente contenido erótico no deja lugar a dudas sobre la índole de la *olla*, ni de la *cebolla*. En cuanto al *tamborín* de la *boda* (palabra ésta que sobraría comentar), resulta fácil de interpretar si se piensa en su sinonimia con *pandero,* metáfora de la anatomía femenina (cfr. *P.E.S.O.*).

No he hallado el refrán de Delicado en ningún refranero, lo que, a pesar de no ser terminante el argumento, me hace suponer que, quizás, fuese una re-creación del cordobés a partir

de otros elementos paremiológicos, como los que he citado
(*hierve olla... y como tamboril...*), pues participa bastante del
estilo de la libérrima compilación practicada por nuestro autor
en el *Retrato*: volveré sobre este punto al tratar del retrato físico de la Lozana.

El tema gastronómico que, en el mamotreto II, termina con
este refrán real o fabricado, para dejar paso a otras bromas,
vuelve sin embargo a aparecer después en otras ocasiones. Otro
proverbio citado por Lozana consagra la fusión de la gula y
los tratos carnales:

— ¿Quién te hizo puta? El vino y la fruta (XII).

Pero hay más; la tradición moralizadora —que, como lo
prueba este refrán, Delicado no pierde de vista— interpretada
por los espíritus burlones, sugiere, con esa confusión de las dos
clases de apetito, que la mujer es un ser de dos bocas; lo mismo en la *Carajicomedia* [103] que para Delicado, como ocurre en
esta escena de juego:

> LOZANA.—Soy contenta, si queréis jugar dos a dos.
> VALERIO.—Sea ansí; mas vuestro criado se pase allá y yo aquí,
> y cada uno ponga.
> LOZANA.—Yo porné mi papo.
> VALERIO.—¿Cuál señora?
> LOZANA.—Todos dos, que hambre tengo [104].

Una vez más se ve a Delicado responder fielmente a la llamada de la tradición, literaria o folklórica; ilustra a lo cazurro
ese tema de la comida que el *Cancionero de Obras de Burlas*
trata sin contemplaciones, y que puede resumirse en un refrán
que recoge Correas: «Dámela golosa, dártela he puta, disoluta
o ladrona.» Esta constitución literaria y paremiológica de Al-
donza-Alaroza va a cobrar más densidad aún gracias a las múltiples metáforas que suministran la costura y el tejido.

Aldonza entera a su tía de su lamentable situación económica al fin de su primera intervención directa en la novela:

---

[103] *C.O.B.* pág. 85: «... guardaréis la cuarentena [de cuaresma] pero
no con ambas bocas...», según predice el Ropero a una mujer
enamorada.

[104] XXX. Más ejemplos en *P.E.S.O.*

pues que quedé sin dote, que mi madre me dejó solamente una
añora con su huerto, y saber tramar, y esta lanzadera para tejer
cuando tenga premideras (mam. II).

Pero su tía la tranquiliza:

> TÍA. —Sobrina, esto que vos tenéis y lo que sabéis será dote
> para vos, y vuestra hermosura hallará ajuar cosido y sorcido,
> que no os tiene Dios olvidada, que aquel mercader... que va a
> Cáliz, me hará remedio para que vos seáis casada y honrada,
> mas querría él que supiésedes labrar.
>
> LOZANA.—Señora tía, yo aquí traigo el alfilelero, mas ni ten-
> go aguja ni alfiler, que dedal no faltaría para apretar, y por eso,
> señora tía, si vos queréis, yo le hablaré antes que se parta, por-
> que no pierda mi ventura, siendo huérfana.

Mucho más evidentes que en la enumeración gastronómica,
cada palabra, o casi, encubre aquí intenciones lúdicras. El tema
de la falta de herencia, por ejemplo, bien podría ser un dato
celestinesco, pues la vieja declaraba a Sempronio:

> ¿Habíame de mantener del viento? ¿Heredé otra herencia?
> ¿Tengo otra casa o viña? ¿Conócesme otra hacienda más deste
> oficio de que como y bebo, de que visto y calzo? En esta ciu-
> dad nascida, en ella criada, manteniendo honra como todo el
> mundo sabe...

Pero en el *Cancionero de Obras de Burlas*, uno de los comentarios nos da una versión menos delicada y sin embargo
en relación más estrecha con el caso de Aldonza y su herencia:
«con aquella sola heredad que Dios le dio entre las piernas...»
(copla LXXIX, pág. 190). Con el «huerto» que rodea la «añora» o noria, Delicado se muestra más discreto, aunque no menos claro, pues la noria forma parte de una serie de metáforas
conocidas, y usadas en el *Retrato,* como *pantano* y *manantío*
(con su equivalencia *foso,* explícita en el mamotreto LIX), de
sentido inequívoco en este ofrecimiento de Lozana:

> Cuando vos quisiéredes regar mi manantío, está presto y a
> vuestro servicio (LXII).

Con la *lanzadera* que además posee Aldonza, entramos en
el campo del tejer, prestándose su forma y movimiento a la me-

96

táfora (corrientemente «pene»[105], pero solamente sustituto en la herencia de Aldonza). A pesar de todo, el «saber tramar» de la chica no podrá ser útil sino cuando su «telar» (que también se merece el comillado) se vea provisto de las premideras que por el momento le faltan. Se trata de los pedales (o cárcolas) que permiten accionar el mecanismo, tras lo que se transparenta la pregunta proverbial a Mariquita (*¿y con un pie tejes?*) y, probablemente, la respuesta (véase *supra*).

. Pues, si se tiene en cuenta que es a la vez tía y alcahueta, resulta clara también la contestación de su pariente que, a las dudas de Aldonza, puede contestar a *Alaroza* que su no tener le devengará dote y ajuar. Ya conoce a «aquel mercader» (Diomedes), comprador eventual de la hermosura de su sobrina: nótese que es explícito el lazo entre los encantos de la moza y el hecho de que tendrá bienes: «vuestra hermosura hallará ajuar cosido y sorzido». Sobre esa misma hermosura insiste también la tía al encarecer los atractivos de Aldonza, precisándole a Diomedes que *también* sabe tejer, a pesar de las alegaciones anteriores del autor (cfr. *supra*): «porque vuestra merced vea cómo es *dotada* de hermosura, quiero que pase aquí abajo con su *telar*, y verála cómo *teje* (mam. III).

La expresión «ajuar cosido y sorzido», aparentemente anodina a pesar de su relación con la hermosura de Aldonza, aparecerá sin embargo más temible a quien se acuerde de los sentidos traslaticios de *ajuar* «partes viriles» y *coser* (el hacer uso de ellas) que *zurcir* no hace sino reforzar[106]. Una vez aceptado tal significado para *ajuar cosido*, ya no parece anormal la trabazón lógica, que presenta la respuesta de la tía entre el ajuar y el mercader, y también se entiende el interés de Diomedes en que Aldonza sepa *labrar*, que no es sino una variante, en el campo erótico, de tejer, urdir y tramar. Gracia, mujer del mismo partido que Aldonza, se ve calificada, en el *Cancionero de Obras de Burlas*, de «gran labrandera» (copla XLI, aclaración, pág. 163), y otra, llamada Isabel de León, recibe el justo premio de su talento al fin de su vida porque «los dioses la han convertido en costurera» (*íd.*, LI, aclaración, pág. 172).

En la réplica siguiente de Lozana se prosigue el juego, basado en iguales principios, con *aguja* o *alfiler* («pene»), lo que da cuenta del *alfiletero* en que se hincan, y *apretar* (ya mencionado), mientras que el *dedal* puede verse precisado en su

---

[105] Véase, por ejemplo, el poema *77* de *P.E.S.O.* (pág. 134).
[106] Véanse los poemas *143* (para *ajuar*) y *76* (para *coser)* de *P.E.S.O.*

función si se dice de él: «Por éste un miembro humanal / se mete, y tan bien alcanza / que no le hiere la lanza / de un ojo, ni le hace mal»[107].

La prisa de Aldonza por encontrarse con Diomedes se explica, amén de lo otro, por el temperamento fogoso de la chica: ya que es *huérfana* (que se puede explicitar en *no tiene padre*: «ni aguja ni alfiler»), el mercader representa la oportunidad que hay que asir («porque no pierda mi ventura»), frase en la que el sustantivo remite a los juegos precedentes sobre *futura* y *ventura*.

A pesar de que se podrían aducir más ejemplos, no creo procedente seguir con este inventario de las virtualidades de la costura en *La Lozana*, como no sea para recordar que en *La Celestina* también desempeñaba un papel interesante *el hilado* (auto V), y asimismo que la vieja se auto-calificaba de *madre de estas labores,* en aquel auto VII que era el de la tentación de Pármeno y su caída... en brazos de Areusa. Y esto precisamente en la escena que precede el episodio galante en que Celestina le daba al joven este consejo: «trabaja por ser bueno, pues tienes a quien parezcas», y después de haberle recordado diabólicamente su ignominiosa estirpe. A pesar de la reinterpretación, le da su tía a Aldonza el mismo consejo *(hija, sed buena...),* mientras que las labores de aguja son objeto del tratamiento que se ha descrito. Es cierto que los elementos de *La Celestina*, con la elaboración burlesca que sufren en el *Retrato*, no resultan identificables de inmediato, pero en razón de la similitud profunda, se puede pensar que la inspiración de Delicado se nutre en ellos. La novela se mantiene, por lo que se refiere al tratamiento del tema erótico, entre la *Tragicomedia* y la *Carajicomedia* (ignoro si advirtió el cordobés la paronimia, pero sí las cita las dos) y la compilación cobra en el *Retrato* aspectos totalmente inéditos, aun si pone por obra unos recursos lingüísticos comparables en todo con los que explota, en aquella época, la poesía verde.

A la técnica cazurra sigue recurriendo Delicado para presentar a Diomedes, el nuevo personaje del mamotreto III. Este capítulo que, por su estructura y los procedimientos escénicos, prefigura ya los entremeses cervantinos, podría sin duda representarse en un teatro. Cuando se alza el telón, dos personajes,

---

[107] Viniendo al revés, en su presentación, la solución del enigma: *Oro ed laded nu a* (en claro: *A un dedal de oro),* en *P.E.S.O.* , 143, página 302.

Aldonza y su tía, están bosquejados ya, y la tía va a adquirir sus rasgos definitivos. En cuanto a Diomedes, es conocido solamente, por una alusión del fin del mamotreto precedente, como *mercader;* también se sabe que, informado por la tía, acude al sabor de la hermosura de la joven. El desarrollo de la acción estriba en las combinaciones escénicas de tres personajes, de los que uno siempre se halla ausente, lo que, siendo la escena en casa de la tía, puede esquematizarse así:

1. Diálogo Aldonza-tía; Diomedes, del que hablan ellas está fuera. Las mujeres elaboran una táctica para atraer al mercader en sus redes, o sea, que lo seduzca Aldonza.
2. Aldonza está arriba mientras, abajo, la tía encarece los encantos de su pupila, a quien se decide a llamar no bien le ha prometido Diomedes una gratificación.
3. Habiendo cometido la tía la imprudencia de ausentarse después de poner a los jóvenes en presencia, éstos, inflamándose en seguida, aprovechan la situación para tomar las de Villadiego, camino de Cádiz.
4. Cae el telón cuando la tía, engañada, expresa a voces su despecho y, renegando de su sobrina, le pronostica un buen porvenir en la prostitución y alcahuetería («la pronostica futura»).

Bonita farsa y burla que estriba en el truco del engaño a los ojos, anunciada indirectamente por una advertencia de Aldonza. El episodio cambia de rumbo, y de víctima, cuando la tía, aguijoneada por la promesa de retribución, le pide a su sobrina que baje, con el pretexto de que se ve mejor abajo para tejer; entonces le contesta Aldonza: «Señora tía, aquí veo muy bien, aunque tengo la vista cordobesa, salvo que no tengo premideras». La vista cordobesa es la que engaña[108] pero la frase es de doble sentido, teniendo que picar la curiosidad la oposición *veo muy bien / tengo la vista cordobesa;* evidentemente, *veo bien* significa que hay bastante luz, y es lo que entiende la tía; pero al tomar la expresión al pie de la letra, es imposible ver bien y mal al mismo tiempo, y eso orienta la interpretación hacia otros semas de *vista* sobre los que juega Lozana. Bien mi-

---

[108] Se emplea varias veces en *La Lozana* el adjetivo «cordobés» con el sentido de «astuto» o «falso». Correas da las equivalencias «treta», «astucia» y «maña» para *cordobesía,* s. v. *alfonsina* de que es sinónimo *(Ref. op. cit.,* 50 a.)

rado todo, dos acepciones del *D.R.A.E.* parecen convenir para la explicación: «encuentro o concurrencia en que uno se ve con otro» (el encuentro Diomedes-Lozana es efectivamente la base de la superchería) y «propósito o intento», pues está claro que Aldonza se tenía premeditada la jugada. La burla tiene aún más gracia si se considera que de esta forma la joven le había dado aviso a su tía de su traidora intención [109]. Es de advertir también que la reticencia de Aldonza para bajar responde a dos fines: en primer lugar, acrecentar la impaciencia de Diomedes, concordando esto con el plan ideado por la dos mujeres, y, por otra parte, dar a creer a la tía que se siguen sus consejos («amuestra a tu marido el copo, más no del todo»), lo que no puede sino aquietar eventuales sospechas.

La farsa, pues, tiene su unidad en sí, pero no por eso deja de insertarse en la construcción novelesca, permitiendo que se precisen los caracteres de los personajes y que se mantenga la unidad temática. La *tía*, de conformidad con el significado de la palabra en el *Retrato*, espera sacar un beneficio de su sobrina; es, por lo menos, lo que dan a entender las réplicas siguientes:

> MERCADER.—(...) madre mía ¡Yo querría ver aquella vuestra sobrina. Y por mi vida que será su ventura, y vos no perderéis nada.
>
> TÍA.—Señor, está revuelta y mal aliñada, mas porque vea vuestra merced cómo es dotada de hermosura, quiero que pase aquí abajo su telar, y vérala cómo teje.

Observemos primero que el mercader, Diomedes, la llama *madre*, mientras ella le trata de *vuestra merced,* lo que parece bastante claro; luego que ella vuelve al tema de la dote de Alaroza, dando a pensar que la hermosura de la chica se apreciará mejor si se la ve «tejer»; y por fin que la promesa de Diomedes («vos no perderéis nada») deja imaginar a una tía más preocupada por el interés propio que por el porvenir de su sobrina.

Aldonza venía ya con rasgos netamente marcados; sin embargo, su gula sexual, subrayada aun por el retrato que a grandes pinceladas nos ofrece de Diomedes, no hace más que acentuar el desfase cómico entre lo que se sabe de ella y las réplicas

---

[109] Anunciar a la víctima la burla que va a sufrir es lo mejor de lo mejor en la materia: nótese que Trujillo y su acólito, en los mamotretos L y LI, actúan igual para con Lozana, en este caso víctima.

que cambia con el mercader, al recibir ambos el flechazo de Cupido. Los tópicos del amor cortés, que ya se las habían visto con el yunque celestinesco, proporcionan a Delicado la materia de una escena francamente caricaturesca:

> LOZANA.—Señor, sea vuestra merced de quien mal lo quiere. Yo me llamo Aldonza, a servicio y mandado de vuestra merced.
>
> DIOMEDES.—¡Ay, ay!, ¡qué herida! Que de vuestra parte cualque vuestro servidor me ha dado en el corazón con una saeta dorada de amor.
>
> LOZANA.—No se maraville vuestra merced, que cuando me llamó que viniese abajo, me parece que vi un mochacho, atado un paño por la frente, y me tiró no sé con qué. En la teta izquierda me tocó.
>
> DIOMEDES.—Señora, es tal ballestero que de un mismo golpe nos hirió a los dos. Ecco adonque due anime in uno core. ¡Oh Diana! ¡Oh Cupido! ¡Socorred el vuestro siervo! Señora, si no remediamos con socorro de médicos sabios, dudo la sanidad, y pues yo voy a Cáliz, suplico a vuestra merced se venga comigo (mam. III).

Parece superfluo todo comentario. Sin embargo, si el lenguaje de la última réplica, el amor concebido como enfermedad que requiere medicina, parece proceder directamente de *La Celestina*, el contenido, con esas tintas tan recargadas, cobra otras dimensiones: en el código lingüístico particular del *Retrato*, «sanidad» tiene un significado más precisamente vinculado con ciertas manifestaciones físicas (en el caso del hombre, la erección). Así, los temores de Diomedes («dubdo la sanidad») le resultan tanto más molestos cuanto que el mercader de Ravena no parece querer apartar de sí el... *Cáliz* (otro florón de la geografía burlesca de *La Lozana)* adonde se propone ir[110].

Lo contrario sería lo sorprendente si se admite que también él esta determinado o predestinado, por su profesión (ya vimos que *mercader* no augura nada bueno[111]), por su nación, y por su nombre.

---

[110] Cáliz era una variante normal de Cádiz, lo que le permite a Delicado el retruécano «ciudad/sexo femenino». De la «sanidad» y de la geografía burlesca, volveré a hablar más adelante.

[111] A no ser que se emplee *bueno* como Delicado, porque pronto vamos a ver que Diomedes se hará alcahuete de Lozana.

En efecto, «Diomedes» procede de un nombre griego formado de *Dio* (genitivo de Zeus) y de *medos (eos-ous)* que puede significar: 1) «meditación», «pensamiento», «designio». 2) «testículos». De forma que Diomedes se prestaba con la mayor facilidad a un comentario escolástico más o menos chocarrero que, si realmente se hizo, no podía sino entrar en la jocosa colección delicadiana[112]. El significante de Diomedes, por poderse glosar a partir del significado erótico, corriente en español, del verbo *dar* que entra en su formación por etimología jocosa, podía dar lugar a varias lecturas: ¡*Dio(s) me des!* ¡*Di, ô, me des!* o *Diome-des*. En todo caso, es divertido advertir la convergencia hacia el erotismo del posible tratamiento *ad jucundum* del significado y del significante.

Si estas disquisiciones etimológicas no parecieran convincentes, considérese ahora la patria del mercader, que es *Ravena*. Esta ciudad, en razón de su significante, viene a formar parte de la misma geografía burlesca que *Fuenterrabía* o el *arrabal* de una ciudad cualquiera[113]. Explotando este tema, Juan de Salinas, con su gracia peculiar, se burló cruelmente de un pobre religioso que, estando a oscuras, se había sentado, por error, en un brasero en vez del requerido «servicio»: «En Fuenmayor / esa villa / grandes alaridos dan / a fuego tocan a prisa / que se quema el *arrabal* /... / Abrasóse en Salamanca / la calle del *Rabanal*. / Un pasajero a RAVENA / puso fuego artificial / y quemó a *Fuenterrabía* / por la parte de la mar»[114].

---

[112] Nótese que los nombres griegos eran casi tan conocidos como los latinos, pudiendo dar lugar a la misma clase de juegos que éstos: Calisto y Melibea en *La Celestina*, al lado de los latinos Celestina y Centurio, por ejemplo. Covarrubias comenta asimismo el significado de Evaristo, Eudoxia, Eugenio o aun Nicolás y otros muchos. En cuanto a Diomedes, si se acepta, permitiéndolo los componentes, como «cojón de Júpiter» (en vez de «designio de Dios»), no puede sino ser anuncio de éxtasis, dado que la expresión latina se usaba con tal sentido, al menos en el *Satiricón* de Petronio *(Cena Trimalchionis,* fragmento 51: «creía tener en su mano el cojón de Júpiter...»).

[113] Siendo en este caso *rabo* el étimo jocoso; por su sinonimia eventual con «cola», *rabo* podía significar «pene», pero se explotó, en la literatura de burlas del Siglo de Oro, sobre todo como equivalencia de «culo» (englobando éste algo más al tratarse de mujeres).

[114] Henry Bonneville, *Le poète sévillan Juan de Salinas,* París, P. U. F., 1969 pág. 114, y *Poesías del Doctor Juan de Salinas,* Bibliófilos andaluces, Sevilla, 1869, t. I, págs. 116-123. Más ejemplos de este empleo de *rabo* en *P. E. S. O.* Agradezco a mi amigo Henry

Así se ve cómo, probablemente sin saberlo, un canónigo sevillano enlaza —sobre el particular al menos— con el vicario cordobés que, en *La Lozana,* se aprovecha en varias ocasiones de la raíz *rabo* para divertir al lector, siendo a veces el juego sin mayor trascendencia, como pasa con la variante *batirrabo* que Delicado propone por el vestido de las romanas llamado *batículo.*

Todo esto, en unión de otros rasgos que apuntaré más lejos, permite pensar que Delicado no le atribuye Ravena como patria por casualidad a Diomedes. Aldonza, que le observa en secreto, nos ofrece un retrato entusiasta del mercader. Después de mencionar su buena estatura («¡cómo es dispuesto!»), sus ojos lindos y su ceja partida, la joven se detiene en detalles de mayor peso:

> ¡Qué pierna tan seca y enjuta! ¿Chinelas trae? ¡Qué pie para galochas y zapatilla zeyena! Querría que se quitase los guantes por verle qué mano tiene.

Es posible que la delgadez del muslo fuera un rasgo físico positivo [115]. Pero, por lo demás, es verosímil que Delicado, con esa referencia a las manos y a los pies, se valga otra vez de la técnica cazurra, porque lo mismo *pie* que *mano* suelen ser metáfora sexual *(pie* sólo para los hombres y *mano* también para las mujeres). El humor de la exclamación está en que Diomedes, que lo mismo pudiera calzar las toscas *galochas* que las

---

Bonneville el haberme señalado el citado poema de Salinas, en primer lugar porque muestra claramente que *Ravena* forma parte de la serie «rabo», y en segundo lugar porque el poema propone una geografía en muchos aspectos comparable con la del *Retrato,* en la que se buscaría en vano otra coherencia que la que imponen los juegos de palabras. Desde esta perspectiva, si bien no es extravagante Ravena como ciudad que comerciaba con España, Génova o Venecia hubieran sido, en razón de sus conocidas relaciones con los puertos andaluces, de mejor «rendimiento realista» que la patria de Diomedes; pero, desde luego, no servían para el equívoco.

[115] Melibea calificaba a Calisto de «luengo como cigüeña» (lo que, implícitamente, es alusión a los zancudos), pero como la comparación (¿elogiosa?) viene en el auto IV, en el que precisamente la mujer le llama también *saltaparedes,* palabra de matices licenciosos como se ha visto, quizás haya que ver en la «longitud» de Calisto como en la pierna fina de Diomedes, una promesa de sensualidad, puesto que, como se dice en francés popular, «el buen gallo es enjuto».

ligeras *zapatillas*, lleva puestas, en definitiva, unas *chinelas* que sirven para... ¡estar holgado![116].

El guante y la mano sirven por igual para el propósito lúdicro; *mano,* con el sentido de «genitalia» está ampliamente documentada[117], y la respuesta de la tía a Aldonza, quien le pregunta si puede presentarse ante Diomedes, no deja lugar a dudas en cuanto a la naturaleza de las manos:

> Si os hablare, abajá la cabeza y pasaos, y si yo os dijere que le habléis, vos llegá cortés y hacé una reverencia, y si os tomare la mano, retraeos hacia (a)trás, porque, como dicen: «amuestra a tu marido el copo, mas no del todo». Y d'esta manera, él dará de sí, y veremos qué quiere hacer[118].

Entre *mano* y *copo* (significando éste: «pendejo» y por sinécdoque, «vulva», de empleo corriente en *La Lozana)* se establece mediante *porque* una equivalencia; así la consecuencia que saca la tía *(el dará de sí)* cobra, más allá de la impaciencia que también expresa, otra dimensión, por decirlo así, muy bien evidenciada por Damiani que arroja otro refrán para aclarar el pasaje: «al marido, poquito, para no estragarle el apetito».

Se ve que el *mercader,* así pintado a lo cazurro, tiene unas

---

[116] Convarrubias describe las *chinelas* como «un género de calzado, sin talón, que con facilidad se entra y se saca el pie dél; (...) la chinela, por ser igual, viene a cualquiera de los pies, y así es común...» *(Tesoro,* pág. 436). Nótese además la relación etimológica entre *galocha* («bota para andar por los lodazales») y el adjetivo *galocho/a* «de mala vida» (véase Corominas, *D.C.E.L.C., s. v. galacho* y *galocha).* La interpretación de *pie* como «pene» arrastra evidentemente la de *zapato* como su complemento femenino (véase *P.E.S.O.* que da varios ejemplos). No entiendo lo que significa *zeyena.*

[117] En *La Lozana* es corriente el tal uso de *mano;* Criado de Val señala varias ocurrencias, entre las que figuran los pasajes que cito aquí *(Antífrasis...).* En *P.E.S.O.* también se verán ejemplos bastante claros, aunque no tanto como en la *Carajicomedia* que ofrece una visión algo curiosa de la anatomía femenina: «como a las veces el gran coño suelta / el chico carajo que no le hinche la mano» *(C. O. B.,* XIV, página 149). La misma metáfora existía también en francés clásico (véase la delicadísima novela en versos de La Fontaine, titulada *La fiancée du Roi de Garbe).*

[118] *tomar la mano:* quizá signifique en primer lugar «anticiparse, tomar la delantera» (cfr. *ganar a uno por la mano):* pero me limito aquí, como en otros pasajes, a indicar el nivel jocoso que, a mi modo de ver, es el de la coherencia del discurso de los personajes y del autor.

disposiciones físicas que no desdicen de su nombre ni del oficio que ejerce, el cual, precisado el tipo de comercio por la patria del hombre *(Ravena)*, presenta la particularidad de ser a la vez claro y turbio.

Reanudaré más adelante este tema; por ahora, después del flechazo evocado anteriormente, nuestro galán va, propiamente, a zarpar con Aldonza, dejando a la tía con un palmo de narices; así termina el «entremés», cuyo final —que se inscribe, con la fuga de los enamorados, dentro de la tradición de los desenlaces felices— saca su comicidad de la última fase del engaño a los ojos que padece la tía («mas deje subir a mi tía arriba», dice Aldonza) y de su despecho de alcahueta alcahuetada, mal pagada por su trabajo:

> ¡Mira qué pago, que si miro en ello, ella misma me hizo alcagüeta! ¡Va, va, que en tal pararás!

Esta maldición, que reanuda con las predicciones anteriores respecto de Aldonza[119], concluye el periodo en que la joven es conocida por este nombre: saliendo de España, se llamará en adelante Lozana. No tendrá más de unos doce años.

Hasta aquí, Delicado ha elaborado una suerte de marioneta folklórica y literaria, que no compagina tan mal con su amigo Diomedes. Este nombre, que permite los juegos mentales más escabrosos, y la profesión de mercader dudoso, oriundo de una ciudad que en virtud de su significante entra en todos los chistes escatológicos o eróticos imaginables, definen a un protagonista susceptible de evocar al Calisto de *La Celestina*, del que propone una caricatura de rasgos fuertemente marcados.

De la misma manera, Aldonza evoca a Melibea por lo dulce, pero la connotación «sin vergüenza» que el nombre recibe del refranero, la determina también. Su saber y su inteligencia, rasgo judío o converso del que se hablará después en las notas, son más bien un *resaber*, encarecido en apariencia, pero constantemente denunciado desde dentro. «Alaroza» también lo es, ya porque se busca la comida, ya porque espera la dote de un marido que remedie su no tener. Por lo demás, no hay casi ninguno de sus rasgos constitutivos que no pueda relacionarse con

---

[119] Nótese de paso la circularidad estructural del episodio (que este sistema de referencias implica) en armonía con la circularidad global del relato: preocupación retórica que recalca el aspecto paródico de la creación.

la tradición celestinesca y «de reprobatione amoris», vista aquí en el espejo deformador de la parodia.

Veamos ahora si, al bautizarla Lozana, el autor permanece fiel o no a este registro y a su técnicas.

Onomancía: Lozana

Si Lozana es el nombre «más común» de la protagonista porque incluye los demás, tambien lo es por llevarlo ella desde el mamotreto IV hasta el LXVI y último, en el que lo cambia por el de Vellida, o sea la casi totalidad de la novela. Es a tal punto «Lozana» para el autor que, aun antes del capítulo IV sus réplicas van precedidas de esta mención, mientras que las de Diomedes están anunciadas por «mercader» hasta que se revele su nombre al lector, aplicándose esta técnica de caracterización para numerosos personajes de la novela. Es cierto que Delicado no tenía por qué encubrir misteriosamente el nombre fundamental de su protagonista antes de que lo llevara efectivamente a la historia, puesto que lo utiliza ya en las piezas prologales y, por supuesto, en el título. Y éste, como todos los que pecan de largo, acaba en abreviatura para mayor comodidad, parando en este caso en *Retrato* a secas, o, mejor y más frecuentemente, en *La Lozana*. Lo que es cierto para nosotros ya lo era para los contemporáneos del autor, e incluso para el novelista, de quien Gayangos nos entera de que

> ... su principal ocupación parece haber sido corregir libros españoles para los impresores de Venecia; aquí nos cumple añadir que, *según él mismo se expresa* en el prólogo del *Amadís*, fue *discípulo del célebre Antonio de Nebrija;* y que en la introducción al libro tercero del «Primaleón» dice haber compuesto en castellano un libro intitulado *La Lozana* «en el común hablar de la polida Andalucía» [120].

---

[120] *Libros de caballerías,* Madrid, B. A. E., XL, 1950, *Discurso preliminar,* págs. XXXIX-XL, nota 4. Esta nota aporta precisiones muy interesantes relativas a la cultura y al conocimiento de la lengua española de Delicado. P. de Gayangos declara en efecto: «En la introducción al libro, después de advertir que la impresión que se dice de Toledo (1528) salió muy defectuosa y viciada, por haberla estampado Cristóbal Francés y corregido Cosme Damián, ninguno de los cuales había nacido en Zocodover, añade: *Mas el defecto está en los impresores y*

Ya que él nos invita a ver en su nombre la imagen de lo que es la heroína ¿qué significaba entonces *lozana* para Delicado, además de lo que apunta en sus explicaciones finales, puesto que lleva «el canto llano»? Para mí es obvio que, siguiendo así a su maestro que proponía como equivalencias latinas para *lozano* «elegans» (que también traduce por *gallardo)* y «lascivus», el cordobés escogió un nombre susceptible de declarar la hermosura (este aspecto del significado es el que retiene en el *Explicit: cosa garrida... belleza)* al mismo tiempo que la lascivia; y conste que el latín *lascivius* no se reducía a expresar lo libidinoso sino también cierta alegría y cierta osadía o audacia, rasgos todos ellos perfectamente característicos de la andaluza de la novela[121]. La impresión de petulancia y lujuria que aportaba el adjetivo lozana no se desprendía solamente de la especulación lingüística, ni se limitaba por consiguiente a los círculos cultos; también le daba cabida la sabiduría popular: «La mujer

---

en los mercaderes, que han desdorado la obra de la señora Augustobrica, con el ansia de ganar. En otro lugar del prólogo, y refiriéndose a esta misma edición de Toledo, dice así: *No es de maravillar si los leyentes ya no lo querían ver ni oír en ninguna manera a este libro, porque os juro cierto que en todo él no hallé renglón ni razón que concertada estuviese, ni palabra que derechamente fuese verdadera en romance castellano. Dígoos que eran las letras tan trastocadas, que había el libro lo de dentro fuera, que parescía frisado.* Es notable este pasaje, porque así se explica por qué el texto de la edición de Venecia de 1534, se diferencia tanto de las hechas en España, como ya lo advirtió alguno que de este libro se ocupó. Delicado creyó restablecer el texto de "Primaleón", no ya consultando la primera impresión o un texto manuscrito más antiguo, sino introduciendo en él las variantes que su buen gusto o su crítica le sugirieron.»

Quiero insistir en dos puntos, siendo el primero que para Delicado *los leyentes ya no querían* VER ni OÍR *la obra,* lo que prueba una vez más la importancia de la lectura en voz alta. El segundo no es de menor interés, ya que se trata del dominio del español en el autor de *La Lozana:* lejos de hablar o escribir un castellano espurio, fenómeno que no hubiera podido sino ir empeorando con los años (entre seis y diez transcurrieron entre *La Lozana* y la edición del *Primaleón),* Delicado sabía expresarse muy claramente, bien se tratase de gramática, bien de léxico, y si hay oscuridades en el *Retrato,* no hay por qué imputarlas a una deficiencia del lenguaje.

[121] Para más detalles sobre el sentido de *lozano* a fines del XV y principios del XVI y su posterior evolución, y también sobre la injusta polémica que mantuvo Valdés contra Nebrija, ver *Allaigre 1980*, páginas 122-125.

mucho lozana / darse quiere a vida vana»[122]. Por eso no creo, pese a lo que pretende Valdés, que tal uso de la palabra fuera privativo de Andalucía («donde la lengua no está muy pura», agrega él), pero si hubiese que acudir al paisanaje de Nebrija y Delicado para admitir que *lozana* llevaba consigo la idea de lujuria, no me parecería inútil recordar que la nacionalidad de la protagonista aparece en el título y que Delicado insiste, en su novela como en la introducción del *Primaleón*, sobre el hecho de que ha escrito el *Retrato* «en el común hablar de la polida Andalucía».

Es fácil hallar en la obra numerosas menciones de la hermosura de que *Lozana* es significante. Aludiendo a la juventud de la protagonista, el autor empieza diciendo: «Aquí conversó con personas que la amaban por su hermosura y gracia» (mam. I). Más lejos, al ver a Aldonza por primera vez, Diomedes exclama: «¡Oh qué gentil dama!» (III). Las mismas mujeres convienen en ello: «Beatriz, hermana ¿vistes tal hermosura de cara y tez?» (VII).

Pero, ¿para qué multiplicar los ejemplos? La belleza de Lozana, afirmada varias veces por un personaje u otro, está expresada siempre con los mismos términos abstractos, y en vano se buscarían detalles realistas, cualquiera que sea la parte del cuerpo a que se aluda. De hecho, fuera de la afirmación global de la gracia de la mujer, sólo merecen mención particular su cara (en la pregunta de Beatriz que se acaba de citar), sus dientes, sus manos y su pelo. Ahora bien, éstos son detalles en algún aspecto simbólicos, relacionados con el tema erótico como en las notas se dirá. Algunas alusiones a los estragos de la sífilis completan el retrato, lo que entraña cierta contradicción, alegremente superada por las necesidades del simbolismo y la comicidad. Aparte de lo dicho, aunque apela Delicado al arte del pintor, no saca gran cosa de su paleta. Cada uno puede imaginar a Aldonza como quiere: simplemente afirmada, sin base concreta, la hermosura de Lozana es, propiamente, indiscutible[123].

Única concesión al gusto de la época quizás —aunque el ras-

[122] Correas, *op. cit.,* 207, b (igualmente citado sin el artículo inicial: *Mujer...,* 564, a). Otro refrán parece confirmar éste: «Lozanía y loor no hacen un mismo son» (recogido por L. Martínez Kleiser, *Refranero General Ideológico Español,* Madrid, 1953, pág. 423).

[123] Si se admite que la doncella de la *Carta de excomunión* no puede ser Lozana.

go no desdiga de la concepción tradicional de la hermosura femenil en España—, pero a buen seguro en relación con la *lozanía*, una corpulencia apreciable... y apreciada además, que no es ajena a la «fresqueza» (como dice el autor) que caracteriza a la beldad. Silvano, con ocasión de una visita, se lo encarece: «¡Dios os bendiga, qué gorda estáis!» (XLIV). El mismo personaje conoce el secreto (que para mí lo sigue siendo) de esa buena salud, y lo revela a *el autor*[124].

> Cada mes de mayo come una culebra; por eso está gorda y
> fresca la traidora, aunque ella de suyo lo era (XLIII).

No hace pues sino mantener ella una disposición natural. Delicado, fiel por su parte a su técnica de adecuación del nombre y del ser, introduce una variante en boca de cierto *villano* a quien le sale al paso *el autor* mientras se va dirigiendo aquél hacia la casa de Lozana:

> AUTOR.— (...) ¿Vendes esas cebollas?
> VILLANO.—Señor no, que son para presentar a una señora
> que se llama *La Fresca,* que mora aquí, porque me sanó a mi
> hijo de ahíto[125].

Covarrubias propone de la mujer fresca una definición que permite formarse un concepto más preciso de Lozana: «la que tiene carnes y es blanca y colorada y no de facciones delicadas ni adamada» (609,a, 26). Así calificada (indirectamente), la *lozanía* evoca una beldad robusta, vigorosa, llena de vida, y este significado es finalmente el que retiene la Academia: «en los hombres y animales la viveza y gallardía nacida de su vigor y robustez». *(D.R.A.E.,* ed. de 1803), distinguiendo así un nivel funcional *(viveza)* engendrado *(nacida)* por un nivel esencial *(vigor).* Y de hecho, en *La Lozana,* todo pasa como si Delicado fuera consciente de dicha correlación; todos los actos de Lozana corresponden a estos datos básicos. Confiada sin duda en esa robustez, la buena moza no teme el enfrentamiento con cua-

---

[124] Adopto en adelante esta tipografía y sintaxis para diferenciar el uso normal que hago de la palabra autor y *el autor* como personaje de la novela.
[125] Mam. XLIII. Como lo demuestra con toda claridad la continuación, la Fresca es Lozana, y *fresqueza* es una de las palabras propuestas en equivalencia de *lozanía* en el *Explicit*. Evoca también el desparpajo de la mujer.

tro mujeres: «Y otro día hizo cuistión con ellas sobre un jarrillo, y echó las cuatro las escaleras abajo» (mam. V). Tampoco le dan miedo los hombres, y, de meterse de por medio, le hubiera costado lo suyo al fraile de la Merced que acompañaba a una de ellas: «que si me hablara, que estaba determinada a comerle las sonaderas» (VII). Sin embargo, se abstuvo el fraile, e hizo bien.

Pero donde el vigor de Lozana halla su terreno de aplicación específico, es, sin lugar a dudas, en el campo sexual, mostrándose poco menos que incansable: valga por testigo el *valijero* de los mamotretos XX a XXII —cuya función no fue escogida sin malicia— pues a pesar de nueve embates y saliendo él exhausto, o enjugado que diría Lozana, no pudo cansarla ni menos hartarla, a juzgar por la reacción de la mujer que, no bien se fue el valijero, se precipita en la cama con Rampín para llegar a... Jodar (ver XII, y notas). De ahí se infiere que las necesidades profesionales no le impiden a Lozana sumar lo agradable con lo útil, capacitada para ello por una viveza excepcional, fruto de su robustez. Su nombre la sitúa en la cumbre de una jerarquía del vigor, y por eso no puede ser sino mascarón de proa de aquella nave de los locos en forma de novela que, a partir quizás de la *lozanía*, pero también a impulso de otras sugerencias lingüísticas y literarias, vuelca la sanidad dentro del erotismo.

A quien le cupiera la mínima duda al respecto, le ruego que considere otra vez el penúltimo mamotreto en que el protagonista es un burro. Queriendo que el asno sea bachiller, su amo acude para ello a las mañas de Lozana, quien saca de su baraja dos triunfos para conseguir la baza, a saber, el aliciente del dinero y el incentivo del sexo. Con el soborno del notario, el examen será puro formalismo. (Muchas lecciones se pueden sacar no solamente del episodio de por sí sino también del lugar y puesto que ocupa en la novela: parece difícil justificar una y otra cosa sin consideración por el esquema ejemplar de la obra.) No han de ser sin embargo las facultades intelectuales del borrico sardo las que ahora quiero analizar, sino las particularidades de su recia constitución reveladas por Lozana, al fin del mamotreto, mientras está ultimando ella las disposiciones que le permitan a su apadrinado examinarse en condiciones óptimas[126].

[126] Adviértase que la historia no se cuenta hasta el fin; sabemos que el asno se gradúa de bachiller, en primer lugar porque el truco es in-

Porque creo que basta harto que llevéis la fe *[extendida por el notario]* que no os demandarán si le[y]ó en letras escritas con tinta o con olio o iluminadas con oro; y si les pareciere la voz gorda, decí que está resfriado, que es usanza de músicos: una mala noche los enronquece. Asimismo, que *itali ululant, hispani plangunt, gal[l]i canunt*. Que su merced no es gallo sino asno como veis, que le sobra la sanidad (LXV).

Después de traducir la cita latina por «los italianos ululan, los españoles lloran, los franceses cantan», Damiani y Allegra comentan en nota:

> Es decir no es galo (it. *gallo*) que necesita cantar («gali canunt») sino asno como indican sus notables atributos. El juego se basa sobre la identidad de la palabra italiana *gallo,* esp. «galo», francés *gallo,* esp. «gallo».

Estoy de acuerdo con esta nota para explicitar la «sobra de sanidad» del burro en «notables atributos», pero siento discrepar en lo que atañe al juego de palabras sobre «gallo» y «gal[l]i». Y porque pienso que aclara de manera interesante el tipo de compilación a que se dedica el autor, no creo inútil detenerme algo en examinarlo. No es, a mi parecer, el italiano el idioma que sirve de base al juego, sino el español y el latín; bajo el latín *gallus* cabe en efecto discernir tres significados distintos que dan cuenta de la significación del pasaje:

1) galo («francés»); 2) gallo («macho de la gallina»); 3) gallo («sacerdote de la diosa Cibeles»).

Conste además que, consciente de que el juego no se le daba tan bien en español, Delicado hace hablar a Lozana en latín para sortear el escollo de *galo* diferente de *gallo* en la pronunciación de la líquida, dificultad que no existía en latín. Ahora bien, ¿en qué consiste el chiste?

_____

falible, y en segundo, porque su éxito se anuncia desde el argumento del mamotreto, y en pasado («se graduó»). Hay otros episodios del *Retrato* que empiezan así dando la impresión de no terminarse, como la historia de Coridón por ejemplo. Este procedimiento acentúa la impresión de coherencia de la novela, dándole curiosamente un aire moderno e incluso superrealista que, posiblemente, sea una razón de su éxito en el siglo XX. Sin embargo, no es anticipación sino mera coincidencia, porque aun quedando implícito, el fin es conocido —o supuestamente conocido— del lector.

Amén de una alusión al mal que hace cantar —que será planto, llanto o deploración— a los franceses, en este caso las víctimas del «mal francorum» o «gallicarum», por otro nombre sífilis, que también hace *ulular* a los italianos y *llorar* a los españoles, con los dolores «acerbísimos y lunáticos», creo que existe otro nivel de comprensión, relacionado con una anfibología conocida, al menos en las aulas. Era impensable, en el campo de la lujuria, oponer *gallo* a *asno*, como lo hace Lozana («no es gallo sino asno»), porque ambos animales simbolizan la lascivia. Del gallo dice Covarrubias:

> El gallo, por ser tan lascivo y tan continuo en tomar las gallinas, pierde presto sus fuerzas. Él sólo, entre todos los animales, después del coito queda *lozano* y alegre, porque suele cantar *(Tesoro,*625,a, 24; nótese de paso el empleo del adjetivo *lozano* que me permito subrayar).

Si se trata, para los jurados del tribunal, de justificar la voz ronca del burro, lo mejor consiste en decir que ésta constipado y, además que es italiano (sardo es) puesto que *itali ululant,* lo que tiene que saberse, al menos por la frase en latín que parece cita. Si, en dicha «cita», el papel de los españoles no aparece muy claramente[127], el papel de los *galli* consiste en oponerse, por su calidad de cantantes, a la condición del borrico italiano implicado en *itali,* y del que sería por consiguiente ridículo esperar que cantase. Como nación estos *galli* son galos: el significado es pertinente dentro de la cita; pero, para oponerse a *asno,* definido por sus atributos sexuales, el *gallo* «macho de la gallina», a no ser capón, no conviene. Queda entonces el *gallo,* «sacerdote de Cibeles», que era eunuco; y los retruécanos que oponían (y confundían) los dos significados se dieron ya entre los latinos, con Marcial, como botón de muestra escogido por Covarrubias:

> ... juega del vocablo *gallus* porque en el primer verso significa el gallo castrado, y en el segundo el sacerdote de la diosa Cibeles, que se llamaban *gallos,* de un río de Frigia (...) cuya agua tornaba a los hombres locos y furiosos, cuales se ponían estos

---

[127] Si no se tiene en cuenta el que lloran por el mal francés —como acabo de sugerirlo— ni el ritmo ternario que confiere a la frase de carácter sentencioso con trazas de refrán. Recuerdo es además de la «España mísera» del mam. XII.

sacerdotes en sus sacrificios (...) Estos sacerdotes eran castrados y consentían en que les sacasen los testículos por estar fuera de su juicio, o ellos mismos se los resacaban (...) De aquí vino que a todos los capados llamasen gallos, y se jugase del vocablo como lo hace Marcial... [128].

Para hallar la fuente de Delicado, habría pues que evacuar los juegos que se dan en Marcial [129], sin excluir otros autores, es evidente. Se ve en efecto que, en Lucano, el *ular* se aplica a los *galli*, y el adjetivo *insanus* también. Si, como es de suponer, en estos o parecidos datos se inspiró Delicado, hay que reconocer que no se andaba en chiquitas al atribuir a los *itali* lo que era de los *galli*. No se dirá exactamente lo mismo de *cano* («galli canunt») porque eran célebres los cantos (los galiambos, con su métrica particular) de los sacerdotes de Cibeles, más conocidos éstos ahora por «coribantes» que por «gallos». En cuanto a *insanus,* implícito en el diálogo de Delicado, se opone, mediante una torsión de su significado, a la *sobra de sanidad* del borrico sardo. La compilación de que habla el autor, al confirmarse una vez más se precisa en su técnica: es un juego de pimpampún.

El cuanto al burro, del que cabría preguntarse para qué sirve en una novela realista, proyéctase su simbolismo sobre los personajes humanos del *Retrato*, especialmente sobre Lozana: se llama Robusto (casi Lozano). Es un simbolismo bien conocido, y, ateniéndose aquí a lo que se refiere a la sensualidad, me valgo una vez más de la ciencia de Covarrubias:

> También debían ser los de Palestina de color bermeja, pues en hebreo se llama el asno *hamor,* del verbo *hamar* («rubescere»), el cual nombre da ocasión a que empecemos los símbolos

---

[128] Como Covarrubias dedica al juego sobre *gallo* mucho más espacio del que dispongo, me limito aquí a lo esencial, pero se leerá con interés todo el artículo del *Tesoro,* desde 624, b, 33, hasta 625, a, 10; además de Marcial cita a Lucano (que hace *ular* a los *gallos*, y no a los *itali)* y a Ovidio. Le interesó sobremanera a Covarrubias la suerte infeliz de los *gallos* porque también la aduce en su artículo *cabrón,* con una variante lexical interesante: el agua del río vuelve a los hombres *insanos* (por «locos»), lo que puede guardar relación, dado el tema de la castración, con la *sanidad* de que a la inversa goza el burro Robusto.

[129] Véase más adelante el pasaje que dedico a la estrella en la frente de Lozana.

que se forman deste animal. Y el primero sea sinificar el apetito desenfrenado y bestial que le podemos considerar en aquella primera letra del nombre, por ser una aspiración fuertísima, *hamor,* que si se la quitamos queda amor; en el cual se puede entender el racional (157,a,33,s.v. *asno).*

Los amores humanos «a lo bestia» del *Retrato* tienen por parangón el asno: esto explica el lugar privilegiado del episodio de Robusto en la novela de que es casi apoteosis. Otra prueba de ello son los consejos de Lozana a Coridón, al tener éste que fingir la locura: «Di poco y verdadero y acaba riendo, y suelta siempre una ventosidad, y si soltares dos serán sanidad, y si tres asinidad» (LV). El viento suele ser símbolo de la vanidad del amor («todo es viento» o «todo es aire») pero, en el registro «particular» en que se sitúa la novela, el amor guarda relación también con la ventosidad, dándonos un ejemplo de ello la copla LI del *Cancionero de Obras de Burlas* (pág. 172). En realidad, una vez que se ha descifrado *asinidad* como *sobra de sanidad* a lo Robusto, la progresión *«una... dos... tres»* del consejo de Lozana a Coridón se esclarece, yendo a colocarse con la mayor coherencia en el plan de reconquista de Polidora, la joven a quien un matrimonio contra su voluntad separó de su enamorado Coridón. Cierto rufián le da también pie a Lozana para decir lo que es *sanidad:*

> RUFIÁN.—Señora, somos todos vuestros servidores, y máxime si nos dais *remedio* a un accidente que tenemos, que toda la noche no desarmamos.
> LOZANA.—Cortados y puestos al pescuezo por lómina, que esa es *sobra de sanidad.* A puente Sisto t' he visto[130].

Como otras muchas veces, la unión de los elementos halla su mejor expresión en un refrán. Cuando Rampín está encare-

---

[130] LVIII. Entiéndase *lóminas* como *nóminas,* y considérese lo pertinente de la sugestión de Lozana que el rufián trajese al cuello, a modo de nóminas, sus atributos sexuales, a la luz de estas explicaciones de Covarrubias: «*Bula* era una cierta insignia y ornamento que los que entraban triunfando traían colgada al cuello, incluso dentro ciertos *remedios* contra la invidia; de allí vino después que a los niños les pusiesen estas bulas, que vulgarmente llamamos *nóminas,*que por tener dentro de sí nombres de santos, tomaron este nombre; (...) Era esta bula o nómina casi *redonda...» (Tesoro,* 224, b, 40.)

ciendo la hermosura de una cortesana, en el mismo estilo cortés de Calisto («veréis la manifatura de Dios en la señora Clarina»), Lozana le afirma: «Hermano, hermosura en puta y fuerza en bastajo» (XII), rebajando así la elevación cortés del amor a su natural finalidad; y lo hace mediante la técnica del refrán trunco (heredado de *La Celestina*), puesto que la versión completa aparece en Correas así[131]: «Sabiduría de hombre pobre, hermosura de puta y fuerza de ganapán, nada val» (273,a). Lozana convierte pues una censura en elogio suprimiendo el verbo negativo, y quitando el elemento no pertinente (el hombre pobre); pero el discreto lector sabe discernir, por referencia a la forma completa, la intención mordaz... y en esto está la gracia, hablando como Correas. Pero este juego no impide que, en la nueva fórmula, la fuerza desempeñe el mismo papel en el ganapán o bastajo (al que se puede clasificar entre los criados o mozos) que la hermosura en la prostituta, entrando de lleno en el campo erótico, y confirmando así el sentido de la pregunta de Pelegrina: «¿qué quiere decir que los mozos tienen más fuerza y mejor que sus amos, por más hombres de bien que sean?». Sería facilísimo hallar otros ejemplos de la asimilación *fuerte / robusto / lozano / saludable / lúbrico* en la novela, pero, por ahora, me parece más interesante ver cómo Delicado une directamente *lozanía* con *lujuria*, haciendo depender explícitamente la característica fundamental de la protagonista a su *natural*, y explotando así al máximo, según parece, el dato lingüístico:

> ... y a todos sobrepujava, de modo que ya no había otra en aquellas partes que en más fuese tenida, y era dicho entre todos de su lozanía, ansí en la cara como en todos sus miembros. Y viendo que esta lozanía era de su natural, quédoles en fábula, que ya no entendían por su nombre Aldonza salvo la Lozana; y no solamente entre ellos, mas entre las gentes de aquellas tierras decían la Lozana por cosa muy nombrada. Y si mucho sabía en estas partes, muncho más supo

---

[131] No dudo que Correas pudo recoger otra versión, un poco diferente, del mismo refrán. Por consiguiente, mis conclusiones no son más que un esquema ideal, *como* si fuese cierta la base de que parto. Sin embargo, no creo que el refrán de Lozana pudiera despertar ecos favorables: la *puta* y el *ganapán* eran a todas luces tipos desprestigiados. Por lo que concierne a las implicaciones eróticas de la fuerza, véase *supra*.

en aquellas provincias, y procuraba de ver y saber cuanto a su facultad pertenecía (IV).

Al cotejar «esta lozanía era de su natural» con lo que dice Beatriz: «en su lozanía se ve que es de nuestra tierra» (VII), es lícito interpretar *natural* como «sitio natal» (en términos de Damiani); pero teniendo por función el juego de palabras evocar otras zonas del significado, no veo ninguna dificultad para que se entienda aquí también *natural* con su ya mencionado sentido anatómico; tanto más cuanto que, en el pasaje, sigue inmediatamente la indicación «en la cara como en todos sus *miembros*», significando esta palabra en español clásico cualquier parte del cuerpo, como la define Covarrubias *(Tesoro,* 804,b,5), a tal punto que Delicado, *cun grano salis* quizás, no vacila en hablar del *miembro del ojo* (LXII): ¿por qué no incluir entonces *natural* entre los «miembros» puesto que su significado lo permite, y a ello nos invita el contexto anterior?

Consecuencia notable de esa *lozanía natural* es la fama que con ella se granjea la «heroína», verdaderamente épica[132], y en todo caso universal o casi, pudiendo tanta gente apreciar esas increíbles dotes «naturales». También se advertirá que así aprende mucho la Lozana, según el autor («muncho sabía»... «muncho más supo»); pero al mal pensado lector le será difícil olvidarse del tipo de *saber* que puso la primera frase del mamotreto de manifiesto («sabido por Diomedes a qué sabía su señora»), ni andará descarriado por tanto al imaginar que tanta gente acudía *al sabor* no menos que al saber de la andaluza. Entonces, le será posible concluir que la «facultad» que tan a consciencia cultiva la mujer es el rendimiento de su *lozanía*, explotada por el *mercader* Diomedes.

Desgraciadamente, tal comercio deja huellas, y ya al final del mismo mamotreto IV —es importante el detalle— le aparece a Lozana una en la frente, en forma de estrella[133]. Según

---

[132] Paródicamente, desde luego. Siento no poder desarrollar aquí este tema que, en *La Lozana*, viene ilustrado por la misma «heroína» y por Rampín, con sus hazañas grotescas y cabalgaduras específicas (para más detalles sobre la utilización de la literatura caballeresca y épica en el *Retrato*, véase *Allaigre 1980*, págs. 134-139 y 214-218).

[133] Que se debe a la sífilis como voy a indicar a continuación; quiero solamente advertir aquí que se trata, en cierto modo, de una nueva visión de los riesgos que corre la lozanía, tema éste tradicional en la literatura de fondo moral de la que el cordobés saca parte de su inspiración (para más detalles, véase *Allaigre 1980,* págs. 139-144).

una técnica corriente en la novela de Delicado, se nos proponen varias explicaciones contradictorias del desperfecto.

La primera es del autor que, después de relatar la pena de Lozana al verse separada de Diomedes, sola y pobre después de la existencia fastuosa que llevara con su amante, indica sus manifestaciones:

> Y sobre todo se daba de cabezadas, de modo que se le siguió una gran aljaqueca, que fue causa que le veniese a la frente una estrella, como abajo diremos (IV).

Siendo del autor, esta versión debería ser objetiva; además Lozana la corrobora, en términos muy vecinos, un poco más lejos; pero la diferencia viene de que lo hace ella para oponerse a otra interpretación de la estrella por una alcahueta vieja:

> LOZANA.—Señora mía, aquel mozo mandó a la madre que me acogiese y me diese buen lugar, y la puta vieja barbuda, estrellera, dijo: «¿No veis que tiene greñimón?» Y ella, que es estada mundaria toda su vida, y agora que se vido harta y quita de pecado, pensó que porque yo traigo la toca baja y ligada a la ginovesa, y son tantas las cabezadas que me he dado yo misma, de un enojo que he habido, que me maravillo cómo so viva; que como en la nao no tenía médico ni bien ninguno, me ha tocado entre ceja y ceja, y creo que me quedará señal.
>
> SEVILLANA.—No será nada ¡por mi vida! llamaremos aquí un médico que la vea, que parece una estrellica (VI).

Por similares que sean las dos versiones de la causa de la cicatriz, se percibe fácilmente su duplicidad en razón del sesgo crítico que introduce la pregunta de la vieja, según la cual la «estrella» es síntoma de sífilis o *greñimón*. Conste que la vieja esta es experta, por ser una *vieja barbuda,* como Celestina —y la misma Lozana más tarde— y por *estrellera* además *(bruja,* propiamente *astróloga,* según Damiani), lo que significa sobre todo, sin descartar la posibilidad de que ella misma tenga señal, que es perita en estrellas. Si todavía le quedan dudas al lector, no le han de durar mucho, porque, ya en el mamotreto siguiente, Lozana suscita una reserva en la admiración que por su hermosura le tiene una conversa española de Roma:

> BEATRIZ.—Hermana, ¿vistes tal hermosura de cara y tez? ¡Si tuviese asiento para los antojos! Mas creo que si se cura que sanará.

117

TERESA HERNÁNDEZ.—¡Andá ya, por vuestra vida, no digáis!
Súbele más de mitad de la frente: quedará señalada para cuanto viviere. ¿Sabéis qué podía ella hacer? Que aquí hay en Campo de Flor munchos d'aquellos charlatantes que sabrían medicarla por abajo de la vanda izquierda (VII).

Después de estas réplicas, cambiadas en ausencia de la inte-
resada, queda claro que la estrella de la frente no es sino el remate del hundimiento de la nariz causado por el mal venéreo.
La misma protagonista subraya su falta de nariz, como otros
personajes de la novela también, a lo largo de la obra, pero no
vuelve a hablar más de la famosa estrella. Se trataría entonces
de un detalle anodino, sin interés alguno ni mayores consecuencias, si no aclarase en alguna manera la estructuración del
episodio y el *modus operandi* del autor respecto de sus fuentes.
El epigrama de Marcial, titulado *Ad Rufum*[134], ofrece simi-
litudes extrañas con estas peripecias del *Retrato,* y debía de ser
bastante conocido para interesar prodigiosamente a Covarrubias que, en calidad de ejemplo, se vale de él, dos veces al menos, para ilustrar y aclarar las voces *esclavo* y *bazo* (páginas 537 y 178), rúbricas éstas del *Tesoro* que me parecen muy
dignas de interés por la luz que proyectan, a pesar de la distancia temporal, sobre el *Retrato*. En lo que a la esclavitud y
a la historia de Lozana se refiere, me limito aquí a copiar (subrayando lo esencial), un pasaje de la descripción de *esclavo*
en el *Tesoro:*

> Después de los samios y atenienses, usaron otras naciones he-
> rrar los esclavos, esencialmente cuando eran fugitivos, y *les po-
> nían las señales en la frente,* como lo notó Marcial en un liber-
> to muy entonado y puesto en sublime lugar, que *traía apretada
> la frente con una cinta fingiendo tener dolores de cabeza.* Y ul-
> tra desta señal les cortaban el artejo de los dedos pulgares de
> los pies; porque con esto no podían caminar mucho, aunque
> quedaban hábiles para los servicios ordinarios. De uno y otro
> hace mención el dicho poeta, lib. 2, epigrama 20, *ad Rufum*
> (...) Hasta aquí ha descrito un gran personaje; pero en los dís-
> ticos que se siguen le advierte quién es; primero por señas, y al

---

[134] O sea, «Al bermejo», y nótese la relación con el burro de Pales-
tina o «hamor» definido por Covarrubias (cfr. *supra),* para hacerse cargo de las posibles interferencias en la mente «escolástica» del autor
burlesco.

cabo se lo dice claro. Dice que no le lastimará la punta del zapato la punta del pie, porque no le llega a ella, dando a entender le faltaba el dedo pulgar y que *la cinta que traía en la frente, o cintas, eran para cubrir las señales que le habían puesto, que eran unas estrellas, las cuales encubría aquella vanda (...)*:

> *Non extrema sedet ligula lunata planta*
> *Coccina non laesum cingit aluta pedem*
> *Et numerosa linunt stellantem splenia frontem*
> *Ignoras quid sit? Splenia tolle, leges.*

Entre la sátira de Marcial (o su paráfrisis del *Tesoro)* y el episodio lozanesco de la estrella, con la excepción de la amputación del dedo gordo del pie —que desde luego no podía seguir Delicado so pena de destruir a su personaje en tanto «trotaconventos»— es fácil comprobar que los detalles concuerdan:

- —el dolor de cabeza del esclavo y la jaqueca de Lozana (fingida también quizás).
- —las vendas que envuelven la frente del esclavo, y la toca baja a la ginovesa de Lozana, en ambos casos para ocultar la (o las) estrella(s) de la frente.

Añádese que, si bien la estrella de Lozana y las de Rufus tienen una causa distinta, lo que desde el punto de vista narrativo no tiene importancia, son, en ambos casos signo de infamia; y como Marcial viene citado en el *Retrato* como poeta cordobés (XXXVI), no me parece aventurado pensar que Delicado, conociendo el epigrama, se inspiró en él: conservaría la idea de la señal infamante, la de ocultarla bajo la venda, y también la forma, propicia para sus juegos de palabras.

La misma noción de esclavitud, mediante una trasposición de plano, quizá no fuese ajena al personaje de Lozana tal como nos lo presenta en el mamotreto IV, puesto que es tradicional asemejar el servicio amoroso a la esclavitud: pero, ¿no es acaso el amor cortés lo que parodia la pareja Aldonza-Diomedes? Así, por lo menos, lo dejaba augurar su encuentro (mam. III) situado bajo el signo de Cupido que pasaba a los dos jóvenes con un solo flechazo. Y el juego continúa en el mamotreto siguiente en que Aldonza —Lozana ya— subraya varias veces su dulce y dura condición, cuando no lo hace por ella el autor:

- —seré siempre vuestra más que mía.
- —miraba de ser ella presta a toda su voluntad [de Diomedes].

—os demando de merced [dice Lozana a Diomedes] que dispongáis de mí a vuestro talento, que yo tengo siempre de obedecer.

De forma que el *Retrato* presenta, en esta peripecia, una estructura que parece ser un calco del epigrama de Marcial, esquemáticamente:

Esclavitud → estrella en la frente → disimulación de la señal infamante.

Aunque la concatenación lógica de los hechos no sea el cuidado primordial de Delicado, fuerza es comprobar, a pesar de todo, que no solamente Lozana tiene la sífilis al fin del mamotreto IV sino que además presenta en ese momento las huellas visibles de la enfermedad, lo que supone cierta evolución: en estas condiciones, ¿dónde, cómo, cuándo y con quién contrajo su mal?

Cabe sin duda declarar inocente al piadoso barquero que, contra la orden del padre de Diomedes no quiso anegarla y «visto que era mujer, la echó en tierra» (IV). Habría que ser bastante cándido para creer que fuera tan desinteresado ese «echarla en tierra», siendo relativamente fácil imaginar que, gracias a su saber, Lozana le... ¡coh-echaría! Pero es más problemática la inocencia de Diomedes; hemos visto que las aventuras marítimas del mercader y de la andaluza encubrían un comercio sospechoso, y como, que se sepa, los deslices de Aldonza anteriores a su encuentro con el hombre de Ravena no tuvieron consecuencias patológicas, podemos suponer que la enfermedad tuviera su origen en el comercio a que se dedicaban los «idílicos» amantes.

Además, ¿se imaginaría una novela realista que pusiera en escena a un comerciante sin referencia alguna, pese a la relativa importancia del personaje en la obra, al tipo de comercio a que se dedica? Sin embargo, es lo que ocurre en el *Retrato*. De Diomedes se sabe solamente que es *mercader* y que es de *Ravena*, precisiones éstas insuficientes para intentar siquiera bosquejar una semblanza del hombre, pero utilísimas para colegir que, como especialista del *rabo*, se entrega al mercader a rentabilizar los encantos o la lozanía de Aldonza. No creo que pueda haber duda respecto de la naturaleza de las mercaderías de Diomedes, al considerar las siguientes líneas:

Y *pasando él en Levante con mercancía,* que *su padre* era *uno* de los *primos mercaderes* de Italia, llevó consigo a su muy amada Aldonza, y *de todo cuanto tenía la había partícipie;* y ella muy contenta, viendo en su caro amador Diomedes *todos los géneros y partes de gentilhombre* y de hermosura en *todos sus miembros,* que le parescía que *natura no se había reservado nada que en su caro amante no hubiese puesto.* E por esta causa, miraba de ser ella presta a toda su voluntad y *cómo él era único entre los otros mercadantes, siempre en su casa había concurso de personas gentiles y bien criadas,* y como veían que a la señora Aldonza (...) era dicho *entre todos de su lozanía*[135].

Ya se vio que Lozana se dejaba convencer fácilmente por tales «argumentos»: Rampín, que dispone de iguales o mejores, será a la vez su criado y su maestro; así se explica también el vasallaje amoroso que la somete a Diomedes, y se entiende por qué, después de su primer ayuntamiento, el autor afirma: «comenzó a imponella según que para luengos tiempos durasen juntos» (IV). Si observamos que Nebrija no propone otra equivalencia para *imponer* que «por encima poner», y Covarrubias

_____

[135] Mam. IV. Me limito aquí a subrayar los pasajes (o palabras) ambiguas, indicando a continuación su valor erótico por parecerme inútil mencionar los otros:

— *pasar en Levante:* «ponerse en erección».
— *mercadancía:* «semen» (a veces «pene»).
— *padre:* «pene» (cfr. «padrear»).
— *primos mercaderes (uno de los):* léase *mercader* a la luz de «mercadancía» y entiéndase también como «proxeneta», voz que, en latín, significa «corredor, *mercader* o alcahuete». El latinismo *primo* (por: «primero»), permite además evocar la hermosura o «primor».
— *la hacía partícipe:* de su mercadancía.
— *géneros: sinónimo conocido de mercadancía.*
— *partes:* sobraría explicar.
— *gentil hombre:* cfr. contaminación general de los términos de nobleza.
— *natura no se había reservado nada que en su caro amante no hubiese puesto:* es decir que la naturaleza no se había olvidado de proveer a Diomedes de *natura* («genitalia») por haberle dado todo lo que tenía de específico.
— *mercadante: como mercader, «leno» o «proxeneta» cuya calidad y cualidades explican la presencia en su casa de esas personas gentiles y bien criadas [i. e.: «proni ad venerem», por decirlo en latín]* que así estaban en condiciones de dar fe de la *lozanía* de su protegida. Véase también, mamotreto L.

no retiene más que la acepción «imponer tributo» o «imposición», «tributo», se podrá pensar que en siglo XVI estos semas eran los más inmediatos en este verbo aunque tuviera quizá más amplia competencia: en todo caso son los que mejor dan una idea de la venalidad del mercader, y del sitio que ocupa en relación a la mujer.

Seguro de la sumisión (de expresión reiterada) de su hetaira, Diomedes puede dárselas de cortés al pedirle que le acompañe por un largo viaje del que dibuja las grandes líneas:

> yo me tengo de disponer a servir y obedecer a mi *padre*, el cual manda que *vaya en Levante,* y *andaré toda la Berbería,* y principalmente, *donde tenemos trato* [136].

Luego puntualiza el itinerario en una larga enumeración en la que, como ocurre con las del mamotreto II (la comida) y del XX (las prostitutas), se deslizan, entre lugares inocentes, otros más sospechosos, y no puede sino alertar al lector el que el término de ese recorrido por Levante y África del Norte no sea Venecia —lo que casi sería normal— ¡sino Flandes! [137].

Las aventuras marítimas de Aldonza y Diomedes evocan en realidad dos ámbitos: el de las novelas de caballerías con sus viajes interminables y frecuentes cambios de escenario, y el de las perpetuas mudanzas de las prostitutas, históricamente comprobadas, de la que pasa un reflejo hasta en el *Cancionero de Obras de Burlas:*

> Mostróse Samos, con la Olivares
> María de Burgos, con las Vulcaneas,
> Isabel de León, con las merdufeas,
> y otras mil putas, que van por las mares.

(Copla, LI, pág. 172)

---

[136] Para *padre* y *Levante,* ver nota anterior. De *trato* es casi tan conocido su empleo erótico como el otro (cfr. «la malcasada tratos tiene con su criada»).

[137] En las expresiones metafóricas Flandes no significa la solución de una dificultad o la consecución de una gran empresa, como en «poner una pica en Flandes» (expresión que no aparece en castellano antes del reinado de Felipe IV) sino el colmo del deleite: «para encarecer una cosa de mucho deleite, solemos decir: *No hay más Flandes* (Covarrubias, *Tesoro,* 599, a, 25, s. v.). Todo esto sin embargo no obsta para que Flandes fuese un país verosímil para el ejercicio de la prostitución itinerante en aquella época.

Estos desplazamientos, y sus escalas, parecen incluso haber dado a luz un personaje folklórico, Margarita Corillón, que le sirve de comparación a Lozana para denostar a un palafrenero: «Mala putería corras, como Margarita Corillón, que corrió los burdeles de Oriente y Poniente, y murió en Setentrión, sana e buena como yo» (LXIV). La protagonista nos ofrece todavía otro testimonio sobre esa práctica, en el mamotreto VII: «y estaba allí una beata de Lara, el coño puto y el ojo ladrón, que creo hizo pasto a cuantos brunetes [i.e. grumetes] van por el mar Océano».

El sesgo crítico que introducen esas prácticas, si bien reveladas a propósito de otros personajes por la misma Lozana, resulta interesante para rendir cuenta de la naturaleza real de los lazos que la unen a Diomedes, aun si el autor no presenta claramente más que el aspecto idílico, dejando al lector el cuidado de descubrir por sí solo, entre los almocarbes del cazurrismo, el hilo conductor real de la historia, el único que puede explicar la estrella en la frente de la mujer. Del bosquejo quevedesco de la devota de Lara (¿de qué santo?) que acabo de citar, se apuntará aun una técnica de denunciación ejemplar, muy de la tradición celestinesca, que consiste en delatar en los otros los vicios de uno mismo. Incluso viene explicitado el mecanismo en el *Retrato*. Cuando vuelve a aparecer en el mamotreto XVIII la «vieja barbuda estrellera» que fue la primera en desmitificar la famosa estrella en la frente, una vez más enfurece a la andaluza diciéndole la verdad:

> VIEJA.—¡Ay mi alma, parece que os he visto y no sé donde! ¿Por qué habéis mudado vestidos? ¡No me recordaba! ¡Ya, ya! Decíme, ¿y habéis os hecho puta? ¡Amarga de vos, que no lo podrés sufrir, que es gran trabajo!
> LOZANA.—¡Mira que vieja raposa! *Por vuestro mal sacáis el ajeno:* ¡puta vieja, cimitarra, piltrofera, soislo vos dende que nacistes, y pésaos porque no podéis.

Así que, es muy posible que Lozana atribuya a la beata de Lara una vida que, en realidad, fuera la suya, sobre todo si se considera que tiene por costumbre actuar en esa forma, sucediendo alguna vez que otro personaje cale sus intenciones:

> LOZANA.—Eso yo me lo tengo, que no soy puta, cuanto más ella que vive d'so.

123

PATRÓN.—Quien a otra ha de decir puta, ha de ser ella muy buena mujer, como agora vos[138].

Interrumpiendo los viajes marítimos de nuestros amantes, el padre de Diomedes surge, con una reacción totalmente imprevisible, para oponerse brutalmente a la boda que al fin remataría la unión feliz, como lo prueba una prole ya múltiple:

> Así vinieron en Marsella, y como su padre de Diomedes supo, por sus espías, que venía con su hijo Diomedes Aldonza, madre de sus nietos, vino él en persona, muy disimulo, amenazando a la señora Aldonza (...). Y *estando un día Diomedes para se partir a su padre,* fue llevado en prisión a instancia de su padre, y ella, madona Lozana, que fue despojada en camisa, no salvó sino un anillo en la boca. Y así fue dada a un barquero que la echase en la mar... (IV).

Sigue luego el conocido episodio del marinero piadoso. Pero aquí, llama la atención la frase enrevesada, con sus repeticiones inútiles, tal que en conclusión despierta la sospecha. Parodia recargada del estilo de las antiguas crónicas y de las novelas de caballerías y amorosas, este pasaje contiene la indicación, discreta por anegada entre tantos detalles, del resultado de las aventuras: a Diomedes le achaca el mal francés. Este mal, «acerbísimo y lunático» como dice Delicado, causa al canónigo que fecundará a Lozana en el mamotreto XXIII, unos dolores increíbles:

> ¿Qué quiere qu' haga? Que ha veinte días que soy estado para cortarme lo mío, tanto me duele cuando orino...

La confrontación de los casos de Diomedes y del canónigo permite ver que no es curiosa ni deficiente la sintaxis «partirse

---

[138] XXXVII. Última frase del mamotreto; la comicidad de esta conclusión estriba evidentemente en la significación, corriente en el *Retrato*, de *buena* como «puta». El refrán que reza el patrón evoca estos otros:

— «Puta y pobre y buena mujer, no puede ser» (Correas, *op. cit.,* 485, b).
— «Miren quién me llamó puta, sino otra más disoluta» (Correas, *op. cit.,* 556, a).

a su padre», y no «DE su padre» como si de efusiones familiares se hubiera tratado. El fingido arcaísmo de la construcción de la frase no puede ocultar el juego pues, por más que se bucee en la historia de la lengua, el verbo *partirse* rige la preposición *de* para indicar la despedida recíproca (cfr. *Cid.:* «Así se parten uno de otro como la uña de la carne»). En razón de la polisemia del sustantivo, «partirse de su padre» hubiera sido, de todos modos, un sintagma ambiguo, pero con *a* apenas puede caber duda: Diomedes estaba para cortarse(a) su «padre» o partírselo.

Así se explica, creo yo, la (mala) estrella de Lozana, que a Teresa Hernández se le antojaba incurable, sin que por eso dejara de proponer un remedio en apariencia misterioso:

> Que aquí hay en Campo de Flor munchos d' aquellos charlatanes que sabrían medicarla abajo de la vanda izquierda (citado ya, *supra*).

La solución al problema de léxico que supone *vanda izquierda* también está en el epigrama de Marcial, fuente de la «estrella de Lozana», o mejor dicho en los comentarios a que daba lugar su traducción, y los correspondientes chistes de los alumnos poco formales. Además de la «compilación literaria» tal como la practica el cordobés, resulta más clara también, con esta creación lingüística, su postura frente al vocabulario y su manejo, dándonos asimismo indicaciones sobre el contexto cultural en que se desenvuelve el autor. Tratándose de las vendas que ciñen la frente del esclavo Rufus, Covarrubias traduce *splen* por «vanda», variante de «venda» en el Siglo de Oro; pero *splen* también quiere decir «bazo», arrojando anteriormente Nebrija *splen* y *lien* como equivalencias de «bazo». Este órgano está en la parte izquierda del abdomen, y eso lo sabían perfectamente, definiéndolo Covarrubias como «parte de la asadura que tiene su asiento en la siniestra del animal», y, valiéndose de la autoridad de Celso, a quien cita («Splem in sinistra parte est intestino annexus... est [enim] velut linteum oblongum») le agrega consideraciones filológicas: «Y por esta causa las vendas que se atan a las frentes para reprimir el dolor de la cabeza le dieron este nombre los antiguos», citando otra vez a este propósito el mismo epigrama de Marcial.

Para establecer una conclusión parcial, conviene notar que, más allá de una falsa pedantería cómica, la remotivación etimológica que pasa, para *vanda izquierda,* de una lengua a la otra, corrobora el nivel «escolástico» del registro del *Retrato.* Es verosímil que cierto número de vocablos fuesen objeto, en las escuelas, de una serie de disquisiciones conocidas de cierta categoría de gentes, aquella precisamente para la cual escribió Delicado. Hoy, desgraciadamente para la comprensión de tales obras, siendo muy otros los referentes culturales que solemos manejar, buena porción de esos juegos no pueden sino pasar inadvertidos. Pero para el público esclarecido («los oscuros somos nosotros») que le supongo a Delicado, la *vanda izquierda* por «bazo» pudo, en unión de los sacerdotes de Cibeles como *gallos,* evocar a Marcial, compatriota de Delicado y Lozana. Por estas y otras razones semejantes, el relato de sus aventuras por la misma protagonista debía de percibirse, inmediatamente, como falaz, pues el trasfondo cultural que constituía el esclavo Rufus, con sus jaquecas y sus vendas para disimular la estrellada frente [digo: con estrella(s)], proyectaba sobre el retrato de Lozana una luz cruda que hacía resaltar sus contornos.

No obstante sería injusto cuestionar solamente las raposerías y mentiras de la andaluza, porque el falso testimonio de *el autor* también salta a la vista: apuntemos, alertados ya por sus paradojas y contradicciones, que se desacredita una vez más en su calidad de narrador objetivo puesto que presenta la misma versión de la «estrella en la frente» que la andaluza. ¿De quién fiarse en esta novela escrita por un embustero? Este personaje se merece a buen seguro un estudio específico[139].

Bríndanos también el episodio de la estrella una información sobre el *modus operandi* novelesco de Delicado. Si es cierto, como creo, que el epigrama de Marcial fuese la fuente de esta peripecia del *Retrato* significaría esto que que la materia de la novela es, al menos en parte, de compilación , siguiendo en esto la definición del mamotreto que propone el autor, y según lo dejan imaginar varios indicios ya aludidos aquí. Pero, partiendo siempre del análisis de dicho motivo, se podría añadir que compilación no significa forzosamente inserción brutal de elementos sacados intactos de otras obras, ni siquiera imitación servil. Aunque el espinazo es el mismo, aunque varios indicios remiten al texto latino, y si en el epigrama no hay (por naturaleza propia se podría decir) solución de continuidad, Delicado no introduce en bloque la materia «compilada» en un párrafo, ni en un capítulo siquiera: la estrella que a Lozana le

---

[139] Que le dedico al final de esta Introducción.

sale en la frente al final del mamotreto IV, se va precisando después de toques esparcidos hasta el mamotreto VII inclusive —con la excepción del V en que no se menciona— y nos invita además a buscar por recurrencia (como lo exige el autor) sus causas, necesariamente anteriores, que no se exponen a flor de relato sino que vienen envueltas en las virtualidades de la expresión. Así «dramatizada», cuando no diluida, la materia inicial no se puede comparar con la piedra de un edificio, sino con el polen que fecundiza el campo.

A propósito de campo, queda por hablar de ese Campo de Flor, donde, según Teresa Hernández, había charlatanes para remediar a Lozana[140]. Ahora bien, Campo de Flor es una plaza muy real de Roma «donde practicaban su arte los embusteros y charlatanes» según Damiani (R.75, nota 22, página 102). Pero debido a la medicación propuesta, era fácil que *flor* —sin menoscabo de una remotivación del significado «superchería» que, en germanía tenía la palabra (véase Hidalgo)— actualizara sus virtualidades eróticas, si se admite que una medicación «por abajo del bazo» no puede distar mucho de aquel pozo de las delicias que volvió loco a más de un poeta.

No es éste más que un primer indicio de la interpretación burlesca de algunos lugares de la geografía romana, y, de permanecer aislado, no sería muy convincente; pero espero aportar algunos elementos más de apreciación, y, en primer lugar, el que se puede sacar —por así decirlo— de la nariz de la protagonista, o mejor dicho de la ausencia de nariz puesto que, después de sus aventuras, Lozana es... *roma.*

Si hay un detalle del retrato físico de su personaje sobre el cual insiste el autor reiteradamente es la destrucción del apéndice nasal causada por la sífilis, que le da ocasión, amén de algunos retruécanos, para unir indisolublemente Lozana con Roma.

Bien es cierto que Roma es la Ciudad Eterna que debería ser «cabeza de santidad»; ahora bien, por una traslación culpable —de la que es signo el paso de *capítulo* a *mamotreto*— se ha convertido en la capital del sexo, mereciéndose así un RETRATO: «¡vae tibi civitas meretrix!» concluye lógicamente el autor, para mayor aflicción, como se ha dicho de Menéndez y Pe-

---

[140] Soy consciente de que la presente trabazón fundada en una asociación de ideas participa más de la pirueta que de una lógica bien vertebrada, pero a veces no veo otra solución para seguir los meandros de la novela.

layo [141]. Pero además, *roma* (adj. fem. de *romo,* de origen incierto) significa también «de nariz chata», particularidad ésta en la que nadie puede rivalizar con la andaluza, otra vez *Sin Par.*

Se alude por primera vez a ella en el mamotreto VII, con una precisión facilitada por la misma Lozana: «Y, por el Dios que me hizo, que si me hablara [el fraile de la Merced], que estaba determinada comerle las sonaderas *porque me pareciera*». Se confirma casi enseguida el rasgo, cuando Beatriz pondera la hermosura de Lozana, sin embargo con una reserva: «Hermana, ¿vistes tal hermosura de cara y tez? ¡Si tuviese asiento para los antojos! Mas creo que si se cura que sanará», confirmando así el origen patológico del hundimiento de la nariz que su hermana, Teresa Hernández, asocia además a la estrella de la frente, y a la ya mencionada medicación por vía baja. Después, la referencia a la falta de nariz —o su pequeñez— se repite como *leitmotiv;* entre los síntomas de la sífilis es el único tratado con tanta complacencia en la novela, lo que se explica, según creo, por la voluntad de Delicado de perfilar una *Lozana roma...* o *Roma lozana.* A veces, no es sino una leve reminiscencia; en el mamotreto LI, como acaba de retozarla un burlón —cuya imponente nariz traduce el vigor sexual— Lozana, que ni siquiera se ha percatado de cómo era, se pregunta: «¿Qué señas daré d' él salvo que a él le sobra en la cara lo que a mí me falta?» Otras veces, Delicado introduce un juego de palabras; con motivo de una fiesta de carnaval, Lozana espera impacientemente a unos amigos que vienen a recogerla:

¡Y oliva, oliva d' España, aquí vienen y hacen quistion, y van cantando! ¡Agora me vezo sonar de recio! (LXII).

Sonar, en este caso, se refiere en primer lugar a la música (cfr. *sonaremos mi pandero,* de virtualidades eróticas ya indicadas), dado que ella quiere participar en el animado concierto, aun cuando la «sin sonaderas» no puede lógicamente sonarse pero, evidentemente, por la gracia del juego sobre *sonar,* también es lo que pretende hacer mediante entrenamiento («me vezo»).

Se verán muchos más casos en el texto de la novela; lo que le importa a Delicado es estrechar los brazos entre la *roma* y

---

[141] *Epístola del autor.* Cfr. «vosotros que vernés tras los castigados, mirá este retrato de Roma...».

Roma, la ciudad que ha elegido ella por domicilio. Su oficio la obliga —como lo explica ella misma— a cambiar de casa de vez en cuando; entre las tres o cuatro que se le conocen en la novela, hay una cuya dirección deja perplejos a los historiadores. Invitando a una mujer, Lozana suministra la siguiente información:

> Señoras, id a mi casa, que allí moro junto al río, pasada la
> Via Asinaria, más abajo (XL).

Asinaria es un nombre muy posible para una calle romana, haya existido realmente o no [142], pero, sobre todo, ¿qué buenas señas para la protagonista de una novela que, antes de su desenlace en Lípari, culmina con el episodio del *asno* Robusto! Recuérdese que este garañón, peso y medida de los demás personajes y concretamente de Lozana «la robusta», burro verdadero, se hace bachiller, superando así la etapa asnal, más allá de la Vía Asinaria, calle que simboliza finalmente burrada y *lozanía* [143]. En la localización de la casa de Lozana, la Via Asinaria es un punto de referencia *(pasada... más abajo)*. ¿Habrá que ver en *más abajo* una precisión dentro del marco simbólico que acabo de evocar? Es posible, pero tampoco es de olvidar, una vez más, *La Celestina;* y si se tiene presente que Lozana había vivido en el barrio de la «Cortiduría» de Córdoba (VI) y tenía un tío curtidor (VII), se entenderá con la mayor facilidad por qué su casa guarda relación con la de «aquella vieja de la cuchillada que solía vivir *en las tenerías, a la cuesta del río*» (auto IV). Los elementos, esparcidos en la novela, son más o menos idénticos: la «cortiduría», el «tío cortidor»... «junto al río»... «más abajo». En cuanto al famoso «chirlo» de Celestina, ha pasado a ser el rostro de Lozana una estrella y una nariz corroída tan aptas como aquél para denunciar los peligros de la mala vida.

Otras veces, la realidad romana se ofrece muy llanamente al autor, sin que éste tenga que solicitarla siquiera, para entrar en

---

[142] Damiani y Allegra parecen dudarlo: «Quizá sea esta la única indicación topográfica inexacta... en *La Lozana*». *(R. 75,* nota 10, página 293).

[143] Más que la influyente famimlia romana Asinia, *Asinaria* recordaría más bien la famosa comedia de Plauto que también versa sobre empresas libidinosas, aunque los asnos de la comedia latina no tuviesen el mismo papel que Robusto en *La Lozana*.

su *Retrato*, con un nombre ya evocador o cargado de simbolismo, como se verá en los correspondientes mamotretos: *Puente Sixto*, realmente barrio de baja prostitución, pero que evocaría más bien el seis o el sexto del pecado de lujuria que no el Sumo Pontífice de ese nombre bajo cuya advocación se halla; y si la calle *Calabrache* —que era dónde vivía Rampín, de quien se conoce el papel respecto de Lozana— se ve españolizada por Delicado en *Cala-braga*, tampoco parece esto inocente [144].

Por estas y otras razones que no analizo aquí —como Torre Sanguina, o la plaza Nagona (casi Narigona)— no creo que la topografía romana pueda servir de prueba del realismo del *Retrato*. Además, mencionar no es describir, y si Delicado tiene el arte de sugerir, en pocas réplicas, la presencia de un grupo o una muchedumbre, el decorado surge siempre en *La Lozana* en función de las necesidades de la narración, ya se trate del desarrollo de la acción, ya de un chiste. La evocación de un lugar de Roma, lo mismo que de una costumbre local o de una palabra italiana, sólo sirven de pretexto, las de las veces, a un quid pro quo o a una broma. Y lo que digo aquí de las partes también vale para el todo —que es Roma— puesto que, en virtud de su significante, esta ciudad simboliza el amor, siendo esta vez explícita en la novela la relación entre éste y aquélla. Lozana la subraya dos veces:

> ... y por esto es bueno fuir romano por roma que, voltadas las letras, dice amor... (LXVI).

> Sed ciertas que si la Lozana pudiese festejar lo pasado o decir sin miedo lo presente, que no se ausentaría de vosotras ni de Roma, máxime que es patria común que, voltando las letras, dice Roma, amor *(Epístola de la Lozana)*.

Hay pues simbolismo e inversión, o inversión simbólica («voltando las letras»). Es verdad que las propiedades y virtudes de las letras daban lugar a especulaciones serias en el siglo XVI, y por ello queda a veces insegura la frontera entre lo jocoso, lo serio y lo jocoserio en el *Retrato*, aunque lo más pro-

---

[144] Confieso sin embargo que el guión lo puse yo; pero nadie me ha de convencer de que Calabraque (que así suena en italiano) fuese tan imposible de pronunciar como para que un autor realista español tuviera que traducirlo, como no fuese para llamar la atención sobre el significado.

bable es que Delicado, con su acostumbrada irreverencia, se burlara de lo instituido, y que Lozana confirma que *Roma* es la condición inversa del *amor*. A cierta granadina que tiene aún algunos principios morales (a pesar de su inclinación por un hombre, se niega ella a él porque ha sido amante de su hija), la medianera, rechazando ese tipo de escrúpulo («en Roma todo pasa sin cargo de conciencia»), intenta persuadirla con el ejemplo común y la seducción de la ganancia:

> No seríades vos la primera qu' eso hace en Roma sin temor. ¡Tantos ducados tuviésedes! (...) ¿Que pensáis que estáis en Granada do se hace por amor? (XXIX).

Por ahí se ve que la venalidad es una de las razones de esa inversión del amor, inversión que, como la ciudad de Roma, simboliza la mujer roma, Lozana. Los diversos juegos de palabras van a rematar la unión de la ciudad del vicio y de su mayor sacerdotisa.

Para atenernos aquí a un ejemplo, examinemos un diálogo en el que *el autor,* lleno de admiración por Lozana («no es nacida su par», dice), le pronostica a su amigo Silvio:

> Ésta comprará oficio en Roma, que beneficio ya me parece que lo tiene curado, pues no tiene chimenea ni tiene do poner antojos (XXIV).

El conceptismo es denso. El pleonasmo «no tiene chimenea ni tiene do poner antojos», doble expresión de la falta de nariz, se explica aquí por su función en el juego conceptista. *Antojos* son *anteojos,* y Lozana no puede gastar gafas por no tener el asiento necesario para ello, que es la nariz; pero *antojos* son también «deseos» o «caprichos», pudiéndose entonces aplicar la frase a «comprará oficio en Roma» por *no tener otro que desear. Chimenea* es, metafóricamente, la nariz; pero sin metáfora, en ella es donde se ahúman (o *curan)* ciertos productos alimenticios, y por eso el *beneficio* YA *lo tiene curado,* pues no se puede contar con la *chimenea* de Lozana para este tratamiento. Pero todo no está en conseguirlo, también hay que conservarlo, lo que, *curado,* es más fácil, como lo sabe cualquiera. Se podría sentir aún en *curado* una alusión al mal *incurable* que le confiere su particularidad física a Lozana, pero en este caso, no sería más que una vaga connotación, sin valor funcional en el juego conceptista. La oposición *oficio/benefi-*

cio, ahora, se proyecta sobre un telón de fondo paremiológico: 1) con el refrán «quien ha oficio ha beneficio» (Correas, *op. cit.,* 388; con inversión aquí ya que Lozana, dotada de *beneficio,* no tiene aún *oficio); 2)* con la expresión popular «estar uno sin oficio ni beneficio», de la que la dinámica mujer está en trance de ser perfecta antítesis. Sin embargo, el *beneficio* de que goza la Lozana es más bien una renta como la de algunos eclesiásticos, más precisamente *beneficio curado,* es decir, «el que tiene obligación aneja de cura de almas» *(D.R.A.E.):* salta a la vista, entonces, la ventaja que supondría la posesión de un *oficio* sin obligación, como es evidente también la irreverencia hacia el ministerio sagrado que implica la asimilación de los fieles con las ovejas de Lozana. Y, evidentemente, puesto que en Roma se repartían los *oficios* más codiciados (como los *beneficios,* pero ella ya tiene uno), la ex-Aldonza es de las más capacitadas para comprarse uno *en roma...; pues no tiene chimenea!*

¿Será abusivo concluir que si la nariz de Lozana hubiese sido más larga, la roma (o Roma) de Delicado hubiera presentado una cara diferente?

Cualquiera que sea la respuesta a esta pregunta, fuerza es comprobar que la misma Lozana es quien destruye tan perfecta simbiosis, cuando ella misma escoge otro nombre, al decidirse a emigrar a Lípari para «acabar muy santamente» (epígrafe del mam. LXVI): desenlace ejemplar, muy digno de meditarse.

EL NUDO DEL «EXEMPLUM» (VELLIDA EN LÍPARI)

Si la resolución que toma Lozana en el último mamotreto de retirarse a la isla de Lípari parece inopinada, hay que decir que la aceleran dos acontecimientos, siendo el primero la predicción de un astrólogo de que uno de los dos —Lozana o Rampín— había de ir al paraíso, y el segundo un sueño simbólico de fácil interpretación, ya que sus elementos evocan la muerte (Plutón y Marte) y la vanidad de las cosas terrestres (el árbol de la vanidad o de la locura); todo ello reforzado por la lámina que ilustra este último mamotreto (la alegoría infernal).

No es cierto que, como se ha pretendido, este final sea totalmente inesperado, pues viene anunciado, a lo largo de la novela, por el texto o la iconografía —en unión o por separado—, como en el mamotreto XLII donde aparecen Lozana y

Silvano contemplando una calavera, tradicional *momento mori* inserto en este *Retrato* particular. Véase también el grabado del mamotreto L que podría ser frontispicio de una «Danza de la muerte», sirviendo, en este caso, de contrapunto a la burla de Trujillo, aunque también pudiera referirse al mamotreto anterior y su doble evocación de la decrepitud: la de Inés, «que sacó de pila a la doncella Teodor» y, sobre todo, la de la Galán portuguesa, que «tuvo dineros más que no quiso» y está ahora «asentada demandando limosna». Asimismo, la muerte es evocada al final de los mamotretos XXI y XLVII con una brutalidad que sorprende, porque nada en el texto anterior dejaba prever las alusiones macabras de las últimas réplicas. En el XXI, a Lozana que le había preguntado dónde estaban las españolas de Roma, contesta el valijero que «en Campo Santo»; y en el XLVII se concluye la invitación de Lozana a Silvano con una réplica de éste («contempláme esa muerte») sin relación alguna con el contexto escrito inmediato, pero sí con el grabado del *memento mori* que está debajo y, por supuesto, con la temática ejemplar de la novela en su globalidad. Con tales contrapuntos, el autor sugiere que la muerte puede sobrevenir en cualquier momento. Pero, súbita o no, siendo ella de todos modos ineluctable, nos invita él a considerar la vida a la luz de su fúnebre desenlace, y por eso parece normal que le dedique su último capítulo.

Esa perspectiva desde el desenlace y fin permite apreciar el valor de las gesticulaciones humanas al pie del árbol de la vanidad o de la locura. Es curioso que el libro no traiga ilustración gráfica de este árbol, puesto que existían representaciones de la caída en el pecado, variante o fuente del tema del árbol de la vanidad [145]. No es posible olvidar, sin embargo, que el frontispicio de la Lozana es una representación original de la nave de los locos, tema complementario del árbol de la vanidad [146]; todo ocurre una vez más como si Delicado hubiese desgajado los elementos de su fuente, al incluir uno en forma gráfica al principio de su libro (la nave) y el otro, en forma escri-

---

[145] Véase, por ejemplo, el grabado de Holbein (alrededor de 1520) que Icaza tuvo la feliz idea de utilizar para ilustrar su edición de *La Danza de la Muerte,* Madrid, Pueyo, 1919. Sin embargo, la primera viñeta del *Retrato* (la I de «Ilustre Señor» en el prólogo) podría ser representación del árbol (véase nota).

[146] En el lienzo más conocido sobre el tema, el de Jerónimo Bosco, el árbol de la locura crece incluso dentro del mismo barco.

ta, al final (el árbol), añadiendo así un indicio más de la estructura circular de la novela, y de su técnica de compilación. Lo cierto, en todo caso, es que *Nave de los locos* y *Árbol de la locura,* deben concebirse desde la perspectiva de la muerte, piedra de toque de las vanidades de este mundo; y no es casualidad que Delicado presente su árbol por medio de las dos variantes, siendo el tema de la *vanidad-locura* el que (con el de la muerte) informa el sueño de Lozana.

La unidad temática refuerza también la impresión de que la conclusión moral de las aventuras de la heroína garantiza la intención moralizadora de la novela. En efecto, hablando en nombre propio esta vez, Delicado recurre a la misma imagen del árbol para afirmar la pureza de sus intenciones (véase: *Fenezca la historia...,* FINIS, al final del mamotreto LXVI).

Se concluiría pues que el propósito es de lo más edificante si, además de la sospechosa mención de este «Retrato, el más natural que el autor pudo», no surgieran, en el mamotreto final, otras disonancias.

En primer lugar, es curioso el concepto que se forma Lozana del acceso de Rampín al paraíso; se sabe, por la predicción del astrólogo que uno de los dos irá seguro; y Lozana estima que tiene que ser ella, no por egoísmo sino porque ella se dará maña para que entre él también: «Yo quiero ir a paraíso, y entraré por la puerta que abierta hallare pues tiene tres, y solicitaré que vais vos, que lo sabré hacer» (LXVI). Bien se puede admitir que la pecadora arrepentida goce de la gloria eterna (hay un precedente famoso), pero si además aboga por Rampín como *solicitadora perfecta* (cfr. mam. I), puede el celestial portero pasar a formar parte de la grey de Lozana.

Otra particularidad: la émula de la Magdalena, a sabiendas de que la conquista del paraíso merece algunos sacrificios, expresa su voluntad de ir a las islas en busca de paz, renunciando al árbol de la vanidad. Muy bueno y muy santo es esto; pero la conclusión no deja de sorprender:

> ... haré como hace la Paz, que huye a las islas, y como no la buscan, duerme quieta y sin fastidio, pues ninguno se lo da, que todos son ocupados a romper ramos del sobrescrito árbor, y cogiendo las hojas será mi fin. Estarme he reposada...[147].

---

[147] Es cierto que se podría entender: «... y cogiendo las hojas. Será mi fin; estarme he reposada...», sin embargo cortar la frase así no cua-

Conque, ¿huyendo del árbol, sigue Lozana cogiendo hojas?: ¿para ofrecerlas acaso a San Pedro?

Estos indicios, que las demás paradojas e inconsecuencias no incitan a tomar por descuidos del autor, inducen en cambio a analizar más de cerca las piadosas resoluciones de la protagonista, y a preguntarse en primer lugar cuál puede ser el sentido de su nuevo cambio de nombre.

Si Aldonza le venía de su abuela y Lozana le había sido impuesto por Diomedes que, además, se apoyaba en un amplio consenso (no siendo Alaroza más que una suerte de glosa de Aldonza) esta vez, es la misma protagonista, quien haciéndose cargo de su destino, elige su última denominación: «Vamos... al ínsula de Lípari con nuestros pares, y mudaréme yo el nombre y diréme la Vellida...» A primera vista, la ruptura es total, y, por primera vez, el significante no evoca directamente los anteriores, más o menos paronímicos todos, anagramas casi, sonando en eco la nacionalidad:

Aldonza ↔ Lo(d)zana
Andaluza ↔ Aldaunza; Laudzana

Aún Alaroza tiene bastantes fonemas comunes para entrar en un paradigma de los significantes del que sólo se excluye Vellida. ¿Habrá lugar a ver en este último nombre un signo serio del cambio de rumbo que anuncia la heroína y confirma *el autor* en el argumento del último mamotreto?

Cabe dudarlo al considerar, amén de las consabidas inconsecuencias, la inclusión explícita de Vellida en el sistema onomástico general de los nombres de la protagonista, siendo Lozana el archilexema de la serie. Como se hace dicha inclusión a partir del sema «hermosura», tiene su razón de ser; aunque Delicado que siempre usa la grafía con V, da la misma equivalencia que para el nombre con B, o sea Bellida. De forma que sus explicaciones están conformes con los datos etimológicos:

Bellido: ant. «Bonito, hermoso», 982 (y como nombre propio ya 683), deriv. quizás debido a un cruce con el lat. *Mellitus* «dulce» que se empleaba junto con *bellus* en frases cariñosas para

---

dra con el estilo normal de Delicado, y ningún editor propone tal lección.

dirigirse familiarmente a personas queridas (Corominas, *B.D.E.L.C.,* s.v. *bello).*

Todo lo cual nos recuerda la hermosura general, y la dulzura de Aldonza. No obstante, si la confusión B/V es antigua en castellano, lleva consigo aquí otra, semántica esta vez, que, permitiendo para Vellida los mismos juegos a varios niveles que los otros nombres, involucra lo *bello* en el *vello.* Aunque teóricamente distintos, los planos de la pilosidad y la vejez están ligados en el *Retrato,* como en la celestinesca en general, para ofrecer dos ejes de la significación que se entretejen constantemente[148]. Finalmente, Vellida con V significa, según confirma el *D.R.A.E.,* «que tiene vello.». De ahí los retruécanos fáciles que, evidentemente, no fueron exclusividad de Delicado; así Enríquez Gómez evoca sarcásticamente a un malsín en los siguientes términos: «Era calvo, y tan calvo que podía / a la muerte vender lo que tenía / y por lo que heredaba de Bellido / le servía su vello de vestido»[149]. Pero si *vellido (a)* evoca el pelo, también connota la vejez. Podría objetarse que la paronimia *vello/viejo,* un tanto violenta en castellano, no es aceptable sino a través del portugués «velho, velhice», y que tal solución es bastante artificial. Sin embargo, fue corriente en el Siglo de Oro este juego lingüístico a caballo de las dos lenguas, dando fe del fenómeno (por ejemplo), Tirso de Molina en el *Burlador,* y César Oudin en su *Tesoro de las dos lenguas*[150].

---

[148] Lozana, vieja ya, no difiere de Celestina, *puta vieja barbuda.* La expresión, explícita en la *tragicomedia,* se da también en el *Retrato,* a propósito de la vieja «estrellera» del mamotreto VI, prefiguración en ese momento del porvenir de la heroína, lo mismo que después la Garza Montesina, la Galán Portuguesa, o su vieja amiga Divicia, según una técnica de imágenes reflejadas que no estaría demás estudiar a fondo, lo que desgraciadamente no puedo hacer aquí. Pero cuento con las notas de pie de página para ilustrar los temas de la vejez y de las barbas.

[149] *Siglo Pitagórico,* París, 1977, Ediciones Hispanoamericanas (edición de Ch. Amiel), pág. 25.

[150] Tirso: «*d. Juan*— Irá a morir
Costanza? —*Mota:* Es lástima vella
lampiña de frente y ceja,
llámala el portugués vieja,
y ella imagina que bella.
d. Juan. —Sí, que bella en portugués
suena vieja en castellano» (vs 172-178)

C. Oudin: *Vello* ou *viejo:* Vieil, ce mot est Portugais (947, b).

Ahora bien, Lozana, Vellida ahora, no es sino una mujer vieja, como indica su decaimiento, motivo explícito, entre otros, que tenía para retirarse (o *retraerse):* «y así más de cuatro me echarán de menos, aunque no soy sola, que más de cuatro Lozanas hay en Roma (...) y veo que mi trato y plática ya me dejan, que no corren como solían» (LXVI). Ya no es inigualable, ya no es la *Sin Par,* ya no es LA Lozana sino una de ellas. Es verdad que su decadencia ha sido progresiva, siendo posible advertir sin embargo sus primeras manifestaciones claras desde el fin de la segunda parte (mam. XL). No le falta pues razón a Hernández Ortiz cuando apunta: «Apenas se percibe su envejecer [de Lozana] y su final no es la muerte como les ocurre a muchos otros en la obra sino la retirada a la paz»[151]. Dejando a un lado la problemática «paz», vale la observación mientras permanezca el «percibir» en el campo de las impresiones, pues no es un envejecer realista (que hubiera podido traducirse en mil pormenores) lo que evoca el autor, sino un simbólico «fugat irreparabile tempus»; por lo cual se buscarían en vano sus huellas en el comportamiento de Lozana. Sin embargo, se quejaba ya la protagonista (con Giraldo, o con Silvano), de que cualquier tiempo pasado fuese mejor, y la Aldonza del mamotreto I, con sus escasos doce años, añoraba ya una edad de oro:

> Como estábamos en prosperidad, teníamos las cosas necesarias, no como agora, que la pobreza hace comer sin guisar, y entonces las especias, y agora el apetito.

¿En nombre de qué realismo se cree oír aquí a Vellida? A decir verdad, si el porvenir de prostituta de la niña era previsible ya desde el primer capítulo, puede verse que sus aventuras eran concebidas en su totalidad desde la perspectiva de un refrán que aparece, disfrazado además, solamente en el último: «A la puta y al rufián, a la vejez les viene mal»[152]. Es lógico entonces que Lozana pida, en el mamotreto XLIV, que se instituya, como para los soldados veteranos, una «taberna *meritoria»* para las meretrices viejas.

Y esto nos lleva otra vez al significado de Vellida «la vieja», pero queda por preguntarse aún si Delicado no recurrió tam-

---

[151] *G. A. L. A., op. cit.,* pág. 89.
[152] Mientras que Lozana quiere retirarse a Lípari, porque *sabe* que «tres suertes de personas acaban mal, como son: soldados, putanas y osurarios, si no ellos, sus descendientes» (LXVI).

bién al registro de la germanía[153]. Se notará que *vellido* significaba en esta jerga «terciopelo», y *vellida* «manta de cama» (cfr. Oudin, que arroja las formas con B o V inicial, y *D.R.A.E.*, que solamente trae las formas con V para dichos significados). Con el velludo (o terciopelo), volvemos a encontrar no solamente los semas de «dulzura» (para: *vellido/a*), sino también lo «villosus» (o «velloso») de su etimología. En cuanto a Vellida como «manta» o «frazada», baste recordar la vida anterior de Lozana.

Bella y dulce, pero vieja y velluda —por atenernos a su nuevo nombre de Vellida—, la protagonista decide jubilarse, *retrayéndose* a las islas eolias, en Lípari; y como se sabe, por las explicaciones del autor, que no es arbitraria esta elección, veamos los motivos de ella.

La cuestión está en saber si Vellida puede rescatar a Aldonza y Lozana, con un fin de vida ejemplar; dotada, desde un principio, de eminentes aptitudes intelectuales —de las que vimos lo que había que pensar— la andaluza habría alcanzado la sabiduría verdadera, la que abre las puertas del paraíso. El memorable precedente de la Magdalena cohonesta la verosimilitud del caso, pero las mismas explicaciones del autor lo vuelven harto sospechoso, puesto que parece como que él está dudando de que Lozana haya infringido algún día los mandamientos divinos:

> ... en esto quiero dar gloria a la Lozana, que se guardaba muncho de hacer cosas que fuesen ofensa a Dios ni a sus mandamientos, porque, sin perjuicio de partes, procuraba comer y beber sin ofensión ninguna. La cual se apartó con tiempo, y se fue a vivir a la ínsula de Lípari, y allí se mudó el nombre, y se llamó la Vellida[154].

El cambio es tal que lujuria y gula dejan de ser pecados mortales, y si el *autor* traduce fielmente las ideas del sacerdote Delicado, es de temer por su ortodoxia. Sin entrar en un debate

---

[153] Sería temerario afirmarlo porque no disponemos al respecto de testimonios lingüísticos fidedignos.

[154] *Cómo se excusa el autor.* Una vez más, *el autor* corrobora lo que decía la misma Lozana: «Decíme por qué no tengo yo de hacer lo que sé, sin perjuicio de Dios y de las gentes» (LXI). Una diferencia sin embargo llama la atención entre las dos presentaciones, diciendo el autor «sin perjuicio de *partes*» lo que parece muy digno de alabar en una prostituta concienzuda, que así se gana el cielo.

teológico, admitamos que el autor confirma realmente en este pasaje la santidad final de esa Lozana que, en el fondo, no habría pecado mucho en su vida; no sin cierta sorpresa entonces, el lector, al conocer las explicaciones subsiguientes, se da cuenta de que la intención expresa de la obra era la censura de la vida de una mala mujer y de sus secuaces: «y si alguno quisiere saber del autor cuál fue su intención de retraer reprehendiendo a la Lozana y a sus secaces...». Para indagar si se trata en definitiva de una apología o de una reprobación, veamos a qué corresponde exactamente la elección del lugar, presentado como de salvación, donde se retira la mujer; las razones que alega el autor son las siguientes:

> ... ¿por qué más se fue la Lozana a vivir a la ínsula de Lípari que a otra parte?: porque antiguamente aquella ínsula fue poblada de personas que no había sus pares, d'adonde se dijeron li pari: los pares; y dicen en italiano: «li pari loro non si trovano», que quiere decir: no se hallan sus pares. Y era que cuando hacía un insigne delito, no le daban muerte, mas condenábanlo a la ínsula de Lípari. (Explicit).

Ya señalé el sofisma que caracteriza la frase (véase *supra*), pero hay otras anomalías, empezando por la etimología del nombre de la isla, burlesca a todas luces porque siempre fue palabra esdrújula, lo mismo en italiano que en castellano. En realidad el juego introduce a la isla en la geografía burlesca del *Retrato,* junto a Jodar, o Cornuella: Aprovechándose del significante y de la paronimia en italiano, Delicado hace de dicha isla el lugar final soñado para su *Sin Par* Lozana, de quien se ha visto que, en cambio, tenía *pares* («más de cuatro Lozanas hay en Roma»). Y en calidad de *par* va a reunirse en la isla de los pares *(li pari)* con todos los *sin par...* y sus *pares* [155]. Y el juego escolástico no está terminado.

Lípari que en realidad es un presidio, había sido presentada anteriormente al lector como tierra de refugio de la paz adonde se proponía ir la sabia Lozana:

> Y si veo la Paz, que allá está continua la enviaré atada con este ñudo de Salamón; desátela quien la quisiere (...) y entendamos en dejar lo que nos ha de dejar (LXVI).

---

[155] Sin menoscabo de un juego sobre *pares* «placenta», con el recuerdo del mamotreto XXIV, en que se buscan pares para una vellutera, casi Vellida.

¿Cordura o castigo? Imposible decirlo: el lugar encubre una ambigüedad (siempre la noción «par») que corresponde a la doble naturaleza de Lozana, criminal y no criminal, sabia y no sabia, par y sin par.

No cabe duda, si se cree a Covarrubias, de que las islas Eolias convenían perfectamente para el retiro de Lozana por presentar también doble cara, en razón del patrocinio de Eolo que simboliza viento y prudencia[156]. Prudente, Lozana lo es al tomar la decisión de retirarse a la isla de la paz, menospreciando las vanidades del mundo y acabando «muy santamente». Pero el viento es, precisamente, vanidad, y con frecuencia la del loco amor. De forma que Lozana, huyendo del árbol de la vanidad, va a refugiarse a las islas del viento, gozando Lípari entre ellas de eminente lugar, ya que Santillana la escoge para simbolizar la tempestad perpetua:

> En Lípari cesará
> antes viento, y será calma;
> el que plantare la palma
> prestamente gozará
> del su fruto, que pudiese
> yo dejarte,
> trocarme, nin olvidarte,
> nin sopiese[157].

¡Imagínese la reacción de un lector acostumbrado a este tipo de simbolismo cuando Lozana declara que allí quiere ir ella a buscar la paz para enviarla atada en el nudo de Salomón! Para dar a comprender lo que es este nudo, un dibujo ilustra la frase (véase), observando Damiani con razón su parecido con un nudo gordiano[158], porque es realmente uno, y como

---

[156] EOLO: «Dios de los vientos, hijo de Júpiter y de Acesta o Sergesta, hija de Hippota, y por esto dicho de los poetas Hippotades (...) Algunos ponen dos Aeolos, y lo más cierto es haber sido algún varón sabio y experimentado en el arte de navegar y haber dado pronóstico y avisos del tiempo (...) El nombre es griego, Aeolos, que vale varius, metaphorice, multiplex, implicatus, ambagiosus. Y diéronle este nombre, o por su mucha prudencia o versucia o por la mutabilidad y variedad de los vientos que con tanta facilidad se mudan. Habitaba en ciertas ínsulas dichas de su nombre aeolías cerca de Sicilia.»

[157] Marqués de Santillana, *Canciones y decires,* Madrid, Clásicos Castellanos, 18, 1964, pág. 146.

[158] *L. A.* 69, nota 436, pág. 245. *R. 75* trae la misma nota, pero no

tal inextricable, e imposible de desatar a no tajarlo. Quizás sea una manera de invitar al lector a dividir, separando el desorden de la inmanencia (represetnado por los 66 mamotretos) del orden de la trascendencia, sugerido por las piezas prologales y epilogales que enmarcan dichos mamotretos. Sea lo que sea, Delicado —fiel a su acostumbrada técnica compilativa— injerta en la tradición del nudo gordiano la de Salomón y la del signo o sello conocido con su nombre, logrando así una alucinante complejidad y densidad de la significación.

La asociación de ideas entre el nudo gordiano y Salomón pudo nacer de la necesidad de tajar, que es el punto común entre dicho nudo y el famosísimo juicio de Salomón, que ya desde la antigüedad le mereció a su autor, con otras decisiones, una gran reputación de sabio, discreto y prudente, ampliamente explotada por la literatura, en la Edad Media como en el Renacimiento. La misma Lozana, que sabe (o «resabe») que los tontos devengan rentas más pingües que los cuerdos imaginándose un futuro lucrativo, exclama con optimismo: «Y vernán otros que no serán salamones» (XLI). Como era de esperar, al superponer los significados del nudo gordiano o ciego y el simbolismo de Salomón, el autor crea una especie de monstruo semántico, ya que expresa así, todo a un tiempo, el *saber* y la *imposibilidad de saber*[159], reforzando asimismo el carácter enigmático de su libro, puesto que *nudo* es también enigma, como lo prueba la equivalencia *griphus...* que da Nebrija (al lado de *nodus-i*). Digno de interés también me parece destacar el lazo que mantiene este *nudo/enigma* con la esfinge que adorna el pabellón de la nave de los locos de la portada, monstruo

el dibujo, lo que es de lamentar, pues su presencia es imprescindible para entender el texto.

[159] Del *nudo gordiano* dice Covarrubias que era «ñudo tan ciego y perplejo, que parecía indisoluble» *(Tesoro*, 454, b, 20, s. v. *desañudar).* Si no hay diferencia técnica entre el nudo gordiano y el nudo ciego, fuera de la habilidad en la ejecución o de la fuerza con que se apretó aquél, el simbolismo del uno no puede sino reforzar, en *La Lozana,* el simbolismo del otro. El nudo ciego representa algo difícil de desatar (cfr. Correas, 579, b: «Ñudo ciego no se desata luego, mejor se desata si es lazada»), y también de dar crédito a la *Pícara Justina*, la imposibilidad de saber, como en la siguiente pregunta donde además el *nudo ciego* se opone a *aojos vistas*: «La tan guardada, la astuta, la que a todos engañaba y nadie a ella, ¿se había de dejar engañar tan a ojos vistas en hacienda, en gustos y en dineros, y más en materia de casamiento que es ñudo ciego?»

enigmático a más no poder, e igualmente dotado de un rico simbolismo, del que me limito a indicar aquí, siguiendo a Covarrubias, los significados «enigma», «ignorancia», «meretriz», muy pertinentes todos a la ambigüedad del *Retrato*, de su temática y de su desenlace[160]. Además, en la simbología tradicional, el sello de Salomón —cuya representación es una estrella formada por dos triángulos equiláteros de vuelta encontrada que evoca y simboliza el *nudo*— se refiere al macrocosmos («lo que está arriba es igual que lo que está abajo»)[161] o, según otras fuentes, como para Durero, a la unión del macrocosmos y del microcosmos (o sea del hombre y del orden eterno). Si se tiene en cuenta este simbolismo, será difícil negar la armonía de dicho sello con la problemática general del último mamotreto, y las motivaciones astrológicas y oníricas de la búsqueda de la paz de Lozana. La estrella de ésta, sifilítica en un principio[162], parece cambiar de categoría con la interpretación salomónica que se nos brinda aquí; sin embargo, suprema dialéctica para superar contradicciones, le queda a Delicado la alquimia de lo burlesco. El sello de Salomón no pudo librarse de la contaminación más que los otros signos. Que se tratara de una estrella de seis picos (tradicionalmente) o de cinco (interpretación rival, pero no menos tradicional, y además complementaria)[163], estrella pues o nudo, la literatura de burlas le dio cabida en su festín. En el *Cancionero de Obras de Burlas* (que Delicado cita como obra predilecta de Lozana), hay una *pregunta de un caballero a uno que se llamaba García de Huete, porque tenía una cuchillada en la cara,* que recibe por parte del aludido —cuyo nombre y cuchillada evocaban la alcahuetería— la siguiente respuesta: «Unos le llaman lisión, / otros sorzido de sastre / otros le llaman desastre / otros signo Salomón» *(op. cit.,* págs. 115-117). Aclara la cuarteta una nota del editor: «Alúdese aquí al llamado sello, sigilo o signo de Salomón, cuya figura es ✡, o sea el famoso *pentalfa* que significa *salud,* y que antiguamente tenía en España el vulgo por amuleto, y preservativo contra las brujas.»

[160] *Tesoro,* 546, a-547, b.

[161] Cito por el *Dictionnaire encyclopédique Quillet,* París, 1962, s. v. *sceau.*

[162] No creo útil recodar lo dicho anteriormente en la presente *Introducción* a propósito de esta *estrella.*

[163] No voy a meterme aquí en disertaciones esotéricas, pero los curiosos en este campo encontrarán mayores precisiones y más referencias en *Allaigre 1980,* págs. 276-282.

Si, como parece legítimo hacerlo, a partir de las referencias explícitas de Delicado es lícito superponer esta última interpretación *(salud y amuleto)* del sello o signo a la del nudo de Salomón del mamotreto LXVI, esto nos remite a la estrella de Lozana, al asno Robusto del mamotreto anterior, con su *sobra de sanidad,* y a la *Excomunión de una cruel doncella de sanidad,* con su rueda sin fin de la antítesis sobre el amor. Y trátese de esta doncella (de quien se puede decir sin duda lo que la «Napolitana» madre de Rampín decía de sus hijas: *es y no es doncella),* o de Robusto, burro y bachiller, o de Lozana, santa y criminal (Celestina al fin), todos sin excepción ni duda, todos estos personajes sin par hallarán, con sus pares, una morada adecuada en Lípari: paz y tempestad, premio y castigo, salvación y condenación.

EL AUTOR

Más audaz que don Juan Manuel que, sin embargo, se había atrevido a complicar a su propio padre en una de sus fábulas de *El Conde Lucanor,* el autor de *La Lozana* sale en persona al escenario, codeándose con los demás personajes de la novela y desempeñando así, en su *exemplum,* un papel complejo de «autor» y de «actor» de la historia.

Cierto es que la presencia del mismo autor en su obra no carecía de precedentes, conocidos algunos de Delicado ya que él cita *La Cárcel de Amor.* En *La Celestina* también, Rojas se inmiscuía en la obra, a tal punto que M. Bataillon pudo escribir que «ocupa así un buen sitio en la tradición de ponerse a sí mismo en escena un autor», aclarando, antes de llegar a esta conclusión, el sentido de dicha intromisión:

Queda por hacer un estudio de las múltiples intervenciones del *Autor* en los prólogos de los libros españoles de tiempos de los Reyes Católicos, lo mismo que en la materia misma de estos libros, ya fuesen edificantes, serios o novelescos. Cuando el *autor* va y viene entre los personajes en las novelas de Diego de San Pedro, contribuye a dar más realidad a su historia para los lectores más cándidos y a recordar su existencia de creador a los más despabilados. Sabido es que dicho tipo de intromisión contiene en germen las fantasías cervantinas, y todas las innovaciones modernas en cuanto a liberación o rebelión de los personajes contra su autor, todas las innumerables característi-

143

cas adquiridas por el «yo» narrador. Si en el molde de la comedia humanística que adopta Rojas no cabe la intervención del autor en medio de sus personajes (a lo que se atreverá el autor de la *Lozana Andaluza,* más verista y audaz, en su mamotreto XVII), no dejó de asumir con insistencia pertinaz su papel de *Autor* de aquel tiempo, personaje emparentado en algún aspecto con el *Prologus* introductor y comentarista de la comedia latina, o con el «orador de la compañía» del teatro de ferias, identificado por otros con el escritor que manejó la pluma[164].

Huelga decir que *el autor,* en *La Lozana,* recogió —con variaciones muy suyas— todas las sugestiones que le ofrecían Rojas, San Pedro y otros. Hasta el acróstico en el que Rojas denunciaba su anonimato tiene un eco en los versos retocados de la *Carta de Excomunión;* pero no se quedó ahí Delicado. Si Rojas se limitó a indicar que era de la Puebla de Montalbán, el cordobés desarrolló el tema, dedicando varios comentarios a la capital andaluza y a la peña de Martos, además de un mamotreto completo a ésta, que según dice el autor era patria de su madre.

A decir verdad, *el autor* interviene en el relato no solamente cuando su entrevista con Rampín en el mamotreto XVII sino además en el XXIV y al principio del XXV, en compañía de su amigo Silvio, en el momento en que entabla relaciones directas con Lozana: *y es importante notar que no la conocía antes,* siendo esto primordial para justipreciar varias declaraciones de *el autor.* Después, se le ve aún en casa de Lozana, jugando y bebiendo con ella y Rampín (XLIII), y, por última vez como actor, en el mamotreto siguiente (XLIII), acompañado de su amigo Silvano, vigilando a los que entran y salen de la casa de la alcahueta.

Lo que pasa es que, si en apariencia la presencia del autor en medio de los demás personajes puede conferir, como en Diego de San Pedro, «más realidad a su historia», si le permite también presentarse como testigo ocular (y auditivo) de lo que relata, nadie parece haberse percatado de que él irrumpe en la historia de tal manera que con eso se desmienten sus propias aseveraciones o, mejor dicho, que cabe interpretarlas en otro

---

[164] M. Bataillon, *La Célestine selon Fernando de Rojas,* París, Didier, 1961, págs. 208-209 (la traducción es mía; debe de existir una versión española del estudio de Bataillon, pero no la tengo a mano)

nivel del que se suele escoger. Así, la frase «solamente diré lo que oí y vi» del prólogo (base más sólida de los partidarios del realismo del *Retrato),* cuando se tiene presente que *el autor* no conoce a Lozana antes del primer mamotreto de la segunda parte (XXIV) , no puede sino referirse a una visión y audición bastante diferente de la que implicaría un reportaje directo. No digo que éste quede totalmente excluido del *Retrato* sino que la novela da cabida también a lo que *se ve* en los libros y a lo que *se oye* con ocasión de una de esas buenas lecturas en voz alta que tanto apreciaba Lozana.

Me parece, pues, que el autor se divierte tanto consigo mismo como con sus otros personajes, tratándose personalmente como si fuese uno cualquiera de ellos, y explotando al máximo las posibilidades que le suministraba la tradición literaria de «el autor habla», a la vez que la polisemia de la palabra *autor,* de la que el significado y la evolución del mismo son conocidos[165].

No volveré a hablar aquí de las piezas prologales y epilogales, que le permiten al autor representar su papel de *prologus* (según la terminología de Bataillon), por haberme explayado bastante en las contradicciones y paradojas que caracterizan dichos capítulos. En la articulación de este papel de *prologus* y del de narrador —hay pasajes bastante numerosos, especialmente en los mamotretos I a IV, en estilo indirecto— están los argumentos de cada mamotreto, capitales muchas veces, que no sólo permiten seguir sin ruptura excesiva el relato que subyace a los diálogos[166], sino que también facilitan a veces, sobre el episodio o la historia, un punto de vista o un contrapunto que sería peligroso para la comprensión suprimir o pasar por alto. Así pasa con la burla de Trujillo o con el último mamotreto (por lo que al edificante retiro de Lozana se refiere), y podrían citarse más. Pongo por caso el argumento del mamotreto XXIII que informa sobre «el canónigo que la empreñó [a Lozana]», permitiendo saber a *contra-cazurrismo,* por decirlo así, que la andaluza no había entrado aún en la edad canónica (... por más canónico que fuese el genitor) pues no se da nada

---

[165] H. Th. Oostendorp, La evolución semántica de las palabras españolas «auctor» y «actor» a la luz de la estética medieval, *Bulletin Hispanique,* t. LXVIII, 1966, núms. 3-4.
[166] Y por eso también se puede hablar de novela o de narración a propósito de *La Lozana.*

a conocer del evento en el transcurso del mamotreto: sin el argumento no se sabía nada.

Graciosas variantes del argumento parcial, hay otras intervenciones del autor, testigo y comentador invisible de lo que hacen y dicen los personajes, como en el mamotreto XIV, a poco de terminarse la escena «de la cama»:

> LOZANA.—(...) Dormí, que almorzar quiero en levantándome.
>
> RAMPÍN.—No curéis, que mi tía tiene gallinas y nos dará de los huevos y muncha manteca, y la calabaza llena [*i. e.,* de vino].
>
> LOZANA.—Señor sí, diré yo, como decía la buena mujer después de bien harta.
>
> RAMPÍN.—¿Y cómo decía?
>
> LOZANA.—Dijo: *harta de duelos con muncha mancilla,* como lo sabe aquélla que no me dejará mentir.
>
> AUCTOR.—Y señaló a la calabaza.
>
> RAMPÍN.—Pues vieja era ésa... etc (XIV).

Vese al autor intervenir en este caso para aclarar lo que está pasando (nivel «narrador») y comentar irónicamente el cinismo de Lozana (nivel «prologus»).

Conste aun que el autor «narrador» adopta por lo general las explicaciones de Lozana, incluso (y sobre todo) las mentiras; este es el caso de la «estrella de Lozana», episodio en el que *el autor* deja a otros personajes que descubran la falsedad de las alegaciones de la protagonista. Para con ella se porta él las más veces como delator cuando «es personaje» (véase su indignación en los mamotretos XXIV y XLII por ejemplo); pero, sin renunciar a su papel de denunciante, contradictoriamente la ensalza si es «prologus». Se podrán observar algunos fallos en este esquema, pues, de hecho, salen contradicciones o conatos de contradicción por doquier, y también interferencias entre los diversos papeles de *el autor;* a pesar de todo y para simplificar, se podría decir que, en líneas generales, el autor ofrece en cuanto «narrador» una imagen favorable de Lozana, en cuanto «actor», una imagen negativa, y como «prologus», una apreciación alternativamente laudativa y peyorativa.

Estas tendencias, susceptibles de sorprender, hallan, según parece, su justificación en la lengua y en la tradición literaria. En el nivel de «actor», en primer lugar, el autor es *actante* (latín *ago);* y es la razón por la que se evoca a sí mismo en su tarea de escribir (sacando apuntes, «dechados», redactando, etc.) y también como cliente y amigo de Lozana. Pero como «actor» siempre es también su fiscal, lo que nos hace investigar en la historia de la palabra [167], estando además en conformidad en este caso con la acepción forense del vocablo *(actor, acción)*, significado éste que hay que tener en cuenta para apreciar el proceso de la *doncella de sanidad;* y esto, sin contar que Delicado pudo muy bien interpretar los *autos* de *La Celestina* (sin menoscabo de la contaminación erótica ya mencionada) como otras tantas «resoluciones judiciales» —escritas por el jurista Rojas— a las cuales remitían sus mamotretos.

En segundo lugar está el autor «narrador», simple cronista, pero con talento, de las hazañas de Lozana. Presenta entonces, casi sistemáticamente, la versión de los hechos que favorece a su personaje, aunque en cierto nivel solamente, pues, mediante el juego del «cazurrismo» (sin hablar del punto de vista de los otros personajes), se lanza él mismo a la empresa de socavar el pedestal encima del cual la encarama. Huelga decir que esa benévola actitud halla su correspondencia y premio, pues la primera en alabar el talento de cronista y escritor de *el autor* no es otra que Lozana, quien expresa su admiración a Silvano (XLVI).

En fin, en tercer lugar, está *el auctor,* que lo asume todo (es decir: *actor* y *cronista):* nivel complejo, herencia de diversas tradiciones de la literatura sacra.

En un principio, según Oostendorp, el «autor» es el que tiene autoridad (por su saber, porque escribe en latín, etc.), siendo su enseñanza piadosamente recogida por unos «lectores» que la glosan; dichos lectores, después de muertos, considerados a su vez como autoridades, pasan a ser «autores», y así sucesivamente, acabando por designarse todo escritor por «autor». Pero, pese a la creciente extensión de su significado «autoría», la palabra «autor», al menos en las escuelas y en determinados contextos, siguió evocando la autoridad. Ahora bien, en el *Retrato,* Delicado se reviste a sí mismo de dicha autoridad en nombre de la verdad, y por eso prohíbe terminantemente que se retoque su obra en lo más mínimo:

> Protesta el autor que ninguno quite ni añada palabra ni razón ni lenguaje (...): para *decir la verdad* poca elocuencia basta, como dice Séneca *(Argumento).*

---

[167] Cfr. Oostendorp, art. cit., pág. 329: «Merece señalarse también que al mismo tiempo la palabra *actor* (denunciador delator) iba tomando el sentido de escritor.»

El primer paso que en semejante proceder se da hacia lo burlesco consiste evidentemente en conferirse uno mismo la autoridad; pero el juego va más allá porque, conjuntamente, Delicado recoge una tradición inversa que une sin miramientos a la primera, a la que se opone por ser de humildad. Esta tradición se remota, según Curtius (a quien cito) a los «preceptos que promulgaron Salviano, Sulpicio Severo y otros para poner al escritor en guardia contra la *vanitas terrestris*»[168], siendo Juan de Padilla un buen ejemplo de esa humildad. He aquí lo que escribió en 1513, en el argumento del *Retablo de la Vida de Cristo:*

> Los lectores paren mientes, cuando vieren el evangelista o profeta, o doctor, señalado en la margen, porque en derecho del verso do está señalado, comienza a decir su dicho hasta que viene el otro siguiente: así van todos por orden. Cuandoquiera que algunos doctores no tuvieren señalado sus originales, o libros, hase de entender que lo dice sobre el texto evangélico, en exposiciones, homilías, sermones, o postillas; así hace Santo Tomás en su *Catena aurea* y Lodulfo Cartujano, el cual más que otro ninguno compiló muy altamente la vida de Cristo, según fue aprobado en el concilio de Basilea. Estos doctores han sido muy familiares al Autor en esta obra; cuando él pusiere con ellos el cornadillo de su pobreza, no pone su nombre, salvo este nombre (Autor), el cual con toda la obra se somete a la corrección de los discretos doctores de la Santa Madre Iglesia[169].

En estas declaraciones, se destacan dos planos contrastados, el de los *autores-doctores* (los que saben, intocables) y el del modesto *autor*, cuyos juicios están sometidos a las enmiendas de quien sabe más; si se considera por otra parte que este *Retablo* nos sitúa dentro de esa tradición hagiográfica que constituye, como queda dicho, uno de los blancos de la parodia de los mamotretos, ¿cómo no inferir que los dos planos del «autor-autoridad» y del «autor humilde», que se hallan contradictoriamente asociados en *el autor* del *retablo-retrato* (de «san-

---

[168] *La litterature européenne et le moyen âge latin,* París, 1956, P. U. F., pág. 624.
[169] Citado por Oostendorp, art. cit., pág. 347. Yo escojo a Padilla por su contemporaneidad con Delicado (1513-1524), y por los puntos de contacto que me parecen elocuentes: Retablo / vs./ Retrato; compilación; «autor» sin más nombre que este de «autor» en el texto.

ta» Lozana), proceden de esta tradición? Recordemos ahora las declaraciones de humildad de nuestro *autor:*

—ni quise nombre *(Argumento).*

—ruego a quien tomare este retrato que lo enmiende antes que vaya en público, porque yo le escrebí para enmendallo *(Epístola del autor).*

Adoptando como modelo a su Lozana que huye a Líapri, *el autor* no quiere caer en la *vanitas terrestris.* Pero una vez más, deja la enseñanza tradicional chasqueada, pues se ve en otra parte que si permanece anónimo no es por humildad:

Si me decís por qué en todo este retrato no puse mi nombre, digo que mi oficio me hizo noble, siendo de los mínimos de mis conterráneos, y por eso callé el nombre por no vituperar el oficio escribiendo vanidades... *(Cómo se escusa...)*

Si bien es verdad que aquí también están en relación *vanidad* y *anonimato,* puede verse que la perspectiva es muy otra, siendo la única certidumbre la imposibilidad de dar más crédito a esta última alegación que a las otras, y lo vano que resultaría seguir, con el fin de volverlas coherentes, las contradicciones que *el autor* multiplica a porfía, no siendo ellas, como se ha creído, un vicio de construcción sino un procedimiento de irrisión.

También *el autor* es el resultado de un juego cerebral que ha consistido en enmarañar los hilos de todos los datos que he intentado exponer, para hacer con ellos, como Lozana con su moral, un verdadero *nudo ciego,* un enigma al que concurre el anonimato.

Este anonimato, muy real, de la publicación dio lugar a varios comentarios, suponiéndose a veces que Delicado no firmó su libro por miedo al escándalo, o a las autoridades civiles y eclesiásticas, etc., pero no creo que los argumentos alegados tengan una base firme. Para mí, el anonimato del *Retrato* es un rasgo genérico y semántico , y si no, ¿por qué no vaciló el autor en revelar su identidad, seis o siete años más tarde, en el prólogo del *Primaleón?* No se presenta en éste como *el autor* sino como *el que escribió,* lo cual, referido a la tradición de «el autor habla» supone un enfoque bastante distinto. Se podría pensar, es cierto, que, si bien seguía Delicado en su refugio veneciano, las condiciones ya no eran las mismas y que un posi-

ble (o real) peligro en 1528 se había desvanecido en 1535; pero
la idea no acaba de convencerme. En efecto, el autor esparció
por la misma novela tales indicios sobre su persona que el anonimato de *La Lozana* no podía ser, en aquella época, sino un
secreto a voces (el de Anchuelo, que diría él); y no hablemos
de su patria, la Peña de Martos, muy capaz capaz de orientar
las sospechas. Recordemos por fin dos tratados de los que rei-
vindica la paternidad en el *Retrato: De consolatione infirmorum* y el *Modo de adoperare el legno de India occidentale;* si
el primero no parece haber dejado huellas concretas [170], se sabe
que el *Modo* sí se publicó en Venecia en 1529 (siendo probablemente la segunda edición pues, según Joaquín del Val, se pu-
blicaría con anterioridad en Roma en 1527) llevando el tratado la siguiente inscripción: *Francisco Delicado composuit in
alma urbe anno 1525* [171]. De manera que, en el mismo momento de la publicación de *La Lozana* —si es cierto lo de la edición de Roma de *Modo*— o al año siguiente a más tardar, era
dable identificar formalmente al autor del *Retrato* con Francisco Delicado, puesto que las referencias a los dos tratados
son explícitas en la novela (véase *Cómo se excusa*).

Otra consecuencia, que se desprende de ese carácter de *el autor,* elaborado con elementos dispares, consiste en la imposibilidad, para un biógrafo enventual, de confudir sistemática y
globalmente los rasgos de Delicado con los de *el autor.* Esto
no significa evidentemente, que nada de *el autor* sea Delicado,
sino que éste no representa probablemente en su creación más
que una parte de los hilos del ovillo. Los que se pueden entre-
sacar sin embargo, si bien no son muchos, están lejos de carecer de interés para interpretar la novela: se trata de su patria,
la Peña de Martos, de su enfermedad y de su nombre.

Un largo mamotreto, el XLVII, dedicado a la Peña de Martos, nos informa de que el villorrio, otrora próspero, ha venido
a menos, por haber menguado la población. La explicación de
tal decadencia la suministra una leyenda fabulosa en la que se
trata de una sierpe feroz (afortunadamente, *Santa Martha defensora* intervino para matarla) que devoraba a todos los vecinos. Toda la evocación, a cargo de Silvano, *conocido de la Lo-*

---

[170] Sin embargo Damiani afirma que se había publicado en Roma,
en 1525 ó 1526 (*L. A.* 69, pág. 249, nota 441, y *R. 75*, pág. 423, nota
17): si esto es cierto, como Delicado debió de firmar su tratado, no
cabe duda de que el anonimato de *La Lozana* es pura burla.

[171] *La Lozana,* ed. J. de Val, *op. cit.,* Introducción, páginas 18-21.

zana y amigo del autor, está colocada bajo el signo de lo legendario; son los personajes más importantes *Santa Marta,* patrona de Martos, y *Marte,* el dios de la guerra —conceptualmente vinculados con *Martos,* como a ello invitan los significantes—, teniendo en común los tres signos, *Marta, Marte y Martos,* unos semas «fuerza y virtud». El juego conceptista se desenvuelve largamente, pero el pasaje siguiente parece suficiente para ilustrarlo:

> Por tanto, el templo lapídeo y fortísima ara de Marte [se trata de Martos] fue y es al presente consagrado a la fortísima Santa Marta... (XLVII).

Síguese para Martos y sus vecinos una virtud generalizada. Pero una disonancia curiosa remata tan idílico cuadro, concluyendo Silvano la alabanza de Martos con esta consideración:

> ...en todo el mundo no hay tanta caridad, hospitalidad y amor projimal cuanta en aquel lugar, y cáusalo la caritativa huéspeda de Cristo. Allí poco lejos está la sierra de Aillo, antes de Alcaudete *(ibíd.).*

Lo que, fatalmente, contrapuntea Lozana:

> Alcaudete, el que hace los cornudos a ojos vistas.

El Capitolio no dista mucho de la roca tarpeya: ¿no sería Santa Marta tan eficaz como se pretende? En realidad, no es ella la que está complicada directamente en el asunto; pero en la hermosa familia de Betania, Marta y Lázaro tienen una hermana que es Magdalena, la pecadora. Y ésta aparece también, en el pasaje, estrechamente vinculada con lo que se refiere a Marta:

> ... agora se nombra la fuente Santa Marta salutífera contra la fiebre. La mañana de San Juan sale en ella la *cabelluda,* que quiere decir que allí munchas veces apareció la Madalena *(ibíd.).*

En todo el mamotreto, *Marta viene siempre precedida de Santa,* pero no su hermana: «la cabelluda», «la Madalena». Sabemos por supuesto que también ella es *santa;* pero esto no se expresa en la obra. Entonces, resulta difícil no hacerse cargo

151

de la ambigüedad que así se crea, al pensar en el hermoso pelo de Lozana y en su último avatar *Vellida* (no hay por qué comentar más la relación *cabelluda/vellida*) que permiten preguntarse si Delicado no crearía, en parte al menos, su parodia sacrílega sobre la Vida de Magdalena, alias Lozana.

Volviendo a Santa Marta, parece que mereció ella gran devoción por parte de Delicado, pues aparece también en un grabado que adorna el *Modo de adoperare el legno,* como se sabe gracias a la preciosa *Introducción* de Joaquín del Val, quien describe así la lámina:

> ... representa al salutífero árbol guayaco, coronado por la Virgen María, y a un lado la efigie de Santiago el Mayor, con el bordón de peregrino y la simbólica venera. Al lado opuesto está Santa Marta, con la palma del martirio y *tiene atada a la feroz tarasca que devora a un niño, en la orilla del río Ródano, según explican sus cartelas (Tarascurus, Flumen Rodanus).* A los pies de Santiago... se ve un clérigo arrodillado que indudablemente es el retrato del autor... (pág. 19; el subrayado es mío).

Así es cómo la legendaria Tarasca del Ródano (la de Tarasca de Provenza, ciudad cuya santa patrona es Marta) pasa a ser, no en el *Modo de adoperare el legno* sino en *La Lozana,* la «ferocísima serpiente» que devoraba a los vecinos de Martos antes de que Santa Marta la destruyese: compilación aún y mescolanza siempre, que en ningún caso podían despistar (mas a eso no se tendía) pero sí quizás divertir (y era éste el propósito) al lector de principios del siglo XVI.

Tenemos otra evocación de la Peña de Martos, en el mamotreto LIII, donde Sagüeso (¿cómo sabría estas cosas ese vagabundo?) la compara con *un* huevo; ahora bien, la lámina que representa la Peña en *La Lozana* es un *amontonamiento* de huevos, y cabe preguntarse si el grabado no desempeña, como otros indicios, el papel de luz intermitente destinada a recordar al lector que hay que estar sobre aviso con lo narrado, unas delirantes leyendas sobre la patria del *autor.*

Hay, en el *Retrato,* otro grabado más, que Damiani tomó por la «Alegoría de la prognosticada destrucción de Roma» *(L. A. 69,* págs. 288 y 65), y que representa en realidad la Fuente Santa Marta de Martos. La representación es simbólica, e interpretable a partir del texto del *Retrato,* por una parte, y por otra, de la portada del *Modo de adoperare el legno,* descrita por Joaquín del Val. En el grabado del *Retrato* se ve, en primer término, con el pecho atravesado por una espada, a un hombre que yace al pie de un árbol. En el centro está una fuente y, a cada lado, dos personajes. A la derecha, una mujer de larga caballera suelta, con el brazo izquierdo en alto, parece dar voces de alarma. A la izquierda un animal que puede ser un león, en actitud de saltar, en dirección opuesta a la de la mujer. En el fondo se ve una ciudad, o mejor dicho un recinto de murallas con sus torres. Leamos el *Retrato:* «y en la plaza, un altar de la Madalena, y una fuente, y un alamillo». A pesar de que se menciona otra fuente más, ésta debe ser la «fuente Santa Marta», donde «munchas veces apareció la Madalena». Silvano relata aun, brevemente, la sentencia que condenó a muerte, precisamente en la Peña de Martos a los Carvajales por un crimen que no habían cometido («... siendo el rey, personalmente mandó despeñar los dos hermanos Carvajales...»). Al pie del álamo pues, en el dibujo, estaría el cadáver de la víctima, Juan de Benavides, y la Magdalena cerca de la fuente. El caso de los hermanos Carvajales debía de ser bastante conocido para que Delicado no juzgara necesario explayarse en él, y un lector informado era capaz de ver qué relación mantenía con la temática general del libro [172]. El símbolo de la Magdalena es conocido, mientras que tras la evocación del asesinato de Benavides se transparenta el tema del *emplazado*, en posible relación con el ya aludido *memento mori*. Pero la imagen también es polisémica. Dado el contexto, el alamillo de Martos será al mismo tiempo el *árbol de la vanidad* y el *salutífero árbol guayaco* de la portada del *Modo de adoperare el legno;* Magdalena es también Lozana, mientras que Benavides es igualmente *el autor* tras el cual aparece, esta vez, Delicado. La portada que describe Joaquín del Val sugiere tal juego de superposiciones, puesto que se reconoce en ella un árbol (cla-

---

[172] Covarrubias, en su *Tesoro* (s. v. *Martos)*, relata el caso por extenso: «La Peña de Martos es un precipicio cerca deste lugar [Martos], al cual *dieron nombre* los dos hermanos dichos los Carvajales, a los cuales habiéndoles sido achacada la muerte de un otro caballero, sin estar convencidos del delito ni haberlo ellos confesado, el rey don Fernando el cuarto los mandó precipitar de aquel peñasco altísimo; y ellos, llevándolos a justiciar, dieron voces, diciendo que pues en la tierra no tenían tribunal para quien apelar, apelaban para el del cielo, y citaban al rey para que en él pareciese dentro de treinta días. Estas palabras se tuvieron entonces por vanas, pero dentro de dicho término falleció el rey en Jaén (...). Y en razón deste suceso le llamaron *don Fernando el Emplazado.*»

ramente *guayaco* en este caso), a la santa (Marta) y a Santiago el Mayor *(Santiago,* patrón de España y grito guerrero, lo que rendiría cuenta del *león* de la lámina del *Retrato*, mediante una probable asimilación con *Marte)* y, por fin, el retrato del autor «en actitud de orar y lleva un puñal clavado en el pecho, símbolo de sus dolores y aflicciones», como precisa Joaquín del Val (pág. 19): las correspondencias serían difícilmente más claras. Por eso tengo yo la impresión de que, en *La Lozana*, Delicado compiló sus otras obras[173].

La enfermedad venérea que le aquejó durante veintitrés años, fue curada finalmente gracias al *leño de India,* después de ocasionarle varias estancias en el hospital de Santiago en Roma (lo que sí tiene que guardar relación con la presencia del santo, entre otras razones, en el grabado del *Modo de adoperare el legno.)* Los dolores que simbolizan la espada o el puñal en el pecho son los que causa el amor, en sus diversos niveles; pero a Delicado tenían que parecerle bastante leves los que experimentaban los amantes del cancionero al compararlos con los efectos del mal francés. No por eso, sin embargo, habría que tomar demasiado en serio la novela, incluso cuando el autor declara: «Y en el tratado que hice del leño de India sabréis el remedio mediante el cual me fue contribuida la sanidad, y conoceréis el autor no haber perdido todo el tiempo», porque, por más ciertos que estemos de que dice verdad, resulta imposible olvidarse de la significación que en la novela se da a *sanidad,* remitiéndose así al lector a las contradicciones insuperables que forman la trama y la urdimbre del libro.

---

[173] Desgraciadamente no me ha sido posible consultar el *Modo de adoperare el legno* para corroborar esta mi impresión; pero a propósito del «árbol guayaco» cuyas virtudes encarece tanto Delicado, quiero hacer otra pregunta. Él mismo se representa —o manda representar— al pie de este salutífero árbol, y también al pie del árbol de la vanidad: «yo que soy de chica estatura, no alcancé más alto; asentéme al pie hasta pasar, como pasé mi enfermedad» (*Cómo se excusa...*). Entonces será coincidencia acaso si el amigo que parece conocerle tan bien, que presenta con tanto detalle la Peña de Martos a Lozana, se llama *Silvano.* ¿Será otra coincidencia más si el único otro amigo del que se le ve acompañado en el *Retrato,* y que le presenta a Lozana, se llama *Silvio?* Si no fuera mera coincidencia, se podría concluir sin duda que juega otra vez la onomancía, y que su *amigo* y *compañero* verdadero es el *legno de India,* o que esos amigos son una proyección mental de él mismo, el hombre de la leña, o de la *selva.* (Véase también la nota 42 del mam. XXIV.)

Queda por decir una palabra del nombre del autor. Este nombre era en realidad Delgado, que italianizó o latinizó en Delicado, poco después de que el adjetivo culto «delicado» hubiese entrado a formar parte del caudal léxico del español, con bastante anterioridad sin embargo como para tener en él carta de vecindad, diferenciándose de su doblete popular «delgado», con sus semas «débil, enclenque, enfermizo» (amén de los que evocan la exquisitez, huelga decirlo). Ahora bien, este significado morboso de su apellido era muy apto para sugerirle al autor todo el juego de oposiciones (oposiciones abolidas por la antífrasis) con *Lozana, Robusto,* y la *sanidad.* Para sacar tales consecuencias de ese significado, y hacer de él el *Retrato de la Lozana Andaluza,* era preciso tener también (¿a qué decirlo?) el tipo de cultura del vicario cordobés, y una imaginación desbordante al servicio de su lúdicro intento. Aunque Delicado es —sin lugar a dudas— el autor, *el autor* da de él como de los demás personajes literarios y folklóricos, una imagen deformada por el simbolismo burlesco de la obra, es decir, de un lado por la selección de los rasgos, y de otro por una aportación exterior de rasgos, que, en el caso del escritor, pertenecen a diversas tradiciones de la autoría. De manera que sólo unos progresos decisivos en el conocimiento de la vida de Delicado, e incluso de su vida íntima, permitirían ver hasta qué punto él se implicó en su *Retrato,* y hasta qué punto éste participa del juego de la sociedad, aunque también, y a buen seguro con resultados más ciertos, queda la posibilidad de ir descubriendo más fuentes de su compilación.

CONCLUSIÓN

El nudo de Salomón, conjuntamente signo o sello de Salomón y nudo gordiano, con su problemática compleja y su aspecto enigmático *(griphus)* es el digno fin de la novela, ambigüedad suprema que remata una obra amasada toda en ambigüedades.

En esta Introducción, como en las notas al texto de Delicado, he intentado explicitarlas, sin que esto signifique que yo pretenda haberlo resuelto todo, ni mucho menos. Sin embargo, basándome en estos análisis, me parece posible evidenciar los núcleos básicos del *Retrato,* aquéllos que fundamentan las grandes opciones de la novela. ¿Será suficiente este material para definir su sentido? Ahí está el busilis, porque no es cierto que esta obra tenga uno, o mejor dicho, todo en sus estructuras clama que tiene varios, y varios que se aniquilan unos a otros, de tal forma que su sentido más evidente procede, a todas luces, de una voluntad de que no haya ninguno, o no otro (auténtico se entiende) que no sea una intención lúdicra que hace tabla rasa de los demás, siendo este último, a decir verdad, el único totalmente inequívoco.

En efecto, al situarse dentro de la tradición del *castigat ridendo mores,* Delicado, como los autores verdaderamente serios invita al lector (con su *deducción de canto llano)* a calar más hondo de lo que demuestra la lectura superficial, afirmando que el significante puede dar de sí y ofrecer un significado algo más sustancial al atento y piadoso lector. Pero éste, conforme va descifrando las polisemias naturales o creadas, queda defraudado si busca una moralidad ejemplar, porque, como premio de su afán de edificación, le saltan a la cara, después de raspar la capa seudoseria de la narración, los absurdos más bufos y descabellados. Si toma, *v. gr.,* la lozanía como tema de reflexión, advierte, bajo el nivel tradicionalmente ejemplar, que la continuidad del relato estriba en las connotaciones eróticas y humorísticas. Si adopta la perspectiva hagiográfica que tal vez le sugiriera el *mamotreto* o algunas tradiciones de la *autoría,* al llegar al supuesto nivel profundo (no inmediato) al que se le convida e incita, da de narices con una lección burlesca, erótica, contradictoria o disparatada de la tradición original. Por la virtud (si cabe aquí la palabra) de los juegos lingüísticos, las categorías morales y filosóficas se enmarañan a más no poder, hasta disolverse, bajo la acción del hiperludismo que engendran los malabarismos con los significados, o mejor dicho las acrobacias *dentro de* las polisemias, entre las cuales, por abundantes que sean, sobresalen los contenidos semánticos de «mamotreto», «retrato», «natural», «obra», de los nombres de la protagonista (Aldonza, Alaroza, Lozana, Vellida), y de otros muchos personajes, de «bueno» y «buena», de «remedio» y de «sanidad», amén de una enorme cantidad de vocablos a los que dedicó especial atención tan notable erudito como es, mejorando lo presente, M. Criado de Val.

No obstante, sin menoscabo del desfase que la funda, la parodia implica su objeto; de ahí que, por lo mismo, adopte su molde.

En el *Retrato,* tratado *ad jucundum,* la estructura global tenía que ser circular, como en los modelos más serios y mejor construidos, en los que las conclusiones vienen a encajar en las premisas como lengüeta y muesca. El discurso ha de ser un círculo —cuya línea sin principio ni fin, y cerrada sobre sí misma, es símbolo de perfección—, o un huevo (como la Peña de Martos según Sagüeso, de idénticas propiedades formales que el círculo); Delicado subraya insistentemente la estructura de su obra, con sus declaraciones de autor, desde luego, pero aun mediante correspondencias y referencias múltiples, lo mismo en el texto que en la iconografía *(Argumento* vs. *explicit;* doble representación de Rampín en la mancebía; *árbol de la locura* v.s. *nave de los locos;* mamotreto V como segundo argumento, etc.). Es de destacar, en dicho sistema, la intervención de *el autor,* en el mamotreto XVII, que consiste en una conversación con Rampín, anterior en el orden de la narración a su primer encuentro con la Lozana y su amante (mam. XXIV), pero posterior en la cronología de los acontecimientos, puesto que es posible situar ese mamotreto XVII después de que se hubiesen casado los dos héroes, es decir, desde el punto de vista temporal, al final del *Retrato* así anunciado.

Pero si el lugar que ocupa este diálogo contribuye a la circularidad del relato, también tiene otra significación. El «huevo» de Delicado, en efecto, está atravesado por una línea recta que es la evolución de Lozana desde la niñez hasta la vejez; esta línea es otro vector del mensaje ejemplar, que propone una reflexión sobre la fugacidad irreparable del tiempo. Al volar la continuidad de las secuencias cronológicas, el mamotreto XVII hace surgir la vejez dentro de la juventud, como si propusiera su contemplación de mucho tiempo atrás, con la evocación del lastimoso estado de salud de Lozana, en el mismo momento en que la andaluza inicia su próspero negocio en Roma (y en roma), disponiéndose a triunfar. Simétricamente, al principio de la tercera parte (mam. XLIV), en compañía de ese doble del *autor* que es Silvano, echa de menos los buenos tiempos pasados, poco después de recordar, en su conversación con Giraldo, la época bendita de su «noviazgo» con Diomedes.

Con este juego de anticipaciones y de marchas atrás, el círculo impone su movimiento a la línea recta, igual que la vida está sometida a meditación, siendo las dos figuras geométricas símbolos respectivos de la una y de la otra. No se podría presagiar nada malo del contenido moral de una obra tan ejemplar en su intención, y dotada de formas tan perfectas si, en el momento del ajuste, no fuera evidente que, en *La Lozana,* las muescas no caen nunca enfrente de las correspondientes espigas.

Esta edición

Tiene la ambición de dirigirse no solamente a los especialistas y eruditos en literatura de los siglos de oro, sino también
a los curiosos y amantes de las letras españolas en general.

Por eso he modernizado la ortografía de la primera edición del *Retrato de la Lozana Andaluza* (Venecia, 1528) que
me ha servido aquí de base, aunque la he cotejado minucio-
samente con las que cito en la bibliografía selecta, para ofrecer el texto más fidedigno que me ha sido posible. Cuando
la lección que escojo se aparta de la vieja edición, salvo omisión, lo indico siempre en nota. A pesar de la moderniza-
ción de la ortografía y puntuación, he intentado conservar la
morfología de la lengua del Renacimiento, supliendo en caso
de ambigüedad, para comodidad del lector no versado en la
lengua antigua, las letras elididas por apóstrofos *(v.gr. suplíco's* = «suplícoos»). Las demás dificultades gramaticales
se indican en nota, aunque solamente, las más de las veces,
en los primeros capítulos.

Por lo demas, propongo de *La Lozana,* en una larga introducción cuya metodología participa de la investigación lingüística y de un acercamiento literario más tradicional, una lectura
personal. Ni que decir tiene que su única ambición consiste en
presentar una visión en varios aspectos renovada, pero no definitiva, de una obra más representativa de lo que suele afirmar de ciertas tendencias de las letras españolas del siglo XVI,
intentando fomentar así —entre otros —el interés por un campo relativamente desdeñado hasta hace poco, el de la literatura
de burlas de fondo erótico.

En la mayor parte de las notas (alrededor de 1.800), discuto
todas las dificultades textuales —o las que me parecen serlo.
Es posible, evidentemente, que algunos pasajes (párrafos, ex-

presiones o palabras) que me parecen claros no lo sean para todos.

Muchos se extrañarán de no encontrar en las notas la definición de palabras o expresiones caídas en desuso o de uso rarísimo; en efecto, menos pocas excepciones, no explico las que vienen en el Diccionario de la Real Academia Española, siempre y cuando las definiciones que da me hayan parecido suficientes para una lectura coherente. La razón de esta actitud se debe a la extensión, inusitada en esta colección, que ya alcanza este volumen sin esos comentarios.

Por eso, para terminar, tengo interés en expresar mi agradecimiento a Editorial Cátedra y a Gustavo Domínguez, por la simpatía y solicitud con que han propiciado este trabajo. Asimismo quiero dar las gracias a mis colegas españoles, los profesores Rico e Ynduráin, quienes se han dignado leer las pruebas, y enriquecer mi reflexión con valiosas sugestiones, si bien esto no supone, desde luego, que ellos sean ni remotamente responsables de los vicios de que esta edición adolezca.

Lista de abreviaturas

I. EDICIONES DEL «RETRATO DE LA LOZANA ANDALUZA»

— *Venecia* 1528: facsímil del único ejemplar conocido de *La Lozana Andaluza* existente en la Biblioteca Imperial de Viena, Valencia, 1950.
— *R. 75: Retrato de la Loçana Andaluza,* Madrid, 1975, Edición crítica de B. M. Damiani y G. Allegra.
— *L. 69: La Lozana Andaluza,* Edición, introducción y notas de B. M. Damiani, Madrid, Castalia, 13, 1969.
— Bonneau: *La Gentille Andalouse,* Lausana, ed. Rencontre, 1961, Traduction de Alcide Bonneau, (1.ª ed. Perú, 1888).

II. OTRAS OBRAS Y ESTUDIOS

— *Allaigre 80:* Allaigre, C., *Sémantique et littérature: le «Retrato de* la Loçana Andaluza» de F. Delicado, Grenoble, 1980 [Université III].
— *Antífrasis...:* CRIADO DE VAL, Manuel; «Antífrasis y contaminaciones de sentido erótico en *La Lozana Andaluza»,* en *Homenaje a Dámaso Alonso,* Madrid, Gredos, 1960, t. I, págs. 431-457.
— *C.O.B.: Cancionero de Obras de Burlas provocantes a risa,* cum privilegio en Madrid, por Luis Sánchez, s.f. [compilación de 1519].
— *D.C.E.L.C. :* COROMINAS, Joan; *Diccionario Crítico Etimológico de la Lengua Castellana,* Madrid-Barne, Gredos-Franche, 1954-1957.
— Fontecha: Fontecha Carmen, *Glosario de voces comentadas en ediciones de textos clásicos,* Madrid, C.S.I.C., 1941.
— *D.R.A.E. : Diccionario de la Real Academia Española* (1970).
— *G.A.L.A.:* Hernández Ortiz, José A., *La génesis artística de la Lozana Andaluza, El realismo literario de Francisco Delicado,* Madrid, Ricardo Aguilera, 1974.
— Hidalgo: Hidalgo Juan, *Vocabulario de germanía,* compuesto por..., Madrid, 1779.

— *L.B.A.:* Juan Ruiz, Arcipreste de Hita, *Libro de Buen Amor.*

— Nebrija: Nebrija, Antonio, *Vocabulario de romance en latín,* transcripción crítica de la ed. revisada por el autor (Sevilla, 1516) con una introducción de G. Macdonald, Madrid, Castalia, 1973.

— Oudin: Oudin, César: *Tesoro de las dos lenguas española y francesa,* ed. facsímil de 1675, París, ed. Hispano-Americanas, 1968.

— *P.E.S.O.: Floresta de Poesías eróticas del Siglo de Oro,* compiladas por Alzieu, Jammes, Lissorgues, Tolousse, 1975, France-Ibérie Recherche.

— *Tesoro* (o Covarrubias): Covarrubias, Sebastian de, *Tesoro de la lengua Castellana o española,* según la impresión de 1611, con las ediciones de Benito Remigio Noydens publicadas en la de 1674, edición preparada por Martín de Riquer, Barcelona, 1943, S. A. Horta, I. E.

— Ugolini, F. A., Nuovi datti intorno alla biografia di Francisco Delicado desunti da una sua sconosciutta operetta, *Annali della Facoltá di Littera e Filosofia,* XII, Università degli studi di Perugia, 1974-1975, págs. 443-616.

— *Voc. Ref.* (o Correas): Correas, Gonzalo, *Vocabulario de refranes* (1627), Burdeos, ed. Combet, 1967.

Bibliografía selecta*

I. EDICIONES DEL «RETRATO DE LA LOZANA ANDALUZA»

Retrato de la Loçana Andaluza: en lengua española: muy clarissima. Cõpuesto en Roma [facsímil del único ejemplar conocido de *La Loçana Andaluza* existente en la Biblioteca Imperial de Viena, Valencia, 1950].

Delicado, Francisco, *Retrato de la Loçana Andaluza*, edición crítica de Bruno M. Damiani y Giovanni Allegra, Madrid, José Porrúa Turanzas, 1975.

— *La Lozana Andaluza*, edición, introducción y notas de B. M. Damiani, Madrid, Castalia, núm. 13, 1969.

— *La Lozana Andaluza,* ed. Joaquín del Val, Madrid, Taurus, Temas de España, 62, 1967.

— *Retrato de la Lozana Andaluza,* Barcelona, ed. Marte, 1967.

— *La Lozana Andaluza,* ed. José Gómez de la Serna, Santiago de Chile, 1942.

— *La Gentille Andalouse*, Lausana, Éditions Rencontre, 1961, Traducción de Alcide Bonneau (1ª ed., París, 1888).

I. ESTUDIOS

Allaigre Claude, *Sémantique et littérature: le «Retrato de la Loçana Andaluza»*, de Francisco Delicado, Grenoble, 1980.

Allegra, Giovanni, «Sobre una nueva hipótesis en la biografía de F. Delicado, *Boletín de la R.A.E.*, Madrid.

Criado de Val, Manuel, «Antífrasis y contaminaciones de sentido eró-

---

* Para una bibliografía completa sobre Delicado y su *Retrato de la Lozana Andaluza,* véanse Bruno M. Damiani, «Bibliografía crítica», en *Boletín de la R.A.E., XLIX, cuad. CLXXXVI, enero-abril, 1969, y «La Lozana Andaluza:* Ensayo bibliográfico», II, en *Quaderni iberoamericani,* t. 51-52, págs. 121-152. Damiani tiene un tercer ensayo bibliográfico en preparación, o a punto de publicarse.

tico en *La Lozana Andaluza», Homenaje a Dámaso Alonso,* Madrid, 1960.

Damiani, B. M., *Francisco Delicado,* Nueva York, Tawayne Publishers, Inc., 1974.

Hernández Ortíz, José, A., *La génesis artística de la Lozana Andaluza, El realismo literario de Francisco Delicado,* Madrid, Ricardo Aguilera, 1974.

Márquez Villanueva, F., *El mundo converso de «la Lozana Andaluza»,* Sevilla, Archivo Hispalense, 1973.

Menéndez y Pelayo, Marcelino, *La Lozana Andaluza, Obras completas,* XVI, *Orígenes de la novela,* IV, Madrid, C.S.I.C., 1961, 2.ª ed., págs. 45-65.

Ugolini, F. A., «Nuovi dati intorno alla biografia di Francisco Delicado desunti da una sua sconosciutta operetta», *Annali della Facoltà di Littera e Filosofia,* Università degli studi di Perugia, XII, 1974-1975, págs. 443-616.

Wardropper, Bruce W., «La novela como retrato = El arte de Francisco Delicado», *N.R.F.H.,* VII, México, 1953, *Homenaje a Amado Alonso,* t. II, julio-diciembre, núms. 3-4, págs. 475-488.

RETRATO DE

la Loçana:andaluza:en lengua española:
muy clarissima. Cõpuesto en Roma.

El qual Retrato demuestra loque en Ro
ma passaua y contiene munchas mas
cosas que la Celestina.

El grabado representa una *nave de los locos,* tema literario y pictórico relacionado con la reprobación de los deleites sensuales y el *memento mori.* Estructuralmente, está ligado, en *La Lozana,* al *árbol de la vanidad,* o *árbol de la locura,* del último mamotreto. El nombre del barco, *caballo veneciano,* indica que el autor asocia el retiro de Lozana a Lípari a su propia huida a Venecia, pero además explica por qué, en el sueño de la heroína, Mercurio, dios de los asuntos venales y de los ladrones, es un «caballo embarcación», sin menoscabo de la asimilación de las famosas góndolas a una montura. A bordo está Rampín (nombre que significa «garfio») manejando un remo metido en un escálamo en forma de *gancho,* lo que tiene un evidente trasfondo sexual. Lozana está «quitando cejas» a una mujer que sujeta un espejo (vanidad terrestre). Van también en la nave varias mujeres del partido, entre las que merecen mención especial Celidonia (véase mam. LII) y Divicia (LIII), simbólicas también por su nombre y su función. El casco de la nave lleva la inscripción *jubila—,* ocultando el remo la parte final de la palabra e introduciendo así una ambigüedad, probablemente voluntaria. En efecto, cabe interpretarla como la *jubilatio* latina (algazara, gritería) tan característica de los locos, o como *jubilado(s)* (suelto de trabajo, «emeritus», según Nebrija), lo que corresponde al retiro final de los protagonistas, remitiendo también a la «taberna meritoria» del mamotreto XLV. La figura central, cortada en el nivel de las caderas, es reversible como en los naipes, pero la parte inferior que aparece como un reflejo de la parte superior es en realidad la Muerte con la corona que simboliza su poderío. Las figuras de proa y popa, símicas como es debido, miran hacia adentro, mientras que en la bandera central se ve una esfinge (símbolo según Covarrubias de lo enigmático, de la ignorancia y de la prostitución), debajo de una M (quizás Misterio, claramente, Muerte, pero también Martos con su simbolismo propio). Se lee, en los pabellones de popa y proa «De Roma a Venecia», lo que indica el término del vïaje (Venecia, es decir Lípari), teóricamente lugar de su redención, aunque ésta no parece tan segura como afirma el autor si se considera qué clase de embarcación han escogido.

[PRÓLOGO]

ILUSTRE señor[1]:
Sabiendo yo que vuestra señoría toma placer cuando oye hablar en cosas de amor, que deleitan a todo hombre, y máxime cuando siente decir de personas que mejor se supieron dar la manera para administrar las cosas a él[2] pertenecientes, y porque en vuestros tiempos podéis gozar de persona que para sí y para sus contemporáneas que en su tiempo florido fueron en esta alma cibdad[3], con ingenio mirable y arte muy sagaz, diligencia grande, vergüenza y conciencia por el cerro de Úbe-

---

«Ilustre señor», una representación simbólica del árbol de la locura (o vanidad), con su aspecto más o menos fálico y las serpientes que se enroscan en sus dos troncos enlazados (como el olmo y la vid, símbolos tradicionales de la unión carnal), semejando las cabezas de los diabólicos animales las hojas que los hombres se deleitan en arrancar (cfr. mam. LXVI).

[1] *Ilustre señor:* según G. Allegra *(Pequeña nota sobre el «Ilustre señor» de «La Lozana Andaluza», B. R. A. E.,* LIII, 1973, págs. 391-397), se trataría del príncipe de Orange, jefe de los Imperiales después de la muerte del condestable de Borbón. Pero no veo por qué, ya seguro en su refugio veneciano, Delicado dedicaría su libro a un príncipe que de poco le podía servir allí. En cambio, cuadra perfectamente el anonimato dentro del esquema artístico general de la novela, lo mismo que, años más tarde, el famoso «vuestra merced» del *Lazarillo.*

[2] *A él pertenecientes:* relativas al amor.

[3] *Alma cibdad:* Roma es *alma,* tradicionalmente, porque alimenta o nutre; es posible que, al recoger el adjetivo, Delicado pensara tanto en las comidas terrestres como en los valores espirituales.

Este grabado que Damiani (en *L.A. 69*) tomó por la representación de un mensajero —algo así como el autor en la *Cárcel de amor* posiblemente— se refiere más bien, a lo que entiendo, al burro *Robusto* del mamotreto LXV, asno tutelar de la novela, con su «sobra de sanidad» nacida de su «lozanía» (véase *Introducción*).

da[4], ha administrado ella y un su pretérito criado, como abajo diremos, el arte de aquella mujer que fue en Salamanca en tiempo de Celestino segundo[5]: por tanto he derigido este retrato a vuestra señoría para que su muy virtuoso semblante[6] me dé favor para publicar el retrato de la señora Lozana. Y mire vuestra señoría que solamente diré lo que oí y vi, con menos culpa que Juvenal, pues escribió lo que en su tiempo pasaba[7]; y si, por tiempo, alguno se maravillare que me puse a escribir semejante materia, respondo por entonces que *epistola enim non erubescit*[8], y asimismo que es pasado el tiempo que estimaban los que trabajaban en cosas meritorias[9]. Y como dice el coro-

---

[4] *Por el cerro de Úbeda:* lo mismo en *L. A. 69* que en *R. 75*, Damiani interpreta este cerro de Úbeda como el lugar donde Lozana ejerció sus actividades («en todas partes» o «donde se le antojaba»). Yo creo que tiene que aplicarse más bien a su vergüenza y su consciencia, de ahí mi puntuación: la vergüenza y la consciencia de Lozana eran imposibles de localizar —por no tener— o iban extraviadas.

[5] *En Salamanca... Celestino II:* Estoy de acuerdo con Damiani (nota 2 de *L. A. 69* y 4 de *R. 75)* para considerar que la mención de Celestino II (Papa en 1143) «es referencia humorística... [y que]... con ella Delicado pretende remachar el oficio *celestinesco* de Lozana». Es interesante también la observación de que «la indicación de Salamanca [fuera] quizá una de las primeras alusiones al probable sitio donde se desarrollan las vicisitudes de la Celestina», aunque, a mi modo de ver, puede ser tanto o más referencia a la famosa universidad, para expresar que Celestina era maestra en su arte.

[6] *semblante:* aquí «parecer», «opinión»; casi «visto bueno» en este caso.

[7] *Y mire... pasaba:* Ya que los partidarios del realismo sociohistórico de *La Lozana* suelen hacer hincapié en este «solamente diré lo que oí y vi» para apuntalar su tesis, quiero insistir en la contradicción que caracteriza toda la frase, y en su tonalidad burlesca. Delicado opone aquí «lo que oyó y vio» a «lo que pasó», declarándose además culpable, aunque menos que el satírico latino, tan estudiado y citado y celebrado en las letras españolas del Renacimiento y del Siglo de Oro. Es muy probable además que el mismo Delicado tuviera presente la famosa sátira VI al enumerar los afeites, como *v. gr.* en el mamotreto V, o cuando pondera el arte de componerlos, habilidad básica de la alcahueta celestinesca.

[8] *epistola... erubescit:* «en efecto, una carta no se ruboriza», cita de Cicerón *(E. F.,* V) que, a todas luces, indica que la materia del libro es vergonzosa (cfr. «cosas que se hacen que no son de decir», página 250).

[9] *Cosas meritorias:* júzguese esta consideración sobre las cosas meritorias a la luz de la propuesta de Lozana (mam. XLIV) de que se

nista Fernando del Pulgar, "así daré olvido al dolor", y también por traer a la memoria munchas cosas que en nuestros tiempos pasan[10], que no son laude a los presentes ni espejo a los a venir. Y asi vi que mi intención fue mezclar natura con bemol[11], pues los santos hombres por más saber, y otras veces por desenojarse, leían libros fabulosos y cogían entre las flores[12] las mejores. Y pues todo retrato tiene necesidad de barniz, suplico a vuestra señoría se lo mande dar, favoreciendo mi voluntad[13], encomendando a los discretos letores el placer y gasajo que de leer a la señora Lozana les podrá suceder.

<hr />

creen tabernas meritorias para las prostitutas jubiladas, vinculando así, como lo permite la etimología común, los términos *mérito* y *meretriz*. Inútil será evocar además, por supuesto, el tema del libro de Delicado (su «trabajo en cosas meritorias») para apreciar la ambigüedad de la afirmación.

[10] Supongo que Delicado se divertiría colosalmente al dar (al mismo tiempo) «olvido al dolor», como supuestamente lo hiciera Fernando del Pulgar, secretario y cronista de los Reyes Católicos, y al «traer a la memoria» las numerosas cosas que pasaron y siguen pasando, a pesar del dolor que causan.

[11] *Mezclar natura con bemol:* En rigor, pintar la naturaleza suavizándola no sería exactamente realismo. Pero creo que la expresión no carece de malicia.

[12] *Coger flores* puede ser una actividad no tan ingenua ni casta como podría parecer.

[13] Sobre los sentidos traslaticios de *voluntad, retrato, dar barniz,* ver Introducción, nota 82, b.

170

ARGUMENTO EN EL CUAL SE CONTIENEN TODAS LAS PARTICULARIDADES QUE HA DE HABER EN LA PRESENTE OBRA

Decirse ha primero la cibdad, patria y linaje[1], ventura, desgracia y fortuna, su modo, manera y conversación, su trato, plática y fin, porque solamente gozará d'este retrato quien todo lo leyere[2].

Protesta el autor que ninguno quite ni añada palabra, ni razón, ni lenguaje, porque aquí no compuse modo de hermoso decir, ni saqué de otros libros[3], ni hurté elocuencia, porque «para decir la verdad poca elocuencia basta», como dice Séneca[4]; ni quise nombre, salvo que quise retraer munchas cosas retrayendo una, y retraje lo que vi que se debría retraer[5], y por esta comparación que se sigue verán que tengo razón.

Todos los artífices que en este mundo trabajan desean que

---

[1] Nótese que Delicado no miente al decir en el título que su libro «contiene más cosas que *La Celestina*» porque en la *Tragicomedia* no se sabe nada de la patria ni de los antecedentes familiares de la alcahueta. Este rasgo, de herencia épica (cantares o novelas), constituye un eslabón en la cadena literaria, ya que la ulterior novela picaresca lo convertirá en opción decisiva del género.

[3] Adviértase la exigencia de lectura total, tan importante no solamente para la interpretación global sino también para numerosísimos detalles.

[3] Evidente mentira que, además, se opone terminantemente a la definición de mamotreto como «copilaciones ayuntadas» ofrecida por el mismo autor.

[4] ¡Como si uno de los rasgos de la elocuencia clásica no consistiera precisamente en citar autoridades como Séneca! El juego burlesco no puede ser más claro.

[5] La acumulación de las ocurrencias del verbo *retraer* (cuatro en dos líneas) no puede sino llamar la atención sobre su polisemia.

171

sus obras sean más perfectas que ningunas otras que jamás fuesen. Y vese mejor esto en los pintores que no en otros artífices, porque cuando hacen un retrato procura sacallo del natural, e a esto se esfuerzan, y no solamente se contentan de mirarlo y cotejarlo, mas quieren que sea mirado por los transeúntes y circunstantes, y cada uno dice su parecer, mas ninguno toma el pincel y emienda, salvo el pintor que oye y ve la razón de cada uno, y así emienda, cotejando también lo que ve más que lo que oye; lo que los munchos artífices no pueden hacer, porque después de haber cortado la materia y dádole forma, no pueden sin pérdida emendar[6]. Y porque este retrato es tan natural, que no hay persona que haya conocido la señora Lozana, en Roma o fuera de Roma, que no vea claro ser sacado de sus actos y meneos y palabras; y asimismo porque yo he trabajado de no escrebir cosa que primero no sacase en mi dechado la labor, mirando en ella o a ella. Y viendo, vi muncho mejor que yo ni otro podrá escrebir, y diré lo que dijo Eschines, filósofo, leyendo una oración o proceso que Demóstenes había hecho contra él; no pudiendo expremir la muncha más elocuencia que había en el dicho Demóstenes, dijo: «¿Qué haría si oyérades a él?» *(Quid si ipsam audissetis bestiam?)*[7]. Y por eso verná en fábula muncho más sabia la Lozana que no mostraba[8], y viendo yo en ella munchas veces manera y saber que bastaba para cazar sin red, y enfrenar a quien muncho pensaba saber, saca-

---

[6] La afirmación de que «no se puede enmendar sin pérdida», como la anterior «ninguno toma el pincel y enmienda, salvo el pintor», está en contradicción con los deseos del mismo autor en su *Epístola* final: «Mas no siendo obra sino retrato, cada día queda facultad para borrar y tornar a perfilarlo, según lo que cada uno mejor verá...», y, más abajo, «Ruego a quien tomare este retrato que lo enmiende antes que vaya en público...».

[7] Buen ejemplo de compilación a lo Delicado pues, como señala Ugolini, la cita exacta de la anécdota atribuida a Esquines, y tomada prestada de Valerio Máximo, tenía que ser: «Quid, inquit, si ipsum audissetis?», frase en la que se trata de *oírle en persona* y no a cualquier monstruo ni bestia. Nótese aun que el juego se da en la cita latina, y no en la traducción al español propuesta por el autor, lo que nos proporciona una idea interesante del público al que se destinaba la obra.

[8] Corrobora la misma Lozana esta aserción del autor en el mamotreto XXXIX, pero expresa lo contrario en el XLII. (Sobre el sistema de contradicciones, véase Introducción.) Por estas correlaciones, descarto la sugerencia de M. Morreale que propone: «Y por eso verná en fábula. Mucho más sabía...»

ba lo que podía, para reducir a memoria, que en otra parte más alta que una picota[9] fuera mejor retraída que en la presente obra; y porque no le pude dar mejor matiz, no quiero que ninguno añada ni quite; que si miran en ello, lo que al principio falta se hallará al fin, de modo que por lo poco entiendan lo muncho más ser como deducción de canto llano[10]; y quien el contrario hiciere, sea siempre enamorado y no querido, amen[11].

---

[9] Porque Lozana se merecía un castigo superior al de las otras alcahuetas a las que se solía condenar a ser expuestas a la vergüenza pública, en la picota, como le había sucedido a Celestina.

[10] Ver mi interpretación de «deducción de canto llano» en la Introducción.

[11] Esta maldición era tradicional, como puede colegirse por los siguientes versos sacados del *Cancionero de romances*. Anvers-1550: «Desamada siempre seas/ames y nunca te amen/...» (Madrid, Castalia, 1967, pág. 306.) Se aplicaba, por lo que parece, a los amantes desdeñosos o inconstantes, y así lo emplea Lozana en el mamotreto XXXVII: «mas como todo es viento su amor, yo huelgo que ame y no sea amado». Hay otro eco de la maldición, bastante notable, al final de la novela, en la *Carta de Excomunión*. Pero no carece de gracia, en el caso que ahora nos ocupa, que la aplique el autor al *inconstante* lector, al que no sepa leer correctamente o no se revele buen entendedor. Por otra parte, escribo *amen* sin el acento de *amén* para conservar la ambigüedad.

La Peña de Martos (o de los enamorados) era proverbial, y objeto de juego, en tiempos de Correas: «La peña de Martos, la tienen dos lagartos atados con espartos», comentando el maestro: «Dicen que la tienen en medio dos dehesas de dos Comendadores, sinificados por los dos lagartos, y ella las divide; y en las palabras *espartos* ponen gracia, por paronomasia, que dice: *apártaos* y *despártoos. (Ed. cit.,* 195, b.)

Léase además el *Retrato:* «la fuerte Peña de Martos... fue allí edificada por Hércules, sacrificando al dios Marte, y de allí le quedó el nombre Martos, a Marte fortísimo. Es esta peña hecha como un huevo, que ni tiene principio ni fin; tiene medio...» (Sagüeso, mamotreto LIII.)

En la parte reservada a Córdoba la llana, más abajo del Guadalquivir, dos casas llaman la atención: la de Séneca, Avicena y Lucano (¡los tres en la misma!), y la de Lozano (nótese el masculino que subraya, por oposición al nombre de la protagonista, el valor significativo del nombre). Léase además el mam. XXXVI: «[Lozana] es parienta del Ropero, coterránea de Séneca, Marcial y Avicena. La tierra lo lleva,, está in agibílibus...» (Hay que notar que Lucano no figura en la enumeración, ni Marcial en el grabado, a no ser que haya una asimilación, más o menos permitida por los significados, de Marcial ($\simeq$ Marte, Marta fortísima en el mam. XLVII) y Lozano («fuerte» también, y robusto).

[PARTE PRIMA]

Comienza la historia o retrato sacado del jure cevil natural[1] de la señora Lozana, compuesto el año mil y quinientos y veinte e cuatro, a treinta días del mes de junio, en Roma, alma cibdad; y como había de ser partido en capítulos, va por mamotretos[2] porque en semejante obra mejor conviene.

MAMOTRETO PRIMERO

La señora Lozana fue natural compatriota de Séneca[3], y no menos en su inteligencia y resaber[4], la cual desde su niñez tuvo ingenio y memoria y vivez grande, y fue muy querida de sus padres por ser aguda en servillos y contentallos. E, muerto su padre, fue necesario que acompañase a su madre fuera de su natural[5], y ésta fue la causa que supo y vido munchas cibdades, villas y lugares d'España, que agora se le recuerdan de casi el todo, y tiñié tanto intelecto que casi excusaba a su madre

---

[1] *jure cevil natural:* expresión polisémica que significa al mismo tiempo «estado civil» y «renta vil del sexo».

[2] *mamotreto:* capítulo, memorándum y eyaculación u orgasmo, y, en realidad, todo esto junto en el *Retrato de la Lozana.*

[3] Es decir cordobesa, como el autor y otros insignes varones citados en el mamotreto XXXVI, donde Lucano, Marcial y Avicena están asociados a Séneca.

[4] *resaber:* «saber para mal», que aquí es expresamente *resaber de cordobés,* o sea engañoso.

[5] *natural:* sitio natal, pero se anuncia ya el juego cazurro permitido por el doble sentido de la palabra.

procurador para sus negocios[6]. Siempre que su madre la mandaba ir o venir, era presta, y como pleiteaba su madre, ella fue en Granada mirada y tenida por solicitadora perfecta e prenosticada futura. Acabado el pleito, e no queriendo tornar a su propia cibdad, acordaron de morar en Jerez y pasar por Carmona. Aquí la madre quiso mostrarle tejer, el cual oficio no se le dio ansí como el ordir y tramar, que le quedaron tanto en la cabeza, que no se le han podido olvidar. Aquí conversó con personas que la amaban por su hermosura y gracia; asimismo, saltando una pared sin licencia de su madre, se le derramó la primera sangre que del natural tenía[7]. Y, muerta su madre, y ella quedando huérfana, vino a Sevilla, adonde halló una su parienta, la cual le decía: «Hija, sed buena, que ventura n'os faltará»[8]; y asimismo le demandaba de su niñez, en qué era estada criada[9], y qué sabía hacer, y de qué la podía loar a los que a ella conocían. Entonces respondíale d'esta manera: Señora tía, yo quiero que vuestra merced vea lo que sé hacer, que cuando era vivo mi señor padre, yo le guisaba guisadicos que le placían, y no solamente a él, mas a todo el parentado[10], que, como estábamos en prosperidad, teníamos las cosas necesarias, no como agora, que la pobreza hace comer sin guisar, y entonces las especias, y agora el apetito[11]; entonces estaba ocupada en agradar a los míos, y agora a los extraños.

---

[6] Doble sentido de *madre* (también «matriz»), *procurador* y *negocios* (véase Introducción, pág. 86. Adopto la sugestión de M. Morreale de que se acentúe tiñié («tenía») porque se da también la forma *tiñé*.

[7] Desde «Siempre que su madre la mandaba ir...» hasta «... que del natural tenía» (véase Introducción, págs. 89-91).

[8] Si no se toma en cuenta el significado «puta» del adjetivo *buena*, aquí y en otros pasajes del *Retrato*, no se entenderá la duplicidad del consejo de la tía a su sobrina (herencia de *La Celestina*) ni el verdadero papel de «la su parienta», como dice Delicado.

[9] *le demandaba... criada:* le preguntaba lo que le habían enseñado. *Ser estado* es una forma de conjugación que usa Delicado, por italianismo, a todo lo largo de su novela, generalmente con el sentido de *ser* o *haber sido,* a veces con el de *ir* o *haber ido,* y *estar* o *haber estado.*

[10] Aquí se anuncia ya el tema culinario que informa gran parte del mamotreto siguiente.

[11] Recuérdese que las especias eran en aquella época un género carísimo por depender en gran parte de los poco seguros transportes marítimos; pero si se considera que se solía decir —como lo recoge Cervantes en el *Quijote*— que «la mejor salsa del mundo es el apetito, o

Responde la tía y prosigue:

—Sobrina, más ha de los años treinta que yo no vi a vuestro padre, porque se fue niño, y después me dijeron que se casó por amores[1] con vuestra madre, y en vos veo yo que vuestra madre era hermosa.

LOZANA.—¿Yo, señora? Pues más parezco a mi agüela que a mi señora madre, y por amor de mi agüela me llamaron a mí Aldonza, y si esta mi agüela vivía, sabía yo más que no sé, que ella me mostró guisar[2], que en su poder deprendí hacer fideos, empanadillas, alcuzcuzu con garbanzos, arroz entero, seco, graso, albondiguillas redondas y apretadas con culantro verde[3], que se conocían las que yo hacía entre ciento. Mirá, señora tía, que su padre de mi padre decía: —¡Éstas son de mano de mi hija Aldonza! Pues ¿adobado se hacía? Sobre que cuantos traperos había en la cal de la Heria[4] querían proballo, y

---

el hambre», no es de descartar una voluntad jocosa en la expresión del despecho de Aldonza. Cabe añadir aún que estas quejas, a pesar de que tienen aquí su razón de ser, inician el tema de «cualquier tiempo pasado fue mejor», fundamental en la novela.

[1] *Casarse por amores,* pese a nuestra sensibilidad moderna, no es ningún piropo en el siglo XVI. Significa tan sólo que la unión se realizó a base de deseo carnal, lo que no podía presagiar nada bueno para un matrimonio de tan frágiles cimientos. (Véase en *Autoridades* el comentario del refrán «Desposar con buena cara y casar enhoramala», s. v., *cara.)* Y, como se verá en adelante, el padre de Aldonza era «putañero y jugador»; si recordamos que «pleiteaba su madre» —o que era prostituta— ¡no hay más que pedir! Noble era la Aldonza por la sábana de arriba como por la de abajo.

[2] *guisar:* Este verbo se empleó corrientemente con un valor erótico. (Para un comentario general del pasaje, Introducción, págs. 92 y ss.)

[3] Nótese el pleonasmo *(albondiguillas redondas)* y la malicia al apretarlas con el *culantro.*

[4] *cal de la Heria:* calle de la Heria, «famosa en Sevilla» según Damiani *(R. 75,* pág. 81, nota 4), pero creo que tiene que ser otra que la de Sevilla pues Aldonza acaba justo de llegar a esta capital, y se está refiriendo a una época anterior a la muerte de sus padres y de su abuela.

máxime cuando era un buen pecho de carnero. Y ¡qué miel! Pensá, señora, que la teníamos de Adamuz, y zafrán de Peñafiel, y lo mejor del Andalucía venía en casa d'esta mi agüela. Sabía hacer hojuelas, prestiños, rosquillas de alfajor, tostones[5] de cañamones y de ajonjolí, nuégados, sopaipas, hojaldres, hormigos torcidos con aceite[6], talvinas, zahinas y nabos sin tocino[7] y con comino, col murciana con alcaravea, y holla reposada no la comía tal ninguna barba. Pues boronía[8] ¿no sabía hacer?: ¡por maravilla! Y cazuela de berenjenas mojíes en perfición[9], cazuela con su ajico y cominico, y saborcico de vinagre, ésta hacía yo sin que me la vezasen[10]. Rellenos, cuajarejos de cabritos[11], pepitorias y cabrito apedreado con limón ceutí. Y cazuelas de pescado cecial con oruga, y cazuelas moriscas por maravilla, y de otros pescados que sería luengo de contar. Letuarios de arrope para en casa, y con miel para presentar[12],

---

[5] *tostones:* en la ed. Venecia 1528, se lee: *textones,* al cual no hallo sentido. Sigo a Damiani que corrige por «tostón» *(R. 75,* pág. 81, nota 9).

[6] Preparar los hormigos con aceite era de judíos o conversos: Cfr. mam. VII y VIII. Importante rasgo de Lozana que no he tratado en la Introducción, pero que estudié en *Allaigre 80,* págs. 181-200.

[7] El conocidísimo valor metafórico del *nabo* se apunta en la Introducción; aquí quiero solamente recalcar el rasgo converso: «sin tocino».

[8] Los platos a base de berenjenas también se consideraban como propios de los judíos (véase al respecto el *Cancionero de Obras de Burlas, op. cit.,* pág. 89).

[9] La *cazuela mojí* lleva normalmente berenjenas (véase *D. R. A. E., s. v. cazuela);* la redundancia puede ser involuntaria, pero también cabe interpretarla como insistencia sobre el ya mencionado rasgo converso.

En perfición, o en perfección: «perfección significa asimismo el conjunto de partes, que necesita alguna cosa para su entero complemento, sin que le falte nada» *(Autoridades,* s. v.).

[10] Esta cazuela que era de su natural («sin que me la vezasen») tiene un saborcico más: el de pícara.

[11] *Cuajarejo,* documentado por Covarrubias *(Tes.,* 891, a, 7), está probablemente aquí por *cuajo:* «De ordinario es el buchechillo del cabrito» (Cov., *Tes.,* s. v., *quajo).*

[12] *presentar,* con su sentido de «ofrecer» se opone aquí a «para en casa», pero no es de descartar un doble sentido malicioso, por prestarse a él los «nuégados de arrope» (y sin duda los *letuarios)* tanto como la *miel* (véase *P. E. S. O.,* pág. 278 y pág. 29), mientras que *presentar* (y su variante *empresentar)* significa, etimológicamente, «poner delante» o «por delante».

como eran de membrillos, de cantueso, de uvas, de berenjenas, de nueces y de la flor del nogal, para tiempo de peste; de orégano y hierbabuena, para quien pierde el apetito[13]. Pues ¿ollas en tiempo de ayuno? Éstas y las otras ponía yo tanta hemencia en ellas, que sobrepujaba a Platina, *De voluptatibus,* y Apicio Romano, *De re coquinaria,* y decía esta madre de mi madre:

—Hija Aldonza, la olla sin cebolla es boda sin tamborín[14].

Y si ella me viviera, por mi saber y limpieza (dejemos estar hermosura), me casaba, y no salía yo acá por tierras ajenas con mi madre, pues que quedé sin dote, que mi madre me dejó solamente una añora con su huerto, y saber tramar, y esta lanzadera para tejer cuando tenga premideras.

TÍA.—Sobrina, esto que vos tenéis y lo que sabéis será dote para vos, y vuestra hermosa hallará ajuar cosido y sorcido, que no os tiene Dios olvidada, que aquel mercader que vino aquí ayer me dijo que, cuando torne, que va a Cáliz[15], me dará remedio para que vos seáis casada y honrada, mas querría él que supiésedes labrar.

LOZANA.—Señora tía, yo aquí traigo el alfilelero[16], mas ni

_____

[13] No sé si hay que tomar en serio o en broma estos consejos dignos de un tratado de medicina, pero que Aldonza recoge de la enseñanza de su abuela. Lo que sí puedo decir es que no figuran los tales electuarios de nueces (contra la peste) ni de orégano y hierbabuena (contra la anorexia) en los libros que he podido consultar. El mismo Noydens, tan solícito por lo que se refiere a la salud, dedica una nutrida rúbrica al *tiempo de peste* (véase Covarrubias, *Tesoro, op. cit.,* 868, a), sin hablar de nueces ni flor de nogal entre los cuatro o cinco remedios que aconseja. Añádase aun que Aldonza parece traducir aquí la inquietud por la medicina que sintió verdaderamente su progenitor literario, fuese de veras o de burlas dicha traducción.

[14] Platina, *de voluptatibus:* alusión a la obra de Bartolomeo Sacchi, conocido por *Platina* por ser oriundo de Piadena o Platina, ·*De opsoniis ac de honesta voluptate et valetudine* (véase nota 29 de *R. 75,* página 83). De A. M. Gavio Apicio, que vivió en tiempos de Tiberio, era conocido en las aulas universitarias el tratado gastronómico *De re coquinaria* que lo hizo famoso; en su *Tesoro* (598, b, *s. v. flamenco),* Covarrubias da fe de la fama de ese «Apicio Romano, que fue el mayor goloso de su tiempo, y gastó gran suma de hazienda y dexó escrito un libro de cozina singularíssimo». *Hemencia* era corriente por «vehemencia», con el sentido de «solicitud» o «ardor». Lo demás con el final del mamotreto está comentado en la Introducción («Aldonza»).

[15] *Cáliz:* Forma corriente de Cádiz en el Siglo de Oro.

[16] Recuérdese que la forma inicial de «alfiler» fue *alfilel.* La forma *alfiletero* no se registra antes de 1620 (Corominas).

tengo aguja ni alfiler, que dedal no faltaría para apretar, y por
eso, señora tía, si vos queréis, yo le hablaré antes que se parta,
porque no pierda mi ventura, siendo huérfana.

MAMOTRETO III[1]

Prosigue la Lozana, y pregunta a la tía:

—Señora tía, ¿es aquél que está paseándose con aquél que
suena los órganos? ¡Por su vida, que lo llame! ¡Ay, cómo es
dispuesto! ¡Y qué ojos tan lindos! ¡Qué ceja partida! ¡Qué pierna tan seca y enjuta! ¿Chinelas trae? ¡Qué pie para galochas y
zapatilla zeyena! Querría que se quitase los guantes por verle
qué mano tiene. Acá mira. ¿Quiere vuestra merced que me
asome?

TÍA.—No, hija, que yo quiero ir abajo, y él me verná[2] a hablar, y, cuando él estará[3] abajo, vos verneis. Si os hablare, abajá[4] la cabeza y pasaos y, si yo os dijere que le habléis, vos llegá
cortés y hacé una reverencia y, si os tomare la mano, retraeos
hacia atrás, porque, como dicen: amuestra a tu marido el copo[5]

---

[1] Hay un comentario de conjunto de todo este mamotreto en la Introducción, págs. 95 y ss. Por eso, en las notas siguientes, me limitaré
a apuntar o recordar el sentido de algunas palabras o formas gramaticales, y a subrayar algunos detalles ya comentados en la Introducción.

[2] *verná:* «vendrá»; forma corriente de futuro hasta el siglo XVII, dominante en *La Lozana,* para los verbos terminados en *-n -er* o *-n -ir.*
(Cfr. en la misma frase: *verneis*).

[3] *cuando estará:* no es corriente, en el español de la época, este empleo del futuro en las oraciones temporales subordinadas: quizás sea
un italianismo en *La Lozana,* donde se repite algunas veces.

[4] *abajá:* al lado de las formas con d final, la forma con acento sobre
la última vocal es corriente, en *La Lozana,* para esta clase de impera-
tivos de segunda persona (vos, o vosotros). Cfr. en la misma frase
«hacé».

[5] *copo:* buen ejemplo de metáfora textil para la anatomía femenina,
de uso corriente en todo el libro (cfr. mam. XLI: «licencia tenés plomada d'estas señoras putas, que sus copos lo pagarán todo». Correas,
por su parte, recoge el mismo refrán, pero con un eufemismo: «A tu
marido, muéstrale el codo [o: «lo otro»], mas no del todo» (24, b).

mas no del todo. Y d'esta manera él dará de sí[6] y veremos qué quiere hacer.

LOZANA.—¿Veislo? Viene acá.

MERCADER.—Señora, ¿qué se hace?

TÍA.—Señor, serviros, y mirar en vuestra merced la lindeza de Diomedes el Raveñano[7].

MERCADER.—Señora, ¡pues ansí me llamo yo, madre mía! Yo querría ver aquella vuestra sobrina. Y por mi vida que será su ventura, y vos no perderéis nada.

TÍA.—Señor, está revuelta y mal aliñada, mas porque vea vuestra merced cómo es dotada de hermosura[8] quiero que pase aquí abajo su telar y verála cómo teje[9].

DIOMEDES.—Señora mía, pues sea luego.

TÍA.—¡Aldonza! ¡Sobrina! ¡Descíos[10] acá, y veréis mejor!

LOZANA.—Señora tía, aquí veo muy bien, aunque tengo la vista cordobesa[11], salvo que no tengo premideras.

TÍA.—Descí, sobrina, que este gentilhombre quiere que le tejáis un tejillo[12], que proveeremos de premideras. Vení aquí, hacé una reverencia a este señor.

DIOMEDES.—¡Oh, qué gentil dama! Mi señora madre, no la deje ir, y suplícole que le mande que me hable.

TÍA.—Sobrina, respondé a ese señor, que luego torno.

DIOMEDES.—Señora, su nombre me diga.

LOZANA.—Señor sea vuestra merced de quien mal lo quie-

---

[6] *Dar de sí:* «producir inconvenientes o utilidades una persona o cosa» [en este caso, «utilidades»] y «Extenderse, ensancharse» *(D. R. A. E.).* Aquí, ambas acepciones. Este comentario de la tía es bastante distinto del de Correas: «Aconséjale que no dé indicio de deshonesta.»

[7] *Raveñano:* de la ciudad italiana llamada Ravena; patria escogida maliciosamente para el mercader por su relación aparente con *rabo.*

[8] Tema de la dote; cfr. Introducción, «Alaroza».

[9] Recuérdese que *telar* y *tejer* son metáforas eróticas.

[10] *Descir:* «bajar, descender».

[11] *cordobesa:* «engañosa».

[12] *tejillo:* «Especie de trencilla que usaban las mujeres como ceñidor», según el *D. R. A. E.* Como es para Diomedes, se podría pensar que él es un tanto afeminado: la tía habla de su lindeza, y su patria lo designa como hombre del «rabo». Sin embargo, de ser así, no se proseguiría el juego, y quizás haya que relacionar más bien este *tejer un tejillo* con el *tejer cintas de cuero* del mam. XXII, de claro sentido sexual (véase), tanto más cuanto que «proveer de premideras» no es inocente.

re[13]. Yo me llamo Aldonza, a servicio y mandado de vuestra merced.

DIOMEDES.—¡Ay, ay!, ¡qué herida! Que de vuestra parte cualque[14] vuestro servidor me ha dado en el corazón con una saeta dorada de amor.

LOZANA.—No se maraville vuestra merced, que cuando me llamó que viniese abajo, me parece que vi un mochacho, atado un paño por la frente, y me tiró no sé con qué. En la teta izquierda me tocó.

DIOMEDES.—Señora, es tal ballestero que de un mismo golpe nos hirió a los dos. Ecco adonque due anime in uno core[15]. ¡Oh Diana! ¡Oh Cupido! ¡Socorred el vuestro siervo! Señora, si no remediamos con socorro de médicos sabios, dudo la sanidad, y pues yo voy a Cáliz, suplico a vuestra merced se venga conmigo[16].

LOZANA.—Yo señor, verné a la fin del mundo, mas deje subir a mi tía arriba y, pues quiso mi ventura, seré siempre vuestra más que mía[17].

TÍA.—¡Aldonza! ¡Sobrina! ¿Qué hacéis? ¿Dónde estáis? ¡Oh pecadora de mí! El hombre deja el padre y la madre por la mujer, y la mujer olvida por el hombre su nido. ¡Ay, sobrina! Y si mirara bien en vos, viera que me habiedes de burlar, mas

---

[13] Lo mismo en *L. A. 69* que en *R. 75,* Damiani adopta una puntuación que me parece errónea: «Señor, sea vuestra merced...» Yo sigo a Joaquín del Val, por entender que Aldonza le desea a Diomedes que sea señor de sus enemigos lo mismo que al guardarropa del mamotreto XXVII.

[14] *Cualque* es italianismo según Damiani (*R. 75,* pág. 86); pero, así y todo, nótese que fue corriente en el español del Siglo de Oro: cfr. Covarrubias: «sospecho devía ser algún tintorero caudaloso que hizo qualque caldera capacísima *(Tes.,* 268, b, 34)». Su sentido oscila entre «alguno» y «cualquiera».

[15] Frase en italiano que significa «así hay dos almas en un corazón» (trad. Damiani). Cfr. mam. LV, nota 11.

[16] Sobre toda esta parodia del amor cortés, véase Introducción («Aldonza y Diomedes»); y compárese con el episodio de Coridón (LV).

[17] El vasallaje de Aldonza no se desmentirá hasta que se vea separada de Diomedes: véase, además de lo dicho en la Introducción, el mam. XL, en el cual, refiriéndose a los tiempos de su vida con Diomedes, Lozana declara a Giraldo: «y no solamente agora que estoy en mi libertad, mas *siendo sujeta* no me faltaba inclinación para serles muy aficionada».

no tenéis el eslabón. ¡Mirá qué pago, que si miro en ello, ella misma me hizo alcagüeta! ¡Va, va, que en tal pararás![18].

MAMOTRETO IV[1]

Prosigue el autor:

—Juntos[2] a Cáliz[3], y sabido por Diomedes a qué sabía su señora, si era concho o veramente asado[4], comenzó a imponella[5] según que para luengos tiempos durasen juntos; y viendo sus lindas carnes y lindeza de persona, y notando en ella el[6] agudeza que la patria[7] y parentado[8] le habían prestado, de cada día le crecía el amor en su corazón, y ansí determinó de no dejalla. Y pasando él en Levante con mercadancía, que su padre era uno de los primos[9] mercaderes de Italia, llevó consigo a su muy amada Aldonza, y de todo cuanto tenía la hacía partícipe; y ella muy contenta, viendo en su caro amador Diomedes

[18] *Va* es imperativo de ir. (Nebrija apunta solamente las formas *ve* y *vai* en su *Gramática).* Su uso frecuente en *La Lozana* debe de ser italianismo.

[1] Para un comentario de los puntos que me parecen fundamentales en todo este mamotreto, véase Introducción, cap. «Onomancia: Lozana», con sus correspondientes notas (principalmente notas 133 a 137). Procedo, pues, como para el mamotreto III (véase nota I de éste).

[2] *Juntos:* Delicado juega con el italianismo (giunti, «llegados», como advierte Damiani) y el sentido español normal de la palabra.

[3] *Cáliz:* ver *supra,* mam. II, nota 15.

[4] Nótese el conceptismo que contamina el verbo *saber* («scio» y «sapio»); sobre *cocho* y *asado,* véase Introducción, págs. 37-38.

[5] *Imponer:* «por encima poner» (Nebrija) y «asentar tributo» (Covarrubias): Delicado juega aquí con los dos sentidos.

[6] La forma *el* del artículo delante de palabras femeninas no se empleaba exclusivamente, como hoy, con las que empiezan por una *a* tónica, sino delante de la átona y otras vocales (cfr. *el escala,* en *Celestina* y en *Lazarillo).*

[7] Cfr. mam. XXXVI, notas 5 y 6, réplica correspondiente.

[8] Porque eran conversos, conocidos éstos por su agudeza.

[9] Delicado usa *primo* o *primero (Parte prima,* pero *mamotreto primero).*

todos los géneros y partes[10] de gentilhombre, y de hermosura en todos sus miembros, que le parecía a ella que la natura no se había reservado nada que en su caro amante no hubiese puesto. E por esta causa, miraba de ser ella presta a toda su voluntad, y como él era único entre los otros mercadantes, siempre en su casa había concurso de personas gentiles y bien criadas, y como veían que a la señora Aldonza no le faltaba nada, que sin maestro tenía ingenio y saber, y notaba las cosas mínimas por saber y entender las grandes y arduas, holgaban de ver su elocuencia; y a todos sobrepujaba, de modo que ya no había otra en aquellas partes que en más fuese tenida, y era dicho entre todos de su lozanía, ansí en la cara como en todos sus miembros. Y viendo que esta lozanía era de su natural, quedóles en fábula que ya no entendían por su nombre Aldonza, salvo la Lozana; y no solamente entre ellos, mas entre las gentes de aquellas tierras decían la Lozana por cosa muy nombrada. Y si muncho sabía en estas partes, muncho más supo en aquellas provincias, y procuraba de ver y saber cuanto a su facultad pertenecía. Siendo en Rodas, su caro Diomedes la preguntó: —Mi señora, no querría se os hiciese de mal venir a Levante, porque yo me tengo de disponer a servir y obedecer a mi padre, el cual manda que vaya en Levante, y andaré toda la Berbería, y principalmente dónde tenemos trato, que me será fuerza de demorar y no tornar tan presto como yo querría, porque solamente en estas cibdades que agora oirés[11] tengo de estar años[12], y no meses, como será en Alejandría, en Damasco, Damiata, en Barut[13], en parte de la Soria[14], en Chiple[15], en el Caire[16], y en el Chío, en Constantinópoli, en Corintio, en Te-

[10] *partes:* Cfr. significado erótico jocoso de «Diomedes».

[11] *oirés:* Delicado usa las formas en *-és* o en *-éis,* para las segundas personas que corresponden a *vos* o *vosotros,* indistintamente al parecer.

[12] Lo que da una indicación interesante sobre la duración de las aventuras de este mamotreto IV; pero la indeterminación no permite saber la edad de Lozana en el momento de su entrada en Roma.

[13] *Barut:* Beirut.

[14] *Soria:* Siria.

[15] *Chiple:* la referencia a Chipre es corriente en contexto erótico («pudendas femeninas»), primero porque Cypris (o Afrodita) había nacido de las aguas, cerca de sus orillas, pero incluso porque, con sus hermosos jardines, era el *locus amoenus* por excelencia (véanse *Siglo Pitagórico* y *P. E. S. O.*).

[16] *El Caire:* El Cairo; en ambos casos, *caire o cairo,* esta ciudad de Egipto tiene el mismo significante que «lo que gana la mujer con su cuerpo» (en germanía; véase Hidalgo).

salia[17], en Boecia, en Candía, a Venecia y Flandes[18], y en otras partes que vos, mi señora, veréis si queréis tenerme compañía.

LOZANA.—¿Y cuándo quiere vuestra merced que partamos? ¡Porque yo no delibro de volver a casa por el mantillo![19].

Vista por Diomedes la respuesta y voluntad tan sucinta que le dio con palabras antipensadas, muncho se alegró, y suplicóla que se esforzase a no dejarlo por otro hombre, que él se esforzaría a no tomar otra por mujer que a ella. Y todos dos, muy contentos, se fueron en Levante y por todas las partidas que él tenía sus tratos, e fue d'él muy bien tratada, y de sus servidores y siervas muy bien servida y acatada. Pues ¿de sus amigos no era acatada y mirada? Vengamos a que, andando por estas tierras que arriba dijimos, ella señoreaba y pensaba que jamás le habían de faltar lo que al presente tenía y, mirando su lozanía[20], no estimaba a nadie en su ser y en su hermosura, y pensó que, en tener hijos de su amador Diomedes, había de ser banco perpetuo para no faltar a su fantasía y triunfo[21], y que aquello no le faltaría en ningún tiempo. Y, siendo ya en Candía, Diomedes le dijo:

—Mi señora Aldonza, ya vos veis que mi padre me manda que me vaya en Italia. Y como mi corazón se ha partido en dos partes, la una en voz, que no quise ansí bien a criatura, y la otra en vuestros hijos, los cuales envié a mi padre; y el deseo me tira, que a vos amo, y a ellos deseo ver; a mí me fuerza la obediencia suya, y a vos no tengo de faltar, yo determino ir a Marsella, y de allí ir a dar cuenta a mi padre y hacer que sea contento que yo vaya otra vez en España, y allí me entiendo

---

[17] *Tesalia:* posible juego sobre «tieso» (cfr. mam. XX, y LIV); *Candía* y *Venecia,* en razón de sus significantes y de las paronimias posibles, entran también en el juego.

[18] *Flandes:* véase nota 137 de la Introducción.

[19] *no delibro de volver a casa por el mantillo; delibrar* es «deliberar», «tener la intención». *Mantillo,* como en *La Celestina* (auto XX), es la membrana que envuelve al feto; cuando se le quedaba una parte de esta membrana a la criatura en la cabeza, después del parto, se tomaba por buen agüero y señal de ventura; en esta frase de la *Lozana,* debe de referirse a la niñez más tierna, queriendo decir Aldonza que está cortado el cordón umbilical que la unía a su madre.

[20] Realidad vana y vanos pensamientos: ¡contempladme esa muerte!, y considérese el final de la novela.

[21] *triunfo:* palabra contaminada sexualmente (véase Criado de Val, art. cit.).

casar con vos. Si vos sois contenta, vení comigo a Marsella, y allí quedaréis hasta que yo torne; y vista la voluntad de mi padre y el amor que tiene a vuestros hijos, haré que sea contento con lo que yo le dijere. Y ansi vernemos en nuestro fin deseado.

LOZANA.—Mi señor, yo iré de muy buena voluntad donde vos, mi señor, me mandáredes; que no pienso en hijos, ni en otra cosa que dé fin a mi esperanza, sino en vos, que sois aquélla; y por esto os demando de merced que dispongáis de mí a vuestro talento, que yo tengo siempre de obedecer[22].

Así vinieron en Marsella y, como su padre de Diomedes supo, por sus espías[23], que venía, con su hijo Diomedes, Aldonza, madre de sus nietos, vino él en persona, muy disimulado, amenazando a la señora Aldonza. (Mas ya Diomedes le había rogado que fuese su nombre Lozana, pues que Dios se lo había puesto en su formación, que muncho más le convenía que no Aldonza, que aquel nombre Lozana sería su ventura para el tiempo por venir[24]; ella consintió en todo cuanto Diomedes ordenó.) Y estando un día Diomedes para se partir a su padre, fue llevado en prisión a instancia de su padre, y ella, madona Lozana, fue despojada en camisa, que no salvó sino un anillo en la boca. Y así fue dada a un barquero que la echase en la mar, al cual dio cien ducados el padre de Diomedes, porque ella no pareciese; el cual, visto que era mujer, la echó en tierra y, movido a piedad, le dio un su vestido que se cubriese[25]. Y viéndose sola y pobre, y a qué la había traído su desgracia, pensar puede cada uno lo que podía hacer y decir de su boca, encendida de muncha pasión. Y sobre todo se daba de cabezadas, de modo que se le siguió una gran aljaqueca, que fue causa que le veniese a la frente una estrella[26], como abajo

---

[22] Reiteración de la voluntad de sumisión de Lozana. *Talento*, hasta el siglo XVI, significó «voluntad» (cfr. *talante*, de igual etimología, ambos en el *D. C. E. L. C.* de Corominas).

[23] Este tema del espionaje es otro punto de contacto con el episodio de Coridón, que bien podría tener una fuente común con las aventuras de Aldonza y Diomedes.

[24] Nótese el pleonasmo, y, a continuación, la obediencia de Lozana.

[25] Estos motivos recuerdan las novelas de caballerías (cfr. *Amadís de Gaula*). Pero aquí el anillo, en vez de permitir la identificación ulterior, se convierte en objeto venal.

[26] Señal de sífilis como lo demuestran los comentarios a que da lugar esta misma estrella a partir del mamotreto VII, comentarios anunciados aquí: «como abajo diremos».

diremoss. Finalmente, su fortuna fue tal que vido venir una nao que venía a Liorna y, siendo en Liorna, vendió su anillo, y con él fue hasta que entró en Roma.

MAMOTRETO V

Cómo se supo dar la manera para vivir, que fue menester que usase audacia pro sapientia.

Entrada la señora Lozana en la alma cibdad y, proveída de súbito consejo, pensó: Yo sé muncho; si agora no me ayudo en que sepan todos mi saber, será ninguno. Y siendo ella hermosa y habladera, y decía a tiempo, y tinié gracia en cuanto hablaba, de modo que embaía a los que la oían. Y como era plática[1] y de gran conversación, e habiendo siempre sido en compañía de personas gentiles, y en muncha abundancia, y viéndose que siempre fue en grandes riquezas y convites y gastos, que la hacían triunfar, decía entre sí: si esto me falta seré muerta, que siempre oí decir que el cibo[2] usado es el provechoso. Y como ella tenía gran ver e ingenio diabólico[3] y gran conocer, y en ver un hombre sabía cuánto valía, y qué tenía, y qué le podía dar, y qué le podía ella sacar. Y miraba también cómo hacían aquéllas que entonces eran en la cibdad, y notaba lo que le parecía a ella que le había de aprovechar, para ser siempre libre y no sujeta a ninguno[4], como después veremos. Y acordándose de su patria, quiso saber luego quién estaba

---

[1] *plática:* «el diestro en dezir o hazer alguna cosa por la experiencia que tiene» (Covarrubias, *Tes.,* 873, b, 60); Criado de Val señala una contaminación erótica para este adjetivo.

[2] *cibo:* «cebo», comida de los animales.

[3] Así se aclara en parte el *resaber* de Aldonza (mam. I).

[4] De escarmiento le ha servido su experiencia con Diomedes (véase mam. III, nota 17, y IV, nota 22.

aquí de aquella tierra y, aunque fuesen de Castilla, se hacía ella de allá por parte de un su tío, y si era andaluz, mejor, y si de Turquía, mejor, por el tiempo y señas que de aquella tierra daba, y embaucaba a todos con su gran memoria[5]. Halló aquí de Alcalá la Real, y allí tenía ella una prima, y en Baena otra, en Luque y en la Peña de Martos natural parentela[6]. Halló aquí de Arjona y Arjonilla y de Montoro, y en todas estas partes tenía parientas y primas, salvo que en la Torre don Jimeno que tenía una entenada[7], y pasando con su madre a Jaén, posó en su casa, y allí fueron los primeros grañones que comió con huesos de tocino. Pues, como daba señas de la tierra, halló luego quien la favoreció, y diéronle una cámara en compañía de unas buenas[8] mujeres españolas. Y otro día hizo cuistión[9] con ellas sobre un jarrillo, y echó las cuatro las escaleras abajo; y fuese fuera, y demandaba por Pozo Blanco[10], y procuró entre aquellas camiseras castellanas[11] cualque estancia o cualque buena compañía. Y como en aquel tiempo estuviese en Pozo

---

[5] Cfr. mam. IX, nota 8.

[6] Es lo que diría al autor, con ocasión de su primer encuentro, para granjearse su simpatía.

[7] No hallo para *entenada* otro sentido que «alnada», o sea «hijastra». Entónces, tiene que ser una de las mentiras que cuenta Lozana, puesto que no se casó con Diomedes, y que de todas formas su madre había muerto ya cuando trabó conocimiento con el mercader.

[8] *buenas:* recuérdese que, en el registro lingüístico de *La Lozana*, significa corrientemente «putas».

[9] *Hacer cuestión:* reñir.

[10] «Preguntaba por Pozo Blanco» (barrio de Roma): nótese el empleo del imperfecto, acierto estilístico.

[11] *Aquellas camiseras castellanas:* es curioso el empleo del demostrativo puesto que ésta es la primera mención de las camiseras, calificadas aquí de castellanas aunque son andaluzas, y conocidas en los mamotretos siguientes por *Sevillana, Beatriz de Baeza* y *Teresa de Córdoba*. Pero, en este caso, ¿quizás quepa imaginar que, visto desde Italia, *castellanas* tomaría el valor de «españolas»? Sin embargo, no son éstas las únicas curiosidades del mamotreto V que, hasta aquí, ha presentado rápidamente las primeras tribulaciones de la heroína por Roma, pero que, a partir de la frase siguiente, termina como un segundo *argumento* parcial, incorporado en la historia; todo pasa como si la transformación definitiva de Aldonza en Lozana abriera paso a una segunda parte verdadera que la división formal, desmintiendo la estructura profunda, no hace empezar más que en el mam. XXIV; otra huella que la parodia deja en la perfección formal.

Blanco una mujer napolitana con un hijo y dos hijas[12], que tenían por oficio hacer solimán y blanduras[13] y afeites y cerillas, y quitar cejas y afeitar novias, y hacer mudas de azúcar candi y agua de azofeifas[14] y, cualque vuelta[15], apretaduras[16], y todo lo que pertenecía a su arte tenían sin falta, y lo que no sabían se lo hacían enseñar de las judías, que también vivían con esta plática[17], como fue Mira la judía (que fue de Murcia), Engracia, Perla, Jamila, Rosa, Cufa, Cintia y Alfarutía, y otra que se decía la judía del vulgo[18], que era más plática y tinié más

---

[12] Trabaremos conocimiento con esta familia en el mamotreto XI: es la de Rampín, el segundo personaje en importancia de la novela. Pero, al cotejar la composición de la familia en los mamotretos V y XI, se ve que la *Napolitana* tiene un hijo en el primer caso, y dos en el segundo (cfr. pág. 60). Como allí se dirá, no hay más que uno, pero *doble*, y es Rampín.

[13] *Blandura:* «blanquete» (cfr. «blandurillas»). No creo que aquí se trate de la antigua cura de los tumores así llamada (ver *Autoridades, s. v.),* sino solamente de a feites (ver además nota siguiente).

[14] Esta enumeración de los afeites tiene un antecedente famoso, muy conocido en el siglo XVI, con la *Sátira VI* de Juvenal (autor citado por Delicado, véase el *Prólogo);* además, los moralistas condenaban ferozmente el empleo de los afeites (véase, por ejemplo, Covarrubias, *Tesoro,* 46, a). El mamotreto V destaca, pues, sobre un fondo de vituperio, concurriendo las tradiciones —clásica y cristiana— en su apreciación del fenómeno.
He aquí cómo Juan de Mal-Lara tradujo, en 1568, los versos 461-464 de la sátira VI de Juvenal: «Que os moriréis de risa de mirarla/con sus mudas, que aposta están untadas/De miel y trementina, y sus blanduras/A que huele, y con que pez pega recio/Los labios del marido desdichado» (en Menéndez Pidal, *Bibliografía hispano-latina clásica,* VII, C. S. I. C., 1951). A las azufeifas dedica una rúbrica Covarrubias *(Tesoro,* 40, a, *s. v.,* açufeifo).

[15] *vuelta,* en el sentido de «vez», probablemente por italianismo.

[16] *apretaduras:* «astringentes», con uso más específico en *La Lozana;* cfr. mam. LIV, el diálogo Lozana-Doméstica-Divicia.

[17] *Plática:* «práctica». El antisemitismo de Delicado se manifiesta aquí claramente, y se verán numerosas muestras de él a lo largo de la obra, ya se meta con judíos, ya con conversos. Las judías están presentadas ahora como maestras en el arte de los afeites; pero, evidentemente, Lozana —sin par en todo— las dejará tamañitas; es verdad que también ella es *ex illis* (cfr. mam. VIII).

[18] Sobre este *vulgo,* son intenresantes las hipótesis de Damiani y Allegra; «Judía del vulgo: *vulgo* podría ser corrupción de Burgo o Borgo que era un barrio romano, podría ser también sinónimo de *mancebía, burdel (Ger.,* III, 164)» [*R. 75,* pág. 95, nota 18].

conversación. Y habéis de notar que pasó a todas éstas en este oficio, y supo más que todas, y diole mejor la manera, de tal modo que en nuestros tiempos podemos decir que no hay quien use el oficio mejor ni gane más que la señora Lozana, como abajo diremos, que fue entre las otras como Avicena entre los médicos. *Non est mirum acutissima patria*[19].

Mamotreto VI

Cómo en Pozo Blanco, en casa de una camisera, la llamaron.

Una sevillana, mujer viuda, la llamó a su casa, viéndola pasar, y le demandó: —Señora mía, ¿sois española? ¿Qué buscáis?

LOZANA.—Señora, aunque vengo vestida a la ginovesa, soy española y de Córdoba.

SEVILLANA.—¿De Córdoba? ¡Por vuestra vida, ahí tenemos todas parientes! ¿Y a qué parte morábades?

---

[19] Otra anomalía en este mamotreto es la falta de lógica que caracteriza el pasaje desde: «Y como en aquel tiempo estuviese...» La primera frase no tiene verbo principal, y en la segunda sorprende la oración en presente «en nuestros tiempos podemos decir que no hay quien use el oficio mejor ni gane más», mezclando el tiempo de la narración con el de la historia. Podría tratarse de la inserción un tanto apresurada de un pasaje redactado posteriormente, o de materia compilada, pues ocurre a veces que los cuentos se interpolan en la historia con cierto descuido en la trabazón lógica, y la actualización de una materia antigua también puede ser causa del mismo tipo de error. Esto, añadido a lo dicho antes de *aquellas camiseras,* hace pensar que este mamotreto V fue escrito después, e insertado ahí por preocupación retórica (ver *supra,* nota 11).

Por otra parte, *Non est mirum acutissima patria* (traducido por Damiani: «No sorprende en una persona de patria tan aguda») remite a todas luces a Córdoba, como confirma la mención de Avicena inmediatamente antes. Pero esta frase en latín (lengua que en *La Lozana* tiene que despertar la sospecha) concluye todo un periodo en el que se enumera a las mujeres judías que practican el arte celestinesco de los afeites, y por otra parte sirve de introducción a la entrevista de Lozana con las camiseras conversas. De forma que la agudeza que le viene de nación a la protagonista es un rasgo tan judío como cordobés. Insisto en este punto porque Lozana se siente orgullosa de su ciudad natal, pero quiere ocultar su ascendencia judía.

LOZANA.—Señora, a la Cortiduría[1].

SEVILLANA.—¡Por vida vuestra, que una mi prima casó ahí con un cortidor rico! ¡Así goce de vos, que quiero llamar a mi prima Teresa de Córdoba, que os vea!

—Mencía, hija, va, llama a tu tía y a Beatriz de Baeza y Marina Hernández, que traigan sus costuras y se vengan acá.

—Decíme, señora, ¿cuánto ha que venistes?

LOZANA.—Señora, ayer de mañana.

SEVILLANA.—Y ¿dónde dormistes?

LOZANA.—Señora, demandando de algunas de la tierra, me fue mostrada una casa donde están siete o ocho españolas. Y como fui allá, no me querían acoger, y yo venía cansada, que me dijeron que el Santo Padre iba a encoronarse. Yo, por verlo, no me curé de comer.

SEVILLANA.—¿Y vísteslo, por mi vida?

LOZANA.—Tan lindo es, y bien se llama León décimo, que así tiene la cara[2].

SEVILLANA.—Y bien, ¿diéronos algo aquellas españolas a comer?

LOZANA.—Mirá qué bellacas, que ni me quisieron ir a demostrar la plaza. Y en esto vino una que, como yo dije que era

---

[1] Es importante el detalle, pues remite por una parte a Celestina, que vivía «en las tenerías», y por otra porque es uno de los elementos que permiten desenmascarar a Lozana cuando da a entender que es de familia de cristianos viejos.

[2] Damiani y Allegra *(R. 75,* pág. 96, nota 6) apuntan: «Es el 11 de marzo de 1513, día en que Giovanni de Medici fue proclamado papa con el nombre de León X. Fue, por lo tanto, durante su pontificado cuando ocurrieron la mayor parte de los sucesos narrados en este libro.» Esta precisión temporal tiene por misión, como otras, dar un aire de autenticidad al «exemplum» de Delicado, siendo éste un procedimiento bastante tradicional en tal tipo de literatura; pero no permite saber la edad de Lozana en aquel momento.

Por otra parte, no acabo de entender a qué se refiere Lozana cuando dice «bien se llama León X, *que así tiene la cara».* ¿Será un piropo para un hombre decir que tiene cara de león? (de *lindo* también la califica). Según Hidalgo, *león* quiere decir «rufián» en germanía, pero no es cierto que lo significara ya en tiempos de Delicado, que, de ser así, no carecería de malicia la exclamación de la mujer. Sin embargo, ¿se atrevería el autor a divertirse a expensas del Sumo Pontífice? Nótese que Lozana no descarta la posibilidad de que intervenga el Santo Padre en persona para sacar a Rampín de la cárcel, evocándose efectivamente el asunto en su augusta presencia (XXXII). Se me antoja poco reverente que se complique así a «Su Santidad» en semejantes líos.

de los buenos de su tierra, fueme por de comer, y después fue comigo a enseñarme los señores. Y como supieron quién yo y los míos eran, que mi tío fue muy conocido, que cuando murió le hallaron en las manos los callos tamaños, de la vara de la justicia[3], luego me mandaron dar aposento. Y envió comigo su mozo, y Dios sabe que no osaba sacar las manos afuera por no ser vista, que traigo estos guantes, cortadas las cabezas de los dedos, por las encobrir.

SEVILLANA.—¡Mostrad por mi vida, quitad los guantes! ¡Viváis vos en el mundo y aquel Criador que tal crió! ¡Lograda y engüerada seáis, y la bendición de vuestros pasados os venga! Cobrildas, no las vea mi hijo, y acabáme de contar cómo os fue[4].

LOZANA[5].—Señora mía, aquel mozo mandó a la madre que me acogiese y me diese buen lugar, y la puta vieja barbuda, estrellera, dijo: ¿No veis que tiene greñimón? Y ella, que es estada mundaria toda su vida, y agora que se vido harta y quita de pecado, pensó que porque yo traigo la toca baja y ligada a la ginovesa, y son tantas las cabezadas que me he dado yo mis-

---

[3] Al indicar que su tío había sido alcalde, Lozana deja suponer que era de sangre limpia (o cristiano viejo), porque se exigía tal calidad para ejercer el cargo (cfr. *supra*, nota 1; y el refrán «En linajes luengos, alcaldes y pregoneros», Correas, 127, b).

[4] Si las *manos* fueran solamente «manos», no se entendería por qué la sevillana teme tanto que su hijo las vea. Por otra parte, se sabe que la camisera es confesa, lo que puede explicar las fórmulas de bendición que usa. A este propósito, Damiani arroja para *lograda* y *engüerada* la equivalencia «satisfecha y premiada», sin más comentarios *(R. 75*, pág. 97, nota 9, y *L. A. 69,* pág. 48, nota 42). Yo comprendería mejor: «preñada y parida», que me parece más en relación con las nociones de *lleno* («logro») y de *vacío* («huero», ya que *engüerada* es participio de *engorar,* i. e. *«enhuerar»).* En efecto, los judíos (o judaizantes) imploran tradicionalmente la bendición sobre los hijos por nacer (cfr. «¡Que veáis nietos d'ellos!», mam. XI. Es posible también que haya aquí un retruécano que no entiendo; sin embargo, se puede observar que, en *La pícara Justina,* los huevos *hueros* sirven de metáfora sexual o puerperal, en una frase bastante oscura en la que Perlícaro declara a la protagonista: «... la vi nacer envuelta en *las pares* de los dos oficios más comunes de la república. Pregunte a mamá si quiere que *la enalbarde con miel y huevos güeros* unas torrijas y haga por ella *los demás oficios del partero* (I, 1; el subrayado es mío).

[5] A partir de aquí hasta el fin del mamotreto, ver en Introducción todo el pasaje relativo a la «estrella» de Lozana y sus implicaciones. Añádase tan sólo: *mundaria,* «ramera», y *so* por «soy».

ma, de un enojo que he habido, que me maravillo cómo so
viva; que como en la nao no tenía médico ni bien ninguno, me
ha tocado entre ceja y ceja, y creo que me quedará señal.

SEVILLANA.—No será nada, por mi vida. Llamaremos aquí
un médico que la vea, que parece una estrellica.

MAMOTRETO VII

Cómo vienen las parientas, y les dice la Sevillana:

—Norabuena vengáis. Ansí goce yo de todas, que os asentéis y oiréis a esta señora que ayer vino y es de nuestra tierra.

BEATRIZ.—Bien se le parece, que ansí son todas frescas, graciosas y lindas como ella, y en su lozanía se ve que es de nuestra tierra.

—¿Cuánto ha, señora mía, que salistes de Córdoba?

LOZANA.—Señora, de once años fui con mi señora a Granada, que mi padre nos dejó una casa en pleito por ser él muy
putañero y jugador, que jugara el sol en la pared[1].

SEVILLANA.—¡Y duelos le vinieron![2]. Teniendo hijas doncellas, ¿jugaba?

LOZANA.—¡Y qué hijas! Tres éramos y traíamos zarcillos de
plata. Y yo era la mayor; fui festejada de cuantos hijos de caballeros hubo en Córdoba, que de aquello me holgaba yo.
Y esto puedo jurar, que desde chiquita me comía lo mío, y en
ver hombre se me desperezaba, y me quisiera ir con alguno,
sino que no me lo daba la edad; que un hijo de un caballero
nos dio unas arracadas muy lindas, y mi señora se las escondió
porque no se las jugase, y después las vendió ella para vezar a

---

[1] *Jugar el sol en la pared* significa, creo, «jugarse uno hasta lo que
no tiene aún» (cfr. la frase proverbial: «Jugar el sol y mercar la candela»). Con este padre, y lo que se ha dicho ya de su madre, se completa la genealogía «picaresca» de Lozana.

[2] Según Damiani: «al parecer, tipo de maldición» *(R. 75,* pág. 99,
nota 2); sin embargo, viniendo en pasado el verbo y no en optativo,
debe de ser más bien adaptación de la fórmula «¡y duelos le vengan!»
a las necesidades de la conversación.

las otras a labrar, que yo ni sé labrar ni coser, y el hilar se me ha olvidado[3].

CAMISERA[4].—Pues ¡guayas de mi casa!, ¿de qué viviréis?

LOZANA.—¿De qué, señora? Sé hacer alheña, y mudas, y tez de cara, que deprendí en Levante, sin lo que mi madre me mostró[5].

CAMISERA.—¿Que sois estada en Levante? ¡Por mi vida, yo pensé que veníades de Génova!

LOZANA.—¡Ay señoras! Contaros he maravillas. Dejáme ir a verter aguas que, como eché aquellas putas viejas alcoholadas por las escaleras abajo, no me paré a mis necesidades, y estaba allí una beata de Lara, el coño puto[6] y el ojo ladrón, que creo hizo pasto a cuantos brunetes van por el mar océano[7].

CAMISERA.—¿Y qué os hizo?

LOZANA.—No quirié que me lavase con el agua de su jarrillo. Y estaba allí otra habacera[8], que de su tierra acá no vino

---

[3] Todo lo que antecede encubre alusiones eróticas fundadas en la contaminación de *comer* y *mío* («me comía lo mío» o prurito muy íntimo, de *desperezarse* que indica aquí abertura, y de los términos de la costura y del tejer, como se ha explicitado en la Introducción.

[4] Adviértase el cambio de denominación de la *sevillana,* ahora *camisera;* esta táctica de Delicado corresponde a una superchería suya en el *Explicit,* cuando dice «Son por todas las personas que hablan en todos los mamotretos o capítulos ciento y veinte e cinco». Contando a todos los personajes señalados por un nombre distinto, se llega a un total bastante superior; pero, después de operar las debidas correcciones, mediante dos o tres hipótesis (difíciles de averiguar) que iré exponiendo en estas notas, la cifra final no difiere mucho de la indicación del *Explicit.*

[5] Cuidado con el doble sentido de «madre», reforzado por el de «Levante» en la frase siguiente inmediatamente antes («matriz» y «levantar»).

[6] *el coño puto* (sin «lo que su madre le mostró»): «maloliente» (cfr. etimología de *puto, puta,* «que huele mal», Corominas).

[7] Fue comida (sexual) de todos los grumetes que navegan en alta mar.

[8] *habacera:* por «abacera», pero conservo aquí la h etimológica porque la actual vendedora de aceite y otros productos comestibles, conocida con este nombre, lo recibe de los vendedores (vendedoras) de habas de la Edad Media *(fabacera* en el siglo XIII). Ahora bien, siendo también «glande» o «capullo» el haba, y considerando la dudosa especialidad de la compañera del fraile, especificada por *rabanera* (que forma jocosamente parte de la serie «rabo») y *tragasantos* (cfr. contaminación erótica de *devota, beata,* etc..., además de la formación con *tra-*

194

mayor rabanera, villana, tragasantos, que dice que viene aquí por una bulda para una ermita, y trayé[9] consigo un hermano fraire de la Merced que tiene una nariz como asa de cántaro, y el pie como remo de galera[10], que anoche la vino acompañar, ya tarde, y esta mañana, en siendo de día, la demandaba, y enviésela lo más presto que pude, rodando. Y, por el Dios que me hizo, que, si me hablara, que estaba determinada comerle las sonaderas porque me pareciera[11]. Y viniéndome para acá, estaban cuatro españoles allí, cabe[12] una grande plaza, y tiñén munchos dineros de plata en la mano, y díjome el uno:

—Señora, ¿querésnos contentar a todos? y tomá. Yo presto les respondí, si me entendieron.

CAMISERA.—¿Qué, por mi vida? ¡Ansí gocéis!

LOZANA.—Díjeles: —Hermanos, no hay cebada para tantos asnos. Y perdonáme, que luego torno, que me meo toda.

BEATRIZ.—Hermana, ¿vistes tal hermosura de cara y tez? ¡Si tuviese asiento para los antojos![13]. Mas creo que si se cura que sanará.

TERESA HERNÁNDEZ.—¡Andá ya, por vuestra vida, no digáis! Súbele más de mitad de la frente; quedará señalada para

ga-, semejante a la de *tragadardos* y *tragacaramillos,* como indica Damiani), creo preferible la forma etimológica (que es la de *Venecia 1528:* «havacera»).

[9] *trayé:* habiendo escogido la acentuación sobre la vocal final para este imperfecto en *-ié,* no veo cómo modernizar esta forma antigua de «traía».

[10] Los frailes de la Merced gozaban de una reputación pésima (cfr. *Lazarillo de Tormes,* el fraile del tratado IV), que quizás se debiera tanto a lo que evocaba su nombre («mercedario» o *mercenario)* como a su comportamiento real, pero el caso es que se les atribuía, en el folklore, hazañas poco religiosas (cfr. la ambigüedad del refrán recogido por Correas: «Frailes de la Merced, pocos son, y lo hacen bien»). Éste, del mamotreto VII, es de pronóstico más que reservado, porque el tamaño de su nariz y de sus pies induce a pensar en una correlación sexual muy elocuente (corriente era el juego «nariz/pie/sexo» en el Siglo de Oro). La solicitud que demuestra con la *habacera tragasantos* refuerza las indicaciones del esbozo de pie entero que nos ofrece Lozana.

[11] *sonaderas:* «narices» y, quizá, lo mismo por el significante (paronimia) que por el significado (sinonimia), metáfora sexual. Pero es el sentido obvio el que permite a Lozana añadir «porque me pareciera», puesto que a ella le falta la nariz.

[12] *cabe:* «cerca de».

[13] *antojos:* «anteojos» o «gafas» (está lamentando la falta de nariz que afea a Lozana).

cuanto viviere. ¿Sabéis qué podía ella hacer? Que aquí hay en Campo de Flor munchos d'aquellos charlatanes, que sabrían medicarla por abajo de la vanda izquierda[14].

CAMISERA.—¡Por vida de vuestros hijos, que bien decís! Mas ¿quién se lo osará decir?

TERESA.—Eso de quién, yo hablando hablando se lo diré.

BEATRIZ.—¡Ay, prima Hernández, no lo hagáis, que nos deshonrará como a mal pan![15]. ¿No veis qué labia y qué osadía que tiene, y qué decir? Ella se hará a la usanza de la tierra, que verá lo que le cumple. No querría sino saber d'ella si es confesa, porque hablaríamos sin miedo.

TERESA.—¿Y eso me decís? Aunque lo sea, se hará cristiana linda[16].

BEATRIZ.—Dejemos hablar a Teresa de Córdoba, que ella es burlona y se lo sacará[17].

TERESA.—Mirá en qué estáis. Digamos que queremos torcer hormigos o hacer alcuzcuzu y, si los sabe torcer, ahí veremos si es *de nobis,* y si los tuerce con agua o con aceite[18].

BEATRIZ.—Viváis vos, que más sabéis que todas. No hay peor cosa que confesa necia[19].

SEVILLANA.—Los cabellos os sé decir que tiene buenos[20].

---

[14] *la vanda izquierda* es el bazo, y *Campo de Flor,* además de una plaza real de Roma, un lugar que su nombre florido hace peligroso: como se ha dicho en la Introducción.

[15] *pan:* al pie de la letra, pero también con su sentido metafórico conocido («pudendum feminae»), usado varias veces en *La Lozana* en razón del juego de palabras a que da lugar.

[16] *cristiana linda,* o sea «vieja». Ver *supra* mam. VI, notas 1 y 3, y mam. VII, nota 19.

[17] Conste que la burla urdida por Teresa Hernández será un éxito; y que la «sin par» Lozana saldrá igualmente chasqueada con ocasión de su encuentro con Trugillo (mam. L).

[18] Ver *supra* mam. II, nota 6. *De nobis* se opone graciosamente a *ex illis.*

[19] La necia Beatriz se está condenando a sí misma (cfr. *beato* con el significado de «tonto»: así lo emplea la confesa necia en el mamotreto IX). Procedimiento de ironía evocado ya, herencia de *La Celestina.*

[20] Son los *cabellos* un detalle del retrato físico de Lozana altamente simbólico. En efecto, la alopecia que le hace perder «los pelos de las cejas» (mam. LIV), no ataca su hermosa cabellera; no tiene la misma suerte la *lavandera* del mam. XII, con su cabeza pelada por la sífilis. El mal causa estragos en todo el sistema piloso de Lozana, incluso en las partes más íntimas (véase mam. XVII), pero deja intacto el de su

196

BEATRIZ.—¿Pues no veis que dice que había doce años que jamás le pusieron garvín ni albanega, sino una princeta labrada, de seda verde, a usanza de Jaén?[21].

TERESA.—Hermana, Dios me acuerde para bien, que por sus cabellos me he acordado, que cien veces os lo he quesido[22] decir: ¿Acordáisos el otro día cuando fuimos a ver la parida, si vistes aquélla que la servía, que es madre de una que vos bien sabéis?

CAMISERA.—Ya os entiendo; mi hijo le dio una camisa de

_____

cabeza por ser éste símbolo de lozanía: «naturalmente se entiende, y en lo moral se experimenta, que las mujeres, cortado el cabello, pierden mucho de su brío y lozanía, afirma perentoriamente Covarrubias (*Tes.*, 252, a, 14), quien explica en otra parte que por eso se cortan el pelo los religiosos y las religiosas. Además, ¿no es acaso parangón ejemplar de la mala vida la *Cabelluda* antes de alcanzar la santidad? Se verá también con interés cómo Celestina empleaba la expresión *tener cabellos* al disertar sobre las propiedades del vino en el auto IX; y también, *infra*, el simbolismo del pelo en el episodio de Coridón (mamotreto LV).

[21] Nótese cuán moderno parece el procedimiento de evocar una confidencia que no ha sido referida anteriormente, ni en los diálogos ni en la narración.

Ahora bien, ¿cómo interpretar la oposición entre *garvín* y *albanega* por una parte y *princeta* por otra? De poco sirve, en esta ocasión, la nota de Damiani («Garvín... albanega... princeta: tipo de cofias», en *R. 75*, pág. 103). Según Hernández Ortiz (*G. A. L. A.*, pág. 73), sería ésta una prueba más de que a Lozana no le gustan los atuendos poco naturales, y del realismo del retrato, pero no comparto tal opinión como ya he explicado. ¿Habrá pues un juego de palabras? Confieso que no lo veo. Es posible, sin embargo, que haya aquí una referencia a las pragmáticas que prohibieron, a fines del siglo XV y principios del XVI, que las mujeres del partido llevaran ciertas prendas de vestir, entre las que figurarían entonces garvín y albanega: para cerciorarse de ello, habría que evacuar todas las prohibiciones que figuran en los textos legales que se promulgaron entonces. Como en aquel momento de la acción de la novela, estamos en 1513, la mención «había doce años» orientaría hacia las disposiciones que se tomaron alrededor de 1501, en España y en Italia. Hay un eco de tales órdenes en el *C. O. B.*, a propósito de la Osorio, por la cual la reina doña Isabel «mandó quitar la seda en Castilla» cuando supo que la Osorio, ricamente ataviada, era «ramera cortesana» (*op. cit.*, págs. 171-172). Pero, por ahora, estas conjeturas carecen de base sólida, y llamo en mi ayuda a los historiadores.

[22] En *Venecia 1528:* q̃sido: eran corrientes las formas *quesido* y *quisido*, por «querido» (*v. gr.* en *La Celestina*).

197

oro labrada, y las bocas de las mangas con oro y azul. ¿Y es aquélla su madre? Más moza parece que la hija. ¡Y qué cabellos rubios que tenía!

TERESA.—¡Hi, hi! ¡Por el paraíso de quien acá os dejó[23], que son alheñados por cobrir la nieve de las navidades! Y las cejas se tiñe cada mañana, ya qu' el lunar, postizo es, porque si miráis en él, es negro, y unos días más grande que otros; y los pechos llenos de paños para hacer tetas; y, cuando sale, lleva más dijes que una negra, y el tocado muy plegado por henchir la cara, y piensa que todos la miran, y a cada palabra su reverencia; y, cuando se asienta, no parece sino depósito[24] mal pintado. Y siempre va con ella la otra Marijorríquez, la regatera, y la cabrera, que tiene aquella boca que no parece sino tragacaramillos[25], que es más vieja que Satanás; y sálense de noche de dos en dos, con sombreros, por ser festejadas, y no se osan descobrir, que no vean el ataúte carcomido[26].

BEATRIZ.—Decíme, prima, ¡muncho sabéis vos! que yo soy una boba[27] que no paro mientes en nada de todo eso.

TERESA.—Dejáme decir, que ansí dicen ellas de nosotras cuando nos ven que imos[28] a la estufa[29] o veníamos: ¡Veis las

---

[23] Sería «una alusión judía a Cristo», según Damiani (L. A. 69, página 52, y R. 75, pág. 104). No sé de dónde lo saca, ni por qué, en tal caso, no diría «de quien acá nos dejó»; yo había creído entender que Teresa se refería a la madre (o a los padres) de la Camisera sevillana, algo así como: «¡Por tu madre —que en gloria esté—...». Lozana emplea una variante de la misma expresión en el mam. LVIII, con la Montesina, y no suele ella hablar como judía a pesar de sus orígenes (que intenta esconder).

[24] depósito: lo interpreto aquí como latinismo por «moribundo» o «cadáver» (cr. infra, nota 26).

[25] tragacaramillos: se entiende a partir de caramillo, metáfora del pene, como el actual (y de entonces) «flauta»: tiene la boca como vagina.

[26] Las viejas coquetas que intentan parecer mozas son un blanco tradicional de la sátira. La expresión «ataúd carcomido», para referirse a los carcamales, guarda relación con la temática ejemplar del Retrato.

[27] Ver supra, nota 19.

[28] imos era forma relativamente corriente de ir, por «vamos» (como ides e is por «vais»); lo curioso aquí es la ruptura temporal «cuando vamos o veníamos»)..

[29] estufa: establecimiento de baños que, como los masajes tailandeses modernos, tenían frecuentemente mala fama. Lozana y Rampín hacen también su aseo en la estufa (mam. XIII), dejando entrever que tales lugares se prestaban a una promiscuidad sospechosa.

camiseras, son de Pozo Blanco, y batículo[30] llevan! Aosadas, que no van tan espeso a misa y no se miran a ellas, que son putas públicas. ¿Y cuándo vieron ellas confesas putas y devotas? Ciento entre una[31].

CAMISERA.—Dejá eso, y notá que me dijo esta forastera que tenía un tío que murió con los callos en las manos, de la vara de la justicia, y debié de ser que sería cortidor[32].

TERESA.—Callá, que viene; si no, será peor que con las otras que echó a rodar.

MAMOTRETO VIII

Cómo torna la Lozana, y pregunta:

—Señoras, ¿en qué habláis, por mi vida?

TERESA.—En que, para mañana, querríamos hacer unos hormigos torcidos.

---

[30] *batículo:* «Es cierto velo blanco de que usan las matronas romanas, que cuelga de los hombros, y de la cintura abajo tiene muchos pliegues y gran ruedo» (Covarrubias, *Tes.,* 201, a). Era pues señal de categoría, y aquí, es denuncia de la presunción de las conversas de Pozo Blanco el que lo traigan ellas.

[31] Discrepo de la interpretación de Damiani, para quien Teresa sería la que dice: *Aosadas que no van tan espeso a misa* [es decir: «a buen seguro que no van tan a menudo a misa»], lo mismo en *L. A. 69* (pág. 52) que en *R. 75* (págs. 104-105). Me parece más verosímil que sean las viejas quienes acusen de impiedad a las conversas (que no van tanto a misa como a la estufa). A esta acusación parece remitir Teresa al decir *¿Y cuándo vieron ellas...?,* que, a pesar de la forma interrogativa, es una contestación puesto que *devotas* evoca, en tal contexto, el *ir a misa* anterior. En su contraataque, Teresa opone la condición de *putas públicas* de sus detractoras a las de las confesas en general, pero se puede advertir que el único término que falta en la comparación es *públicas.* Es cierto que el adjetivo *putas* de *confesas* viene asociado a *devotas,* y en una pregunta, pero *devotas,* como beatas, está contaminado (cfr. *A su puta beata lo oí,* en el mam. XXXVIII), y la pregunta lleva consigo la respuesta: *ciento entre una,* proporción a todas luces burlesca, que expresa la imposibilidad de toda excepción. (Bonneau comete un contrasentido en su traducción al francés «une sur cent» en vez de «cent sur une».) Tendremos otras ocasiones de apreciar el antisemitismo de Delicado.

[32] Ver *supra,* nota 16, y mam. VII, nota 19; mam. VI, notas 1 y 3.

LOZANA.—¿Y tenéis culantro verde? Pues dejá hacer a quien, de un puño de buena harina y tanto aceite[1], si lo tenéis bueno, os hará una almofía llena, que no los olvidéis aunque muráis.

BEATRIZ.—Prima, ansí gocéis, que no son de perder. Toda cosa es bueno probar, cuanto más, pues que es de tan buena maestra, que, como dicen, la que las sabe las tañe. (¡Por tu vida, que es *de nostris!*)[2].

—Señora, sentaos, y decínos vuestra fortuna cómo os ha corrido por allá por Levante.

LOZANA.—Bien, señoras, si el fin fuera como el principio, mas no quiso mi desdicha. Que podía yo parecer delante a otra que fuera en todo el mundo, de belleza y bienquista, delante a cuantos grandes señores me conocían, querida de mis esclavas, de los de mi casa toda, que a la maravilla me querían ver cuantos de acá iban; pues oírme hablar, no digo nada. Que agora este duelo de la cara me afea. Y por maravilla venían a ver mis dientes, que creo que mujer nacida tales los tuvo, porque es cosa que podéis ver[3], bien que me veis ansí muy cubierta de vergüenza, que pienso que todos me conocen. Y cuando sabréis[4] cómo ha pasado la cosa, os maravillaréis, que no me faltaba nada, y agora no es por mi culpa, sino por mi desventura. Su padre de un mi[5] amante, que me tenía tan honrada, vino a

---

[1] Ver *supra* mam. II, nota 6, y VII, nota 18.

[2] *De nostris,* como antes *de nobis* (VII, nota 18). Gracia tiene que sea la misma boba quien se burla de Lozana, pues lo que se dice («quien las sabe las tañe») se aplica tanto a los talentos de cocinera de la protagonista, como a la astucia de Teresa de Córdoba (tan «cordobesa», pues, como Lozana).

[3] Los incomparables *dientes* de Lozana no son un detalle escogido a la ligera, pues simbolizan la gula y el apetito, o mejor dicho, los apetitos. Cfr. *Celestina:* (a Areusa): «¿En cortesía y licencias estás? No espero más aquí yo, fiadora que tú amanezcas sin dolor y él sin color. Mas como es un putillo, gallillo, barbiponiente, entiendo que en tres noches no se le demude la cresta. Déstos me mandaban a mí *comer* en mi tiempo los médicos de mi tierra, *cuando tenía mejores dientes»;* y aun (a Pármeno y Areusa) «no tengo ya enojo; pero dígotelo para adelante. Quedaos a Dios, que voyme sola, porque *me hacéis dentera* con vuestro besar y retozar; que aun en el sabor en las encías me quedó, no lo perdí con *las muelas»* (auto VII).

[4] Ver mam. III, nota 3, para el futuro. A partir de aquí, Lozana repite más o menos lo que contó el autor al final del mamotreto IV.

[5] *un mi (amante)* parece indicar que tenía varios, pues no se diría «un mi marido»: otro indicio más de las actividades de Lozana durante su noviazgo con Diomedes.

Marsella, donde me tenía para enviarme a Barcelona, a que lo esperase allí en tanto que él iba a dar la cuenta a su padre; y por mis duelos grandes, vino el padre primero, y a él echó en prisión, y a mí me tomó y me desnudó fin a[6] la camisa, y me quitó los anillos[7], salvo uno, que yo me metí en la boca, y mandóme echar en la mar a un marinero, el cual me salvó la vida viéndome mujer, y posóme en tierra, y así venieron unos de una nao, y me vistieron y me trajeron a Liorna.

CAMISERA.—¡Y mala entrada le entre al padre d'ese vuestro amigo! ¿Y si mató vuestros hijos también que le habíades enviado?

LOZANA.—Señora, no, que los quiere muncho; mas porque lo quería casar a este su hijo, a mí me mandó de aquella manera.

BEATRIZ.—¡Ay, lóbrega de vos, amiga mía! ¿Y todo eso habéis pasado?

LOZANA.—Pues no es la mitad de lo que os diré, que tomé tanta malenconía, que daba con mi cabeza por tierra, y porrazos me he dado en esta cara que me maravillo que esta aljaqueca no me ha cegado.

CAMISERA.—¡Ay, ay! ¡Guayosa[8] de vos, cómo no sois muerta!

LOZANA.—No quiero deciros más porque el llorar me mata, pues que soy venida a tierra que no faltará de qué vivir, que ya he vendido el anillo en nueve ducados, y di dos al arriero, y con estotros me remediaré si supiese hacer melcochas o mantequillas.

MAMOTRETO IX

Una pregunta que hace la Lozana para se informar:

—Decíme, señoras mías, ¿sois casadas?

BEATRIZ.—Señora, sí.

LOZANA.—Y vuestros maridos ¿en qué entienden?

---

[6] *fin a:* «hasta» (es italiano).
[7] *quitó los anillos:* sobre la técnica para sacarlos, véase mam. LXI.
[8] *guayosa:* «infeliz» (cfr. *guay* y *guayar,* «llorar», «lamentarse»).

TERESA.—El mío es cambiador, y el de mi prima lencero, y el de esa señora que está cabo vos, es borceguinero[1].

LOZANA.—¡Vivan en el mundo! ¿Y casastes aquí o en España?

BEATRIZ.—Señora, aquí. Mi hermana la viuda vino casada con un trapero rico.

LOZANA.—¿Y cuánto ha que estáis aquí?

BEATRIZ.—Señora mía, desde el año que se puso la Inquisición[2].

LOZANA.—Decíme, señoras mías, ¿hay aquí judíos?

BEATRIZ.—Munchos, y amigos nuestros; si hubiéredes menester algo d'ellos, por amor de nosotras os harán honra y cortesía.

LOZANA.—¿Y tratan con los cristianos?

BEATRIZ.—Pues ¿no los sentís?

LOZANA.—¿Y cuáles son?

BEATRIZ.—Aquéllos que llevan aquella señal colorada[3].

LOZANA.—¿Y ellas llevan señal?

BEATRIZ.—Señora, no; que van por Roma adobando novias y vendiendo solimán labrado y aguas para la cara[4].

LOZANA.—Eso querría yo ver.

BEATRIZ.—Pues id vos allí a casa de una napolitana, mujer de Jumilla, que mora aquí arriba en Calabraga[5], que ella y sus hijas lo tienen por oficio y aun creo que os dará ella recabdo, porque saben munchas casas de señores que os tomarán para guarda de casa y compañía a sus mujeres[6].

---

[1] *cabo,* o *cabe:* «cerca». Cambiador, lencero, borceguinero, como más abajo trapero, eran oficios preferentemente de judíos o conversos.

[2] Estoy de acuerdo con Damiani y Allegra para considerar que Beatriz alude más bien a la orden de expulsión de los judíos en 1492.

[3] De antiguo tuvieron los judíos que traer una señal distintiva (siglo XIII), que cambió de color (roja o amarilla) según las épocas y reglamentos.

[4] Actividades celestinescas (véase *supra* mam. V, nota 17).

[5] *calabraga:* Nos dijo Delicado, en el mam. V, que la napolitana vivía en el barrio de Pozo Blanco. Por otra parte, Damiani y Allegra dan la indicación de que «Calabrache era una callejuela situada entre los barrios de Ponte y Parione *(R. 75,* pág. 109, nota 6)». No sé si coinciden los datos, pero sí que no había necesidad de traducir *Calabraque* al español para que se pudiera pronunciar fácilmente. Sin embargo, siendo la calle de Rampín, *Cala-braga* podía ser de mejor rendimiento cómico.

[6] «Mas beato el que le fiara su mujer», añade la misma atolondrada Beatriz seis réplicas después.

LOZANA.—Eso querría yo, si me mostrase este niño la casa.

CAMISERA.—Sí hará.

—Ven acá, Aguilarico.

LOZANA.—¡Ay, señora mía! ¿Aguilarico se llama? Mi pariente debe ser[7].

BEATRIZ.—Ya podría ser, pues ahí junto mora su madre.

LOZANA.—Beso las manos de vuestras mercedes, y si supieren algún buen partido para mí, como si fuese estar con algunas doncellas, en tal que yo lo sirva, me avisen.

BEATRIZ.—Señora, sí, andad con bendición.

—¿Habéis visto? ¡Qué lengua, qué saber! Si a ésta le faltaran partidos, decí mal de mí; mas beato el que le fiara su mujer.

TERESA.—Pues andaos, a decir gracias no, sino gobernar doncellas; mas no mis hijas. ¿Qué pensáis que sería?: dar carne al lobo. Antes de ocho días sabrá toda Roma, que ésta en son la veo yo que con los cristianos será cristiana, y con los jodíos, jodía, y con los turcos, turca, y con los hidalgos, hidalga, y con los ginoveses, ginovesa, y con los franceses, francesa, que para todos tiene salida[8].

CAMISERA.—No veía la hora que la enviásedes de aquí, que si viniera mi hijo, no la dejara partir.

TERESA.—Eso quisiera yo ver[9], cómo hablaba y los gestos que hiciera, y por ver si se cubriera. Mas no curéis, que presto dará de sí como casa vieja, pues a casa va que no podría mejor hallar a su propósito, y endemás la patrona, que parece a la judía de Zaragoza[10], que la llevará consigo y a todos contará sus duelos y fortuna.

---

[7] No veo otra explicación que una sinonimia *aguilarico/aguilucho*, o sea, en germanía «ladrón», aunque también parece tener sentido de «listo, astuto» en *La Lozana* (ver mam. XXXVII, nota 13).

[8] Cfr. *supra* mam. V, y mam. VII (nota 16).

[9] Teresa hubiera querido ver cómo pasaba, de realizarse, el encuentro entre Lozana y el hijo de la camisera sevillana.

[10] Por entrometida (ver *D. R. A. E.,* s. v. *judío*).

El modo que tuvo yendo con Aguilarico, espantándose que le
hablaban en catalán, y dice un barbero, Mosén Sorolla:

—Ven así, mon cosín Aguilaret. Veniu así, mon fill. ¿On seu
estat? que ton pare t'en demana[1].

AGUILARET.—Non vul venir, que vaich con aquesta dona[2].

SOROLLA.—¡Ma comare! Feu-vos así, veureu vostron fill[3].

SOGORDESA.—Vens así, tacañet[4].

AGUILARET.—¿Que voleu ma mare?, ara ving[5].

SOGORBESA.—¡Not cures, penjat, traidoret! Aquesa dona,
¿hon te ha tengut tot vuy?[6].

LOZANA.—Yo, señora, agora lo vi, y le rogaron unas señoras que me enseñase aquí junto a una casa[7].

SOGORBESA.—Anau al burdell, i laxau estar mon fill[8].

LOZANA.—Id vos, y besaldo[9] donde sabéis.

SOROLLA.—¡Mirá la cejijunta con qué me salió!

MALLORQUINA.—Veniu así, bona dona. No's prengau ab
aquesa dona, ma veina. ¿On anau?[10].

LOZANA.—Por mi vida, señora, que no sé el nombre del dueño de una casa por aquí que aquel niño me querié mostrar.

MALLORQUINA.—¿Deveu de fer llabors o res? Que así ma filla vos fará tot quan vos le comenareu[11].

---

[1] Ven aquí, mi primo Aguilarico. Venid aquí, hijo mío. ¿Dónde habéis estado? que tu padre pregunta por ti.

[2] No quiero ir, que voy con esta señora.

[3] ¡Mi comadre! Llegaos aquí, y veréis a vuestro hijo.

[4] Ven aquí, miserable.

[5] ¿Qué queréis, madre? ¡Ahora voy!

[6] ¡No te preocupes, descarado, traidorcito! Esa señora ¿dónde te
ha tenido todo el día?

[7] ... que me enseñase una casa aquí cerca.

[8] Id al burdel, y dejad a mi hijo tranquilo.

[9] *besaldo:* forma corriente de imperativo de segunda persona *(vos*
y *vosotros)* para todos los verbos *(comeldo, abrildo).*

[10] Venid aquí, buena mujer. No os metáis con esa mi señora vecina.
¿Adónde vais?

[11] ¿Queréis encargar labor, o qué? Que aquí mi hija os hará todo lo
que le mandéis.

LOZANA.—Señora, no busco eso, y siempre halla el hombre[12] lo que no busca, máxime en esta tierra. Decíme, así viváis, ¿quién es aquella hija de corcovado y catalana que, no conociéndome, me deshonró? Pues ¡guay d'ella si soltaba yo la maldita[13]! Ni vi su hijo, ni quisiera ver a ella.

MALLORQUINA.—No us cureu filla, anau vostron viaje, y si vos manau res, lo farem nosaltres de bon cor[14].

LOZANA.—Señora, no quiero nada de vos, que yo busco una mujer que quita cejas.

MALLORQUINA.—¡Anau en mal guañy! ¿Y axó voliau? Cercau-la[15].

LOZANA.—¡Válalas[16] el diablo, y locas son estas mallorquinas! ¡En Valencia ligaros ían[17] a vosotras! ¡Y herraduras han menester como bestias! Pues no me la irán a pagar a la pellejería de Burgos[18]. ¡Cul de Sant Arnau, som segurs! ¡Quina gent de Déu![19]

---

[12] *El hombre:* impersonal.

[13] *La maldita:* la lengua. Al parecer, les tenía hincha la Lozana a los catalanes y a los jorobados.

[14] No os preocupéis, hija, andad vuestro camino, y si mandáis algo, lo haremos de buena gana.

[15] ¡Andad en mal año! ¿Era eso lo que queríais? Buscadla.

[16] *Vala:* subjuntivo (aquí optativo) corriente de *valer* («valga»).

[17] *ligaros ían:* estaba en sus postrimerías esta forma verbal con tmesis («los ligarían»).

[18] No entiendo a qué corresponde esta pellejería de Burgos. Quizás sea un lupanar (cfr. *pelleja,* «ramera»), pero posiblemente también un lugar secreto, si me atengo a una cita del diccionario de Autoridades que reza, *s. v. pellejería:* Jacint Pol. pl. 188: «Mas después de sus trabajos, / para pasarlo mejor, / vivió en la *pellejería,* / y en la *puridad* vivió.» Si *puridad* significa «secreto», Lozana indicaría que está dispuesta a pregonar la estupidez de las mallorquinas. Pero, ¿por qué Burgos?

[19] ¡Por el culo de San Arnaldo!, estamos ciertos, ¡qué gente de Dios!

MAMOTRETO XI

Cómo llamó a la Lozana la Napolitana que ella buscaba, y dice a su marido que la llame:

—Oíslo, ¿quién es aquella mujer que anda por allí? Ginovesa me parece. Mirá si quiere nada de la botica[1], salí allá, quizá que trae guadaño[2].

JUMILLA.—Salí vos, que en ver hombre se espantará.

NAPOLITANA.—Dame acá ese morteruelo de azófar.

—Decí, hija, ¿echastes aquí el atanquía y las pepitas de pepino?

HIJA.—Señora, sí.

NAPOLITANA.—¿Qué miráis, señora? ¡Con esa tez de cara no ganaríamos nosotros nada!

LOZANA.—Señora, no's maravilléis que solamente en oíros hablar me alegré.

NAPOLITANA.—Ansí es, que no en balde se dijo: por do fueres, de los tuyos halles. Quizá la sangre os tira[3]. Entrá, mi señora, y quitaos d'ese sol.

—¡Ven acá tú! Sácale aquí a esta señora con qué se refresque.

LOZANA.—No hace menester, que si agora comiese, me ahogaría del enojo que traigo de aquesas vuestras vecinas. Mas, si vivimos y no nos morimos, a tiempo seremos. La una porque su hijo me venía a mostrar a vuestra casa, y la otra por que demandé de vuestra merced.

NAPOLITANA.—¡Hi, hi! son envidiosas, y por eso mirá cuál va su hija el domingo afeitada de mano de Mira, la jodía, o como las que nosotras afeitamos, ni más ni ál[4]. Señora mía, el tiempo os doy por testigo[5]. La una es de Sogorbe y la otra ma-

---

[1] *botica:* «tienda».

[2] *guadaño:* «ganancia» en italiano.

[3] En boca de una napolitana, aunque está casada con el español Jumilla, es difícil que esta consideración se refiera a la identidad de las patrias: tiene que ser alusión a la sangre judía.

[4] *ni ál:* «ni otra cosa». *Ni más ni ál* parece significar «ni más ni menos».

[5] *el tiempo os doy por testigo:* según *R. 75* (pág. 114, nota 8), es un refrán: «El tiempo le doy por testigo. ¡De lo mal que le irá por no to-

llorquina y, como dijo Juan del Encina, que «cul y cap y feje y cos echan fuera a voto a Dios»[6].

LOZANA.—¡Mirá si las conocí yo! Señora mía, ¿son doncellas estas vuestras hijas?

NAPOLITANA.—Son y no son[7], sería largo de contar. Y vos, señora, ¿sois casada?

LOZANA.—Señora, sí, y mi marido será agora aquí[8], de aquí a pocos días, y en este medio querría no ser conocida y empezar a ganar para la costa. Querría estar con personas honestas, por la honra, y quiero primero pagaros que me sirváis[9]. Yo, señora, vengo de Levante y traigo secretos maravillosos que, máxime en Grecia, se usan muncho; las mujeres que no son hermosas procuran de sello y, porque lo veáis, póngase aquesto vuestra hija la más morena.

NAPOLITANA.—Señora, yo quiero que vos misma se lo pongáis[10] y, si eso es[11], no habíades vos menester padre ni madre en esta tierra, y ese vuestro marido que decís será rey. ¡Ojalá fuera uno de mis dos hijos[12]!

LOZANA.—¿Qué, también tenéis hijos?

NAPOLITANA.—Como dos pimpollos de oro[13]; traviesos son,

---

mar su consejo!» (Correas, 567); pero personalmente no he podido hallarlo en mi edición del *Voc. Ref.* Me parece que, con esta frase, la napolitana quiere decir que, con el tiempo, Lozana podrá formarse su propia opinión, y concederle razón.

[6] «Culo y cabeza e hígado y cuerpo echan fuera a voto a Dios», porque esas palabrotas catalanas, supongo yo, son tacos más fuertes que el común «¡voto a... (Dios, San... etc...)!» (cfr. mam. X: «cul de Sant Arnau», que podría sustituirse por «de Dios», o «¡cuerpo de Dios! etcétera). Pero, como además, las catalanas (mallorquina y segorbesa) acaban de despedir malamente a Lozana, podría ser alusión al hecho de que pudieron más los improperios en catalán que los insultos en castellano. En cuanto a la atribución del dicho a Juan de la Encina, confieso mi ignorancia.

[7] «Han perdido el virgo pero no están casadas»; el juego, que consiste en hallar un significante para dos o varios significados, caracteriza toda la novela.

[8] Evidente mentira de Lozana.

[9] Entiendo: «quiero daros contento, u obligaros, antes que me sirváis».

[10] a mi hija.

[11] *si eso es:* «si sale cierto lo que pretendéis».

[12] Ahora son dos: Rampín y... Rampín. Y se cumplirá el deseo de la madre de que su hijo se case con Lozana.

[13] *pimpollo,* por su belleza (es uno de los nombres de Cristo según Fray Luis de León).

mas no me curo, que para eso son los hombres. El uno es rubio como unas candelas, y el otro crespo[14]. Señora, quedaos aquí y dormiréis con las doncellas y, si algo quisiéredes hacer para ganar, aquí a mi casa vienen moros y jodíos[15] que, si os conocen, todos os ayudarán; y mi marido va vendiendo cada dia dos, tres y cuatro cestillas d'esto que hacemos, y lo que basta para una persona basta para dos.

LOZANA.—Señora, yo lo do por recebido. Dad acá si queréis que os ayude a eso que hacéis.

NAPOLITANA.—Quitaos primero el paño y mirá si traés ninguna cosa que dar a guardar.

LOZANA.—Señora, no, sino un espejo[16] para mirarme; y agora veo que tengo mi pago, que solía tener diez espejos en mi cámara para mirarme, que de mí misma estaba como Narciso, y agora como Tisbe a la fontana[17], y si no me miraba cien veces, no me miraba una, y he habido el pago de mi propia merced. ¿Quién son estos que vienen aquí?

NAPOLITANA.—Ansí goce de vos, que son mis hijos.

LOZANA.—Bien parecen a su padre, y si son éstos los pinos de oro, a sus ojos[18].

NAPOLITANA.—¿Qué decís?

LOZANA.—Señora, que parecen hijos de rey, nacidos en Badajoz[19]. Que veáis nietos d'ellos.

---

[14] Si se da crédito al *Corbacho,* los rubios son tan sospechosos como los crespos (ver en *Arcipreste de Talavera, op. cit.,* III, 6, pág. 140, lo que se dice de los «ombres crespos, o bermejos, o canudos en mocedad».

[15] Variante graciosa del tradicional *moros y cristianos,* o sea «todo el mundo».

[16] No se sabe de dónde lo saca. Pero conste que el espejo tiene que formar parte del ajuar de la ramera.

[17] *estaba como Narciso* (que no miraba a otro que a sí mismo). Cfr. «Y, mirando su lozanía, no estimaba (Lozana) a nadie en su ser y en su hermosura (mam. IV, pág. 44). La imagen, pues, es muy adecuada.

[18] *pinos de oro* remite evidentemente a *pimpollos de oro,* siendo igualmente expresión proverbial de la hermosura, pero no entiendo el símil o el juego con los *ojos.*

[19] La capital extremeña es escogida aquí por sus virtudes paronímicas, o por su étimo jocoso que es *badajo.* El contexto inmediato *(nacidos, ver nietos, parir)* es de los más favorables para que se actualicen las connotaciones eróticas de la ciudad como de la apóstrofe. Recuérdese que cuando vio a Diomedes por primera vez, la atención de Lozana se centró sobre el mismo foco, siendo la expresión, en ambos casos, cazurra. No hay que admirarse de esa actitud ejemplar que no hace

NAPOLITANA.—Ansí veáis vos de lo que paristes.

LOZANA.—Mancebo de bien[20], llegaos acá y mostráme la mano. Mirá qué señal tenés en el monte de Mercurio y uñas de rapina. Guardaos de tomar lo ajeno, que peligrarés[21].

NAPOLITANA.—A estotro bizarro me mirá.

LOZANA.—Ese barbitaheño[22], ¿cómo se llama?

—Vení, vení. Este monte de Venus está muy alto. Vuestro peligro está señalado en Saturno, de una prisión, y en el monte de la Luna, peligro por mar[23].

RAMPÍN.—Caminar por do va el buey.

LOZANA.—Mostrá esotra mano.

---

sino ilustrar —al más alto nivel en el caso de la *Sin Par*— la universal condición femenina: «los ojos de las mujeres se hicieron de la bragueta del hombre, porque siempre miran allí (mam. XLII)».

[20] *Mancebo de bien,* que pertenece a la serie «honra, nobleza, hidalguía, etc...»,, se refiere a una virilidad apreciable, haciendo eco al lugar del nacimiento de los «dos» jóvenes. Éste es el seudo-hermano de Rampín, pero, como se verá, es él, hombre doble.

[21] La referencia a Mercurio, dios del comercio, mensajero de amor y patrón de los robos, confirmada por las «uñas de rapiña» del «crespo» (con el peligro inherente: «peligrarés») es un pronóstico de aventuras futuras de Rampín, como se verá (mam. XXXI). Nótese además la paronimia rapiña/Rampín, acentuada por la forma «rapina» de *Venecia 1528,* etimológica, y el papel ulterior de Rampín para con Lozana: corredor de sus encantos.

[22] De pelo rojo; es, otra vez, Rampín. Y en adelante, aunque doble, será único.

[23] No merecería ningún comentario el monte de Venus si se tratara solamente de una protuberancia de la mano que sirve de pronóstico a las quirománticas: pero el verbo *estar* (y no «ser»; *está muy alto)* hace pensar que Lozana no le está mirando la palma de la mano a Rampín, o, mejor dicho, que esa mano es, como casi siempre metafórica («genitalia»). El «peligro por mar», presagiado por la otra protuberancia de la mano que se llama «monte de la Luna» (astro éste conocido por su influencia sobre las mareas) explica sin duda por qué Rampín se muestra reacio, al fin de la novela, a embarcarse para Lípari (o Venecia), y sobre todo su réplica «Caminar por do va el buey», es decir «por tierra» (cfr. francés popular *le plancher des vaches,* «tierra firme»). El juego sobre Saturno es más complejo; se ha atribuido, al planeta como al dios, unas influencias maléficas, de ahí el peligro de la cárcel. Pero si se sabe además que «Capricornius es femenino, *señorea las rodillas;* la su planeta es *Saturnus (Arcipreste de Talavera, op. cit.,* III, 6, pág. 140)» se comprenderá por qué Rampín tiene dificultades para escaparse (mam. XXI) o que caiga tan a menudo, puesto que es patituerto, como se verá después.

Fuente Santa Martha, y Peña de Martos.

«Es una villa cercada»...
«Y en la plaza, un altar de la Madalena, y una fuente, y un alamillo...»

(mam. XLVII).
(Para más comentarios, véase Introducción, «El autor».)

RAMPÍN.—¿Qué queréis ver?, que mi ventura ya la sé. Decíme vos, ¿dónde dormiré esta noche?

LOZANA.—¿Dónde? Donde no soñastes.

RAMPÍN.—No sea en la prisión, y venga lo que veniere.

LOZANA.—Señora, este vuestro hijo es más venturoso que no pensáis. ¿Qué edad tiene?

NAPOLITANA.—De diez años le sacamos los bracicos y tomó fuerza en los lomos.

LOZANA.—Suplíco's que le deis licencia que vaya comigo y me muestre esta cibdad.

NAPOLITANA.—Sí hará, que es muy servidor de quien lo merece.

—Andá, meteos esa camisa y serví a esa señora honrada[24].

MAMOTRETO XII

Cómo Rampín le va mostrando la cibdad y le da ella un ducado que busque donde cenen y duerman, y lo que pasaron con una lavandera.

LOZANA.—Pues hacé una cosa, mi hijo, que por do fuéramos, que me digáis cada cosa qué es y cómo se llaman las calles.

RAMPÍN.—Esta es la Ceca, do se hace la moneda, y por aquí se va a Campo de Flor y al Coliseo, y acá es el puente, y éstos son los banqueros.

LOZANA.—¡Ay, ay! No querría que me conociesen, porque siempre fui mirada.

───────

[24] Se deduce fácilmente de este diálogo que ninguno de los tres personajes ignora lo que va a pasar. La napaolitana pondera «la fuerza en los lomos» de su retoño, y lo declara apto para el servicio de quien lo *merece;* además se sabe que, en el *Retrato, merecer* como *mérito* y *meritoria,* guarda relación con *meretriz* (como sugiere la etimología común): entonces, ¿quién, más que Lozana, tendrá méritos *(señora honrada)?* Si Rampín se pregunta dónde pasar la noche, Lozana le deja esperanzado: «donde no soñastes», fundando la esperanza propia en lo que pudo colegir de Rampín, que es un mozo *barbiponiente* (cfr. *Celestina, supra,* mam. VIII, nota 3, e *infra,* mam. XII, nota 2: *de diez años le sacamos los bracicos* o bragas de los niños. Todo esto se confirmará enseguida, en los mamotretos siguientes.

RAMPÍN.—Vení por acá y mirá. Aquí se venden munchas cosas, y lo mejor que en Roma y fuera de Roma nace se trae aquí.

LOZANA.—Por tu vida, que tomes este ducado y que compres lo mejor que te pareciere, que aquí jardín me parece más que otra cosa.

RAMPÍN.—Pues adelante lo veréis.

LOZANA.—¿Qué me dices? Por tu vida, que compres aquellas tres perdices, que cenemos.

RAMPÍN.—¿Cuáles, aquéstas? Astarnas[1] són, que el otro día me dieron a comer de una en casa de una cortesana, que mi madre fue a quitar las cejas y yo le llevé los afeites.

LOZANA.—¿Y dó vive?

RAMPÍN.—Aquí abajo, que por allí habemos de pasar.

LOZANA.—Pues tcdo eso quiero que vos me mostréis.

RAMPÍN.—Sí haré.

LOZANA.—Quiero que vos seáis mi hijo, y dormiréis comigo. Y mirá no me lo hagáis que ese bozo d'encima demuestra que ya sois capón[2].

RAMPÍN.—Si vos me probásedes, no sería capón.

LOZANA.—¡Por mi vida! ¡Hi, hi! Pues comprá de aquellas hostias un par de julios[3], y acordá[4] dónde iremos a dormir.

RAMPÍN.—En casa de una mi tía.

LOZANA.—¿Y vuestra madre?

RAMPÍN.—¡Que la quemen![5]

---

[1] *Astarnas:* «esternas o perdices pardillas».

[2] La reticencia «no me lo hagáis» se parece tanto a una incitación que no puede haber duda. El juego sobre *capón* no es evidente para un lector de hoy, a tal punto que varios editores de calidad (pongo por caso a Joaquín del Val) ponen la consideración de Lozana en forma negativa («demuestra que ya *no* sois capón»). Pero en realidad, si *capón* quiere decir «capado, castrado», como en la réplica siguiente de Rampín, Lozana lo emplea con un significado «barbiponiente» (mozo que empieza a tener barbas, cfr. «bozo de encima») conocido también de Tirso de Molina que jugó ampliamente con el vocablo en *Don Gil de las Calzas verdes* (verso 500 y siguientes). Ahora bien, los barbiponientes gozaban de una fama de potencia sexual interesante para una mujer como Lozana (sobre estas implicaciones de la palabra *barbiponiente*, véase *Celestina*, *passim*, y *supra* mam. VIII, nota 3).

[3] Los *julios* eran una moneda de plata, «de valor de un real castellano», según Covarrubias.

[4] *Acordar*, aquí «resolver, decidir».

[5] Mi tesis sobre Rampín es que se trata de un personaje, mejor un muñeco, elaborado casi enteramente a base de material literario y pa-

212

LOZANA.—Llevemos un cardo.

RAMPÍN.—Son todos grandes.

LOZANA.—¿Pues qué se nos da? Cueste lo que costare, que, como dicen, ayunar o comer truncha[6].

RAMPÍN.—Por esta calle hallaremos tanta cortesanas juntas como colmenas.

LOZANA.—¿Y cuáles son?

RAMPÍN.—Ya las veremos a las gelosías[7]. Aquí se dice el Urso. Más arriba veréis munchas más.

LOZANA.—¿Quién es éste? ¿Es el Obispo de Córdoba?

RAMPÍN.—¡Ansí viva mi padre! Es un obispo espigacensis[8] de mala muerte.

LOZANA.—Más triunfo lleva un mameluco.

RAMPÍN.—Los cardenales son aquí como los mamelucos.

LOZANA.—Aquéllos se hacen adorar.

RAMPÍN.—Y éstos también.

---

remiológico, al servicio del antisemitismo de Deliciado y de sus fines burlescos en *La Lozana.* Aquí, *que la quemen,* maldición que aplica a su madre, permite situar al mozo en una tradición moralizadora; «al que reniega de Dios y de su madre/Non le den la pena tarde» *(Libro de exemplos,* de Climente Sánchez). Lo bueno es que la traducción al castellano de la sentencia latina «Blasfemans de Deo et ejus matre statim punitur», permite una ambigüedad («madre de Dios» o «madre del que reniega») que no existe apenas en latín, pero, como se ha visto, Delicado no vacila en acudir a la solución que mejor le conviene. Además, entre todos los insultos que caracterizan a Rampín, no está ausente la idea de que es un renegado, como se verá en lo sucesivo.

[6] «Ayunar o comer trucha» es un refrán que expresa el menosprecio general en que se tiene el justo medio; véase Correas, 117, *Clás.,* 160 (nota 9 de Damiani y Allegra en *R. 75,* pág. 121).

[7] *gelosías:* «celosías».

[8] *obispo espigacensis:* Según G. Allegra *(R. 75,* nota 12, pág. 121), obispo de Spiga o Cyzico, en Asia menor, probablemente Francesco Salvini, obispo de Spiga entre 1510 y 1514, a no ser su sucesor Giorgio Ridolfi. La sátira de Delicado se cebaría pues, en este caso, en un personaje real, censurando la pompa del clero oriental. Pero quizás sea más afilado aún el rasgo anticlerical puesto que Lozana, por su pregunta, no parecía descartar la hipótesis de que fuera un obispo andaluz, y que Rampín generaliza enseguida, refiriéndose ya no a un obispo oriental sino a la categoría superior de los cardenales, y a su soberbia. La comparación con los mamelucos, soldados de la guarda del Sultán de Egipto que «con ser esclavos [del Sultán] mandan a los demás como señores» (Covarrubias, *s. v.),* es una manera indirecta de calificar a los prelados de infieles o renegados.

213

LOZANA.—Gran soberbia llevan.

RAMPÍN.—El año de veinte y siete me lo dirán[9].

LOZANA.—Por ellos padeceremos todos.

RAMPÍN.—Mal de munchos, gozo es. Alzá los ojos arriba, y veréis la manifatura de Dios en la señora Clarina. Allí me mirá vos. ¡Aquélla es gentil mujer!

LOZANA.—Hermano, hermosura en puta y fuerza en bastajo[10].

RAMPÍN.—Mirá esta otra.

LOZANA.—¡Qué presente para triunfar! Por eso se dijo: ¿Quién te hizo puta?—El vino y la fruta[11].

RAMPÍN.—Es favorida de un perlado[12]. Aquí mora la galán portuguesa.

LOZANA.—¿Qué? ¿es amiga de algún ginovés?

RAMPÍN.—Mi agüelo es mi pariente, de ciento y otros veinte[13].

LOZANA.—¿Y quién es aquella andorra[14] que va con sombrero, tapada, que va culeando y dos mozas lleva?

RAMPÍN.—¿Ésa? Cualque cortesanilla por ahí. ¡Mirá qué traquinada[15] d'ellas va por allá, que parecen enjambre y los galanes tras ellas! A estas horas salen ellas desfrazadas.

---

[9] Año del saco de Roma. Si, como pretende el autor en el último mamotreto, «acabóse [el retrato] hoy primo de diciembre, año 1524», lo retocó aquí antes de publicarlo, como señala Menéndez y Pelayo, para éste y otros pasajes. Para los estragos que hicieron los soldados, «máxime a los perlados, sacerdotes, religiosos, religiosas», véase *Epístola de la Lozana.*

[10] Véase Introducción, pág. 115.

[11] Véase Introducción, pág. 95.

[12] Rampín miente al decir que la cortesana anónima es amiga de un prelado, dado que «en todo este retrato, no hay cosa ninguna que hable de religiosos... ni eclesiásticos», según afirma el autor en el *Explicit.*

[13] En esta frase, que tiene visos de refrán o frase proverbial, supongo que ciento veinte se refiere a una gran cantidad, mientras que «mi abuelo es mi pariente», indica, como perogrullada, una verdad de evidencia, aquí: «lo sabe todo el mundo». En cuanto a la Galán portuguesa, aquí famosa y rica, volverá a aparecer, en el mamotreto XLIX, pidiendo limosna, ejemplar en su decaimiento.

[14] *andorra:* «Mujer andorrera» según el *D. R. A. E.,* y para Covarrubias: «Andora *(sic),* vocablo bárbaro, por la mujer ordinaria, que todo lo anda, amiga de callegear.» Según *Autoridades* «es voz baja» *(s. v.* andorrera). En *La hora de todos,* de Quevedo, «puta».

[15] *traquinada:* a pesar de las referencias que se dan en *R. 75* (nota

LOZANA.—¿Y dó van?

RAMPÍN.—A perdones.

LOZANA.—¿Sí? Por demás lo tenían. ¿Putas y perdoneras?[16].

RAMPÍN.—Van por recoger para la noche.

LOZANA.—¿Qué es aquello, qué es aquello?

RAMPÍN.—Llévalas la justicia.

LOZANA.—Esperá, no's envolváis con esa gente.

RAMPÍN.—No haré. Luego vengo.

LOZANA.—¡Mira agora dónde va braguillas! ¡Guayas si la sacó Perico el bravo![17].

—¿Qué era, por mi vida, hijo?

RAMPÍN.—Nonada, sino el tributo que les demandaban, y ellas han dado, por no ser vistas, quién anillo, quién cadena, y después enviará cada una cualque litigante por lo que dio, y es una cosa, que pagan cada una un ducado al año al capitán de Torre Sabela[18].

LOZANA.—¿Todas?

RAMPÍN.—Salvo las casadas.

LOZANA.—Mal hacen, que no habían de pagar sino las que están al burdel.

24, pág. 123), no he podido hallar esta palabra en ninguna parte. Ugolini relaciona con el catalán y español de América *tracalada*, «multitud», sentido que efectivamente sugiere el contexto (cfr. a continuación «enjambre»). Bonneau traduce al francés por *ribambelle,* «bandada».

[16] Lozana juega con la palabra; «perdoneras» por ir a *perdones* («remisión de los pecados e indulgencias»), pero el asombro de Lozana —traducido por la exclamación interrogativa— se debe a que las putas no suelen perdonar... la ganancia, y no son, por lo tanto, perdoneras.

[17] No me resulta muy clara la frase. Lozana parece anticiparse a las aventuras y reacciones venideras de Rampín, en las que *el bravo* no vacila, según Lozana, en sacar la espada. Pero, como en las otras ocasiones (que veremos después), la ironía contrapuntea la afirmación («braguillas», «Perico», evocan más bien a un mozalbete más a gusto entre mujeres que complicado en una pelea; de forma que *guayas* resulta ambiguo, por no saberse de quién serían las lágrimas). En el *refranero* de Correas, «Perico» aparece una vez como bellaco fino, y otra vez como tonto.

[18] *Torre Sabela* (Savella), «tribunal y cárcel de Roma» *(L. A. 69,* nota 90, pág. 64). Para más detalles sobre el impuesto que tenían que pagar las meretrices, véase *R. 75,* pág. 124, nota 29.

RAMPÍN.—Pues ¡por eso! Es la mayor parte de Roma burdel, y le dicen: Roma putana[19].

LOZANA.—¿Y aquéllas qué son, moriscas?

RAMPÍN.—¡No, cuerpo del mundo, son romanas!

LOZANA.—¿Y por qué van con aquellas almalafas?

RAMPÍN.—No son almalafas; son batículo o batirrabo[20], y
paños listados.

LOZANA.—¿Y qué quiere decir, que en toda la Italia llevan
delante sus paños listados o velos?

RAMPÍN.—Después acá de Rodriguillo español van ellas ansí.

LOZANA.—Eso quería yo saber.

RAMPÍN.—No sé más de cuanto lo oí ansí, e os puedo mostrar al Rodriguillo españolo de bronzo, hecha su estatua en
Campidolio, que se saca una espina del pie y está desnudo[21].

LOZANA.—¡Por mi vida, que es cosa de saber y ver, que dicen que en aquel tiempo no había dos españoles en Roma, y
agora hay tantos! Verná tiempo que no habrá ninguno, y dirán Roma mísera, como dicen España mísera[22].

RAMPÍN.—¿Veis allí la estufa[23] do[24] salieron las romanas?

LOZANA.—¡Por vida de tu padre que vamos[25] allá!

_____

[19] Todas las ediciones traen «Pues por eso es la mayor parte de
Roma burdel», pero yo creo que Rampín justifica más bien la lógica
de un impuesto aplicado a todas, por ser toda Roma burdel (y no que
Roma es burdel porque las grava a todas el tributo a pagar). *Putana*
es italianismo.

[20] Con esta equivalencia jocosa para *batículo,* queda asentada la
identidad de *culo* y *rabo* (sobre *batículo,* véase *supra,* mam. VII,
nota 30).

[21] Identificación de la estatua conocida por *Cavaspina* o *Spinario*
(que Rampín sitúa en Campidolio, una de las siete colinas de Roma),
con un personaje legendario en Italia, «Rodriguillo español», joven pícaro «que divertía el hambre sacándose las espinas del pie», como comentan Damiani y Allegra [véanse notas 93 en *L. A. 69* (pág. 64) y 37
(pág. 125, muy documentada) en *R. 75].*

[22] *mísera:* porque, como los avarientos, no dará nada (además de la
alusión al miserable porvenir que le promete el saco de la ciudad, por
lo que a Roma respecta). Quizás sea alusión también a las condiciones
económicas de España.

[23] *estufa,* véase *supra,* mam. VII, nota 29.

[24] *do:* «de donde».

[25] *Vamos:* forma antigua de subjuntivo («vayamos»), aquí optativo.

RAMPÍN.—Pues déjame llevar esto en casa de mi tía, que cerca estamos, y hallarlo hemos[26] aparejado.

LOZANA.—Pues ¿dónde me entraré?

RAMPÍN.—Aquí, con esta lavandera milagrosa[27].

LOZANA.—Bueno será.

RAMPÍN.—Señora mía, esta señora se quede aquí, así Dios os guarde, a reservirlo[28] hasta que torno.

LAVANDERA.—Intrate, madona; seate bien venuta[29].

LOZANA.—Beso las manos.

LAVANDERA.—¿De dove siate?[30].

LOZANA.—Señora, so española; mas todo mi bien lo he habido de un ginovés que estaba para ser mi marido y, por mi desgracia, se murió; y agora vengo aquí porque tengo de haber de sus parientes gran dinero que me ha dejado para que me case[31].

LAVANDERA.—¡Ánima mía, Dios os dé mejor ventura que a mí, que aunque me veis aquí, soy española![32].

LOZANA.—¿Y de dónde?

LAVANDERA.—Señora, de Nájara[33]. Y soy estada dama de grandes señoras, y un traidor me sacó, que se había de casar comigo, y burlóme.

---

[26] Futuro de tmesis, ya mencionado: «lo hallaremos».

[27] Es *milagrosa,* a lo que creo, porque «vive de milagro», «frase [ésta, según *Autoridades]* con que se pondera la dificultad de mantenerse, o el especial riesgo, peligro de que se ha salido con la vida»; y, en el caso de la lavandera, más bien la primera parte de la alternativa. Pero, esta lavandera es más, porque es también imagen de la vida y aventuras de Lozana, y, en adelante, serán de notar los puntos de contacto entre lo que sabemos de la una y lo que de la otra iremos descubriendo.

[28] No entiendo este *reservirlo* (¿a Dios?). Damiani corrige por «deservirlo», en *R. 75.*

[29] «Entrad, señora; bienvenida seáis.»

[30] «¿De dónde sois?»

[31] Si no se echan en olvido las aventuras anteriores de Lozana, bien se ve que está inventando mentiras, aunque éstas guarden relación con una lejana verdad; no se explicarían esos desvergonzados embustes si no correspondiesen, de parte del autor, a una voluntad de denunciarlas.

[32] Ironía en la concesiva: «soy española *aunque* me veis aquí.»

[33] En *Venecia 1528* se lee *Najara* («cortijada de la provincia de Cádiz», según Damiani *(L. A. 69,* pág. 66, nota 98), aunque, según el mismo y G. Allegra, pudiera ser errata por «Nájera» (en Logroño): trátese de la ciudad o del lugarejo, a no ser por la *impresión* realística, ¿qué más da?

LOZANA.—No hay que fiar³⁴. Decíme, ¿cuánto ha que estáis en Roma?

LAVANDERA.—Cuando vino el mal del Francia³⁵, y ésta fue la causa que yo quedase burlada³⁶. Y si estoy aquí lavando y fatigándome, es para me casar, que no tengo otro deseo, sino verme casada y honrada.

LOZANA.—¿Y los aladares de pez?³⁷.

LAVANDERA.—¿Qué decís, señora?

LOZANA.—Que gran pena tenéis en mascar.

LAVANDERA.—¡Ay, señora! La humidad d'esta casa me ha hecho pelar la cabeza³⁸, que tenía unos cabellos como hebras de oro, y en un solo cabello tenía añudadas sesenta navidades³⁹.

LOZANA.—¿Y la humidad os hace hundir tanto la boca?

LAVANDERA.—Es de mío, que todo mi parentado lo tiene, que cuando comen parece que mamillan⁴⁰.

LOZANA.—Mucho ganaréis a este lavar.

LAVANDERA.—¡Ay, señora!, que cuando pienso pagar la casa, y comer, y leña, y ceniza, y jabón, y caldera, y tinas, y

---

³⁴ La viveza de la reacción de Lozana se explica solamente por la similitud de las decepciones amorosas de la lavandera con lo que acaba de sucederle con Diomedes a la heroína, ahora sobre aviso.

³⁵ Cfr. lo que dice Divicia, en el mam. LIII:

Lozana.—¡Mira si son sesenta años éstos!

Divicia.—Por cierto, que paso, que cuando vino el rey Carlo a Nápoles, que comenzó el mal incurable *el año del 1488,* vine yo a Italia...

³⁶ Como la causa de la separación de Aldonza/Lozana y Diomedes fue la sífilis, si no me equivoco.

³⁷ *aladares* son, según Covarrubias, «los cabellos que están sobre las sienes», y comenta la frase proverbial *a la vejez, aladares de pez* escribiendo: «cuando por encubrir las canas se las tiñen» *(Tes.,* 61, b). Esta lavandera, no muy joven por consiguiente, es prefiguración, con sus trabajos, de lo que espera a las jóvenes que confían en su hermosura para sacarse adelante.

³⁸ Véase *infra,* nota 40.

³⁹ Las *sesenta navidades* (o *sesenta años,* cfr. *supra,* nota 35) son señal de una edad avanzada, caracterizada (ver *supra,* nota 37) por los pelos grises que cubren sobre todo las sienes; aquí estas «sesenta navidades» representan entonces mucha «plata» (de los pelos), pero no tanta como la que uno solo de sus cabellos de oro (rubios) le rindiera en sus años floridos (siempre el tema del tiempo que huye sin remedio).

⁴⁰ La lavandera no quiere confesar las razones verdaderas de su alopecia («cabeza pelada», cfr. *supra)* ni del hundimiento de su boca, síntomas en realidad del mal de Nápoles, y estragos de la vejez; imagen futura de Lozana (cfr. mam. XVII).

canastas, y agua, y cuerdas para tender, y mantener la casa de cuantas cosas son menester, ¿qué esperáis? Ningún amigo que tengáis os querrá bien si no le dais, cuándo la camisa, cuándo la capa, cuándo la gorra, cuándo los huevos frescos, y ansí de mano en mano, do pensáis que hay tocinos no hay estacas[41]. Y con todo esto, a mala pena quieren venir cada noche a teneros compañía, y por eso tengo dos, porque lo qu'el uno no puede, supla el otro[42].

LOZANA.—Para tornar los gañivetes[43], éste, que se va de aquí, ¿quién es?

LAVANDERA.—Italiano es, canavario o botiller[44] de un señor; siempre me viene cargado.

LOZANA.—¿Y sábelo su señor?

LAVANDERA.—No, que es casa abastada. ¡Pues estaría fresca si comprase el pan para mí, y para todas esas gallinas, y para quien me viene a lavar, que son dos mujeres, y doyles un carlín, o un real y la despensa[45], ¡que beben más que hilan! Y vino, que en otra casa beberían lo que yo derramo porque me lo traigan fresco[46], que en esta tierra se quiere beber como sale de la bota. ¿Veis aquí do viene el otro mi amigo, y es español?

LOZANA.—A él veo engañado.

LAVANDERA.—¿Qué decís?

LOZANA.—Que este tal mancebo quienquiera se lo tomaría para sí. ¡Y sobre mi cabeza, que no ayuna!

LAVANDERA.—No aosadas, señora, que tiene buen señor.

---

[41] «En las aldeas hincan en las paredes unas estacas, de las cuales cuelgan algunas cosas, y particularmente los tocinos, de donde nació el proverbio: *Adónde pensáis hallar tocinos, no hay estacas,* cuando tenemos a alguno en posesión de muy rico y, ocurriendo necesidad de averiguarlo, hallamos estar pobre» (Covarrubias, *Tes.,* 561, a, 55).

[42] Mucho de Lozana tiene la lavandera, quejándose siempre, pero pudiendo mantener a dos amigos que, como dice Correas, la tendrán sazonada.

[43] «Para hablar de otra cosa» (*gañivete* es, propiamente, cuchillo).

[44] *Canavario* o *botiller* (it.): «despensero» o «bodeguero» (ver Covarrubias, *Tes.,* 232, a, 55-60).

[45] *despensa:* «gasto» (de: *expender* o *despender*).

[46] «En otra casa no beberían [las dos mujeres] más de lo que yo derramo ("dejo perder") para que me lo traigan fresco (el vino)», dice la lavandera, en oposición a la costumbre romana de beberlo a la temperatura ambiente («como sale de la bota»).

LOZANA.—No lo digo por eso, sino a pan y vos[47].

LAVANDERA.—Es como un ángel; ni me toma ni me da. —¿Qué quieres, á qué vienes, dó eres estado hoy? ¡Guarda, no quiebres esos huevos!

ESPAÑOL.—¿Quién es esa señora?

LAVANDERA.—Es quien es.

ESPAÑOL.—¡Oh pese a la grulla[48], si lo sabía, callaba, por mi honra! ¡Esa fruta no se vende al puente![49].

LOZANA.—No, por mi vida, señor, que agora pasé yo por allí y no la vi.

---

[47] Juego complejo: según la lavandera, el joven español no ayuna («come bien») porque es criado en una «casa abastada», como el anterior (el italiano); pero las réplicas de Lozana y de la lavandera remiten, en segundo lugar, al *Poema de mio Cid:* «Dios, ¡qué buen vasallo si oviese buen señor!», implicando la idea de vasallaje la exclamación de Lozana *quienquiera se lo tomaría para sí.* De ahí el «comer pan» o «ganar el pan» de la antigua epopeya, pero reinterpretado aquí el «a pan y vos» con referencia a la expresión *a pan y cuchillo* («Nous disons à pot et à rost», indica Oudin), sin menoscabo del valor metafórico de pan («pudendas femeninas»), como en la *Trova Cazurra* de Juan Ruiz, en las *Coplas de la Panadera,* o en otros pasajes de *La Lozana,* significado que se actualiza fácilmente después del «no ayuna», *id est:* «come», evocador también, en ocasiones, de una relación sexual. *A pan y cuchillo* tiene claramente esta connotación cuando se recuerda la frase proverbial «Amancebados a pan y cuchillo» que trae Correas (613, b), comentándola así: «Por muy amancebados, que viven y comen juntos.» Sólo esta clase de conceptismo es capaz, a mi modo de ver, de rendir cuenta de la concatenación de las réplicas, lógicas cuando se siguen las connotaciones, y si no, deshilvanadas. Sin embargo, en la respuesta siguiente, la lavandera le demuestra claramente a Lozana que era mal pensada: «no me toma ni me da», dice ella, después de calificar «al otro su amigo español» de *ángel,* seguramente para sugerir que no sabía de su sexo.

[48] *grulla:* debe de guardar relación con *grullada,* y su ambigüedad: «la junta de los que van adunados y con armas, como los que acompañan la ronda, y otros que no huelgan de toparla (Covarrubias, *Tes.,* 660, a, 50)». Con formulación diferente, lo mismo en el *D. R. A. E.* No creo que *grulla* sea «gloria», como apunta Damiani en *L. A. 69,* nota 105, pág. 67; sería más bien ramera o ladrona, como me sugiere Ynduráin.

En Puente Sisto, barrio de rameras de baja categoría (véase *R. 75,* nota 62, pág. 130). Cfr. además el refrán «Allí lo vendan en la plaza» (Correas, 29, a, que comenta: «dícese para denostar la cosa de poco valor y barata).

ESPAÑOL.—Bofetón en cara ajena[50].

LAVANDERA.—¿No te quieres ir de ahí? ¡Si salgo allá! ¿Qué os parece, señora? Otro fuera que se enojara. Es la misma bondad, y mirad que me ha traído cebada, que no tiene otra cosa[51], la que le dan a él para la mula de su amo.

LOZANA.—Otra cosa mejor pensé que os traía.

LAVANDERA.—¡Andá, señora, harto da quien da lo que tiene!

LOZANA.—Sí, verdad es, mas no lo que hurta.

LAVANDERA.—Hábleme alto, que me duele este oído.

LOZANA.—Digo que si laváis a españoles solamente.

LAVANDERA.—A todo hago por ganar, y también porque está aquí otra española, que me ha tomado muchas casas de señores, y lava ella a la italiana, y no hace tanta espesa[52] como yo.

LOZANA.—¿Qué diferencia tiene el lavar italiano?

LAVANDERA.—¿Qué? ¡Grande! Nosotras remojamos y damos una mano de jabón y después encanastamos, y colamos, y se quedan los paños allí la noche, que cuele la lejía, porque de otra manera serían los paños de color de la lejía; y ellas, al remojar, no meten jabón y dejan salir la lejía, que dicen que come las manchas, y tornan la ceniza al fuego a requemar, y después no tiene virtud[53].

LOZANA.—Agora sé lo que no pensé. ¿Quién es ésta que viene acá?

LAVANDERA.—Aquí junto mora, mi vecina.

VECINA.—Española, ¿por qué no atas aquel puerco? No te cures, será muerto.

LAVANDERA.—¡Anda, vete, bésalo en el buz del hierba![54].

---

[50] Refrán recogido por Correas: «Bofetón en cara ajena, dinero cuesta», y añade el maestro Gonzalo: «Córtase con gracia: *Bofetón en carajena.*»

[51] *no tiene otra cosa:* contradicción con lo que pensaba Lozana: «no ayuna» (a no ser que se situara ella en otro registro). La réplica siguiente, sin embargo, muestra que Lozana se había equivocado.

[52] *espesa:* «gasto».

[53] No se puede negar cierta curiosidad de Delicado por las diversas costumbres. Aquí sí me parece que hay realismo (como, en algún modo, en ciertas recetas de cocina; cfr., al fin del mamotreto, la de las chambelas) [aunque bien pudiera haber segundos sentidos eróticos, como me sugiere Ynduráin].

[54] No me convencen las explicaciones que vienen en *R. 75* (nota 66, pág. 131), donde *buz* sería el «bus» italiano (u orificio), ni en Ugolini,

VECINA.—Bien, yo te aviso.

LAVANDERA.—Pues mira, si tú me lo miras o tocas, quizá no será puerco por ti. ¿Pensa tú que ho paura[55] del tu esbirro! ¡A ti y a él os lo haré comer crudo!

VECINA.—Bien, espera.

LAVANDERA.—¡Va d'aquí, borracha, y aun como tú he lavado yo la cara con cuajares![56]

LOZANA.—¿Qué, también tenéis cochino?[57]

LAVANDERA.—Pues iré yo a llevar toda esta ropa a sus dueños y traeré la sucia. Y de cada casa, sin lo que me pagan los amos, me vale más lo que me dan los mozos: carne, pan, vino, fruta, aceitunas sevillanas, alcaparras, pedazos de queso, candelas de sebo, sal, presuto[58], ventresca[59], vinagre (que yo lo do a toda esta 'calle), carbón, ceniza[60], y más lo que traigo en el cuerpo y lo que puedo garbear[61], como platos y escudillas, picheles, y cosas que el hombre[62] no haya de comprar.

LOZANA.—D'esa manera no hay galera tan proveída como las casas de las lavanderas d'esta tierra.

LAVANDERA.—Pues no's maravilléis, que todo es menester; que cuando los mozos se parten de sus amos, bien se lo paga-

---

para quien *buz del hierba* sería un italianismo dialectal («bossolo del erba»). Creo más probable que este *buz* signifique, según la tradición castellana, el beso de acatamiento y reverencia, siendo el *buz de la hierba* el que consistía en besar la hierba a los pies del señor, en señal de acatamiento y vasallaje. Sin embargo, con esta explicación, es evidente que no es lógicamente satisfactoria la frase: «bésalo en el buz del hierba», porque encerraría un pleonasmo. Será un descuido del autor, a no ser que se quisiese reflejar el habla incorrecta de la lavandera, la cual invitaría a su vecina a que besase a su amigo en el «ojo que no tiene tiña», como dice Quevedo. Y también cabe un error tipográfico.

[55] *ho paura:* «tengo miedo».

[56] No entiendo lo de «lavarse la cara con cuajares», por más que sea cierto tipo de jabón sacado del estómago de los rumiantes, como apuntan, dubitativos también, Damiani y Allegra *(R. 75,* nota 69, pág. 131).

[57] Ya ha dicho la lavandera que le dolía un oído, pero la réplica siguiente demuestra a todas luces que ese dolor se podría calificar de mercantil, si es cierto lo que se dice de los mercaderes y sus oídos.

[58] *presuto:* como el portugués *presunto,* o el italiano *presciutto,* «jamón».

[59] *ventresca:* parte del tocino que se saca del vientre del cerdo (cfr. francés «ventrèche» e italiano «ventresca»).

[60] Porque la ceniza servía para hacer la colada (cfr. página anterior).

[61] *garbear:* «robar» (germanía).

[62] *el hombre:* empleo como impersonal, ya apuntado.

222

mos, que nos lo ayudan a comer. Que este bien hay en esta tierra, que cada mes hay nuevos mozos en casa, y nosotras los avisamos que no han de durar más ellos que los otros, que no sean ruines, que cuando el mundo les faltare, nosotras somos buenas por dos meses. Y también los enviamos en casa del tal, que se partió un mozo, mas no sabe el amo que lo toma que yo se lo encaminé, y por esto ya el mozo me tiene puesto detrás de la puerta el frasco lleno, y el resto, y si viene el amo que me lo ve tomar, digo que yo lo dejé allí cuando sobí[63]. ¿Veis? aquí viene aquel mozuelo que os dejó aquí.

RAMPÍN.—¿Qué se hace? ¡Sus, vamos! A vos muchas gracias, señora.

LAVANDERA.—Esta casa está a vuestro servicio. Gana me viene de cantar:

> Andá, puta, no serás buena;
> no seré, no, que so de Llerena[64].

Yo te lo veo en esa piel nueva; yo te he mirado en ojo, que no mentiré, que tú huecas de husos harás[65].

---

[63] Pónense aquí al desnudo los mecanismos picarescos que rigen la infrasociedad, con el tema de los criados que buscan y dejan amos, de tanto éxito después en la novela y el teatro.

[64] No sé de dónde proceden estos versos, pero bien se ve que Lozana, a pesar de sus mentiras, no pudo engañar a la lavandera quien, como la vieja estrellera, saca el mal ajeno por el propio. De *Llerena* hay un dicho que convendría bastante bien para explicar su relación con las falsedades o la sinceridad, si no fuera nombre propio de un hombre: *Por decir la verdad, ahorcaron a Llerena.* Lo recoge Iribarren en *El Porqué de los Dichos* y con el comentario de que «acusa claramente lo mucho que resisten los vecinos el declarar la verdad ante los tribunales de Justicia». No sé si a partir de ahí hubo o no una «verdad de Llerena» que pudiera interpretarse como de la ciudad extremeña, por la similitud de los nombres. Si fuera cierto, el «ser de Llerena», de sinceridad mortal, se opondría implícitamente a las cordobesías (tretas) provechosas de Lozana.

[65] *hueca* o *güeca:* «muesca espiral que se hace al huso, a la punta delgada, para que trabe en ella la hebra que se va hilando» *(Autoridades).* En todas las ediciones modernas que he consultado se corrige *huecas* en *ruecas,* por entender que la lavandera se refiere al provecho económico o al atrevimiento de Lozana («capaz de todo» en la nota de *R. 75).* En cuanto a mí, tengo mis dudas, inclinándome por un lado a aceptar la corrección en *ruecas* que traduce mejor, creo yo, el provecho material, pero considerando por otro lado que *hueca* (que es la lección de *Venecia 1528)* hace también al sentido, la conservo, pudiéndo-

223

LOZANA.—Por mi vida, hermano, que he tomado placer con esta borracha, amenguada como hilado de beúda[66]. ¿Qué quiere decir estrega[67], vos que sabéis? ¿Santochada?[68].

RAMPÍN.—Quiere decir bruja como ella.

LOZANA.—¿Qué es aquello que dice aquél?

RAMPÍN.—Son chambelas que va vendiendo.

LOZANA.—¿Y de qué se hacen estas rosquitas?

RAMPÍN.—De harina y agua caliente, y sal, y matalahúva, y poco azúcar, y danles un bulle en agua, y después metallas en el horno.

LOZANA.—Si en España se comiensen, dirían que es pan cenceño.

RAMPÍN.—Porque allá sobra la levadura[69].

LOZANA.—Entrá vos y mirá si está ninguno allá dentro.

MAMOTRETO XIII

Cómo entran en la estufa Rampín y la Lozana, y preguntan:

—¿Está gente dentro, hermano?

ESTUFERO.—Andás aquí, andás; no hay más que dos.

RAMPÍN.—Veislas, aquí salen.

LOZANA.—¡Caliente está por mi vida![1]. Tráeme agua fría, y presto salgamos de aquí.

---

se entender no ya como referencia al provecho en cuanto ganancia (aunque el ganchito que supone tampoco lo descarta), sino como alusión al gusto de Lozana por los hombres, como también lo sugieren el contexto («puta») y el mismo gusto de la lavandera anteriormente expuesto. Para el juego erótico sobre *hueca,* cfr. la letrilla 45 de *P. E. S. O.* (pág. 67), y este refrán, recogido por Correas: «Ábreme hilandera de rueca, haréte la hueca» (citado también en *P. E. S. O.).*

   [66] *beúda:* «borracha».

   [67] *estrega:* palabra italiana, inmediatamente traducida por Rampín.

   [68] *Santochada:* según *R. 75,* podría ser «beata» o «tonta» (italianismo; *vid.* nota 77, pág. 133).

   [69] Alusión al judaísmo de Rampín a quien le inspira repulsión el pan con levadura de los cristianos («sobra la levadura»), prefiriendo el pan ázimo (o cenceño) del que acaba de darnos la receta. Que no se coma en España se explica por la expulsión de los judíos.

   [1] Hay una ruptura: tenemos que imaginar ahora a Lozana y Rampín en la estufa o baño, duchándose con agua caliente; técnica literaria

RAMPÍN.—También había bragas[2] para vos.

LOZANA.—Poco sabéis, hermano; al hombre braga de hierro, a la mujer de carne. Gana me viene de os azotar. Tomá esta navaja, tornásela, que ya veo que vos no la tenéis menester[3]. ¡Vamos fuera, que me muero! Dame mi camisa.

RAMPÍN.—Vení, vení, tomá una chambela.

—¡Va tú, haz venir del vino! ¡Toma, págalo, ven presto! ¿Eres venido?

ESTUFERO.—Ecome[4] que vengo. Señora, tomad, bebed, bebé más.

LOZANA.—Bebé tú, que torrontés parece.

RAMPÍN.—Vamos fuera prestamente, que ya son pagados estos borrachos.

ESTUFERO.—Señora, das aquí la mancha.

LOZANA.—Si tú no me la has echado, no tenía yo mancha ninguna[5].

RAMPÍN.—No dice eso el beúdo, sino que llama el aguinaldo mancha, que es usanza.

---

que me parece muy moderna esta supresión de la transición entre dos escenas. Nótese además que la primera réplica de Lozana había empezado al fin del capítulo anterior.

[2] *bragas* sería, según Damiani, «aguinaldo o propina» *(L. A. 69,* página 70, *R. 75,* pág. 134) «con doble sentido sexual». Siento discrepar una vez más, pero no veo por qué se daría una propina a los clientes de los baños; en cambio, como no se lavarían con toda la ropa puesta, era probable que les prestasen bragas para tapar las partes vergonzosas, por hablar como Covarrubias, quien precisa: «Antiguamente usaron de las bragas los que servían en los vaños, por la honestidad» *(Tes.,* 233, b, 52), lo que prueba que también el personal vesstía ligeramente, dado el calor que allí hacía. Como se ve, Lozana se muere de calor. El «dame mi camisa» prueba que está desnuda (ver primera réplica de Rampín, mam. XIV). No me parece necesario comentar la complementaridad *braga de hierro/braga de carne* que viene a continuación.

[3] También debían de prestar navajas para afeitarse, y Lozana, posiblemente después de «raparse lo suyo» (como se dice en otra parte), le dice a Rampín que la devuelva al *estufero (tórnasela)* porque él no la necesita (por tener poco pelo o habérselo rasurado ya). Pero no veo aquí «relación fálica», como dice Damiani de esta navaja *(R. 75,* nota 6, pág. 135).

[4] Españolización del italiano «eccomi», pleonasmo con lo que sigue (o redundancia).

[5] Lozana entiende, o hace que entiende, *mancha* como «mácula», mientras que el estufero se refería a una manga o propina (it. «mancia»), como explica Rampín a continuación. Por lo visto le gustaban bastante a Delicado estos juegos de lengua a lengua.

LOZANA.—Pues dalde lo que se suele dar, que gran bellaco parece.

RAMPÍN.—Adío.

ESTUFERO.—¡Adío, caballeros de castillos!

LOZANA.—¿Por dó hemos de ir?

RAMPÍN.—Por acá, que aquí cerca está mi tía. ¿Veisla a la puerta?

LOZANA.—¿Y qué es aquello que compra? ¿Son rábanos, y negros son?

RAMPÍN.—No son sino romarachas, que son como rábanos, y dicen en esta tierra que quien come la romaracha y va en Nagona, torna otra vez a Roma.

LOZANA.—¿Tan dulce cosa es?

RAMPÍN.—No sé, ansí se dice; es refrán[6].

TÍA.—¡Caminá, sobrino, préstame un cuatrín!

RAMPÍN.—De buena gana, y un julio.

TÍA.—¡Norabuena vengáis, reina mía! ¡Toda venís sudada y fresca como una rosa!

—¿Qué buscáis, sobrino? Todo está aparejado sino el vino; id por él[7] y vení. Cenaremos, que vuestro tío está volviendo el asador.

_____

[6] Yo creo más bien en la adaptación jocosa del famoso «arrivederci Roma» que no se sepa que se hiciera nunca con plantas crucíferas como los rábanos, ni quenopodiáceas, como la remolacha. _Romaracha,_ curiosamente paronímica de esa «nariz remachada y roma» (o: roma remachada) de la que habla Oudin («nez camus», traduce), hubiera tenido que ser (dado su étimo «ramoraccia») RAMO-, y más tarde será REMO- (cfr. _remolacha),_ y no ROMA-; de tal forma que la metátesis no debe de ser fortuita en la forma que está en boca de Rampín, subrayando un contenido «nasal»: _roma_ podría muy bien oponerse aquí a _Nagona_ (forma normal por otra parte en aquella época para la plaza Navona, cfr. Covarrubias), puesto que Nagona es casi _narigona._ La _romaracha,_ confundida por Lozana con un rábano, también podría tener las mismas propiedades metafóricas que éste (corriente es _rábano,_ como _nabo,_ por «pene»); al menos, es lo que parece sugerir la pregunta hecha enseguida por la mujer, y con mucha viveza: «¿tan dulce cosa es?» Y, fuera de este sentido, ¿no es totalmente incongruente? Ahora bien, si es cierto que la _romaracha_ tiene esas propiedades del rábano, su consumo, en aquella época de mal de Nápoles, podría perfectamente volver _roma_ a la más _na(ri)gona,_ siendo posibles también otras combinaciones a partir de la equivalencia lúdicra _nariz/pene._

[7] _Venecia 1528: yd por ello,_ pero no me explicaría este neutro, a no ser una errata.

226

RAMPÍN.—Pues laváme esa calabaza en que lo traiga, que en dos saltos vengo.

TÍA.—¿Qué os parece, señora, d'este mi sobrino Rampín? que ansí fue siempre servicial.

LOZANA.—Señora, que querría que fuese venido mi marido, para que lo tomase[8] y le hiciese bien.

TÍA.—¡Ay, señora mía, que merced ganaréis, que son pobres!

LOZANA.—No curéis, señora; mi marido les dará en qué ganen.

TÍA.—Por mi vida, y a mi marido también, que bien sabe de todo y es persona sabida, aunque todos lo tienen por un asno, y es porque no es malicioso. Y por su bondad, no es él agora cambiador, que está esperando unas receptas y un estuche para ser médico. No se cura de honras demasiadas, que aquí se está ayudándome a repulgar y echar caireles a lo que yo coso[9].

—¿Venís, sobrino? Asentaos aquí cabe mí.

—Comed, señora.

LOZANA.—Sí haré, que hambre tengo.

TÍA.—¿Oíslo? Vení, asentaos junto a esa señora, que os tiene amor, y quiere que os asentéis cabe ella.

VIEJO.—Sí haré de buen grado.

RAMPÍN.—¡Paso, tío, cuerpo de sant, que echáis la mesa en tierra! ¡Alzá el brazo, mirá que derramaréis! ¿Quién me lo dijo a mí que lo habíades de hacer?[10].

---

[8] Para que lo tomase (como criado).

[9] Toda la réplica de la tía de Rampín encierra un rico cazurrismo. Nótese primero que las réplicas del tío van precedidas las más de las veces de la mención *viejo,* y algunas solamente de *tío,* y, en segundo lugar, que «todos lo tienen por un asno». Pero, en este caso, tal reputación no se debe a una virilidad excesiva, como la que caracteriza al asno Robusto, sino a su falta de malicia (declaración explícita). Delicado parece pensar que será, por ello, un excelente médico (puesto que no puede ser cambiador), y véase de paso el juego *bondad/médico/no se cura.* En cuanto a esta *bondad,* explicada por su falta de malicia, se debe sobre todo a su condición de *bueno* (o marido consentido), que se limita a ayudar en las labores de aguja (con sus connotaciones eróticas) de su mujer (a las que remiten *repulgar,* que no tiene aquí su acepción pastelera como cree Damiani, y *echar caireles).* El sentido erótico de *coser* está documentado en *P. E. S. O.,* y ya se ha hablado de él. Así se explica por qué la honra no le importa mucho a este personaje que condensa así la sátira de los médicos y la de los cornudos consentidos.

[10] No tenía del todo razón la tía al creer que todos tenían a su ma-

TÍA.—Así, ansí veis caído el banco, y la señora se habrá hecho mal.

LOZANA.—No he, sino que todo el vino me cayó encima. Buen señal[11].

TÍA.—Id por más ¿y veis lo hecho?[12]. ¡Pasaos aquí, que siempre hacéis vuestras cosas pesadas! ¡No cortés, que vuestro sobrino cortará! ¿Veis? ¡Ay, zape, zape! ¡Allá va, lo mejor se lleva el gato! ¿Por qué no esperáis? ¡Que parece que no habéis comido!

VIEJO.—Dejame hacer, y termé mejor aliento para beber.

TÍA.—¿Venís, sobrino?

RAMPÍN.—Vengo por alguna cosa en que lo traiga.

TÍA.—¿Y las dos garrafas?

RAMPÍN.—Caí y quebrélas[13].

TÍA.—Pues tomá este jarro.

RAMPÍN.—Éste es bueno y, si me dice algo el tabernero, dalle he con él.

TÍA.—¡Ansí lo hacé!

—Señora mía, yo me querría meter en un agujero y no ver esto cuando hay gente forastera en casa; mas vos, señora, habéis de mirar que esta casa es vuestra.

LOZANA.—Más gana tengo de dormir que de otra cosa.

TÍA.—Sobrino, cená vosotros, en tanto que yo e la ayudo a desnudar.

RAMPÍN.—Señora, sí.

---

rido por un asno únicamente porque carecía de malicia. Se ve, por estas exclamaciones de Rampín, que le queda algún vigor, bastante para que se extrañe su sobrino *(hacerlo,* aquí por «alzar el brazo» y «derramar», constituye de hecho un bonito preludio a la extraordinaria escena de la cama del mamotreto siguiente). Esto y lo que sigue, con la caída del banco, recuerda la francachela del auto IX de *La Celestina,* con una tonalidad evidentemente más burlesca.

[11] Así en la edición *Venecia 1528; señal* era corrientemente palabra masculina.

[12] *Id por más. ¿Y veis lo hecho?:* en todas las ediciones hallo «Id por más y veislo hecho» que no entiendo. Para mí, la tía se dirige primero a Rampín para encargarle más vino *(Id por más),* y después a su marido para «reprehenderle las cosas mal hechas», como dice Lozana en otra ocasión.

[13] Como se verá en diversas ocasiones, Rampín cae frecuentemente, y el autor no suele comentar esas caídas; lo más probable es que el joven fuera patizambo o tuviera los pies torcidos, como corresponde a su nombre Rampín («gancho»), alias *Galindo* (ver además nota 22, mam. XI).

Cómo torna su tía y demanda dónde ha de dormir Rampín, y lo que pasaron la Lozana y su futuro criado en la cama.

—Dime, sobrino, ¿has de dormir allí con ella? Que no me ha dicho nada, y por mi vida que tiene lindo cuerpo.

RAMPÍN.—¿Pues qué? ¡Si la viérades vos desnuda en la estufa!

TÍA.—Yo quisiera ser hombre, tan bien me ha parecido. ¡Oh qué pierna de mujer! ¡Y el necio de su marido que la dejó venir sola a la tierra de Cornualla! Debe de ser cualque babión; o veramente que ella debe de ser buena de su cuerpo[1].

RAMPÍN.—Yo lo veré esta noche, que, si puedo, tengo de pegar con sus bienes[2].

TÍA.—A otro que tú habría ella de menester[3], que le hallase mejor la bezmellerica y le hinchese la medida.

RAMPÍN.—Anda, no curés, que debajo yace buen bebedor, como dicen[4].

---

[1] *Babión* se entiende fácilmente por referencia a *babia* y *babieca* aun que sea un italianiismo *(babbione).* La tierra de *Cornualla,* esencialmente por su significante, es la de los cornudos. Ovveramente (u: *o veramente)* es forma italiana, aquí con el sentido de: «de verdad».

[2] Entiendo, como Hernández Ortiz, que esos *bienes* son los encantos de Lozana, a los que quiere arrimarse Rampín: como lo prueba su réplica, es lo que entiende la tía.

[3] *Haber de menester* me sorprende bastante; como *menester* no puede ser verbo, pues el verbo *haber* construido con la preposición *de* tendría que entenderse no como auxiliar sino como equivalente, aproximadamente, del actual «tener» («tener de menester», como, *v. gr.* «tener *de* o *por* oficio»), significando en tal caso «haber de menester» algo así como «tener por necesidad». Pero, finalmente, podría ser errata, y sobrar la preposición: *haber menester.*

[4] *bezmellerica:* nombre a mi parecer muy bonito, casi floral, y por tanto, adecuado (siendo flor el sexo femenino), ya que ella deja paso a esa medida que hay que colmar para satisfacer a Lozana. Sin embargo, éste no es más que el segundo sentido de *medida,* dándole pie a Rampín, mediante la alusión al refrán «Bajo mala capa yace buen bebedor», para afirmar sus capacidades a pesar de su mal aspecto físico: y no se jacta vanamente el joven, como va a demostrar el episodio siguiente, el de la cama.

TÍA.—Pues allá dejé el candil. Ve pasico, que duerme, y cierra la puerta.

RAMPÍN.—Sí haré. Buenas noches.

TÍA.—Va en buen hora.

LOZANA.—¡Ay, hijo! ¿Y aquí os echastes? Pues dormí y cobijaos, que harta ropa hay. ¿Qué hacéis? ¡Mirá que tengo marido!

RAMPÍN.—Pues no está agora aquí para que nos vea.

LOZANA.—Si, mas sabello ha.

RAMPÍN.—No hará; esté queda un poquito.

LOZANA.—¡Ay, qué bonito! ¿Y d'esos sois? ¡Por mi vida que me levante!

RAMPÍN.—No sea d'esa manera, sino por ver si soy capón me dejéis deciros dos palabras con el dinguilindón[5].

LOZANA.—¡No haré! La verdad te quiero decir, que estoy virgen.

RAMPÍN.—¡Andá señora, que no tenéis vos ojo[6] de estar virgen! ¡Dejáme agora hacer, que no parecerá que os toco!

LOZANA.—¡Ay, ay, sois muy muchacho y no querría haceros mal!

RAMPÍN.—No haréis, que ya se me cortó el frenillo.

LOZANA.—¿No os basta besarme y gozar de mí ansí, que queréis también copo y condedura? ¡Catá que me apretáis! ¿Vos pensáis que lo hallaréis? Pues hago's saber que ese hurón no sabe cazar en esta floresta[7].

---

[5] *dinguilindón:* como la palabra *dinganduj* (usada por Góngora en un *soneto a una dama,* entre otros empleos documentados en *P. E. S. O.),* es capaz, como aquí, de significar «pene»; etimológicamente, es posible que esté en relación con esos *dingolondangos* cuya definición, en *Autoridades,* es la siguiente: «palabra arbitraria y del uso sólo de la ínfima plebe, que no tiene significación fija, y se aplica variamente según la idea». Sin embargo, es afín de *dengue,* y evoca más bien los melindres y arrumacos.

[6] Doble sentido de *ojo: a)* «apariencia», «aire» (cfr. mam. XII, «yo te he mirado en ojo, que no mentiré, que tú huecas de husos harás»). *b)* «Orificio».

[7] El empleo en contexto erótico de *apretar* es corriente (varios ejemplos en *P. E. S. O.,* y en la misma *Lozana). Lo,* como referencia sexual, no lo es menos, explicitado aquí en la frase siguiente, en *floresta,* lugar de los más amenos para Rampín. La metáfora del hurón que caza es asimismo de comprensión inmediata (cfr. *P. E. S. O., 44,* página 63, v. 8; «seis veces fue el hurón a buscar caza»), porque es animal que se alza con los conejos. De *copo,* tan frecuente en *La Lozana,* no se diga nada; pero *condedura* es más problemático, en primer lugar

RAMPÍN.—Abrilde vos la puerta, que él hará su oficio a la macha martillo[8].

LOZANA.—Por una vuelta soy contenta. ¿Mochacho eres tú? Por esto dicen: guárdate del mozo cuando le nace el bozo[9]. Si

---

por ser un hapax (al menos hasta la fecha). Según Damiani *(L. A. 69 y R. 75), copo y condedura* significarían «lo de fuera y lo de dentro, caricias y coito», probablemente por interpretar *condedura* como deverbal de *conder* (asconder, esconder), estando el *copo* más a la vista; solución ingeniosa, pero que no me convence totalmente al considerar el probable paralelismo de la pregunta inicial de Lozana («¿... copo y condedura?») y su provocante afirmación («hágoos saber... hurón... floresta»), con atribución distributiva (Lozana/Rampín - Rampín/Lozana). Ahora bien, *condedura* podría ser deverbal de *condir,* ant. por *cundir,* abundar, «dar de sí una cosa» (siendo en este caso «erección» la condedura), o deverbal de *condir,* hoy en desuso, con su sentido de «condimentar, aderezar la comida», significando entonces el sustantivo «eyaculación». La ventaja de esta última hipótesis estriba en que existía un sustantivo «condidura», muy vecino, morfológicamente, de condedura, mientras que no se conoce semejante derivación para *condir* en el sentido de «cundir». Sin embargo, el carácter burlesco de la obra, y la actitud de Delicado frente a la lengua, no creo que permitan descartar totalmente la hipótesis. Si no se echa en olvido el primer encuentro de Aldonza y Diomedes, cabe establecer una relación entre la expresión que ahora se discute y el vínculo *copo/dar de sí* que allí se daba, tanto más cuanto que Lozana y Rampín están aquí en los inicios de su holganza (pero la presencia del verbo *querer* puede dar a entender que *condedura* es la finalidad fisiológica del asalto). Me quedo pues con mis dudas; quiero solamente apuntar aún, siempre en calidad de hipótesis, la existencia de una palabra, *condedura,* así explicada por el *D. R. A. E.,* «condado, dignidad honorífica; úsase sólo en el refrán *conde y condadura, y cebada para la mula».* Si se considera que la mula y la mujer, en la literatura celestinesca, tienen en común que «consienten la albarda», siendo la cebada su gratificación (alimento metafórico, huelga decirlo, en el caso humano), es posible que la exclamación de la heroína del *Retrato* sea una deformación jocosa del refrán, con *copo* por «conde» y *condedura* por «condadura». Quizá se me objete que cundidura, cundedura, condidura *(cundir, condir),* no se han registrado jamás, pero no me parece que sean derivaciones imposibles, con ese sufijo *-dura* tan pertinente para evocar la erección.

[8] *Abrir la puerta* y *hacer (su) oficio* son metáforas socorridas del acto aquí evocado (otros ejemplos en *P. E. S. O.,* y en *La Lozana). A (la) macha martillo,* que evoca más la fuerza que el primor, remite quizás también al ahínco (o firmeza). Cfr. réplica siguiente: «no me ahinquéis». Cfr. también, *infra,* «batir el hierro» y el papel del herrero.

[9] Hay varios refranes sobre la potencia sexual de los mozos, «barbiponientes» como se les llama (y se ha dicho ya) en la celestinesca.

lo supiera, más presto soltaba las riendas a mi querer. Pasico, bonico, quedico[10], no me ahinquéis. Andá comigo: ¡por ahí van allá! ¡Ay, qué priesa os dais, y no miráis que está otrie[11] en pasamiento sino vos! ¿Catá que no soy de aquellas que se quedan atrás. Esperá, vezaros he: ¡ansí, ansí, por ahí seréis maestro![12]. ¿Veis cómo va bien? Esto no sabiedes vos; pues que no se os olvide. ¡Sus, dalde, maestro, enlodá[13], que aquí se verá el correr d'esta lanza quién la quiebra! Y mirá que por mucho madrugar, no amanece más aína[14]. En el coso te tengo, la garrocha es buena, no quiero sino vérosla tirar. Buen principio lleváis. Caminá[15], que la liebre está echada[16]. ¡Aquí va la honra![17].

RAMPÍN.—Y si la venzo, ¿qué ganaré?

LOZANA.—No curéis que cada cosa tiene su premio. ¿A vos vezo yo, que nacistes vezado? Daca la mano y tente a mí, que el almadraque es corto. Aprieta y cava, y ahoya, y todo a un tiempo. A las clines, correrredor![18]. ¡Agora, por mi vida, que

---

[10] Ritmo ternario muy apropiado para la evocación de la cadencia de esta danza. En este aspecto, toda la réplica es un acierto estilístico incomparable.

[11] *otrie:* «otra persona» (indefinido de igual formación flexional que *nadie),* de uso corriente en *La Lozana. Por ahí van por allá* es frase proverbial, recogida como tal por Correas (723, a).

[12] Sobre este pasaje (desde «Pasico, bonico...»), véase Introducción, pág. 41, y nota 30.

[13] *enlodar,* cfr. *polución,* «efusión del semen», ya en 1498, Villalobos, *Sumario de la Medicina (D. C. E. L. C.,* ed. 1980, *s. v. lodo).* Pero de sentido más lato en otros contextos eróticos, como aquí posiblemente.

[14] Con este refrán, destinado a reprender a los que se dan una prisa excesiva (Correas), Lozana le modera otra vez al fogoso Rampín.

[15] *Caminar (y camino),* metáforas corrientes de la contienda amorosa (ver *P. E. S. O.).*

[16] *Venecia 1528:* «la liebre está chacada», que no entiendo, ni tampoco me convence la solución *chazada* («chaçada») propuesta por algunos. Sigo a Joaquín del Val y *R. 75.* Entonces se dirigiría Lozana al hurón.

[17] Uso antifrástico o metafórico corriente de *honra* (e ideas afines) en la celestinesca en general; muchas veces con punto de aplicación más específico en *La Lozana.*

[18] Cfr. Covarrubias: «Tenerse a las clines *[i.d.:* crines] es ayudarse un hombre cuanto puede, por no caer de su estado, como el que se ase a la clin del caballo porque no le derribe» *(Tes.,* 327, b, 33). Véase también Correas, *op. cit.,* 731, b.

232

se va el recuero![19]. ¡Ay, amores, que soy vuestra muerta y viva! Quitaos la camisa, que sudáis[20].

—¡Cuánto había que no comía cocho![21]. Ventura fue en contar el hombre tan buen participio a un pasto[22]. Este tal majadero[23] no me falte, que yo apetito tengo dende que nací, sin ajo y queso[24], que podría prestar a mis vicinas. Dormido se ha. En mi vida vi mano de mortero tan bien hecha. ¡Qué gordo que es! Y todo parejo. ¡Mal año para nabo de Jerez! Parece bisoño de frojolón[25]. La habla me quitó, no tenía por do resollar. ¡No es de dejar este tal unicornio[26]!

—¿Qué habéis, amores?

RAMPÍN.—Nonada, sino demandaros de merced que toda esta noche seáis mía.

LOZANA.—No más, ansí gocéis.

---

[19] *recuero:* mulero (no querría La Lozana que se fuese sin el recado); con este símil, le dice a Rampín que ha llegado el momento oportuno de la culminación compartida del goce.

[20] Véase Introducción, nota 19.

[21] Véase mam. IV, nota 4.

[22] *el hombre:* impersonal; *participio,* latinismo «partícipe», y aquí «comensal» por el sentido de *pasto* «comida» (cfr. «darse uno un verde», con esta diferencia de que Lozana no debe de estar harta).

[23] *majadero:* mano de almirez, como, casi inmediatamente, *mano de mortero,* metáfora formal y funcional para hombre y mujer. (Ver además, *majar,* nota siguiente.)

[24] *ajo y queso:* (cfr. en *P. E. S. O.* este poema bastante ramplón, pero ilustrador, en el que Venus se entrega a Vulcano: «Sintióse Venus porque tal [el herrero] hacía,/ y al defenderse tuvo manos mancas,/ por estarlo la puta deseando./ Por más que dijo que era porquería,/ se estuvo queda, y alargó las ancas/ *al ajo y queso* de que fue gustando,/ hasta que en acabando/ dijo la puta: «bien está lo hecho,/ que no cabe en un saco honra y provecho» (pág. 71). Cfr. también Correas: «Mariquita, majemos un ajo, tú cara arriba, yo cara abajo» (527, a; citado también en *P. E. S. O.*, pág. 157). Sobre la paronimia, véase mamotreto XXXVII, nota 22).

[25] No creo necesite comentario el *nabo;* en cuanto a *frojolón,* aparece también en el mam. XXXVII (nota 28), con el mismo sentido de «pene». Para mí, *frojolón* es una voz de creación expresiva, como *dinguilindón* o *dinganduj,* pero quizás a partir de follar y foder (hoder, joder). *Bisoño* es lo contrario de veterano, o sea «principiante» o «novel». *Bisoño de frojolón* caracteriza, pues, a un joven, poco experto quizás, pero lleno de vigor sexual, como le corresponde a un «barbiponiente».

[26] *unicornio:* véase Introducción, nota 31.

RAMPÍN.—Señora, ¿por qué no? ¡Falté algo en la pasada? Emendallo hemos, que la noche es luenga.

LOZANA.—Disponé como de vuestro, con tanto que me lo tengáis secreto. ¡Ay, qué miel tan sabrosa! ¡No lo pensé! ¡Aguza, aguza, dale si le das, que me llaman en casa![27]. ¡Aquí, aquí! Buena como la primera, que no le falta un pelo! Dormí, por mi vida, que yo os cobijaré. Quite Dios de mis días y ponga en los tuyos, que cuanto enojo traía me has quitado.

—Si fuera yo gran señora, no me quitara jamás éste de mi lado.

—¡Oh pecadora de mí!, ¿y despertéos? No quisiera[28].

RAMPÍN.—Andá, que no se pierde nada.

LOZANA.—¡Ay, ay[29], así va, por mi vida, que también camine yo![30]. ¡Allí, allí me hormiguea! ¿Qué? ¿Que pasaréis por mi puerta?[31]. Amor mío, todavía hay tiempo. Reposá, alzá la cabeza, tomá esta almohada[32].

—¡Mira, que sueño tiene[33], que no puede ser mejor! Quiérome yo dormir.

---

[27] Cfr. en *Jardín de Venus*: «Mas la otra lo hace de tal arte,/y amores os dirá, que en *miel* y leche/convierte las médulas de los huesos» *(P. E. S. O.,* 7, pág. 14). Y aun: «Dijo el marido, viéndose acosado:/ *No me podéis al fin, mujer, negar/que más veces queréis que yo no quiero. Hacéislo,* dijo ella, *de taimado:/que poco de la miel queréis gustar,/porque esté el apetito siempre entero» (íd. 18, pág. 29).* Y, para el *que me llaman en casa:* «Una mozuela de Logroño/mostrado me había su co.../po de lana negro que hilaba./ *Dale si le das, mozuela de Carasa, dale si le das,/que me llaman en casa.» (P. E. S. O.,* 68, páginas 111-113, con este comentario de los editores, que citan el pasaje en cuestión de *La Lozana:* «el estribillo debía de ser cantarcillo tradicional y bastante popular, ya que lo encontramos en boca de Lozana, cuando está en la cama con Rampín, en uno de los trozos más soberbios del libro».) Según indicación de Ynduráin, el cantarcillo se halla en el *Cancionero Musical de Palacio.* Nótese, por otra parte, que el «copo de lana negro que hilaba» la mozuela de Logroño cuadraría perfectamente en *La Lozana.*

[28] Esta afirmación de no querer despertar a Rampín se me antoja mentira, pero ¡tan piadosa!

[29] No sé si hay que leer ¡ay! o ¡ahí! (grafía idéntica en *Venecia 1528).*

[30] *caminar:* cfr. *supra,* nota 15.

[31] Cfr. *supra,* nota 8.

[32] *almohada,* tan metafórica como real (cfr. *supra almadraque,* y también el uso traslaticio de *colchón;* «pasar» o «atravesar» [equis] «colchones»). *Levantar la cabeza,* «erguimiento», o, por cultismo, «erección».

[33] ¿A qué se refiere esta tercera persona de singular? Lozana trata a

234

AUCTOR.—Quisiera saber escribir un par de ronquidos, a los cuales[34] despertó él y, queriéndola besar, despertó ella, y dijo:

—¡Ay, señor!, ¿es de día?

RAMPÍN.—No sé, que agora desperté, que aquel cardo[35] me ha hecho dormir.

LOZANA.—¿Qué hacéis? ¿Y cuatro? A la quinta canta el gallo[36]. ¡No estaré queda, no estaré queda hasta que muera! Dormí, que ya es de día, y yo también. Matá aquel candil, que me da en los ojos. Echaos y tirá la ropa a vos.

AUCTOR.—Allí junto moraba un herrero, el cual se levantó a media noche y no les dejaba dormir. Y él se levantó a ver si era de día y, tornándose a la cama, la despertó, y dijo ella:

—¿De dó venís?, que no's sentí levantar.

RAMPÍN.—Fui allí fuera, que estos vecinos hacen de la noche día. Están las cabrillas sobre este horno, que es la punta de la media noche, y no nos dejan dormir[37].

Rampín de tú o de vos; nos queda, por consiguiente, la «cabeza» del hombre (véase nota precedente) que estaría llena de sueño.

[34] *a los cuales:* en el momento en que se dieron.

[35] *cardo:* es planta de ricas virtualidades. En primer lugar, porque los cardos «engruesan mucho la lengua, y entorpecen la habla, *dan sueño* y desopilan el hígado» (Covarrubias, *Tes.,* 306, b, 28) [Rampín había comprado cardos en el mam. XII; y se los comieron, verosímilmente, con los tíos]. Pero, en segundo lugar, aunque no es exactamente la misma, es planta peligrosa para las niñas: «Estábase un cardo/cardo corredor,/cubierto de trébol,/falso engañador;/al pasar la niña/sus dedos picó/y corrió la sangre,/¡ay, Dios, qué dolor!/... ¿Qué dirá mi madre,/que riñe por dos,/si me ve la sangre/en el camisón?/...//... y al cardo le dice: /Maldígate Dios,/que si yo te viera/no llegaras, no/porque estas heridas/incurables son (P. E. S. O., 87, págs. 158-159).

[36] *Venecia 1528,* «gato».

[37] Desde la intervención del *auctor* («narrador» y «prologus», véase Introducción, «El autor»), tenemos una sintaxis que hace un lío con las personas gramaticales, de forma que no se sabe quién no deja dormir a los otros. Si las *Cabrillas* (constelación) están sobre el horno (del herrero, probablemente, «su fragua»), esto indica la hora: media noche. Pero, como «cabrillas» evoca también «cabrito y cabras» que son, en ocasiones, metáfora de las *virilia* (cfr. «Por sólo que me abras/y admitas tantito/te ofrezco un cabrito/con un par de cabras/...», en *P. E. S. O.,* pág. 70), decir que las cabrillas están *sobre* el horno no carece de malicia, sobre todo a esas horas, de «punta» tan temible al parecer. Añádase que, siendo el amor una locura (¿quién lo duda?), que estén las Cabrillas sobre el horno no debe diferir mucho de ese *estar la luna sobre el horno* del que Covarrubias dice que es «estar el loco en lo fino de su locura» *(Tes.,* 700, a, 47); a no ser que, con el paso de «luna» a

LOZANA.—¿Y en cueros salistes? Frío venís.

RAMPÍN.—Vos me escalentaréis.

LOZANA.—Sí haré, mas no d'esa manera. ¡No más, que estoy harta, y me gastaréis la cena!

RAMPÍN.—Tarde acordastes[38], que dentro yaz que no rabea[39]. Harta me decís que estáis, y parece que comenzáis agora. Cansada creería yo más presto, que no harta.

LOZANA.—Pues ¿quién se harta que no deje un rincón para lo que viniere? ¡Por mi vida, que tan bien batís vos el hierro como aquel herrero! ¡A tiempo y fuerte, que es acero![41]. Mi vida, ya no más, que basta hasta otro día, que yo no puedo mantener la tela[42], y lo demás sería gastar lo bueno. Dormí, que almorzar quiero en levantándome.

RAMPÍN.—No curéis, que mi tía tiene gallinas y nos dará de los huevos, y muncha manteca y la calabaza llena.

LOZANA.—Señor sí, diré yo, como decía la buena mujer después de bien harta.

RAMPÍN.—¿Y cómo decía?

«cabrillas», el *horno* cobre un valor metafórico que le permite su forma (metiéndose al horno todo aquello que necesite cocción, como, *v. gr.,* el cabrito), cuanto más que Rampín no se refiere únicamente al herrero: «estos vecinos». Más indirectamente la alusión a las constelaciones *(Cabrillas* o «Pléyades»), al situarnos en un contexto planetario del que Venus no se excluye, evoca por ello al herrero con algo de Vulcano (cfr. *supra,* nota 24).

[38] *acordar:* «despertar».

[39] «Porque ya está dentro (el pene) y se queda quieto, no se mueve.»

[40] Referencia al refrán «antes cansada que harta» (citado también en *R. 75).*

[41] Se confirman aquí las actividades del herrero en su doble significación, teniendo «batir el hierro» aplicado también, ventajosamente, a Rampín, la propiedad contaminadora de evocar los muslos de Lozana como yunque, mientras que, por ser de acero las herramientas del joven, resulta cierta y no presunción vana su afirmación anterior de que haría su oficio «a macha martillo».

[42] *mantener la tela:* ver *Autoridades,* s. v. *mantener,* «ser el principal en la justa, torneo u otro festejo, esperando en el circo o palestra a los que hubieren de venir a lidiar o contender con él. Lat. *Propugnare. In ludrico certamine se primum offerre.* B. Ciud. R. Epist. 16. E el Rey de Navarra, con seis Caballeros, se puso a *mantener* la tela». Expresión de uso frecuente para aludir a la capacidad de resistir los asaltos amorosos que tienen las mujeres (cfr. *C. O. B., passim).*

LOZANA.—Dijo: —harta de duelos con mucha mancilla[43] como lo sabe aquélla que no me dejará mentir.

AUCTOR.—Y señaló a la calabaza[44].

RAMPÍN.—Puta vieja era ésa; a la manteca llamaba mancillalobos[45].

LOZANA.—Luenga vala, júralo mozo, y ser de Córdoba me salva[46]. El sueño me viene, reposemos.

RAMPÍN.—Soy contento; a este lado, y metamos la ilesia sobre el campanario[47].

AUCTOR PROSIGUE.—Era mediodía cuando vino la tía a despertallos, y dice:

—¡Sobrino, abrí, catá el sol que entra por todo!

—¡Buenos días! ¿Cómo habéis dormido?

LOZANA.—Señora, muy bien, y vuestro sobrino como lechón de viuda[48], que no ha meneado pie ni pierna hasta agora, que yo ya me sería levantada si no por no despertallo. Que no he hecho sino llorar pensando en mi marido, qué hace o do está, que no viene.

TÍA.—No toméis fatiga, andvd acá, que quiero que veáis mi casa agora que no está aquí mi marido. Veis aquí en qué paso tiempo. ¿Queréis que os las quite[49] a vos?

LOZANA.—Señora, sí, y después yo os pelaré a vos porque veáis qué mano tengo.

---

[43] Doble sentido posible de *duelo*, «aflicción» y «combate entre dos», y de *mancilla*, «lástima» y «mancha».

[44] Véase Introducción (sobre el papel del autor).

[45] No queda claro el significado de esta frase «mancillalobos».

[46] Como las tres expresiones giran en torno a la idea de mentira y engaño, me pregunto si no es errata *vala* por «vía», como en la expresión *A luengas vías, luengas mentiras,* con que se significa que las cosas que se cuentan de tierras remotas, o de largo tiempo acaecidas, suelen siempre venir mezcladas de mentiras *(Autoridades,* s. v. *luengo).* Sin embargo, dejo *vala* (subj. de *valer:* «valga»), porque se podría entender; «*valga*[me el hecho de venir por] *luengas* [vías]». *Júralo mozo* es alusión a los sarmientos hechos en falso, y el *ser cordobesa* a la *cordobesía* o engaño.

[47] Según Ugolini y Damiani, «ponerse la mujer encima del hombre» *(R. 75,* pág. 147, nota 47).

[48] *lechón de viuda:* «ansí llaman al hijo de viuda, por regalón y mal criado» (Correas, *op. cit.,* 649, b). Nótese que es una manera de decir también que Rampín es un puerco, animal con el que se le compara varias veces en la novela (quizás por ser él judío marrano, sin hablar de otras «cualidades»).

[49] Las cejas.

TÍA.—Esperá, traeré aquel pelador o escoriador, y veréis que no deja vello ninguno, que las jodías lo usan muncho.

LOZANA.—¿Y de qué se hace este pegote o pellejador?

TÍA.—¿De qué? De trementina y de pez greca, y de calcina virgen, y cera.

LOZANA.—Aquí do me lo posistes se me ha hinchado y es cosa sucia. Mejor se hace con vidrio sotil y muy delgado, que lleva el vello y hace mejor cara. Y luego un poco de olio de pepitas de calabaza y agua de flor de habas a la veneciana, que hace una cara muy linda.

TÍA.—Eso quiero que me vecéis.

LOZANA.—Buscá una redomilla quebrada; mirá qué suave que es, y es cosa limpia.

TÍA.—No curéis, que si os caen en el rastro [50] las cortesanas, todas querrán probar, y con eso que vos le sabéis dar una ligereza, ganaréis cuanto quisiéredes, Dios delante [51]. ¿Veis aquí do viene mi marido?

VIEJO.—Estéis en buen hora.

LOZANA.—Seáis bien venido.

VIEJO.—Señora, ¿qué os ha parecido de mi sobrino?

LOZANA.—Señor, ni amarga, ni sabe a fumo.

TÍO.—¡Por mi vida, que tenéis razón! Mas yo fuera más al propósito que no él.

TÍA.—¡Mirá que se dejará decir! ¡Se pasan los dos meses que no me dice: ¿qué tienes ahí? y se quiere agora hacer gallo! [52]. ¡Para quien no's conoce tenéis vos palabra! [53].

LOZANA.—Señora, no os alteréis, que mi bondad es tanta que ni sus palabras, ni su sobrino no [54] me empreñarán. —Vamos, hijo Rampín, que es tarde para lo que tenemos de hacer.

TÍA.—Señora, id sana y salva, y tornáme a ver con sanidad [55].

---

[50] *caer en el rastro:* Expresión empleada también en *La Celestina* con el sentido de «encontrar», «localizar» (ver mam. XXXVII, nota 20).

[51] *Dios delante:* yo entiendo «os lo juro».

[52] *gallo:* por la conocida lascivia de este animal; la tía está furiosa porque su marido se pasa meses sin proponerle satisfacer sus apetitos, pero se muestra muy solícito con Lozana.

[53] La tía le dice a su marido que sólo los que no le conocen pueden creer sus jactancias.

[54] *no:* negación expletiva («ni sus palabras ni su sobrino me empreñarán»). Cuidado con el doble sentido de *bondad* (también «apetito sexual»).

[55] *sana... sanidad:* no carece de malicia la invitación de la tía, si pensamos en el contenido erótico de estas palabras referido a lo que acaba de pasar en su casa entre Lozana y Rampín.

*Cómo fueron mirando por Roma, hasta que vinieron a la ju-
dería, y cómo ordenó de poner casa.*

LOZANA.—¿Por dó hemos de ir?

RAMPÍN.—Por aquí, por Plaza Redonda, y verés el templo
de Panteón, y la sepultura de Lucrecia Romana, y el aguja[1] de
piedra que tiene la ceniza de Rómulo y Remo[2], y la Colona
labrada, cosa maravillosa, y veréis Setemzonéis, y reposarés en
casa de un compaño *(sic)* mío que me conoce.

LOZANA.—Vamos, que aquel vuestro tío sin pecado podría
traer albarda[3]. Ella parece de buena condición; yo la tengo de
vezar munchas cosas que sé.

RAMPÍN.—D'eso os guardá. No vecéis a ninguna lo que sabéis; guardadlo para cuando lo habréis menester y, si no viene
vuestro marido, podréis vos ganar la vida, que yo diré a todas
que sabéis más que mi madre. Y si queréis que esté con vos,
os iré a vender lo que hiciéredes, y os pregonaré que traés secretos de Levante.

LOZANA.—Pues vení acá, que eso mismo quiero yo, que vos
estéis comigo. Mirá que yo no tengo marido ni péname el amor,
y de aquí os digo que os terné vestido y harto como barba de
rey. Y no quiero que fatiguéis, sino que os hagáis sordo y bobo,
y calléis aunque yo os riña y os trate de mozo, que vos lleva-
réis lo mejor, y lo que yo ganare sabeldo vos guardar, y veréis
si habremos menester a nadie[4]. A mí me quedan aquí cuatro
ducados para remediarme; id, y comprame vos solimán, y lo

---

[1] *aguja:* «obelisco, pilar».

[2] *Venecia 1528:* «Rémulo», que supongo errata.

[3] Lozana comparte, pues, la opinión común de que es un burro: véase mam. XIII, nota 9. *Traer albarda* es una frase que se hizo proverbial (cfr. Correas).

[4] Sobre el papel de Rampín respecto de Lozana, véase Introducción,
«El mamotreto». A propósito de *barba de rey,* Damiani interpreta *barba* como «persona», pero pienso que se trata más bien de las barbas
verdaderas de los reyes y otros altos personajes, que había que acatar
y venerar, porque eran símbolo y señal de su honra, y por eso cuida-
ban mucho de ellas (cfr. *Poema de mio Cid*).

haré labrado, que no lo sepan mirar cuantas lo hacen en esta tierra, que lo hago a la cordobesa, con saliva y al sol, que esto dicen que es lo que hace la madre a la hija; esotro es lo que hace la cuñada a la cuñada, con agua y al fuego, y si miran que no salte, ni se queme, será[5] bueno, y d'esto haré yo para el común. Mas agora he menester que sea loada y, como la primera vez les hará buena cara, siempre diré que lo paguen bien, que es muncha costa y gran trabajo.

RAMPÍN.—Aquí es el aduana, mirá si querés algo.

LOZANA.—¿Qué aduanaré? Vos me habés llevado la flor.

RAMPÍN.—¿Veis allí una casa que se alquila?

LOZANA.—Veámosla.

RAMPÍN.—Ya yo la he visto, que moraba una putilla allí, y tiene una cámara y una saleta, y paga diez ducados de carlines al año, que son siete e medio de oro, y ella le pagaba de en tres en tres meses, que serién veinte e cinco carlines por tres meses. Y buscaremos un colchón y una silla para que hincha[6] la sala, y así pasaréis hasta que vais[7] entendiendo y conociendo.

LOZANA.—Bien decís; pues vamos a mercar un morterico chiquito, para comenzar a hacer cualque cosa, que dé principio al arte.

RAMPÍN.—Sea ansí, yo os lo traeré. Vamos primero a hablar con un jodío, que se llama Trigo, que él os alquilará todo lo que habéis menester, y aun tomará la casa sobre sí[8].

LOZANA.—Vamos, ¿conocéis alguno?[9].

RAMPÍN.—Mirá, es judío plático[10]; dejá hacer a él, que él os publicará entre hombres de bien[11] que paguen la casa y aun el comer.

LOZANA.—Pues eso hemos menester. Decíme, ¿es aquél?

RAMPÍN.—No, que él no trae señal, que es judío que tiene

---

[5] En la edición *Venecia 1528:* «sería», que no me parece muy coherente.

[6] Joaquín del Val corrige en «hinche», pero el verbo *henchir* (como aquí) conviene mejor que *hinchar*.

[7] *Vais* era forma corriente por «vayáis».

[8] Se precisará en el mamotreto siguiente la figura de este Trigo del que dice Rampín que «tomará la casa sobre sí» porque, como el judío es usurero, pagará el alquiler, o les avanzará una cantidad que les permita pagarlo.

[9] Parece que Lozana no ha oído lo que decía Rampín.

[10] *plático:* «con experiencia» (véase mam. V, nota 1).

[11] No solamente ricos, sino también lujuriosos.

favor, y lleva ropas de seda vendiendo, y ése no lleva sino ropa vieja y zulfaroles[12].

LOZANA.—¿Qué plaza es ésta?

RAMPÍN.—Aquí se llama Nagona, y si venís el miércoles veréis el mercado que, quizá desde que nacistes, no habés visto mejor orden en todas las cosas. Y mirá qué es lo que queréis, que no falta nada de cuantas cosas nacen en la tierra y en el agua, y cuantas cosas se pueden pensar que sean menester, abundantemente, como en Venecia y como en cualquier tierra de acarreo[13].

LOZANA.—Pues eso quiero yo que me mostréis. En Córdoba se hace los jueves, si bien me recuerdo:

> Jueves, era jueves,
> día de mercado,
> convidó Hernando
> los Comendadores[14].

¡Oh si me muriera cuando esta endecha oí! No lo quisiera tampoco, que bueno es vivir, quien vive loa el Señor. ¿Quién[15] son aquéllos que me miraron? Para ellos es el mundo, ¡y lóbregos

---

[12] *zulfaroles:* no he podido documentar esta palabra. Si se trata, como traduce Bonneau, de «chandelles soufrées» *(candelas sulfurosas,* traduce a su vez Damiani en *R. 75),* supongo que aludirían a las supersticiones de los judíos (véase mamotreto siguiente).

[13] *de acarreto* en *Venecia 1528.*

[14] Como indica Ugolini *(op. cit.,* pág. 511), estos versos están sacados del *Cantar de los Comendadores de Córdoba,* «bellísima endecha reproducida en la *Antología de poetas líricos castellanos* de Menéndez y Pelayo (Madrid, 1945)». Delicado entresaca dos versos del cantar, para combinarlos a su modo, uno de la última estrofa:

> *Jueves era, jueves, día de mercado*
> y en Santa Marina hacían rebato
> que Fernando dicen, el que es veinticuatro,
> había muerto a Jorge y a su hermano
> y a la sin ventura doña Beatriz,

y el segundo de la primera:

> Al comienzo malo de mis amores
> *convidó Fernando los Comendadores.*

El «si bien me recuerdo» de Lozana no debe hacernos olvidar el *modus operandi* de Delicado, ni cómo compilaba él.

[15] *quién:* era normal que no concordara en plural.

de aquéllos que van a pie, que van sudando! Y las mulas van a matacaballo, y sus mujeres llevan a las ancas!

RAMPÍN.—Eso de sus mujeres... son cortesanas, y ellos deben de ser grandes señores, pues mirá que por eso se dice[16]: Roma, triunfo de grandes señores, paraíso de putanas, purgatorio de jóvenes, infierno de todos, fatiga de bestias, engaño de pobres, peciguería[17] de bellacos.

LOZANA.—¿Qué predica aquél? Vamos allá.

RAMPÍN.—Predica cómo se tiene de perder Roma y destruirse el año del XXVII, mas dícelo burlando. Éste es Campo de Flor, aquí es, en medio de la cibdad. Estos son charlatanes[18], sacamuelas y gastapotras[19], que engañan a los villanos y a los que son nuevamente venidos, que aquí los llaman bisoños[20].

LOZANA.—¿Y con qué los engañan?

RAMPÍN.—¿Veis aquella raíz que él tiene en la mano? Está diciendo que quita el dolor de los dientes, y que lo dará por un bayoque, que es cuatro cuatrines. Hará más de ciento de aquéllos, si halla quien los compre tantos bayoques hará. ¡Y mirá el otro cuero hinchado[21], aquel papel que muestra! Está diciendo que tiene polvos para vermes, que son lombrices, y mirá qué priesa tiene, y después será cualque cosa que no vale un cuatrín, y dice mil faránduras[22] y, a la fin, todo nada. Vamos, que un loco hace ciento.

LOZANA.—¡Por mi vida, que no son locos! Decíme, ¿quién mejor sabio que quien sabe sacar dinero de bolsa ajena sin fatiga? ¡Qu'es aquello, que están allí tantos en torno a aquél?

RAMPÍN.—Son mozos que buscan amos.

---

[16] En la edición *Venecia 1528:* «se dice (Nota) Roma, triunfo...» que interpreto yo como algo digno de notarse, pero que también se puede interpretar, como hace Damiani: «se dice: Nota Roma, triunfo...», significando en este caso el adjetivo *nota* «notoria» *(R. 75,* pág. 153, nota 24). Tampoco es de descartar una lección: «se dice, notá *(notad),* Roma...».

[17] *peciguería:* del it. *pizzicheria,* «tienda, abacería» *(R. 75,* pág. 153, nota 25).

[18] Véase *supra,* mam. VII, nota 14.

[19] *Potra* es hernia en los testículos; *gastapotras* será el que las cura, pero la palabra es a todas luces despectiva.

[20] *bisoño:* la definición que da Rampín aquí no es exclusiva de otros sentidos de la palabra en la novela.

[21] *cuero hinchado:* «pellejo, odre», es decir «borracho».

[22] *faránduras* o *farándulas:* «mentiras, engaños».

LOZANA.—¿Y aquí vienen?

RAMPÍN.—Señora, sí. Veis allí do van con aquel caballero, que no ture[23] más el mal año que ellos turarán con él.

LOZANA.—¿Cómo lo sabéis vos? Aquella agüela de las otras lavanderas me lo dijo ayer, que cada día en esta tierra toman gente nueva.

RAMPÍN.—¿Qué sabe la puta vieja, cinturiona segundina?[24]. Cuando son buenos los familios y guardan la ropa de sus amos, no se parten cada día; mas si quieren ser ellos patrones de la ropa que sus amos trabajan, cierto es que los enviarán a Turullote[25]. Mirá, los mozos y las fantescas[26] son los que difaman las casas, que siempre van diciendo mal del patrón, y fuera de casa, para lo que hurtan. Y ellas quieren tener un amigo que venga de noche, y otramente no estarán, y la gran necesidad que tienen los amos se lo hacen comportar, y por eso mudan, pensando hallar mejor, y solamente son bien servidos el primer mes. No hay mayor fatiga en esta tierra que es mudar mozos, y no se curan, porque la tierra lo lleva, que si uno los deja, otro los ruega, y así ni los mozos hacen casa con dos solares[27], ni los amos los dejan sus herederos[28], como hacen en otras tierras. Pensá que yo he servido dos amos en tres meses, que estos zapatos de seda me dio el postrero, que era escudero y tiñié una puta, y comíamos comprado de la taberna, y ella

---

[23] *Turar:* «durar» (forma corriente).

[24] La lavandera del mam. XII es «Centuriona segundina», creo, por ser la segunda de Centurión, rufián en *La Celestina,* como otra es *Segunda Celestina* en otra obra conocida. O será Centuriona de segunda fila. (No me convence la traducción de Bonneau, que la ve «dos veces centenaria» para ponderar su edad avanzada: recordemos que tenía sesenta años.)

[25] *enviar a Turullote:* «mandar a paseo». Para Damiani, este Turullote sería el mismo Turullote «nombre de lugar fingido», del que hace mención Correas. Creo que tiene razón; *Turullote* podría derivar de «turullo», y ser, por consiguiente, forma más antigua que Turellote. En cuanto a *guardar la ropa,* no creo que signifique, como actualmente, «proceder con cautela... para obtener el mayor provecho» *(D. R. A. E.)* sino, más bien, «defender los intereses», algo así como el actual *guardar la capa.*

[26] *fantescas* (italiano): «criadas».

[27] *dos solares* deben de ser «dos pisos», como apunta Damiani *(R. 75,* pág. 156, nota 41).

[28] Los amos no dejan herencia a sus criados.

era golosa, y él pensaba que yo me comía unas sorbas[29] 'que habían quedado en la tabla, y por eso me despidió. Y como no hice partido con él, que estaba a discreción[30], no saqué sino estos zapatos a la francesa. Esperanza tenía que me había de hacer del bien si le sobraba a él[31].

LOZANA.—¿Y decísmelo de verdad? Luego ¿vos no sabéis que se dice que la esperanza es fruta de necios como vos, y majaderos como vuestro amo?

MAMOTRETO XVI

Cómo entran a la judería y ven las sinogas[1], *y cómo viene Trigo, judío, a ponelle casa.*

LOZANA.—Aquí bien huele, convite se debe hacer. ¡Por mi vida, que huele a porqueta asada![2].

RAMPÍN.—¿No veis que todos éstos son judíos, y es mañana sábado, que hacen el adafina? Mirá los braseros y las ollas encima.

LOZANA.—¡Sí, por vuestra vida! Ellos sabios[3] en guisar a carbón, que no hay tal comer como lo que se cocina a fuego de carbón y en olla de tierra. Decíme, ¿qué es aquella casa que tantos entran?

RAMPÍN.—Vamos allá y vello hés[4]. Ésta es sinoga de catalanes, y ésta de abajo es de mujeres. Y allí son tudescos, y la

---

[29] *sorbas:* «serbas», especie de peras.

[30] *no hice partido con él... estaba a discreción, (i.e.: discreción):* «no hice contrato detallado»... «me daba lo que quería».

[31] La relación amos-mozos que evoca aquí Rampín en nivel general y a través de su caso personal tiene un inimitable tono de censura social; recuerda las aventuras de los pícaros ulteriores, especialmente, en algunos aspectos, a Lazarillo de Tormes.

[1] *sinoga,* forma corriente, «sinagoga».

[2] *huele a porqueta asada:* no creo que la *porqueta* sea aquí el crustáceo conocido con este nombre, sino, como apunta Damiani, un italianismo por «cochinillo guisado con especias» *(R. 75,* pág. 157), o sea «lechoncillo». Tiene gracia la exclamación de Lozana, porque la prohibición para los judíos de esta carne es uno de los temas abordados varias veces en la novela.

[3] Debe de faltar el verbo.

[4] *vello hés:* forma de futuro ya mencionada; «lo veréis».

otra franceses, y ésta de romanescos[5] e italianos, que son los más necios judíos que todas las otras naciones, que tiran al gentílico[6] y no saben su ley. Más saben los nuestros españoles que todos, porque hay entre ellos letrados y ricos y son muy resabidos[7]. Mirá allá donde están. ¿Qué os parece? Ésta se lleva la flor. Aquellos dos son muy amigos nuestros, y sus mujeres las conozco yo, que van por Roma vezando oraciones para quien se ha de casar, y ayunos a las mozas para que paran el primer año.

LOZANA.—Yo sé mejor que no ellas hacer eso espeso[8] con el plomo derretido. Por ahí no me llevarán, que las moras de Levante me vezaron engañar bobas[9]. En una cosa de vidrio, como es un orinal bien limpio, y la clara de un huevo, les haré ver maravillas para sacar dinero de bolsa ajena diciendo los hurtos.

RAMPÍN.—Si yo sabía eso cuando me hurtaron unos guantes que yo los había tomado a aquel mi amo, por mi salario, fueran agora para vos, que eran muy lindos. Y una piedra se le cayó a su amiga, y halléla, veisla aquí; que ha espendido[10] dos ducados en judíos que endevinasen, y no le han sabido decir que yo la tenía[11].

---

[5] *romanesco:* «romano» (está en el *Tesoro* de Covarrubias, *s. v. Roma*).

[6] *gentílico:* En el *D. R. A. E.* es solamente adjetivo («de paganos»), pero Rampín lo usa como sustantivo.

[7] En la cumbre de la jerarquía de los judíos están los judíos españoles (con sus mujeres, como prueba lo que sigue). Pero los valores de que aquí se trata son enteramente negativos para la ideología cristiana de la época *[resabido,* «el que sabe para mal», se ha comentado ya a propósito de Aldonza en la Introducción]. Las actividades de las mujeres, que Rampín evoca a continuación, confirman la condena implícita en las alabanzas del joven (procedimiento de ironía).

[8] *espeso:* a pesar de la ambigüedad, creo que significa aquí, como en otros casos, «a menudo».

[9] *Por ahí no me llevarán... engañar bobas:* Lozana, pues, se estima superior; y confirma cómo hay que apreciar las habilidades de las judías amigas de Rampín (Dime con quién andas...). También se delata Lozana a sí misma, denunciando el valor de sus propias artes adivinatorias o de bruja (el plomo derretido, la clara de huevo en el orinal).

[10] *espender:* «gastar».

[11] Bien patente queda la charlatanería de los judíos; en cuanto a Rampín, ladrón de poca monta, éste es en toda la novela el único hurto de algún valor que comete: pero, como se ve, ha sido más por oportunidad que por talento.

LOZANA.—Mostrá. ¡Éste, diamante es! Vendámoslo, y diré yo que lo traigo de Levante.

RAMPÍN.—Sea ansí. Vamos al mesmo jodío, que se llama Trigo [12]. ¿Veislo?, allá sale; vamos tras él, que aquí no hablará si no dice la primera palabra «oro», porque lo tienen por buen agüero [13].

LOZANA.—¿No es oro lo que oro vale?

TRIGO.—¿Qué es eso que decís, señora ginovesa? [14]. El buen jodío, de la paja hace oro. Ya no me puede faltar el Dio, pues que de oro habló [15].

—Y vos, pariente [16], ¿qué buscáis? ¿Venís con esta señora? ¿Qué ha menester? Que ya sabéis vos que todo se remediará,

---

[12] Nótese la insistencia sobre el nombre del judío. Los editores de *R. 75* apuntan que el personaje «podría ser real, puesto que un *Tregus hebreus* aparece en la *Descriptio Urbis* de Gnoli» (pág. 151, nota 14). No puedo descartar la posibilidad de que aquel Tregus sirviera de punto de partida a Delicado para elaborar su personaje; sin embargo, ¿qué razón tendría para traducir su nombre al español, escogiendo una palabra significativa? Tregus podía españolizarse en Trego, sin más, porque, aparte de la paronimia, no hay razón lingüística alguna para que se convierta en «trigo» (del lat. *triticum*). Yo creo, por consiguiente, que el nombre, con esta forma, participa también de la caricatura antisemítica (véanse notas siguientes).

[13] Sátira de la superstición plutófila de los judíos (cfr. el becerro de oro). Es significativo el paso al plural («lo *tienen* por buen agüero») que generaliza a toda la «ralea» (como se dice en otra parte de la novela) el comportamiento de Trigo, judío español *ejemplar* (y véase cómo se ilustra aquí la opinión de Rampín, expuesta más arriba, de que «más saben los nuestros españoles que todos», después de decir que otros «no saben su ley».

[14] Recuérdese que Lozana, desde que desembarcó en Liorna y vino a Roma, va vestida así.

[15] El mismo Trigo confiesa sin ambages su adoración del becerro de oro, con la frase a imitación de refrán que implica maliciosamente su nombre: El buen judío de la paja («trigo») hace oro («trigo»). En la asimilación Dios-oro que practica Trigo, tampoco es inocente la forma judaizante que permite un juego de palabras: *Dios* ↔ *El Dio* ↔ *él dio*.

[16] *pariente*: «tratamiento entre amigos y conocidos», según *R. 75* (pág. 160, nota 16), pero conste que Trigo es uno de los pocos que tratan así a Rampín (dos veces) y, en razón de lo que se sabe de éste, judío también, quizás haya que tomar el parentesco que expresa la palabra al pie de la letra. Para subrayar el origen judío de Lozana, se dice también que es *parienta* del Ropero (pero, en este caso, no es vocativo).

porque su cara muestra que es persona de bien[17]. Vamos a mi casa; entrá.

—¡Tina! ¡Tina! ¡Ven abajo, daca un cojín para esta señora, y apareja que coman algo de bueno!

LOZANA.—No aparejés nada, que hemos comido.

JODÍO.—Haga buen pro, como hizo a Jacó[18].

LOZANA.—Hermano, ¿qué le diremos primero?

RAMPÍN.—Decilde de la piedra.

LOZANA.—¿Veis aquí? Querría vender esta joya.

JODÍO.—¿Esto en la mano lo tenéis? Buen diamante fino parece.

LOZANA.—¿Qué podrá valer?

JODÍO.—Yo's diré; si fuese aquí cualque gran señor veneciano que lo tomase, presto haríamos a despachallo. Vos, ¿en qué precio lo tenéis?

LOZANA.—En veinte ducados.

JODÍO.—No los hallaréis por él, mas yo's diré. Quédeseme acá hasta mañana, y veremos de serviros que, cuando halláremos quien quiera desbolsar diez, será maravilla.

RAMPÍN.—Mirá, si los halláis luego, daldo.

JODÍO.—Esperáme aquí. ¿Traés otra cosa de joyas?

LOZANA.—No agora.

RAMPÍN.—¿Veis qué judío tan diligente? ¿Veislo?, aquí torna[19].

---

[17] El judío es perspicaz, y por eso «la publicará entre hombres de bien» (ver mam. XV, nota 11).

[18] *Jacó:* Jacob. La nota 17, pág. 160, de *R. 75* comenta la frase: «tiene visos de refrán, o de dicho judaico», precisando que entre las numerosas referencias laudatorias a Jacob que se hallan en el Génesis», XXVII, ninguna se parece al dicho en cuestión. Pero yo lo interpreto más bien como otra broma; en efecto, el plato que le hizo provecho a Jacob fueron aquellas famosas lentejas con las que compró a su hermano el derecho de primogenitura, plato pues que *no se comió él;* y conste que Lozana tampoco come en casa del judío. Este refrán de Trigo recuerda, *mutatis mutandis,* ese otro que censura la avaricia de los toledanos: «El convite del toledano, bebiésedes si hubiésedes comido». Por otra parte, nadie puede dudar que Jacob sea referencia suprema para los judíos puesto que sus doce hijos dieron sus nombres a las doce tribus de Israel. De Jacob, volveré a hablar a propósito del mam. LV.

[19] En *Venecia 1528,* se lee:

Lozana.—No agora. ¿Veis que jodío tan diligente?
Rampín.—¿Veislo?, aquí torna.

Jodío.—Señora, ya se ha mirado y visto. El platero da seis solamente y, si no, veislo aquí sano y salvo, y no dará más, y aun dice que vos me habéis de pagar mi fatiga o corretaje. Y dijo que tornase luego; si no, que no daría después un cuatrín.

Lozana.—Dé siete, y págueos a vos, que yo también haré mi débito.

Jodío.—D'esa manera, ocho serán.

Lozana.—¿A qué modo?

Jodío.—Siete por la piedra, y uno a mí por el corretaje, caro sería, y el primer lance no se debe perder, que cinco ducados buenos son en Roma.

Lozana.—¿Cómo cinco?

Jodío.—Si me pagáis a mí uno, no le quedan a vuestra merced sino cinco, que es el caudal de un judío[20].

Rampín.—Vaya, déselo, que estos jodíos, si se arrepienten, no haremos nada.

—Andá, Trigo, daldo y mirá si podéis sacalle más.

Jodío.—Eso, por amor de vos, lo trabajaré yo.

Rampín.—Vení presto.

Lozana.—Mirá qué casa tiene este judío. Este tabardo quiero que me cambie.

Rampín.—Sí hará. ¿Veislo? Viene.

Jodío.—Ya se era ido, hecístesme detener; agora no hallaré quien lo tome sino fiado.

—¡Tina! Ven acá, dame tres ducados de la caja, que mañana yo me fatigaré aunque sepa[21] perder cualque cosilla.

—Señora, ¿dó moráis, para que os lleve el resto? Y mirá qué otra cosa[22] os puedo yo servir.

Lozana.—Este mancebito me dice que os conoce y que sois muy bueno y muy honrado.

Jodío.—Honrados días viváis vos y él.

Lozana.—Yo no tengo casa; vos me habéis de remediar de vuestra mano.

Jodío.—Sí, bien ¿Y a qué parte la queréis de Roma?

Pero supongo que es un error material, y sigo a Joaquín del Val que propone la enmienda que restaura la lógica del discurso.

[20] No entiendo bien la alusión. ¿Querrá decir que un judío no tiene más de cinco ducados, o que no quiere dar más?

[21] El verbo *saber* aparece frecuentemente en *La Lozana* con el valor de *poder,* o de *deber* (como aquí).

[22] Es decir: «en qué otra cosa».

LOZANA.—Do veáis vos que estaré mejor.

JODÍO.—Dejá hacer a mí. Vení vos comigo, que sois hombre.

—¡Tina! Apareja un almofrej o matalace y un jergón limpio y esa silla pintada y aquel forcel[23].

TINA.—¿Qué forcel? No's entiendo.

JODÍO.—Aquel que me daba diez y ocho carlines por él la portuguesa que vino aquí ayer.

TINA.—¡Ya, ya!

JODÍO.—¿Queréis mudar vestidos?

LOZANA.—Sí, también.

JODÍO.—Dejáme hacer[24], que esto os está mejor; volveos. Si para vos se hiciera, no estuviera más a propósito. Esperá.

—¡Tina! Daca aquel paño listado que compré de la Imperia[25], que yo te la haré a esta señora única en Roma.

LOZANA.—No curéis, que todo se pagará.

JODÍO.—Todo os dice bien; si no fuese por esa picadura de mosca[26], gracia tenéis vos, que vale más que todo.

LOZANA.—Yo haré de modo que cegará quien bien me quisiere, que los duelos con pan son buenos[27]; nunca me mataré por nadie.

JODÍO.—Procurá vos de no haber menester a ninguno, que, como dice el judío, no me veas mal pasar, que no me verás pelear[28].

LOZANA.—Son locuras decir eso.

JODÍO.—Mirá por qué lo digo, porque yo querría, si pudiese ser, que hoy en este día fuésedes rica.

LOZANA.—¿Es el culantro hervir, hervir?[29].

---

23 *Forcel:* «itmo; arca, caja» (ver *R. 75,* pág. 163, nota 27).

24 Otra vez, la técnica de ruptura entre las escenas; hay que imaginar a Lozana probándose vestidos.

25 *Imperia:* personaje que vuelve a aparecer más lejos (mam. XL).

26 Se refiere, con este eufemismo, a la estrella en la frente de Lozana, huella de la sífilis.

27 Refrán conocido, pero aquí de doble sentido, en razón del empleo particular, en *La Lozana,* de *duelo* («aflicción» o «batalla») y de *pan* («alimento» o «sexo»). Se verán más ejemplos.

28 Alusión a la cobardía de los judíos, proverbial entre cristianos en aquella época.

29 Otro juego verde: *culantro,* «planta», pero además, derivado jocoso de «culo». Así alude Lozana a su actividad profesional, teniendo bastante gracia este símil culinario de culantro puesto a calentar a fuego vivo, desde el primer día de su instalación, para poder reembolsar al judío.

JODÍO.—Por vida d'esa cara honrada, que más valéis que pensáis! Vamos a traer un ganapán que lleve todo esto.

RAMPÍN.—Veis allí uno, llamaldo vos, que la casa yo sé do está. Tres tanto[30] parecéis mejor d'esa manera. Id vos delante, buen judío, que nosotros nos iremos tras vos.

JODÍO.—¿Y dónde es esa casa que decís?

RAMPÍN.—A la Aduana.

JODÍO.—Bueno, ansí gocen de vos; pues no tardéis, que yo la pagaré. Y esta escoba para limpialla con buena manderecha[31].

MAMOTRETO XVII

Información que interpone el autor para que se entienda lo que adelante ha de seguir[1].

AUCTOR.—El que siembra alguna virtud coge fama; quien dice la verdá cobra odio[2]. Por eso, notad[3]: estando escribien-

---

[30] *tres tanto:* «tres veces más».

[31] *buena manderecha:* «buena suerte», otra alusión a la superstición del judío.

[1] Es notable la situación de este mamotreto para apreciar la construcción temporal del *Retrato de la Lozana Andaluza,* porque varios indicios permiten saber que este encuentro del autor y Rampín tiene lugar después de las bodas de éste y Lozana, o sea: narrativamente estamos aún al principio de la novela, pero temporalmente al final.

[2] Al ensartar dos sentencias, un refrán y una cita clásica, el autor hace caso omiso de un miembro de ésta. El refrán está recogido por Correas: «Quien siembra virtud, coge fama» (398; Combet completa el refranero con esta aportación de P. Vallés). Ugolini indica la procedencia de la cita: «E' proverbio derivato dall'*Andria* di Terenzio *(veritas odium parit).*» Pero no creo excesivo citar toda la sentencia latina para que se vea lo que Delicado hace con sus fuentes: «Obsequium amicos, veritas odium parit» *(Andria,* I, 1, v, 41). En realidad el autor no ha perdido de vista la primera parte de la sentencia (que «la complacencia hace a los buenos amigos») aunque no la cita directamente, pues explica a Rampín casi a continuación que se calla muchas cosas en su *Retrato* para que Lozana no se enoje. Es decir que, en este caso, el comportamiento del autor *corresponde a la parte ausente de la sentencia,* sustituida por el refrán; he aquí compilación a lo Delicado.

[3] Notemos nosotros que este *por eso, notad* no enlaza con lo que

250

do el pasado capítulo, del dolor del pie[4] dejé este cuaderno sobre la tabla, y entró Rampín y dijo: ¿Qué testamento es éste?

Púsolo a enjugar[5] y dijo: Yo venía a que fuésedes a casa, y veréis más de diez putas, y quien se quita las cejas, y quien se pela lo suyo. Y como la Lozana no es estada buena jamás de su mal, el pelador no tenía harta atanquía, que todo era calcina[6]. Hase quemado una boloñesa todo el pegujar[7], y posímosle buturo[8] y dímosle a entender que eran blanduras; allí dejó dos julios, aunque le pesó. Vení, que reiréis con la hornera que está allí, y dice que trajo a su hija virgen a Roma, salvo que con el palo o cabo de la pala la desvirgó; y miente, que el sacristán con el cirio pascual[9] se lo abrió.

AUCTOR.—¿Cómo? ¿Y su madre la trajo a Roma?

RAMPÍN.—Señor, sí, para ganar, que era pobre. También la

---

inmediatamente sigue sino con el comportamiento expuesto en la nota anterior y que aparece de nuevo más adelante.

[4] *dolor del pie:* su querida es la que tiene que sanarle al autor, si se da crédito a Rampín.

[5] Supongo que Rampín echaría polvos secantes en el papel o pergamino.

[6] La frase no me parece muy clara; el *pelador* es un emplasto depilatorio que lleva *atanquía,* es decir, según el *D. R. A. E.* (s. v.): «ungüento depilatorio comúnmente compuesto de cal viva, aceite, y otras cosas». La atanquía es, por consiguiente, un ingrediente complejo, que lleva cal viva, la cual se llama también *calcina,* producto éste de algún peligro, como explica la misma Lozana; «aquí, do me lo posistes se me ha hinchado, y es cosa sucia» (XIV). Ahora bien, dado el estado de las cejas y del pubis de Lozana («lo suyo»), la atanquía no llevaba más que calcina, y por eso ya no merecía su nombre. Pero quizás quepa otra interpretación: *todo era calcina* no se referiría a la composición del pelador, sino directamente al sistema piloso de Lozana, inexistente a causa de la enfermedad venérea, calcinado, reducido a polvo, lo que explicaría que la atanquía fuera superflua para ella.

[7] *el pegujar:* «aquella heredad que Dios le dio entre las piernas», como se lee en el *C. O. B.*

[8] *buturo:* ital., «mantequilla».

[9] *cirio,* cuyos efectos evocó Góngora en una letrilla:

> Que, por parir, mil loquillas
> enciendan mil candelillas,
> *bien puede ser;*
> mas que, público o secreto,
> no haga algún cirio efeto,
> *no puede ser.*

Según la Academia, el cirio pascual es «el muy grueso».

otra vuestra muy querida dice que ella os sanará[10]. Mirá que quieren hacer berengenas en conserva, que aquí llevo clavos de gelofe[11], mas no a mis expensas, que también sé yo hacer del necio, y después todo se queda en casa. ¿Queréis venir? Que todo el mal se os quitará si las veis.

AUCTOR.—No quiero ir, que el tiempo me da pena; pero decí a la Lozana que un tiempo fue que no me hiciera ella esos arrumacos, que ya veo que os envía ella, y no quiero ir porque dicen después que no hago sino mirar y notar lo que pasa para escrebir después, y que saco dechados[12]. ¿Piensan que si quisiese decir todas las cosas que he visto, que no sé mejor replicallas[13] que vos, que ha tantos años que estáis en su compañía[14]. Mas soyle yo servidor como ella sabe, y es de mi tierra o cerca d'ella, y no la quiero enojar[15]. ¿Y a vos no's conocí yo en tiempo de Julio segundo[16] en plaza Nagona, cuando sirviédes al señor canónigo?

RAMPÍN.—Verdad decís, mas estuve poco.

AUCTOR.—Eso, poco: allí os vi moliendo no sé qué[17].

RAMPÍN.—Sí, sí, verdad decís. ¡Oh buena casa y venturosa! Más ganaba ella entonces allí[18], que agora, la meitad, porque

---

[10] Del dolor del pie (véase anteriormente, nota 4).

[11] *clavo de gelofe:* «clavo de especia» («de giroflé»).

[12] *dechados:* nótese que esta palabra apunta a las ideas de *ejemplaridad* y de *imitación* (cfr. *Retrato, mamotreto, compilación).* Apoyarse en ella, como se ha dicho, para afirmar la realidad y naturalidad del «retrato» me parece abusivo.

[13] *replicallas:* «replicarlas», es decir presentar una réplica o copia fiel: pero no quiere.

[14] No puede caber duda: el principio tiene que considerarse desde el fin.

[15] Véase anteriormente, nota 2.

[16] Julio II, Papa de 1503 a 1513. Hay una inconsecuencia en la evocación (véase abajo, nota 18).

[17] No estoy de acuerdo con M. Morreale que critica esta puntuación de Damiani (a quien sigo), pensando que sería más satisfactoria la frase «eso poco allí os vi moliendo no sé qué». Pero si se interpreta *eso poco* como «ese poco» ¿de qué sirve el «no sé qué»? En cuanto a *moliendo,* remite a las actividades básicas de Rampín; «mascar» o «comer», «moler solimán», «incordiar» y, desde luego, a su mano de mortero.

[18] ¿Quién es *ella?* ¿Lozana? No creo que pueda ser otra. Y sin embargo ella no podía estar con Rampín «allí», es decir en casa del canónigo, en tiempos de Julio II (cfr. nota 15), puesto que llegó a Roma el mismo día de la coronación de León X, o poco antes (véase mamo-

pasaban ellas desimuladas, y se entraban allí, calla callando[19].
¡Mal año para la de los Ríos, aunque fue muy famosa.

AUCTOR.—¡Mirá qué le aconteció![20].

RAMPÍN.—No ha cuatro días vino allí una mujer lombarda, que son bobas[21], y era ya de tiempo, y dijo que la remediase que ella lo pagaría[22], y dijo: —Señora, un palafrenero que tiene mi amistad no viene a mi casa más ha de un mes. Quería saber si se ha envuelto con otra. Cuando ella oyó esto, me llamó y dijo: —Dame acá aquel espejo de alinde[23]. Y miró y respondióle: —Señora, aquí es menester otra cosa que palabras; si me traés las cosas que fueren menester, serés servida. La lombarda dijo: —Señora, ved aquí cinco julios. La Lozana dijo: —Pues andá vos, Rampín. Yo tomé mis dineros, y traigo un

---

treto VI, nota 2); en realidad, el único canónigo para quien trabajó Lozana afanosamente (a tal punto que la «empreñó») es el del mam. XXIII, mayordomo o administrador de una cortesana, al principio de las aventuras romanas de la protagonista. Tenemos que concluir que la memoria del autor (o la de Rampín) no es muy fidedigna, y que «lo que oyó y vio» no puede ser garantía de lo que dice o escribe, y eso que no quiere decir «lo que oye ni ve», por ser él servidor de sus amigos (particularmente de Lozana): «obsequium amicos [parit]».

[19] Rampín confirma que la Lozana ya no es lo que solía ser, pues gana solamente la mitad de lo que ganara en tiempos del canónigo (cfr. mam. LXVI). Pero Delicado deja suponer, además, que la prostitución oculta o secreta es de mejor rendimiento, para las medianeras, que la pública.

[20] No se sabe lo que le pasó a *la de los Ríos* que tanto sufrió de su rivalidad comercial con Lozana, pero es de suponer que fue aquélla la época en que vino a menos, sin remedio, *como las sucede a todas:* Seguramente que, como la Galán portuguesa y otras, «non proposuit Deum ante conspectum suum» (véase XLIX y argumento de este mamotreto XVII).

[21] Esta mujer se llama Pelegrina; véase el mam. LXIII, y compárese, que no carece de gracia. Para la organización temporal de la novela es interesante la mención «ha cuatro días» que permite situar mejor, aunque no con absoluta precisión, este mamotreto XVII.

[22] La lombarda estaba preñada («estaba ya de tiempo»), pero no se había dado cuenta (porque «son bobas»), y quería que Lozana la remediase (para poder tener un hijo, que no creía estar embarazada)... ¡y pagó! (véanse detalles, mam. LXIII). Conste que, en este caso, no miente el autor cuando dice que interpone información para que se entienda lo que en adelante ha de seguir. Por otra parte, en la edición de Venecia falta delante de esta frase la acotación «Rampín».

[23] *espejo de alinde:* «espejo de aumento».

maravedí de plomo[24], y vengo y digo que no hay leña, sino carbón, y que costó más, y ella dijo que no se curaba. Yo hice buen fuego, que teníamos de asar un ansarón para cenar, que venía allí una putilla con su amigo a cena, y ansí la hizo desnudar, que era el mayor deporte del mundo, y le echó el plomo por debajo, en tierra, y ella en cueros. Y mirando en el plomo, le dijo que no tenía otro mal sino que estaba detenido, pero que no se podía saber si era de mujer o de otrie, que tornase otro día y veríalo de más espacio[25]. Dijo ella: —¿Qué mandáis que traiga? Lozana: —Una gallina negra y un gallo que sea de un año, y siete huevos que sean todos nacidos aquel día, y tráeme una cosa suya. Dijo ella: —¿Traeré una agujeta e una escofia?[26]. La Lozana: —Sí, sí. Y sorraba mi perrica[27]. Era el mayor deporte del mundo vella cómo estaba hecha una estatua. Y más contenta viene otro día cargada, e trajo otros dos julios, y metió ella la clara de un huevo en un orinal, y allí le demostró cómo él estaba abrazado con otra que tenía una vestidura azul. Y hecímosle matar la gallina y lingar el gallo con su estringa, y así le dimos a entender que la otra presto moriría, y que él quedaba ligado con ella y no con la otra, y que presto vernía[28]. Y ansí se fue, y nosotros comimos una capirotada con muncho queso.

AUCTOR.—A ésa me quisiera yo hallar.

RAMPÍN.—Vení a casa, que también habrá para vos.

AUCTOR.—¡Andá, puerco![29].

---

[24] Aplicación de una receta (expuesta en el mam. XVI), en realidad una treta (en la que Lozana supera a las mismas judías) que sirve para engañar bobas.

[25] *si era de mujer o de otrie:* «si era a causa de una mujer o de otra cosa». *De más espacio:* «más detenidamente».

[26] A pesar de que es boba, conoce el simbolismo de ciertas cosas, la *agujeta* para el macho y la *cofia* para la hembra.

[27] *Perra (o perrica)* sigue empleándose aún en el habla familiar colombiana para referirse al falo. *Sorrabar* es, según la Academia, «quitar o cortar el rabo», pero para Cejador *(Vocabulario)* significa «mirar al animal debajo del rabo»; en todo caso *sorraba mi perrica* (en imperativo, pues) debe de ser expresión para indicar que se deja a uno chasqueado.

[28] Vendría presto el amante inconstante a reunirse con su boba porque ella había hecho un conjuro que consistía en «matar la gallina» (a la mujer rival, simbólicamente) y «lingar (o ligar) al gallo» (a su hombre) con la «estringa» (o: agujeta de sujetar las bragas).

[29] Parece gratuito el insulto, a no ser que Rampín hiciera su invitación con doble intención (como corresponde a su fundamental dupli-

254

RAMPÍN.—¡Tanto es Pedro de Dios...

AUCTOR.—... que no te medre Dios![30].

RAMPÍN.—Vení vos y veréis el gallo, que para otro día lo tenemos.

AUCTOR.—Pues sea ansí, que me llaméis, y yo pagaré el vino.

RAMPÍN.—Sí haré. Saná presto. ¿No queréis vos hacer lo que hizo ella para su mal, que no cuesta sino dos ducados? Que por su fatiga no quería ella nada, que todo sería un par de calzas para esta invernada. Mirá, ya ha sanado en Velitre[31] a un español de lo suyo, y a cabo de ocho días se lo quiso hacer, y era persona que no perdiera nada[32], y porque andaban entonces por desposarnos a mí y a ella, porque cesase la peste, no lo hizo.

AUCTOR.—¡Anda, que eres bobo! Que ya sé quién es y se lo hizo, y le dio un tabardo o caparela para que se desposase[33]; ella misma nos lo contó.

RAMPÍN.—¿Pues veis ahí por qué[34] lo sanó?

AUCTOR.—Eso pudo ser por gracia de Dios.

RAMPÍN.—Señor, no, sino con su ungüento. Son más de cua-

---

cidad), pero hay que reconocer que todos están de acuerdo para llamarle así, o con sinónimos.

[30] Otra ilustración del *modus operandi* delicadiano son estas dos réplicas de origen paremiológico:

—Tanto es Pedro de Dios, que no le medra Dios.
—Tanto es Pedro de bueno, que hiede a enfermo (Correas, 493, b).

El segundo juega con la palabra «bueno» [condición y salud], pero no ilustra demasiado mal al primero.

En este pasaje de *La Lozana,* Rampín quiere insinuar que el *auctor* no se da cuenta de lo bueno que es, que por eso le insulta (en oposición a *medrar);* pero el autor le coge las vueltas, insistiendo en su maldecir (con el optativo: ¡que no te medre!)

[31] *Velitre (Belitre):* «Vellitri, ciudad cerca de Roma» (Damiani).

[32] Entiéndase: al cabo de ocho días, el español quiso acostarse con Lozana, y él era persona tal que ella no hubiera perdido nada (o sea, hubiera ganado bastante). Añádase que, con lo que dice aquí Rampín, no puede haber duda sobre la naturaleza del dolor de *el Auctor,* ni sobre lo que llamó *pie* al principio del mamotreto.

[33] De las mujeres como Lozana se dijo: «arras y boda del culo de la novia»; por algo la bautiza el autor *Alaroza.*

[34] *por qué:* aquí «cómo», «con qué remedio», «por qué vía». Es muy *bueno* Rampín, y no se extraña ni enfada de que su Lozana recurra a esos medios.

tro que la ruegan, y porque no sea lo de Faustina, que la tomó
por muerta y la sanó, y después no la quiso pagar, dijo que un
voto que hizo la sanó y diole el pago, nunca más empacharse
con romanescas[35].

AUCTOR.—Ora andad en buena hora y encomendámela, y a
la otra desvirgaviejos, que soy todo suyo. ¡Válaos Dios!

RAMPÍN.—No, que no caí.

AUCTOR.—¡Teneos bien, que está peligrosa esa escalera!
¿Caíste? ¡Válate el diablo!

RAMPÍN.—¡Agora sí que caí![36].

AUCTOR.—¿Hecístes os mal? Poneos este paño de cabeza.

RAMPÍN.—Ansí me iré hasta casa que me ensalme.

AUCTOR.—¿Qué ensalmo te dirá?[37].

RAMPÍN.—El del mal francorum.

AUCTOR.—¿Cómo dice?

RAMPÍN.—Eran tres cortesanas y tenían tres amigos pajes
de Franquilano[38], la una lo tiene público, y la otra muy callado; a la otra le vuelta con el lunario[39]. Quien esta oración dijere tres veces a rimano, cuando nace sea sano, amén.

---

[35] Parece que Lozana sanó a Faustina que estaba en las últimas,
pero ésta no la quiso pagar, con el pretexto de que había sanado gracias a un voto que había hecho, por el cual dio el correspondiente pago
(la edición *Venecia 1528* trae: *el paga*). Visto lo cual, Lozana, para que
no vuelva a suceder tal contrariedad, no quiere ya tratar con romanas.

[36] Nótese la insistencia sobre la caída de Rampín. Habrá otras.

[37] *ensalmo:* la edición *Venecia 1528* da «ensalme».

[38] *Franquilano:* me parece muy pertinente la nota 44, pág. 171, de
R. 75: «Puede tener alguna asonancia con *franco[rum]*, pero podría
ser también referencia a una ramera llamada Franquilana que hallamos mencionado en el mam. XXI, quizá comó derivación de la Fran-
quila de la *Thebayda*.

[39] Si no entiendo mal, le vuelve su amigo al ritmo de las lunaciones
(de un posible *voltar* por «volver», y *lunario,* «almanaque de las
lunaciones»).

Prosigue el auctor, tomando al décimosexto mamotreto, que, veniendo de la judaica, dice Rampín:

—Si aquel jodío no se adelantara, esta celosía se vende, y fuera buena para una ventana. Y es gran reputación tener celosía.

LOZANA.—¿Y en qué veis que se vende?

RAMPÍN.—Porque tiene aquel ramico verde puesto, que aquí a los caballos o a lo que quieren vender le ponen una hoja verde sobre las orejas.

LOZANA.—Para eso mejor será poner el ramo sin la celosía, y venderemos mejor.

RAMPÍN.—¿Más ramo queréis que Trigo, que lo dirá por cuantas casas de señores hay en Roma?[1]

LOZANA.—Pues veis ahí, a vos quiero yo que seáis mi celosía, que yo no tengo de ponerme a la ventana, sino, cuando muncho, asomaré las manos[2]. ¡Oh qué lindas son aquellas dos mujeres! Por mi vida, que son como matronas; no he visto en mi vida cosa más honrada, ni más honesta.

RAMPÍN.—Son romanas principales.

LOZANA.—Pues ¿cómo van tan solas?

RAMPÍN.—Porque ansí lo usan. Cuando van ellas fuera, unas a otras se acompañan, salvo cuando va una sola, que lleva una sierva, mas no hombres, ni más[3] mujeres, aunque sea la mejor de Roma. Y mirá que van sesgas[4]; y aunque vean a uno que conozcan, no le hablan en la calle, sino que se apartan ellos y callan, y ellas no abajan cabeza ni hacen mudanza, aunque sea su padre ni su marido.

---

[1] Delicado se divierte aquí a base de esta costumbre romana, con la etimología de *ramera* («empezó siendo una prostituta disimulada que, fingiendo tener taberna, ponía ramo en su puerta», según Corominas), propiamente «meretriz» porque se vende (o se *merca*).

[2] Criado de Val recuerda aquí la contaminación erótica de la palabra *mano*.

[3] *ni más:* ni otras (espíritu de casta: las romanas principales no salen a la calle más que en compañía de sus iguales o seguidas de una criada, pero no quieren que otras las acompañen).

[4] *sesgas:* «graves» (D. Ṙ. A. E.).

LOZANA.—¡Oh qué lindas que son! Pasan a cuantas naciones yo he visto, y aun a Violante, la hermosa, en Córdoba.

RAMPÍN.—Por eso dicen: Vulto romano y cuerpo senés, andar florentín y parlar boloñés[5].

LOZANA.—¡Por mi vida, que en esto tienen razón! Esotro miraré después. Verdad es que las senesas son gentiles de cuerpo, porque las he visto que sus cuerpos parecen torres iguales. Mirá allá cuál viene aquella vieja cargada de cuentas y más barbas que el Cid Ruy Díaz.

VIEJA.—¡Ay, mi alma, parece que os he visto y no sé dónde! ¿Por qué habéis mudado vestidos? No me recordaba. ¡Ya, ya! Decíme, ¿y habéisos hecho puta? ¡Amarga de vos, que no lo podrés sufrir, que es gran trabajo!

LOZANA.—¡Mirá qué vieja raposa! ¡Por vuestro mal sacáis el ajeno: puta, vieja, cimitarra, piltrofera[6], soislo vos dende que nacistes, y pésaos porque no podéis! ¡Nunca yo medre si vos decís todas esas cuentas!

VIEJA.—No lo digáis, hija, que cada día los paso siete y siete, con su gloria al cabo[7].

---

[5] En *R. 75* se cita una variante de este refrán, sacado del *refranero* de Rodríguez Marín: «tocado romano, vulto senés [i. e.: «rostro» o «cara» de los o las de Siena], andar florentín, y parlar boloñés». No sé si la versión de Delicado es la original, como tendría que ser, puesto que tiene por costumbre destrozar o torcer el material paremiológico que usa, aunque no siempre. Pero me pregunto si, como dice Correas, no lleva pulla este refrán, porque el *parlar boloñés* podría muy bien remitir a la célebre universidad de Bolonia, creada en el siglo XIV por el cardenal de Toledo, teniendo pronto fama los colegiales de Bolonia, en un principio de engreídos, y después de necios (cfr. la expresión «ser uno un bolonio»).

[6] *puta vieja, cimitarra, piltrofera:* en *R. 75* se comentan *cimitarra* (notas 13 y 14, pág. 173): «hay que tomar la palabra en el sentido metafórico de mordaz»; y *piltrofera:* «pitoflera», «mujer entremetida» (Academia, y J. Ruiz, 309, 784). Pero Margherite Morreale apunta la posibilidad de que *cimitarra* sea uno de los nombres de la alcahueta; y Ugolini relaciona con *piltra* (en germanía, «mozo de rufián», y *piltraca* («ramera» en el *Lazarillo* de Luna), la voz *piltrofera*. Me inclino a pensar que *puta vieja, cimitarra* y *piltrofera* son tres sinónimos.
Para un comentario sobre el pasaje, desde «¡Ay, mi alma...» véase Introducción, pág. 123.

[7] Ahí se ve de dónde pudo proceder la contaminación ya señalada de *devota:* este personaje de «puta vieja barbuda» que finge pasarse el día rezando el rosario era o se hizo tradicional (cfr. Correas).

LOZANA.—Ansí lo creo yo que vos bebedardos[8] sois. ¿Por qué no estáis a servir a cualque home de bien, y no andaréis de casa en casa?

VIEJA.—Hija, yo no querría servir donde hay mujer, que son terribles de comportar; quieren que hiléis para ellas y que las acompañéis. Y haz aquí y toma allí, y esto no está bueno. Y ¿qué hacéis con los mozos? ¡Comé presto y vení acá! ¡Enjaboná, y mirá no gastéis muncho jabón! ¡Jaboná estos perricos! Y aunque jaboneis como una perla, mal agradecido, y nada no está bien, y no miran si el hombre[9] se vido en honra y tuvo quien la sirviese, sino que bien dijo quien dijo que no hay cosa tan incomportable ni tan fuerte como la mujer rica. Ya cuando servís en casa de un hombre de bien, contento él y el canavario[10], contento todo el mundo. Y todos os dicen: Ama, hiláis para vos. Podéis ir a estaciones y a ver vuestros conocientes, que nadie no's dirá nada, y si tornáis tarde, los mozos mismos os encubren, y tal casa de señor hay que os quedáis vos dona[11] y señora. Y por eso me voy agora a buscar si hallase alguno, que le ternía limpio como un oro, y miraría por su casa, y no querría sino que me tomase a salario, porque a discrición no hay quien la tenga[12], por mis pecados. Y mirá, aunque soy vieja, so para revolver una casa.

LOZANA.—Yo lo creo, y aun una cibdad, aunque fuese el Caire o Milán.

VIEJA.—¿Esta casa habés tomado? Sea en buen punto con salut, mal ojo tiene; moza para Roma y vieja a Benavente. Allá la espero[13].

TRIGO.—Sobí, señora, en casa vuestra. Veisla aderezada y pagada por seis meses.

LOZANA.—Eso no quisiera yo, que ya no me puede ir bien en esta casa, que aquella puta vieja, santiguadera, se desperezó

---

[8] *bebedardos:* compuesto a partir de *dardo* con el sentido metafórico de «pene» (cfr. *supra* «tragacaramillos»).

[9] *el hombre:* impersonal.

[10] *canavario:* véase mam. XII, nota 44.

[11] *dona:* dueña.

[12] Juego de palabras: *a discreción,* «sin sueldo fijo», como Rampín en el mam. XV (véase nota 30), y *discreción,* «cordura, prudencia» (ésta es la que no tiene nadie según la vieja).

[13] Podría ser alusión al refrán, como indica *R. 75* (pág. 175, nota 23), «Benavente, buena tierra y mala gente» que está en Correas. Y la vieja la pronostica a Lozana una vejez difícil, como es la suya (tema reiterado de *La Lozana*).

a la puerta, y dijo: afán, mal afán venga por ella. Y yo, por dar una coz a un perro que estaba allí, no miré, y metí el pie izquierdo delante, y mirá qué numblo[14] tornó en entrando.

JODÍO.—No curéis, que Aben-Ruiz y Aben-Rey serán en Israel[15]. Y por vuestra vida y de quien bien os quiere, porque so yo el uno, que iré y enviaré quien pague la casa y la cena. Y vos, pariente[16], aparejáme esos dientes. No's desnudéis, sino estáos así, salvo el paño listado, que no lo rompáis; y si alguno viniere, hacé vos como la de Castañeda, que el molino andando gana[17].

---

[14] numblo: «nublo» (nubarrón que amenaza tempestad). La maldición de la vieja santiguadera (o sea, según la Academia «mujer que hace supersticiosamente cruces sobre uno», pero aquí malintencionadamente) y los demás agüeros malos, han hecho mella en Lozana; cómicamente su superstición hace eco a la del judío (mam. XVI), pero ahora éste es el que la consuela a ella.

[15] Como Israel significa «dominans cum Deo» (Covarrubias), supongo que quiere decir Trigo que habrá salvación para Aben Ruiz y Aben Rey, siendo él uno de los dos, como dice en la frase siguiente («porque so yo el uno»). Entonces, con un socio tan seguro como él, no tiene por qué preocuparse Lozana.

[16] Otra vez le llama pariente a Rampín el judío (véase mam. XVI, nota 16).

[17] el molino andando gana, refrán conocido que recoge Correas, que significa que hay que trabajar y no quedarse ocioso. Pero molino tiene connotaciones sexuales (como todo lo referente a la molienda) que aseguraron su éxito en los temas eróticos y burlescos (cfr. este verso de seguidilla: «Cuando vuelve los ojos/la mi morena/es señal que no muele/el molino arena», en P. E. S. O., pág. 266). Y aquí, con aplicación específica al trabajo de Lozana, no puede caber duda. La comparación que hace Trigo con «la de Castañeda», cualquiera que fuese, no puede ser piropo para ella; en Sbarbi, II, hay una frase, ser como el señor Castañeda, sin comentar. Pero si la de Castañeda de La Lozana es su mujer, este señor puede vivir holgadamente, con honra o sin ella.

Cómo, después de ido Trigo, vino un mastresala a estar la siesta con ella, y después un macero, y el valijero de Su Señoría[1].

LOZANA.—Por mi vida que me meo toda, antes que venga nadie.

RAMPÍN.—Hacé presto que ¿veis? allí viene uno que yo lo conozco.

LOZANA.—¿Y quién es?

RAMPÍN.—Un mastresala de secreto, hombre de bien. Vuestros cinco julios no's pueden faltar.

MASTRESALA.—Decí, mancebo, ¿está aquí una señora que es venida agora poco ha?

RAMPÍN.—Señor, sí, mas está ocupada.

MASTRESALA.—Decilda que Trigo me mandó que viniese a hablalla.

RAMPÍN.—Señor, está en el lecho, que viene cansada; si queréis esperar, ella le hablará desde aquí.

MASTRESALA.—¡Anda! Véola yo la mano, ¿y está nel lecho? ¡Pues ahí la querría yo! Decí que no la quite, que de oro es, y aun más preciosa. ¡Oh pese a tal con la puta, y qué linda debe de ser! Si me ha entendido aquel hardabanzas[2], ducado le daré. ¿Qué dice esa señora? ¿Quiere que muera aquí?

RAMPÍN.—Luego, señor.

MASTRESALA.—Pues vení vos abajo, mirá qué os digo.

_____

[1] La función de estos primeros tres clientes (conocidos del lector) no fue escogida a la ligera. El *maestresala* era, según la Academia, un criado principal que hacía la salva, es decir que probaba primero él; el *macero* era «el que lleva la maza delante de los cuerpos o personas autorizadas que usan esta señal de dignidad», pero aquí vemos que su amo es el *valijero* de su señoría, que vendrá a visitar a Lozana con la *valija* llena. *Maza* delante, con *valija* que sigue, no puede quejarse Lozana.

[2] *harbadanzas*: de *harbar*, «hacer una cosa deprisa y atropelladamente», y *danzas* que, evidentemente, se refiere a los movimientos de los pies. Ya dije que Rampín tiene las patas tuertas. Nótese, por otra parte, la técnica teatral del aparte, heredado de *La Celestina*, de uso frecuente en *La Lozana*.

RAMPÍN.—¿Qué es lo que manda vuestra merced?

MASTRESALA.—Tomá, veis ahí para vos, y solicitá que me abra.

RAMPÍN.—Señor, sí.

—¡Tiri tiritaña[3]; mirá para mí! ¿Abriréle?, que se enfría.

LOZANA.—Asomaos allí primero, mirá qué dice.

MASTRESALA.—¡Hola! ¿Es hora?

RAMPÍN.—Señor, sí; que espere vuestra merced, que quiere ir fuera, y ahí la hablará.

MASTRESALA.—No, pese a tal, que me echáis a perder, sino ahí, en casa, que luego me salgo.

RAMPÍN.—Pues venga vuestra ecelencia.

MASTRESALA.—Beso las manos de vuestra merced, mi señora.

LOZANA.—Yo las de vuestra merced, que deséome quita[4] de un mi hermano.

MASTRESALA.—Señora, para serviros más que hermano. ¿Qué le parece a vuestra merced de aquesta tierra?

LOZANA.—Señor, diré como forastera: la tierra que me sé, por madre me la he. Cierto es que, hasta que vea, ¿por qué no le tomaré amor?[5].

MASTRESALA.—Señora, vos sois tal y haréis tales obras, que no por hija, mas por madre[6] quedaréis d'esta tierra. Vení

---

[3] *Tiri, tiritaña:* más que la *tiritaña,* «seda endeble», o «cosa insustancial», este aviso, que parece ser de juego de niños, evoca, como se advierte en *R. 75* (nota 6, pág. 177), la *titiritaina,* «ruido confuso de flautas».

[4] *quita:* entiende Damiani como «libre» *(R. 75,* nota 8, pág. 177), lo que es justo, pero hay que comprender «libre de obligación» (la obligó el maestresala besándole las manos).

[5] Se trata aquí de *Roma;* con la mención *amor* (Roma, al revés), y con la polisemia de *madre* y de *obra,* se ve cómo está utilizada aquí la noción de patria; quizás se aprecie mejor aún, si se aplica al refrán de que se vale Lozana, la técnica que en ocasiones aconseja Correas: «y al trocado». Se verá por ahí dónde sitúa Lozana su *tierra,* o sea su sustento. No sé si el refrán tal como lo dice Lozana existió realmente, pero tengo la impresión de que es invención de Delicado; sea lo que sea, se parece mucho, en su forma, a este otro: «el oficio que me sé, por mío me lo he» (Correas, *Ref. 89).* Si éste fue el que le sirvió de pauta a Delicado, quedarían asentadas dos equivalencias muy interesantes: *tierra/oficio* y *madre/mío.* Se verán más refranes, o imitaciones de refranes, relativos a *tierra* y *patria,* en *La Lozana,* casi todos contradictorios y cómicos, en sí o por el contexto.

[6] *madre:* por lo dicho en la nota anterior, y también como «madre

acá, mancebo, por vuestra vida, que me vais[7] a saber qué hora es.

LOZANA.—Señor, ha de ir conmigo a comprar ciertas cosas para casa.

MASTRESALA.—Pues sea d'esta manera. Tomá, hermano; veis ahí un ducado. Id vos solo, que hombre sois para todo, que esta señora no es razón que vaya fuera a estas horas. Y vení presto, que quiero que vais comigo para que traigáis a esta señora cierta cosa que le placerá.

RAMPÍN.—Señor, sí.

MASTRESALA.—Señora, por mi fe, que tengo de ser vuestro, y vos mía.

LOZANA.—Señor, merecimiento tenéis para todo. Yo, señor, vengo cansada. ¿Y vuestra merced se desnuda?

MASTRESALA.—Señora, puédolo hacer, que parte tengo en la cama, que dos ducados di a Trigo para pagalla, y más agora, que soy vuestro yo y cuanto tengo.

LOZANA.—Señor, dijo el ciego que deseaba ver.

MASTRESALA.—Esta cadenica sea vuestra, que me parece que os dirá bien.

LOZANA.—Señor, vos, estos corales al brazo, por mi amor.

MASTRESALA.—Estos pondré yo en mi corazón, y quede con Dios, y cuando venga su criado, vaya a mi estancia, que bien la sabe.

LOZANA.—Sí hará.

MASTRESALA.—Este beso sea para empresa[8].

LOZANA.—Empresa con rescate de amor fiel que vuestra presencia me ha dado, seré siempre leal a conservarlo. ¿Venís, calcotejo?[9]. Sobí. ¿Qué traés?

---

de mancebía»; parece que el maestresala también adivina el futuro de Lozana.

[7] *vais:* subjuntivo.

[8] *empresa:* aquí con su sentido de emblema y prenda (véase *D. R. A. E.,* 2.ª acepción, y Covarrubias, s. v. *emprender,* 509, b). Bonito contraste entre el tono cortés y la práctica venal.

[9] *calcotejo:* según Gillet *(Propalladia...),* citado en *R. 75* (nota 11, pág. 179), sería: «the tilemaker, from *calcar,* «apretar con el pie» and *tejo.* It may refer to the rustic's manner of walking». Si bien estoy más o menos de acuerdo con la interpretación «referencia a la manera de andar de los rústicos», no me convence la equivalencia *calcotejo/tejero* («tilemaker»), ni la formación etimológica *calcar+tejo. Calco,* en germanía, es «zapato» (y en Cervantes *calcorro),* y *calcar,* «pisar fuerte»; yo vería más bien una formación con sufijo despectivo *calcot-ejo.* En

RAMPÍN.—El espejo que os dejastes en casa de mi madre.

LOZANA.—Mostrá, bien habéis hecho. ¿No me miráis la cadenica?

RAMPÍN.—¡Buena por mi vida, hi, hi, hi, qu'es oro! ¿Veis aquí do vienen dos?

LOZANA.—Mirá quién son.

RAMPÍN.—El uno conozco, que lleva la maza de oro y es persona de bien [10].

MACERO.—¡A vos, hermano! ¡Hola! ¿Mora aquí una señora que se llama la Lozana?

RAMPÍN.—Señor, sí.

MACERO.—Pues decilda que venimos a haballa, que somos de su tierra.

RAMPÍN.—Señores, dice que no tiene tierra, que ha sido criada por tierras ajenas [11].

MACERO.—¡Juro a tal, que ha dicho bien, que el hombre donde nace y la mujer donde va! [12]. Decí a su merced que la deseamos ver.

RAMPÍN.—Señores, dice que otro día la veréis que haga claro.

MACERO.—¡Voto a san, que tiene razón! Mas no tan claro como ella lo dice [13]. Decí a su señoría que son dos caballeros que la desean servir.

RAMPÍN.—Dice que no podéis servir a dos señores [14].

MACERO.—¡Voto a mí, que es letrada! Pues decilde a esa señora que nos mande abrir, que somos suyos.

RAMPÍN.—Señores, que esperen un poco, que está ocupada.

MACERO.—Pues vení vos abajo.

RAMPÍN.—Que me place.

MACERO.—¿Quién está con esa señora?

---

todo caso, para lo que a Rampín atañe, se puede decir que sus pies llaman la atención tanto como sus caídas.

[10] Clientela selecta la de Lozana: el maestresala era también, según Rampín, hombre de bien.

[11] Igual juego sobre *tierra* («patria» y «pago» o «posesión rural») que en el refrán o seudo-refrán «la tierra que me sé».

[12] No comparte esta idea *el autor* de quien Silvano expresa la opinión de la manera siguiente: «no donde naces, sino donde paces» (XLVII), y conste que lo aplica a un hombre.

[13] Porque ella dice las cosas tan claras que el día no puede ser tan claro (el macero se refiere a la réplica anterior de Rampín).

[14] Referencia al Evangelio de San Mateo (VI, 24): «Nemo potest duobus domini servire» (Nadie puede servir a dos señores).

264

RAMPÍN.—Ella sola.

MACERO.—¿Y qué hace?

RAMPÍN.—Está llorando.

MACERO.—¿Por qué, por tu vida, hermano?

RAMPÍN.—Es venida agora y ha de pagar la casa y demándanle luego el dinero, y ha de comprar baratijas para la casa, y no se halla con mil ducados[15].

MACERO.—Pues tomá vos la mancha[16] y rogá que nos abra, que yo le daré para que pague la casa, y este señor le dará para el resto. Andad, sed buen trujamante[17].

RAMPÍN.—Señor, sí, luego torno. Señora, mirá qué me dio.

LOZANA.—¿Qué es eso?

RAMPÍN.—La mancha. Y dará para la casa. ¿Queréis que abra?

LOZANA.—Asomaos y decí que entre.

RAMPÍN.—Pues mojaos los ojos, que les dije que llorábades.

LOZANA.—Sí haré.

RAMPÍN.—Señores, si les place entrar...

MACERO.—¡Oh cuerpo de mí, no deseamos otra cosa! Besamos las manos de vuestra merced.

LOZANA.—Señores, yo las vuestras. Siéntense aquí sobre este cofre que, como mi ropa viene por mar y no es llegada, estoy encogida, que nunca en tal me vi[18].

MACERO.—Señora, vos en medio, porque sea del todo en vos la virtud[19], que la lindeza ya la tenés.

---

[15] Entiendo que no le bastarían mil ducados.

[16] *mancha:* «manga, propina» (ver mam. XIII, nota 5).

[17] *trujamante:* «trujamán» o «intérprete».

[18] *nunca en tal me vi* es referencia a la copla:

> Señor Gómez Arias
> duélete de mí,
> que soy niña y sola
> y nunca en tal me vi.

Como era muy popular, no podía menos de captarse la alusión a lo de «soy niña y sola», aunque se callase. Le sacó todo el jugo a la broma Feliciano de Silva, en *La Segunda Celestina,* donde, como advierte Bataillon, la expresión *nunca en tal me vi* viene, proferida por rameras, tres veces al menos (edición de Madrid, 1874, pág. 419 y pág. 435, dos veces). La misma Lozana la vuelve a emplear en el mam. L, cuando está en presencia de Trujillo.

[19] Porque «in medio stat virtus» [la virtud está en el (justo) medio].

LOZANA.—Señor, yo no soy hermosa, mas así me quieren en mi casa[20].

MACERO.—¡No lo digo por eso, que lo sois, voto a mí, pecador! Señora, esta tierra tiene una condición: que quien toma placer poco o asaz, vive muncho, y por el contrario[21]. Así que quiero decir que lo que se debe, este señor y yo lo pagaremos, y tomá vos placer; y aunque sea descortesía, con licencia y seguridad me perdonará.

LOZANA.—¿Así lo hacés?[22]. Más vale ese beso que la medalla que traés en la gorra[23].

MACERO.—¡Por mi vida, señora! ¿Supo's bien?

LOZANA.—Señor, es beso de caballero, y no podía ser sino sabroso.

MACERO.—Pues, señora, servíos de la medalla y de la gorra, por mi amor. Y por vida de vuestra merced, que os dice bien; no en balde os decís la Lozana, que todo os está bien. Señora, dad licencia a vuestro criado que se vaya con este señor, mi amo, y me enviará otra[24] con que me vaya.

LOZANA.—Vuestra merced puede mandar como de suyo. Vaya donde mandare.

VALIJERO.—Señora, ¿manda vuestra merced que venga con mi valija?[25].

LOZANA.—Señor, según la valija.

VALIJERO.—Señora, llena, y verné a la noche.

LOZANA.—Señor, vení, que antorcha hay para que os vais.

VALIJERO.—Beso las manos de vuestra merced. Vení vos, hermano, que lo manda su merced.

---

[20] Parece refrán; significará que «es fea pero buena» si nos atenemos a lo que dijo Eurípides: «Más quiero ser feo y bueno que hermoso y malo», sentencia tan conocida y glosada en el siglo XVI.

[21] *y por el contrario:* esta es la técnica de «al trocado» mencionada por Correas (ver *supra,* nota 5); en este caso, supongo que quiere decir: «quien toma mucho placer, vive poco», lo que explicaría que en la frase siguiente «tomad vos placer» pueda parecer «descortesía» por implicar «viviréis poco», mientras que la cortesía consiste en desear al interlocutor que viva mucho tiempo.

[22] Otra vez hay que imaginar solución de continuidad entre lo que acaba de decirse y lo que está pasando. *Hacerlo* se refiere a una práctica sexual de la que «ese beso» no es sino eufemismo.

[23] El macero entiende el deseo de Lozana y le da la medalla.

[24] *otra* (gorra), pues acaba de dar la suya a Lozana, con la medalla. Ver dos réplicas más adelante.

[25] *valija:* muy hombre de bien sería ese valijero cuya valija estaba tan llena de... virtualidades.

266

RAMPÍN.—Si haré, comience a caminar.

VALIJERO.—Decime, hermano, ¿esta señora tiene ninguno que haga por ella?[26].

RAMPÍN.—Señor, no.

VALIJERO.—Pues ¿quién la trajo?

RAMPÍN.—Viene a pleitear[27] ciertos dineros que le deben.

VALIJERO.—Si ansí es, bien es. Tomá y llevalde esta gorra de grana (a) aquel caballero[28], y decí a la señora que cene esto por amor de mí, que sé que le sabrán bien, que son empanadas.

RAMPÍN.—Señor, sí; más estimará esto que si fuera otra cosa, porque es gran comedora de pescado[29].

VALIJERO.—Por eso, mejor, que yo enviaré el vino, y será de lo que bebe su siñoría.

RAMPÍN.—Señor, sí.

MACERO.—Señora, a la puerta llaman.

LOZANA.—Señor, mi criado es.

MACERO.—Pues esperá.

—Entra y cierra.

RAMPÍN.—Señor, sí.

MACERO.—Señora, yo me parto, aunque no quisiera.

LOZANA.—Señor, acá queda metido en mi ánima.

—Hadraga[30], ¿qué traéis?

---

[26] Le pregunta si tiene algún protector o alcahuete.

[27] *pleitear:* no miente Rampín (véase Introducción, pág. 86).

[28] Al macero (que dejó la suya a Lozana; ver *supra,* nota 24).

[29] Este pescado de que gusta tanto Lozana podría ser, para los que gusten de precisiones, *trucha* (cfr. mam. XII, nota 6), pero más probablemente *tencón* (véase mam. LXIV).

[30] *Hadraga:* esta invectiva no es muy fácil de apreciar. «Hombre inútil», según los editores de *R. 75* que apoyan su comentario en los refranes «No es tan mal nombre el de Adragra» y «Mal nombre has, Hadraga», a los que se pueden añadir: «Mal nombre es hadraga» y «Buen nombre es hadraga» (véase Correas, ed. Combet, pág. 247 y nota 50).

Deben de ser antífrasis «Buen nombre...» y «No es tan mal nombre...», pues en el *Libro de Buen Amor,* denostando al Amor, escribe Juan Ruiz:

> Estruyes las personas, los haberes estragas,
> almas, cuerpos y algos como huerco los tragas,
> de todos tus vasallos faces necios hadragas;
> prometes grandes cosas, poco y tarde pagas (copla 400).

Cejador sugiere que *hadraga, fadraga,* podría derivarse de *hado fado,* y significar «desdichado», «parapoco», como *fadeduro.* Todo esto me

RAMPÍN.—¡Maravillas, voto a mí! Y mirá qué gato soriano[31] que hallé en el camino, si podía ser más bello.

LOZANA.—¡Parece que es hembra!

RAMPÍN.—No es, sino que está castrado.

LOZANA.—¿Y cómo lo tomaste?

RAMPÍN.—Eché la capa, y él estuvo quedo.

LOZANA.—Pues hacé vos ansí siempre, que hinchiremos la casa a tuerto y a derecho[32]. Eso me place, que sois hombre de la vida, y no venís vacío a casa. Mirá quién llama, y si es el de la valija, entre, y vos dormiréis arriba, sobre el ajuar de la frontera[33].

RAMPÍN.—No curéis, que a todo me hallaréis, salvo a poco pan[34].

LOZANA.—Vuestra merced sea el bienvenido, como agua por mayo[35].

VALIJERO.—Señora, ¿habéis cenado?

LOZANA.—Señor, sí; todas dos empanadas que me envió vuestra merced comí.

VALIJERO.—Pues yo me querría entrar, si vuestra merced manda.

---

parece muy posible; añadiré tan sólo que en el provenzal *fada* (de «fatum» también) se da una idea de tontería, de locura y subnormalidad. *Hadraga* quizás signifique lo mismo.

[31] *soriano:* de Siria.

[32] Expresión que significa: llenaremos la casa por las buenas o por las malas, con justicia o sin ella; cfr. «mi casa hasta el techo, a tuerto o a derecho» en *La Celestina.*

[33] Se había hecho proverbial *el ajuar de la frontera:* «dos estacas y una estera» (Correas, 84, a). Cfr. también *Celestina:* «las alhajas que tengo es el ajuar de la frontera: un jarro desbocado, un asador sin punta...», dice Centurio en el auto XVIII. El *ajuar de la frontera* se reduce, pues, a lo mínimo, y se aplica a cosas de poco precio, o nulo (véase *Autoridades).* Pero, en este pasaje de *La Lozana,* se entiende que Rampín, como la única cama estará ocupada por el valijero, ha de dormir *sobre* «el ajuar de la frontera», o sea en el mismísimo suelo, como se confirma cuando se reúne con Lozana, después de que se fuera el valijero con su valija vacía (mam. XXII), ya que le dice la mujer: «venís como estudiante que durmió en duro...».

[34] *salvo a poco pan:* doble sentido de *pan,* ya explicitado (XII, nota 47).

[35] Cfr. Correas: «Como agua de mayo», con este comentario: «Esperado y deseado. Mostrando deseo de algo: *estoyle esperando como agua de mayo*» (ed. Combet, 433, a).

LOZANA.—Señor, y aun salir[36] cuando quisiere.

—Daca el aguapiés. Muda aquellas sábanas. Toma esa cabellera[37]. Dale el escofia. Descalza a su merced. Sírvelo, que lo merece, porque te dé la bienandada[38].

RAMPÍN.—Sí, sí, dejá hacer a mí.

MAMOTRETO XX

Las preguntas que hizo la Lozana aquella noche al valijero, y cómo la informó de lo que sabía.

LOZANA.—Mi señor, ¿dormís?

VALIJERO.—Señora, no, que pienso que estoy en aquel mundo donde no ternemos[1] necesidad de dormir, ni de comer, ni de vestir, sino estar en gloria.

LOZANA.—Por vida de vuestra merced, que me diga: ¿qué vida tienen en esta tierra las mujeres amancebadas?

VALIJERO.—Señora, en esta tierra no se habla de amancebadas ni de abarraganadas; aquí son cortesanas ricas y pobres.

LOZANA.—¿Qué quiere decir cortesanas ricas y pobres? ¿Putas del partido o mundarias?

VALIJERO.—Todas son putas; esa diferencia no's sabré decir, salvo que hay putas de natura, y putas usadas[2], de puerta herrada, y putas de celosía, y putas d'empanada[3].

---

[36] El juego sobre *entrar* y *salir*, cuando Lozana le está mandando a Rampín que prepare la cama, no necesita comentario.

[37] *cabellera:* no me parece lógico que se trate de cabellos ni naturales ni postizos. Podría referirse lo mismo que la *escofia* o cofia, a una escofieta o redecilla para recogerse uno el pelo durante la noche.

[38] *bienandada:* (ital.) «propina». Adviértase además, y una vez más, la contaminación sufrida por el verbo *merecer*.

[1] *ternemos:* este futuro en paraíso podría parecer hipotético a algunos que consideran el comportamiento del valijero; sin embargo el indicativo («tendremos») no puede dejar lugar a dudas: este hombre es optimista.

[2] No me parece muy claro el sentido aquí de *usadas;* parece oponerse a *de natura.* Así, habría *putas de natura,* como la protagonista cuya lozanía era de su natural, y otras, las *usadas,* que habrían necesitado aprendizaje.

[3] *empanada:* (ital.: *impannata*): «lienzo que se usa para las venta-

LOZANA.—Señor, si lo supiera, no comiera las empanadas que me enviastes, por no ser d'empanada.

VALIJERO.—No se dice por eso, sino porque tienen enceradas a las ventanas, y es de más reputación. Hay otras que ponen tapetes y están más altas; éstas muéstranse todas, y son más festejadas de galanes.

LOZANA.—Quizá no hay mujer en Roma que sea estada más festejada que yo, y querría saber el modo y manera que tienen en esta tierra para saber escoger lo mejor, y vivir más honesto que pudiese con lo mío, que no hay tal ave como la que dicen ave del tuyo, y quien le hace la jaula fuerte, no se le va ni se le pierde[4].

VALIJERO.—Pues dejáme acabar, que quizá en Roma no podríades encontrar con hombre que mejor sepa el modo de cuántas putas hay[5], con manta o sin manta. Mirá, hay putas graciosas más que hermosas, y putas que son putas antes que mochachas. Hay putas apasionadas, putas estregadas[6], afeita-

_____

nas» (nota 2 de *R. 75*, pág. 185). Tenemos aquí, con lo que sigue, otro caso del gusto de Delicado por los juegos de palabras de una lengua a otra.

[4] El juego sobre *ave* «animal» y *habe* «ten» [*haber* era corriente por «tener»] se hizo proverbial, y el *ave de tuyo* está registrada en Correas («buena ave, la habe de tuyo») y Covarrubias («De las aves, la mejor es el ave de tuyo») [ejemplos citados en *R. 75*, pág. 186]. Pero en este pasaje de *La Lozana* se adapta en «ave *del* tuyo» porque hace eco al deseo de Lozana: «querría... vivir más honesto que pudiese con lo mío», frase en la que *lo mío* encierra una ambigüedad, remitiendo por un lado a su instrumento de trabajo —el sexo— que le permitirá vivir honestamente (!), y, por otro lado, a lo que es o será suyo. La Lozana tiene además unos principios económicos muy sanos, queriendo guardar el *ave de tuyo* en una jaula fuerte para que no pierda ni se vaya, y para eso cuenta con Rampín; «lo que yo ganare, sabeldo vos guardar», como se ha visto en el mam. XV.

[5] Aquí comienza una de esas enumeraciones por las que los hombres del Renacimiento sentían gran afición. Era herencia de la Edad Media, y Rabelais, como Delicado, se valió del procedimiento con fines burlescos. En ésta, como en la lista de los platos del mam. II, entre menciones más o menos anodinas, se deslizan otras bastante maliciosas y en mayor número probablemente de lo que indican mis notas.

[6] *estregadas:* En *R. 75* se interpreta como italianismo, de *stregata,* que significa «embrujada» (nota 6, pág. 186). No es imposible; vimos en efecto que, en alguna ocasión, Lozana se interesó por el sentido de la palabra italiana españolizada en *estrega* (véase mam. XII, nota 67). Pero creo que tampoco se debe descartar el significado normal de la palabra en español, porque, en el texto, la palabra viene inmediata-

das, putas esclarecidas, putas reputadas[7], reprobadas. Hay putas mozárabes de Zocodover, putas carcaveras. Hay putas de cabo de ronda, putas ursinas[8], putas güelfas, gibelinas, putas injuínas[9], putas de Rapalo rapaínas[10]. Hay putas de simiente[11], putas de botón griñimón[12] noturnas, diurnas, putas de cintura y de marca mayor[13]. Hay putas orilladas, bigarradas, putas combatidas, vencidas y no acabadas, putas devotas y reprochadas de Oriente a Poniente y Setentrión[14]; putas convertidas, repentidas, putas viejas, lavanderas porfiadas[15], que siempre han quince años como Elena[16], putas meridianas, ocidentales, putas máscaras enmascaradas, putas trincadas, putas calladas, putas antes de su madre y después de su tía, putas de subientes e decendientes, putas con virgo, putas sin virgo, putas el día del domingo, putas que guardan el sábado hasta que han jabonado, putas feriales, putas a la candela, putas reformadas, putas jaqueadas, travestidas, formadas, estrionas de Tesalia[17]. Putas avispadas, putas terceronas, aseadas, apuradas, gloriosas, putas buenas y putas malas, y malas putas. Putas en-

---

mente seguida de *afeitadas,* lo que puede hacer pensar en un aseo esmerado.

[7] Nótese la contaminación que sufre aquí «reputación».

[8] *ursinas:* «partidarias de los Orsini, célebre familia romana del partido de los güelfos» (nota 9, pág. 186, de *R. 75).*

[9] *injuinas:* «angevinas».

[10] *de Rapalo rapaínas:* juega con el nombre de la ciudad italiana y con el verbo *rapar* [rápalo rapa aína(s)], probablemente en su doble acepción de «rasurar» y de «robar».

[11] *de simiente:* ¿alude al semen o al abolengo?

[12] O de «buba sifilítica».

[13] *de marca mayor* en su sentido habitual de «excesivo, o que sobrepuja a lo común»; pero también *marca,* «prostituta» en germanía, lo que Delicado expresa por *ser de la marca* en el mam. LXIII (nota 12), donde juega con la Marca (región).

[14] Cfr. Margarita Corillón, mam. LXIV.

[15] No podía faltar la *lavandera,* oficio considerado como de los más viles (cfr. la madre de Lazarillo de Tormes). El adjetivo *porfiada* (que persevera en el oficio a pesar de la edad) recuerda a la lavandera del mam. XII.

[16] Probablemente la de Homero en esta frase que parece proverbial, aunque no la he encontrado en ninguna colección paremiológica; se vuelve a emplear en el mam. XLIX, siempre con el mismo sentido satírico.

[17] *estrionas de Tesalia:* según *R. 75, estriona* es un italianismo que significa «bruja» (nota 17, pág. 187). Para el juego sobre *Tesalia,* ver mam. IV, nota 17.

teresales [18], putas secretas y públicas, putas jubiladas, putas casadas, reputadas [19], putas beatas, beatas putas [20], putas mozas, putas viejas, y viejas putas de trintín y botín [21]. Putas alcagüetas, y alcahuetas putas, putas modernas, machuchas [22], inmortales, y otras que se retraen a buen [23] vivir en burdeles secretos y publiques honestos que tornan de principio a su menester.

LOZANA.—Señor, esas putas, reiteradas me parecen.

VALIJERO.—Señora, ¿y latín sabéis? [24]. Reitero, reiteras, por tornároslo a hacer otra vez.

LOZANA.—Razón tiene vuestra merced que agora dio las siete [25].

---

[18] *putas enteresales:* «interesales», o «interesables» es decir «interesadas», «que no perdonan la ganancia» (cfr. «¿putas y perdoneras?», mamotreto XII, nota 16).

[19] Bis repetita placent (ver *supra,* nota 7).

[20] *Devotas* antes, *beatas* ahora: otra contaminación digna de tenerse en cuenta (cfr. la vieja del mam. XVIII).

[21] *de trintín y botín:* según Damiani, «del dinero, por la imitación al sonido del metal» (*L. A. 69,* pág. 102). *Botín* tendría entonces su sentido de «ganancia», y nadie duda que las tales sean, en este sentido, botineras. Pero también se podría pensar en *botín,* «bota», y el sonsonete *trintín* para evocar el ruido de los tacones de la andorrera trotona.

[22] *machuchas:* entre *modernas* («mozas») e *inmortales* («viejas»): «entradas en años» o «maduras» o quizás «pachuchas».

[23] El empleo por antífrasis de *bueno* queda aquí bien patente, como el de *honestos* que especifica *publiques* (que así se llamaron las mancebías, a imitación del famoso «publich» de Valencia).

[24] *Señora, ¿y latín sabéis?:* utilización maliciosa del refrán «Puta vieja, ¿latín sabéis?, entrad para acá, que acá lo sabréis» (Correas, *Ref.,* 486, a). Bajo la urbanidad del valijero se transparenta el improperio proverbial; nótese que lo que dice a continuación el de la valija no es sino una glosa del refrán.

[25] Fue normal, hasta el siglo XVII, que el verbo *dar* estuviera en singular en la expresión de la hora, incluso pasando de la una. Ahora bien, esta posibilidad lingüística permite aquí un juego atrevido, puesto que, más allá de las horas que dan, se trata en la réplica de Lozana del cómputo de los asaltos amorosos. Así, la frase que se entiende primero: «vuestra merced tiene razón, porque acaban de dar las siete horas», significa en realidad: «vuestra merced tiene [una] *razón (que él no sacó de las bragas encogida,* como le sucedió a alguno de quien se ha hablado ya en la Introducción) que ahora *dio* (aplicado con toda propiedad al caso) las siete».

Este sentido de la frase se confirma en el mam. XXII cuando, a poco de irse el valijero, Lozana le informa a Rampín que han sido siete buenas y dos alevosas» (véase). Conste además que el sentido erótico de

VALIJERO.—Tené punto, señora, que con ésta serán ocho[26], que yo tornaré el tema do quedamos.

LOZANA.—Decime, señor, ¿hay casadas que sean buenas?[27].

VALIJERO.—Quién sí, quién no; y ése es bocado caro y sabroso y costoso y peligroso[28].

LOZANA.—Verdad es que todo lo que se hace a hurtadillas sabe mejor.

VALIJERO.—Mirá, señora, habéis de notar que en esta tierra a todas sabe bien, y a nadie no amarga, y es tanta la libertad que tienen las mujeres, que ellas los buscan y llaman[29], porque se les rompió el velo de la honestidad, de manera que son putas y rufianas.

LOZANA.—¿Y qué quiere decir rofianas? ¿Rameras, o cosa que lo valga?

VALIJERO.—Alcagüetas, si no lo habéis por enojo.

LOZANA.—¿Cómo, que no hay alcagüetas en esta tierra?

la frase rinde cuenta, mucho mejor que la del transcurso del tiempo, de la lógica de la respuesta del valijero.

[26] *Tené punto* («prestad atención», «seguid la cuenta»), puede evocar aún las horas, pero me parece difícil que se comprenda «ésta» como una hora más. En realidad, en la réplica anterior *(tiene razón que agora dio las siete)* Lozana había puesto al valijero sobre aviso, sugiriéndole que más no sería prudente; lo que después se sabe muestra que ella tenía razón («dos alevosas»); sabido es que no hay quien rivalice con ella en lozanía. Se notará aún que los ayuntamientos carnales, fuera de las dos escenas con Rampín, no dan lugar a comentarios ni evocaciones muy largas.

[27] Es inequívoco el sentido de *buenas* en esta frase, puesto que «tornan al tema» (interrumpido, como se sabe) que era «el modo de cuántas putas hay».

[28] Cfr. refrán: «Quien ama la casada, la vida trae emprestada» (Hernán Núñez, 98, b y también en Correas, 391) y, más tarde, Góngora; «Este no tiene por bueno/el amor de la casada,/porque es dormir con espada,/y la bívora en el seno;/a aquél del cercado ajeno/le es la fruta más sabrosa,/y coge mejor la rosa/de la espina más aguda./ *Cada uno estornuda/como Dios le ayuda*.» (Esta letrilla burlesca, en los últimos cuatro versos de la estrofa que cito, muestra que también la réplica siguiente de Lozana («sabe mejor» como «fruta más sabrosa») no es sino explotación de la sabiduría popular y tradicional.

[29] En la edición *Venecia 1528,* falta la «y» entre «buscan» y «llaman». Damiani escoge otra solución que, respetando la edición antigua por lo que se refiere al número de palabras, propone: «ellos los buscan; llaman porque se rompió...» (*L. 69* y *R. 75).* Pero no me parece satisfactorio el sentido, ni esta construcción de *llamar;* por eso sigo en este caso a Joaquín del Val.

VALIJERO.—Sí hay, mas ellas mismas se lo son las que no tienen madre o tía[30], o amiga muy amiga, o que no alcanzan para pagar las rufianas; porque, las que lo son, son muy taimadas, y no se contentan con comer, y la parte de lo que hacen haber[31], sino que quieren el todo y ser ellas cabalgadas primero[32].

LOZANA.—Eso del todo no entiendo[33].

VALIJERO.—Yo's diré. Si les dan un ducado que les lleven[34] a las que se han de echar con ellos, dicen las rufianas: —El medio[35] es para mí por su parte d'él. ¿Y vos no me habéis de pagar, que os he habido un hombre de bien, de quien podéis vos sacar cuanto quisiéredes? Amiga, yo no quiero avergonzar mis canas sin premio. ¿Y cómo os lo he habido para vos? ¡Si yo lo llevara a una que siempre me añade![36]. ¡En mi seso estaba yo cuando no me quería empachar con pobres! ¡Ésta y nunca más! De manera que, como pueden ellas a los principios impedir[37], han paciencia las pobretas, y se escusan el posible si pueden hacer sin ellas[38].

LOZANA.—Señor, mirá, para mujer, muy mejor es por mano de otrie que de otra manera, porque pierde la vergüenza, y da más autoridad que cuantas empanadas hay, o enceradas, como vos decís[39].

VALIJERO.—Señora, no's enojéis; que sean emplumadas cuantas aquí hay, por vuestro servicio, y quien desea tal oficio.

---

[30] Nótese una vez más el papel de las parientes.

[31] *lo que hacen haber:* «lo que hacen cobrar a las prostitutas».

[32] Como se verá en adelante, éste va a ser el método de Lozana cuando tenga ella el papel de medianera (ver mam. XXIV, XXV y XXXVII).

[33] Quiere decir Lozana que no entiende lo que dice el valijero cuando afirma que las alcahuetas no se contentan con un porcentaje sino que «quieren el todo», o sea la totalidad de la paga.

[34] Entiéndase: «Si los clientes dan a las alcahuetas un ducado para que lo entreguen...»

[35] *El medio:* la mitad del ducado.

[36] *una que... me añade:* una que me da más.

[37] Es decir que las alcahuetas pueden impedir que tenga principio el enredo amoroso.

[38] Las «pobretas» se excusan (no recurren a las alcahuetas) si pueden prescindir de ellas.

[39] Este tema de la defensa de la alcahueta es uno de los predilectos de Lozana. Pero, por lo visto, el valijero no comparte su opinión, ni otros tampoco (digo: en la novela). Sobre el sentido de *empanadas* y *enceradas,* ver *supra,* principio de este mamotreto, y nota 3.

MAMOTRETO XXI

Otra pregunta que hace la Lozana al valijero cuando se levanta.

LOZANA.—Decime, señor, esas putas, o cortesanas, o como las llamáis, ¿son todas d'esta tierra?

VALIJERO.—Señora, no, hay de todas naciones: hay españolas, castellanas, vizcaínas, montañesas, galicianas, asturianas, toledanas, andaluzas, granadinas, portuguesas, navarras, catalanas y valencianas, aragonesas, mayorquinas, sardas, corsas, secilianas, napolitanas, bruzesas, pullesas, calabresas, romanescas, aquilanas, senesas, florentinas, pisanas, luquesas, boloñesas, venecianas, milanesas, lombardas, ferraresas, modonesas, brecianas, mantuanas, raveñanas, pesauranas, urbinesas, paduanas, veronesas, vicentinas, perusinas, novaresas, cremonesas, alejandrinas, vercelesas, bergamascas, trevisanas, piedemontesas, saboyanas, provenzanas, bretonas, gasconas, francesas, borgoñas, inglesas, flamencas, tudescas, esclavonas y albanesas, candiotas, bohemias, húngaras, polacas, tramontanas y griegas.

LOZANA.—Ginovesas os olvidáis.

VALIJERO.—Ésas, señora, sonlo en su tierra, que aquí sos esclavas, o vestidas a la ginovesa por cualque respeto[1].

LOZANA.—¿Y malaguesas?

VALIJERO.—Todas son maliñas y de mala digestión[2].

LOZANA.—Dígame, señor, y todas éstas ¿cómo viven, y de qué?

VALIJERO.—Yo's diré, señora: tienen sus modos y maneras que sacan a cada uno lo dulce y lo amargo. Las que son ricas, no les falta qué espender[3] y qué guardar. Y las medianas tie-

---

[1] *por cualque respeto:* «por cualquier motivo». No es gratuita la precisión respecto de las genovesas, su traje, y su condición de esclavas, porque permite apreciar mejor la razón de ese atuendo de la Lozana cuando vino a Roma, marcada de una estrella en la frente, como el esclavo Rufus de Marcial (véase Introducción).

[2] No entiendo ese juicio sobre las malagueñas.

[3] *espender:* «expender, gastar».

275

nen uno aposta que mantiene la tela[4], y otras que tienen dos, el uno paga y el otro no escota; y quien tiene tres, el uno paga la casa, y el otro la viste, y el otro hace la despensa, y ella labra[5]. Y hay otras que no tienen sino día e vito[6], y otras que lo ganan a heñir[7], y otras que comen y escotan, y otras que les parece que el tiempo pasado fue mejor[8]. Hay entr'ellas quien tiene seso y quien no lo tiene; y saben guardar lo que tienen, y éstas son las que van entre las que son ricas, y otras que guardan tanto que hacen ricos a munchos; y quien poco tiene hace largo testamento; y, por abreviar, cuando va ya al campo final, dando su postrimería al arte militario[9], por pelear y tirar a terrero[10]; y otras que a la vejez viven a Ripa[11]. Y esto causan tres estremos que toman cuando son novicias, y es que no quieren casa si no es grande y pintada de fuera, y como vienen[12], luego se mudan los nombres con cognombres altivos y de grand sonido, como son: la Esquivela[13], la Cesarina, la Impera[14], la

_____

[4] *Mantener la tela:* «ser el principal en la justa o torneo» *(Autoridades;* véase además, mam. XIV, nota 43).

[5] *el otro hace la despensa, y ella labra:* para ella, me parece clara su labor con las agujas y la tela (véase Introducción, páginas 87-88); en cuanto a «el otro», supongo que pagaría la comida, puesto que los anteriores cargan con el alquiler de la casa y los vestidos.

[6] *día e vito:* «frase con que se explica el poco fructuoso trabajo de algunos oficios o ejercicios, cual suele ser la labor de las mujeres, que trabajando todo el día, sólo ganan para comer en él, sin reservar nada, ni poder ahorrar para sustentarse otro día» *(Autoridades,* s. v. *día,* «día y victo»).

[7] *heñir:* «amasar». Como se advierte en *R. 75, ganar a heñir* remite a la frase proverbial: «Tiene bien que heñir» que Correas comenta así: «Por dificultad y trabajo» (pág. 192, nota 19).

[8] Tema fundamental en *La Lozana* (véase Introducción, «El nudo del *exemplum»).*

[9] Porque las prostitutas viejas no hallan otros cabritos que los soldados. Esto explica por qué, en el último mamotreto, aparece Marte.

[10] *por pelear y tirar a terrero:* temible ambigüedad de esta frase que se aplica por igual a las rameras viejas [que «pelean» con los soldados cuando «tiran a terrero», o sea a la fosa del campo final o campo santo o cementerio] y a los soldados [por «pelear» ellos y «tirar al terrero», es decir al blanco con sus flechas o dardos].

[11] *Ripa:* «barrio de Roma, notorio por sus rameras a principios del siglo XVI» (nota 23 de *R. 75,* pág. 192).

[12] *como vienen:* «así que llegan».

[13] *la Esquivela:* ¿por esquiva?

[14] *Imperia:* este personaje, como Dorotea, aparece en el *Retrato.* Las demás se merecen sólo una mención en la lista del valijero.

Delfina, la Flaminia, la Borbona, la Lutreca, la Franquilana[15], la Pantasilea[16], la Mayorana, la Tabordana, la Pandolfa, la Dorotea, la Orificia[17], la Oropesa, la Semidama y doña Tal, y doña Andriana, y ansí discurren mostrando por sus apellidos el precio de su labor; la tercera[18], que por no ser sin reputa[19], no abren público a los que tienen por oficio andar a pie.

LOZANA.—Señor, aunque el decidor sea necio, el escuchador sea cuerdo[20]. ¿Todas tienen sus amigos de su nación?

VALIJERO.—Señora, al principio y al medio, cada una le toma como le viene; al último, francés[21], porque no las deja hasta la muerte.

LOZANA.—¿Qué quiere decir que vienen tantas a ser putas a Roma?

VALIJERO.—Vienen al sabor
y al olor.
De Alemaña
. son traídas,
y de Francia
son venidas.
Las dueñas d'España
vienen en romeaje,
y de Italia
vienen con carruaje[22].

LOZANA.—¿Cuáles son las más buenas de bondad?

VALIJERO.—¡Oh, las españolas son las mejores y las más perfectas!

LOZANA.—Ansí lo creo yo, que no hay en el mundo tal mujeriego.

---

[15] *Franquilana:* véase mam. XVII, nota 38.

[16] *Pantasilea* (o Pentasilea): reina de las Amazonas que Delicado sacó probablemente de un poema de Santillana, donde la pobre se estaba muriendo a puras lágrimas por la muerte de Héctor (ver Marqués de Santillana, *Canciones y Decires,* Clásicos Castellanos, núm. 18, página 114).

[17] *Orificia:* ¿por el oro o por el orificio?

[18] *la tercera:* la tercera razón (o extremo) después de la casa grande y del sobrenombre altisonante.

[19] *reputa:* con esta forma se ve mejor el vínculo jocoso y conceptista entre putería y reputación.

[20] *aunque el decidor... sea cuerdo:* refrán (Correas, 33, a).

[21] *francés:* por alusión al mal francés, incurable.

[22] Forma de canción infantil, para canturreada como cuando se echan suertes.

VALIJERO.—Cuanto son allá de buenas, son acá de mejores.

LOZANA.—¿Habrá diez españolas en toda Roma que sean malas de su cuerpo?

VALIJERO.—Señora, catorce mil buenas, que han pagado pontaje[23] en el golfo de León[24].

LOZANA.—¿A qué vinieron?

VALIJERO.—Por hombres para conserva[25].

LOZANA.—¿Con quién vinieron?

VALIJERO.—Con sus madres y parientas.

LOZANA.—¿Dónde están?

VALIJERO.—En Campo Santo[26].

MAMOTRETO XXII

Cómo se despide el valijero, y deciende su criado, y duermen hasta que vino Trigo.

VALIJERO.—Mi vida, dame licencia.

LOZANA.—Mi señor, no me lo mandéis, que no quiero que de mí se parta tal contenteza.

VALIJERO.—Señora, es tarde, y mi oficio causa que me parta y quede aquí sempiterno servidor de vuestro merecimiento[1].

LOZANA.—Por mi amor, que salga pasico y cierre la puerta.

---

[23] *pontaje:* «el derecho que se paga en algunas partes por pasar las puentes. Dícese también pontazgo» (*Autoridades,* s. v. *pontage.* Cfr. también mam. LI).

[24] Otra posible alusión al pasado de Lozana: desde Marsella, principal puerto de esa costa, salió Lozana para Italia (Liorna, y después Roma). Sin hablar de *león* como «rufián», como se ha indicado *supra,* mam. VI, nota 2, ni, por supuesto, al Papa.

[25] *conserva:* no creo que aquí signifique «de consuno» o «compañía», como se interpreta en *R. 75,* ni «repuesto» como sugiere Margherite Morreale, sino «conservación»: vinieron por hombres para poder vivir, o sobrevivir (cfr. «España mísera»).

[26] A pesar de las anteriores alusiones a la vejez, esta macabra conclusión sorprende algo en este mamotreto. Sin embargo, está acorde con la temática general del libro.

[1] *merecimiento:* cuidado con esta forma de mérito, tan vinculada a lo que se «merca» y al oficio de la «meretriz».

VALIJERO.—Sí haré, y besaros de buena gana.

LOZANA.—Soy suya.

VALIJERO.—Mirá, hermano, abríme y guardá bien a vuestra ama, que duerme.

RAMPÍN.—Señor, sí, andá norabuena.

LOZANA.—¡A tu tía[2] esa zampoña![3]

RAMPÍN.—¿Haos pagado?

LOZANA.—¿Y pues? Siete buenas y dos alevosas[4], con que me gané estas ajorcas.

RAMPÍN.—Bueno si durase[5].

LOZANA.—Mirá, dolorido, que de aquí adelante que sé cómo se baten las calderas[6], no quiero de noche que ninguno duerma comigo sino vos, y de día, comer de todo, y d'esta manera

---

[2] *A tu tía:* manera irónica de despedirse. Correas comenta esta expresión tradicional: «despidiendo y negando se dice; que se vaya con Dios» *(Ref. op. cit.,* 24, b y 602, a).

[3] *esa zampoña:* metonimia del valijero; se despide Lozana de su música (lo que ha dicho, etc.) y también de ese atributo suyo que semeja una zampoña, o flauta rústica: también lo llaman *caramillo* en otras partes del libro.

[4] Véase *supra,* mam. XX, notas 25 y 26. Damiani explicita «siete cópulas buenas y dos fingidas» *(L. A. 69,* pág. 106, y *R. 75,* pág. 195).

[5] *Bueno si durase:* «Bueno sería si hubiera durado [lo nuestro]» en opinión de los editores de *R. 75;* pero a mi modo de ver, este irreal de pasado no corresponde ni al empleo del subjuntivo en *-se* en el siglo XVI, ni a lo que quiere expresar Rampín, que es optativo; «¡ojalá durase!», pensaría él, muy contento de la retribución (las ajorcas). Quizás se pueda pensar también en un doble sentido, el de *bueno* como «cornudo consentido» que, de durar el negocio, será aplicable a Rampín sin demasiadas complicaciones (hay otros contextos en que es menos problemática esta interpretación). Y en fin, como Rampín está visiblemente ardoroso, su deseo podría referirse a lo que Lozana acaba de hacer con el valijero, para insinuarle que a él le gustaría entrar en la danza: vamos a ver que se cumple, y, hasta cierto punto, cómo.

[6] *sé cómo se baten las calderas:* no he hallado la expresión «batir las calderas» en ningún documento, pero no me parece demasiado aventurado, puesto que las calderas buenas se hacían de cobre, asemejarla a «batir el cobre». En *El Porqué de los Dichos,* Iribarren examina las diversas definiciones de esta expresión en el *D. R. A. E.,* y en el *Tesoro* de Covarrubias, que coinciden para indicar que «batir el cobre» equivale (a partir del trabajo material de referencia) «a tratar un negocio con viveza y empeño, con calor y constancia», en palabras de Seijas Patiño. Pero es más interesante aún lo que Iribarren extrae de Correas *(Voc. Ref.),* a saber: que *batir el cobre* «dícese del juego, de cosas que se usan con frecuencia» y, además, que con las expresiones *Allí*

279

engordaré, y vos procurá de arcarme la lana si queréis que teja cintas de cuero[7]. Andá, entrá, y empleá vuestra garrocha. Entrá en coso, que yo's veo que venís como estudiante que durmió en duro, que contaba las estrellas[8].

RAMPÍN.—¿Y vos qué parecéis?

LOZANA.—¡Dilo tú, por mi vida!

RAMPÍN.—Parecéis barqueta sobre las ondas con mal tiempo[9].

LOZANA.—¡A la par, a la par lleguemos a Jodar![10]. Duérmete y callemos, que sendas nos tenemos[11]. Parece que siento la puerta, ¿quién será?

RAMPÍN.—Trigo es, por vida del Dío.

---

es el batidero, allí se bate el cobre, allí es el cutidero, se alude «al lugar do concurren muchos y donde se juega a la continua».

De ser así, asentada y admitida la equivalencia *batir las calderas* y *batir el cobre,* Lozana quiere decir que después de su entrevista con el valijero, dispone de informaciones útiles, sabiendo dónde y entre quiénes anda el juego, para salir adelante.

[7] *Arcar la lana* es otra expresión textil tan empleada para el acto sexual que no merece comentario; pero *tejer cintas de cuero* no es tan evidente. En la frase que pronuncia Lozana, aparece como una finalidad de «arcar la lana», pero no se refiere a la ganancia, como se ha creído, porque Lozana no puede esperar dinero (ni otra compensación lucrativa) de parte de Rampín, y porque la ganancia, con ese tipo de cintas, sería mínima. Lo más probable es que «tejer cintas de cuero» exprese la promesa de no quedarse pasiva la mujer al estar con su amante, pues, además del consabido sentido erótico de *tejer, cintas de cuero* son «agujetas» (como indica Covarrubias en su *Tesoro,* 421, b, 57, s. v. *cinta),* y, por ello, metáfora funcional de «pene» (véase *P. E. S. O., 30,* 11, pág. 46 y nota, donde se explica que, según Covarrubias, la *agujeta* se mete por los *ojetes* de las calzas).

[8] Tres notas de los editores de *R. 75* aclaran perfectamente el pasaje:

—*garrocha:* «miembro viril», nota 7.

—*coso:* «parte natural de la mujer», nota 8.

—*durmió en duro:* es clara alusión al refrán «a cama dura, carajo tieso», registrado por Cejador en *Refranero castellano,* ahora citado en el *Diccionario Secreto,* II, 165 [de C. J. Cela].

Todo, pues, queda claro: quizás se pueda añadir sin embargo, a estas notas, que la variante «contaba las estrellas» (que propone Delicado) es más discreta, pero no menos elocuente, y tiene más gracia.

[9] Ahora se entiende por qué en la nave de la portada, Rampín es quien maneja la espadilla.

[10] Véase Introducción, nota 27.

[11] *Duérmete... tenemos:* «nos poseemos el uno al otro», aclara Damiani en *L. A. 69* (pág. 106) y en *R. 75* (pág. 196), pero sin más co-

LOZANA.—Andá, abrilde.

TRIGO.—¿Cómo os va, señora? ¡Que yo mi parte tengo del trabajo!

RAMPÍN.—No curéis, que de aquí a poco no's habremos menester, que ya sabe ella más que todos.

TRIGO.—Por el Dío, que un fraile me prometió de venilla aver, y es procurador del convento, y sale de noche con cabellera[12]. Y mirá que os proveerá a la mañana de pan e vino y a la noche de carne y las otras cosas; todo lo toma a taja[13], y no le cuesta sino que vos vais al horno y al regatón y al carnicero, y así de las otras cosas, salvo de la fruta.

LOZANA.—No curéis, hacedlo vos venir, que aquí le sabremos dar la manera. Fraile o qué, venga, que mejor a él que a Salomón enfrenaré[14], pues d'esos me echá[15] vos por las manos, que no hay cosa tan sabrosa como comer de limosna.

---

mentario. Globalmente, creo que tiene razón, aunque «el uno al otro» puede hacer pensar que interpreta *sendas* como distributivo («sendas cosas»: cada uno lo nuestro, recíprocamente). Si es verdaderamente así, molesta la ausencia del sustantivo, porque si remitiera a los protagonistas, tendría que concordar en masculino: *sendos,* y eso que sería curiosa la construcción. Por eso, creo que *sendas* aquí vale por *senderos* o *caminos* cuyo empleo en contexto erótico está ampliamente documentado, con un sentido de «concúbito» o «efusión de semen» (cfr. *P. E. S. O.,* o *Lozana, passim.*)

Quedaría por saber si *tenemos* remite al pasado *(i. e.,* «sendas nos tenemos *andadas») o al futuro (i. e.,* «sendas nos tenemos *por delante»).* Quizás no importe demasiado si consideramos que lo que ha sido será, y que además se estropearía el ritmo de una frase que, con su rima interna y su cadencia de refrán, concluye tan felizmente, en nivel estilístico, el mano a mano de nuestros héroes.

[12] *cabellera:* aquí «peluca». Se la pondría el procurador del convento para ocultar la tonsura, y no ser conocido. Lo bueno es que la estratagema engañó al autor que no se dio cuenta de que había eclesiásticos en su novela, y religiosos (cfr. *Explicit).*

[13] *a taja:* locución que Joaquín del Val comprende como *a tarja,* probablemente a partir de *sobre tarja,* «al fiado», y que Damiani explica por las acepciones «cortadura» o «repartimiento» de *taja;* pero ninguna de las dos soluciones me convence totalmente. Quizás haya que buscar la solución del lado de *taja,* «antiguo tributo real o señorial», como la define el *D. R. A. E.* (el procurador del convento se portaría como señor frente a sus pecheros, lo que conferiría finalmente cierta dignidad a la estafa o sisa).

[14] Porque a Salomón es difícil «enfrenarle» (es símbolo de la cordura y el fraile no).

[15] *me echá:* imperativo, «echadme».

TRIGO.—Señora, yo os he hallado una casa de una señora rica que es estada cortesana, y agora no tiene sino dos señores que la tienen a su posta[16], y es servida de esclavas como una reina, que está parida, y busca una compañía que le gobierne su casa.

LOZANA.—¿Y dónde mora?

TRIGO.—Allá, detrás de Bancos[17]. Si is[18] allá esta tarde, mirá que es una casa nueva pintada y dos celosías y tres encerados.

LOZANA.—Sí haré, por conocer y esperimentar, y también por comer a espesas de otrie que, como dicen, ¿quién te enriqueció?: —quien te gobernó[19].

TRIGO.—Mirá, que está parida y no os dejará venir a dormir a casa.

LOZANA.—No me curo, que Tragamallas[20] dormirá aquí, y tomaremos una casa más cerca[21].

TRIGO.—¿Para qué, si ella os da casa y lecho y lo que habréis de menester?

LOZANA.—Andá, que todavía mi casa y mi hogar cien ducados val[22]. Mi casa será como faltriquera de vieja, para poner lo mal alzado[23] y lo que se pega.

---

[16] *a su posta:* «a su voluntad», según Damiani que se apoya en un sentido de *posta* declarado por el *D. R. A. E.* (lo que sigue me parece confirmar tal interpretación).

[17] Es una calle de Roma.

[18] *is:* «vais».

[19] Este refrán está registrado en el *Voc. Ref.* de Correas; pero no me parece que aquí encaje del todo bien, pues Lozana es la que tiene que *gobernar* la casa, y no se trata para ella de enriquecer a nadie, sino a la inversa, de comer a expensas de otros. En realidad, *gobernar* tiene en el refranero un sentido que se aclara por la variante «¿Quién te hizo rico? Quien te (o: me) hizo el pico» (Correas, 411, b); se trataría, pues, de la educación o enseñanza como fuente de riqueza. Al querer jugar con la palabra *gobernar,* se le olvidó probablemente a Delicado su acostumbrada adaptación.

[20] *Tragamallas:* «glotón, tragón»; era personaje proverbial: «Comía Tragamallas huevos cochos con cernada» (Hernán Núñez, citado por Combet en *Voc. Ref.* de Correas, 432, b). Aquí, Lozana se refiere a Rampín, de quien se acentúan los rasgos, conforme va avanzando la novela, caricaturescos a más no poder.

[21] Lozana ha entendido al revés lo que dice Trigo.

[22] Cfr. Juan Ruiz, coplas 973 y 383: «Dix, desque vi mi bolsa que se parava mal:/mi casilla e mi fogar cien sueldos val» (citado en *R. 75,* nota 22, pág. 198).

[23] *lo mal alzado:* «lo hurtado», según *R. 75* (nota 23, pág. 198), pero

TRIGO.—«Con vos me entierren», que sabéis de cuenta. «Ve do vas, y como vieres, ansí haz, y como sonaren, así bailarás»[24].

MAMOTRETO XXIII

Cómo fue la Lozana en casa d'esta cortesana, y halló allí un canónigo, su mayordomo, que la empreñó[1].

LOZANA.—Paz sea en esta casa[2].
ESCLAVA.—¿Quién está ahí?
LOZANA.—Gente de paz, que viene a hurtar.
ESCLAVA.—Señora, ¿quién sois? para que lo diga a mi ama.

---

más probablemente, como sugiere Margherite Morreale, «lo mal guardado», significado que *alzar* tuvo en la Edad Media, y se conservó hasta el siglo XVII, aunque no le parecía muy elegante a Covarrubias: «Alzar alguna cosa, en lengua tosca, es guardarla» *(Tes.,* 79, a, 63) [a no ser que Covarrubias empleara *tosca* por «toscana»].

[24] Trigo ensarta tantos refranes como el mismo Sancho Panza; «Con vos me entierren», «Ve do vas, y como vieres ansí haz» y «Al son que me hicieres, a ése bailaré» están en el *Voc. Ref.* de Correas, como se advierte en *R. 75* (notas 24 y 25, pág. 198).

[1] El canónigo, mayordomo o administrador de la hacienda de la cortesana, empreñó a Lozana; podría haber una duda (que hubiera empreñado a la cortesana que acaba de dar a luz), pero varios indicios ulteriores muestran que se trata de la andaluza. En vano, sin embargo, se buscará en este mamotreto una alusión clara al ayuntamiento carnal de los dos personajes; hay aquí cierto tipo de ironía que consiste en anunciar un tema que luego no se desarrolla. En este caso, dado el contenido, calificaré tal procedimiento de contracazurrismo, sin que esto signifique que falten en el mamotreto situaciones escabrosas, pero sin relación aparente con lo anunciado en el epígrafe. Por fin, quiero recalcar una vez más la importancia de estos argumentos parciales, capitales por las informaciones que aportan como para apreciar mejor el papel de *el autor.*

[2] *Paz sea en esta casa:* [cfr. San Lucas (X, 5): *Pax huic domui],* fórmula que Cristo había aconsejado a sus discípulos cuando entrasen en cualquier casa; la emplea Celestina la primera vez que va a casa de Melibea (auto IV), y no se olvidó Delicado del detalle. Sin embargo, mien-

LOZANA.—Decí a su merced que está aquí una española, a la cual le han dicho que su merced está mala de la madre, y le daré remedio si su merced manda.

ESCLAVA.—Señora, allí está una gentil mujer, que dice no sé qué de vuestra madre.

CORTESANA.—¿De mi madre? ¡Vieja debe ser, porque mi madre murió de mi parto! ¿Y quién viene con ella?

ESCLAVA.—Señora, un mozuelo.

CORTESANA.—¡Ay Dios! ¿Quién será? Canónigo, por vuestra vida, que os asoméis y veáis quién es.

CANÓNIGO.—¡Cuerpo de mí!, es más hábil, a mi ver, que Santa Nefija, la que daba su cuerpo por limosna[3].

CORTESANA.—¿Qué decís? Esa no se debía morir. Andá, mirá si es ella que habrá resucitado.

CANÓNIGO.—Mándela vuestra merced subir, que poco le falta.

CORTESANA.—Suba.

—Va tú, Penda, que esta marfuza no sabe decir ni hacer embajada.

ESCLAVA[4].—Xeñora llamar.

LOZANA.—¡Oh qué linda tez de negra! ¿Cómo llamar tú? ¿Comba?

ESCLAVA.—No, llamar Penda de xeñora.

LOZANA.—Yo dar a ti cosa bona.

ESCLAVA.—Xeñora, xí. Venir, venir, xeñora decir venir.

LOZANA.—Beso las manos mi señora.

CORTESANA.—Seáis la bienvenida.

—Daca aquí una silla, pónsela, que se siente.

---

tras se trataba para Rojas de delatar la hipocresía y falsa devoción de la vieja, la intención de Delicado se sitúa claramente en un registro burlesco, como demuestra la segunda réplica de Lozana.

[3] *¡Cuerpo de mí... por limosna:* Esta Santa Nefija, que parece santa de santoral estrafalario, es *hábil* no sólo por sus habilidades sino porque es fácil de *haber* (o «gozar»). Vuelve a aparecer en los mamotretos L y LI cuando Trujillo goza gratis a Lozana: véanse allí las variantes en la formulación.

[4] Es de suponer que esta esclava negra, que se llama Penda (nombre evocador de pendanga, pendejo o pendón, que se nos revela en la réplica anterior), no es la misma que la primera esclava (la *marfuza*, propiamente «repudiada, desechada» o «falaz, engañosa», según la Academia), pues se nota un cambio en la manera de hablar, pudiendo apenas expresarse la segunda: el efecto cómico nace precisamente de que «no sabe decir ni hacer embajada» la que habla correctamente.

—Decíme, señora, ¿conocistes vos a mi madre?

LOZANA.—Mi señora, no; conocerla he yo para servir y honrar.

CORTESANA.—Pues, ¿qué me enviastes a decir que me queríades dar nuevas de mi madre?

LOZANA.—¿Yo, señora? Corruta estaría la letra, no sería yo[5].

CORTESANA.—Aquella marfuza me lo ha dicho agora.

LOZANA.—Yo, señora, no dije sino que me habían dioho que vuestra merced estaba doliente de la madre y que yo le daría remedio.

CORTESANA.—No entiende lo que le dicen. No curés, que el canónigo tiene la culpa, que no quiere hacer a mi modo.

MAYORDOMO.—¿Qué quiere qu' haga?[6]. Que ha veinte días que soy estado para cortarme lo mío, tanto me duele cuando orino, y según dice el médico, tengo que lamer[7] todo este año, y a la fin creo que me lo cortarán[8]. ¿Piensa vuestra merced que se me pasarían sin castigo ni ella ni mi criado, que jamás torna do va? Ya lo he dicho a vuestra merced que busque una persona que mire por casa, pues que ni vuestra merced ni yo podemos, que cuando duele la cabeza todos los miembros están sentibles[9], y vuestra merced se confía en aquel judío de Trigo, y mire cómo tornó con sí o con no.

_____

[5] *Corruta estaría la letra:* otra reminiscencia de *La Celestina:* cfr. «Celestina. —Hijos estará corrupta la letra, por trece tres» (auto IX).

[6] Adopto la grafía con virgulilla (qu'haga) porque me parece que debe haber cacofatón, como, más tarde, en la letrilla de Góngora «Si en todo lo qu'hago/soy desgraciada/¿qué quiere qu'haga?». Era juego bastante practicado.

[7] No sé lo que significa exactamente *lamer* en este contexto. Puede equivaler quizá al francés «en baver», que expresa dolor o sufrimiento. Sin embargo, como posiblemente su enfermedad le imposibilitara el acceso carnal a su querida, ¿quizás piense en una práctica de sustitución?

[8] Recuérdese que Diomedes también estuvo para «partirse a su padre» (cfr. mam. IV e Introducción, pág. 124).

[9] Se apunta con razón en *R. 75* (nota 11, pág. 201) que es «probable referencia bíblica si se piensa en una epístola de San Pablo a los Corintios acerca de la relación entre la cabeza y los miembros del cuerpo místico de Cristo; cfr. Cor. 12, 21». Lo único que quiero añadir es que, al confundir seso y sexo, el canónigo propone una glosa un tanto curiosa de la Sagrada Escritura (en realidad se puede entender también que al hablar de la cabeza, el canónigo se refiere a su papel de jefe; pero es evidente que lo que acaba de decir entraña alguna confusión).

LOZANA.—Señor, lo que Trigo prometió yo no lo sé, mas sé que él me dijo que viniese acá.

MASTRO DE CASA[10].—¡Oh señora!, ¿y sois vos la señora Lozana?

LOZANA.—Señor, sí, a su servicio y por su bien y mejoría.

CANÓNIGO.—¿Cómo, señora? ¡Seríaos esclavo!

LOZANA.—Mi señor, prometéme de no dallo en manos de médicos, y dejá hacer a mí, que es miembro que quiere halagos y caricias, y no cruedad de médico cobdicioso y bien vestido[11].

CANÓNIGO.—Señora, desde agora lo pongo en vuestras manos, que hagáis vos lo que, señora, mandáredes, que él y yo os obedeceremos.

LOZANA.—Señor, hacé que lo tengáis limpio, y untaldo con pupulión[12], que de aquí a cinco días no ternéis nada.

CANÓNIGO.—Por cierto que yo os quedo obligado.

CORTESANA.—Señora, y a mí, para la madre, ¿qué remedio me dais?

LOZANA.—Señora, es menester saber de qué y cuándo os vino este dolor de la madre.

CORTESANA.—Señora, como parí, la madre me anda por el cuerpo como sierpe.

LOZANA.—Señora, sahumaos por abajo con lana de cabrón, y si fuere de frío, o que quiere hombre, ponelle un cerote, sobre el ombligo, de gálbano y armoniaco[13] y encienso, y simiente de ruda en una poca de grana, y esto la hace venir a su lugar, y echar por abajo y por la boca toda la ventosidad. Y mire vuestra merced que dicen los hombres y los médicos que no saben de qué procede aquel dolor o alteración. Metelle el padre[14] y peor es, que si no sale aquel viento o frío que está en ella, más mal hacen hurgándola. Y con este cerote sana, y no nuez

---

[10] Este *mastro* o *maestro de casa* es el canónigo mayordomo (nótese que Delicado varía la denominación de sus «personajes que hablan», lo que crea cierta confusión para identificarlos (y contarlos).

[11] La figura del médico bien vestido, codicioso e incapaz, está destinada a conocer gran éxito en las letras españolas del Siglo de Oro (véase el notable estudio de M. Chevalier, *Tipos cómicos y folklore*).

[12] *pupulión:* «populeón» (ungüento calmante).

[13] *armoniaco:* «amoniaco».

[14] *padre:* se entiende por complementariedad con *madre* «matriz» (cfr. *padrear*). Lozana contradice aquí a Celestina, quien aconsejaba lo contrario a Areusa (auto VII).

286

moscada y vino, que es peor. Y lo mejor es una cabeza de ajos asada y comida.

CORTESANA.—Señora, vos no's habéis de partir de aquí, y quiero que todos os obedezcan, y miréis por mi casa y seáis d'ella, y a mi tabla y a mi bien y a mi mal quiero que os halléis.

LOZANA.—Beso las manos por las mercedes que me hará, y espero.

PARTE SEGUNDA

Mamotreto XXIV

Cómo comenzó a conversar con todos, y cómo el autor la conoció[1] por intercesión de un su compañero, que era criado de un embajador milanés, al cual ella sirvió la primera vez con una moza no virgen, sino apretada[2].

Aquí comienza la parte segunda.

SILVIO.—¡Quién me tuviera agora que aquella mujer que va muy cubierta no le dijera cualque remoquete por ver qué me respondiera, y supiera quién es![3]. ¡Voto a mí, que es andaluza!

---

[1] Información capital; en toda la primera parte, *el autor* no conocía a Lozana, y esto permite apreciar mejor lo que quiere decir cuando escribe de su *Retrato:* «solamente diré lo que oí y vi».

[2] *apretada:* se refiere evidentemente al sexo de la mujer, siendo tal práctica un posible recuerdo de *La Celestina.* Elicia (a Celestina): «Que has sido hoy buscada del padre de la desposada que llevaste el día de pascua al racionero, que la quiere casar de aquí a tres días, y es menester que la remedies, pues que se lo prometiste, para que no sienta su marido la falta de la virginidad» (auto VII). En el auto I, «tres veces vendió por virgen una criada...».

[3] Al empezar la escena, Silvio está solo, y lamenta no estar acompañado: el sujeto del verbo *tuviera* es un «yo» implícito, distinto de *quién,* que es complemento de tercera persona, así gramatical como real en este caso. *Aquella* por «a aquella», lo mismo que *aquel* por «a aquel» se documenta de vez en cuando (analogía de *deste,* pero mucho más molesto por la supresión de hecho de la preposición). Además, la frase no es muy coherente. Supongo que la negación *no* (no le dijera) es expletiva, mentalmente atraída por la irrealidad de la presencia deseada de *quien* («alguien») le dijera una cuchufleta a la mujer; pero después, parece suponer que la mujer le contestaría a él *(qué me respon-*

En el andar y meneo se conoce. ¡Oh qué pierna! En vella se me desperezó la complisión[4]. ¡Por vida del rey, que no está virgen! ¡Ay qué meneos que tiene! ¡Qué voltar acá! Siempre que me vienen estos lances, vengo solo[5]. Ella se para allí con aquella pastelera; quiero ir a ver cómo habla y qué compra.

AUTOR.—¡Hola! ¡Acá, acá! ¿Qué hacéis? ¿Dó is?[6].

SILVIO.—Quiero ir allí a ver quién es aquella que entró allí, que tiene buen aire de mujer.

AUTOR.—¡Oh qué reñegar tan donoso![7]. ¡Por vida de tu amo, di la verdad!

COMPAÑERO.—¡Hi, hi! Diré yo como de la otra, que las piedras la conocién[8].

AUTOR.—¿Dónde está? ¿Qué trato tiene? ¿Es casada o soltera? Pues a vos quiero yo para que me lo digáis.

COMPAÑERO.—¡Pese al mundo con estos santos sin aviso![9]. Pasa cada día por casa de su amo, y mirá qué regatear que tiene, y porfía que no la conoce. Miralda bien, que a todos da remedio de cualquier enfermedad que sea.

----

diera), a no ser que este *me* sea un dativo ético. Es de suponer que esta sintaxis relajada corresponde a la flexibilidad del habla coloquial, y de quien además habla para sus adentros. En resumen, entiendo así: «¡ojalá yo (me) tuviera ahora a quien —o: a alguien que— le dijera cualquier remoquete a aquella mujer, para ver qué me respondería, lo cual me permitiría saber quién es!». Para otra posibilidad, ver más adelante, nota 42.

[4] *complisión:* «complexión»: la vista de Lozana no le alegra solamente el ánimo.

[5] Véase nota 3.

[6] *¿Dó is?:* ¿dónde vais?

[7] *Reñegar:* «renegar» (con ñ por influencia de «reniego»); es de suponer que el autor oiría las quejas de Silvio, a no ser que se refiera a lo que, con su amigo, puede captar de lo que estará diciendo Lozana.

[8] Por decir que todo el mundo la conocía: Pármeno lo dice de Celestina, de quien Lucrecia añade que «es más conocida que la ruda».

[9] Entiendo que los santos (o señas, que hay que dar para poder entrar) se cambian sin que se avise a los interesados. Esto explicaría, en la frase que sigue, por qué el que está de guardia no quiere dejarla pasar, diciendo que no la conoce (a Lozana), aunque ella va todos los días a dicha casa (donde se observa, si no me equivoco, una férrea disciplina militar). Pero quizás se pueda entender: «¡Pese al mundo con estos santos! Sin aviso pasa cada día por casa...», lección ésta que propone Joaquín del Val; sin embargo, no me parece tan coherente como aquélla.

AUTOR.—Eso es bueno. Decíme quién es y no me habléis por circunloquios, sino decíme una palabra redonda, como razón de melcochero[10]. ¡Dímelo, por vida de la Corceta[11]!

COMPAÑERO.—So contento. Esta es la Lozana, que está preñada de aquel canónigo que ella sanó de lo suyo[12].

AUTOR.—¿Sanólo para que la empreñase? Tuvo razón. Decime, ¿es cortesana?

COMPAÑERO.—No, sino que tiene ésta la mejor vida de mujer que sea en Roma. Esta Lozana es sagaz, y bien mirado[13] ha todo lo que pasan las mujeres en esta tierra, que son sujetas a tres cosas: a la pinsión de la casa, y a la gola, y al mal que después les viene de Nápoles[14]; por tanto, se ayudan cuando pueden con ingenio, y por esto quiere ésta ser libre. Y no era venida cuando sabía toda Roma y cada cosa por extenso; sacaba dechados de cada mujer y hombre, y quería saber su vivir, y cómo y en qué manera, de modo que agora se va por casas de cortesanas, y tiene tal labia que sabe quién es el tal que viene allí, y cada uno nombra por su nombre, y no hay señor que no desee echarse con ella por una vez. Y ella tiene su casa por sí, y cuanto le dan lo envía a su casa con un mozo que tiene, y siempre se le pega a él y ella lo mal alzado[15], de modo que se saben remediar. Y ésta hace embajadas, y mete de su casa muncho almacén[16], y sábele dar la maña, y siempre es llamada señora Lozana, y a todos responde, y a todos promete y

_____

[10] *razón de melcochero:* supongo que el vendedor de melcocha («golosina para los niños, de miel tostada», dice Covarrubias) pasaría por las calles pregonando (o sea voceando su *razón):* «¡melcocha...!», producto que, por metáfora, cobra otro sentido; cuando, en el mamotreto XXXIII, Rampín cae en la privada o letrina, Trinchante se ríe de que haya caído en la «melcocha». Luego la razón de melcochero sería un cagajón.

[11] No sé lo que pueda ser esta Corceta o corceta; sin embargo conservo la mayúscula, como Joaquín del Val y Damiani, a pesar de la minúscula de *Venecia 1528* (que no prueba gran cosa).

[12] Hay que imaginar que han pasado algunas semanas entre este mamotreto y el precedente.

[13] *bien mirado ha todo:* falta el verbo *ha* en *Venecia 1528.*

[14] Es decir, alquiler, gula y sífilis.

[15] Véase *supra,* mam. XXII, nota 23.

[16] *(Lozana) mete de su casa muncho almacén:* hay que entender que Lozana sabe suministrar a sus clientes cosas de poca monta y valor para sacar grandes provechos (cfr., con sentido ligeramente diferente, la expresión «gastar mucho almacén» en *D. R. A. E.,* y en Covarrubias). También se puede entender que gasta solamente palabras.

certifica, y hace que tengan esperanza, aunque no la haya. Pero tien'esto, que quiere ser ella primero referendada[17], y no perdona su interés a ninguno, y si no queda contenta, luego los moteja de míseros y bien criados, y todo lo echa en burlas; d'esta manera saca ella más tributo que el capitán de Torre Sabela[18]. Veisla allí, que parece que le hacen mal los asentaderos, que toda se está meneando, y el ojo acá, y si me ve, luego me conocerá, porque sabe que sé yo lo que pasó con mi amo el otro día, que una mochacha le llevó. Cinco ducados se ganó ésta, y más le dio la mochacha de otros seis, porque veintre le dio mi amo, y como no tiene madre, que es novicia, ella le sacaría las coradas[19], que lo sabe hacer. Y no perdona servicio que haga, y no le queda por corta ni por mal echada[20]. Y guay de la puta que le cae en desgracia, que más le valdría no ser nacida, porque dejó el frenillo de la lengua en el vientre de su madre, y si no la contentasen, diría peor d'ellas que de carne de puerco. Y si la toman por bien, beata la que la sabe contentar: va diciendo a todos qué ropa es debajo paños[21] salvo que es boba, y no sabe, condición tiene de ángel, y el tal señor la tuvo dos meses en una cámara y dice por más encarecer:
—Señor, sobre mí, si ella lo quiere hacer, que apretés con ella, y a mí también lo habéis de hacer, que de tal encarnadura so, que si no me lo hacen, muerta so, que ha tres meses que no sé qué cosa es, mas con vos quiero romper la jura. Y çon estas chufletas gana. La mayor embaidera es que nació. Pues pen-

---

[17] *referendada:* «refrendada»: Dos de las tres acepciones básicas de este verbo [1: firmar para autorizar un documento // 2: marcar las medidas, pesos y pesas // 3: revisar un pasaporte.] convienen para dar cuenta del uso que de él se hace aquí. En efecto, quiere decir que Lozana no se ha olvidado de las informaciones del valijero: quiere *«ser cabalgada primero»* antes de encaminar al amador a la cama de su amada, para poder responda por él [o - 1: autorizarle; - 2: controlar las pesas; - 3: darle el pasaporte].

[18] Véase *supra,* mam. XII, nota 18.

[19] Entiéndase que el amo de Silvano dio cinco ducados a Lozana por su corretaje, y que de los veinte ducados que se ganó la «mochacha» con el hombre, tuvo ella que dar seis a la medianera para que ésta no le sacara las *coradas,* es decir «Lo interno del animal, dándole nombre el corazón como otras veces se le da de asadura, y así decimos corada de cabrito, asadura de cabrito» (Covarrubias, *Tesoro,* 355, 2).

[20] Refrán que Correas comenta: «metáfora de la barra o bola, y otros ejercicios de tirar... No le quedará por corta o mal echada, cuando se dice y hace el deber» (citado en *R. 75,* pág. 208, nota 18).

[21] *qué ropa es debajo paños:* ver mam. XXXVII, nota 35.

saréis que come mal: siempre como asturión o cualque cosa. Come lo mejor, mas también llama[22] quien ella sabe que lo pagará más de lo que vale. Llegaos allá, y yo haré que no la conozco, y ella veréis que conocerá a vos y a mí, y veréis cómo no miento en lo que digo.

AUTOR.—De vuestras camisas o pasteles nos mostrá[23] señora, y máxime si son de mano d'esa hermosa.

LOZANA.—¡Por mi vida, que tiene vuestra merced lindos ojos! Y esotro señor me parece conocer, y no sé dó lo vi. ¡Ya, ya, por mi vida, que lo conozco!

—¡Ay, señora Silvana, por vida de vuestros hijos que lo conozco! Está con un mi señor milanés. Pues decí a vuestro amo que me ha de ser compadre cuando me empreñe.

AUTOR.—Cuanto más si lo estáis, señora.

LOZANA.—¡Ay, señor, no lo digáis, que soy más casta que es menester!

AUTOR.—¡Andá, señora, crecé y multiplicá, que llevéis algo del mundo.

LOZANA.—Señor, no hallo quien diga: ¿qué tienes ahí?

AUTOR.—¡Pues, voto a mí, que no se os parece!

LOZANA.—Mas antes sí, que ansí gocéis de vos, que engordo sin verde[24].

AUTOR.—Cada día sería verde si por ahí tiráis. Señora, suplícole me diga si es ésta su posada.

LOZANA.—Señor, no, sino que soy venida aquí, que su nuera d'esta señora está de parto, y querría hacer que, como eche las pares[25], me las vendan, para poner aquí a la vellutera y dalde ha cualque cosa para ayuda a criar la criatura. Y la otra[26] tiene una niña de hospital y darémosle a ganar de su amigo cien ducados, y por otra parte ganará más de trecientos, porque ha de decir que es[27] de un gran señor que no desea otro sino hijos, y a esta señora[28] le parece cosa extraña y no lo es.

---

[22] *llama:* le invita a comer con ella.

[23] En *Venecia 1528:* «mostras». No veo la relación entre *camisa* y *pastel.*

[24] *sin verde:* «sin pasto, sin alimento». En la réplica siguiente, el autor desvía la palabra de ese sentido, dándole su contenido de lozanía y libertinaje.

[25] *como eche las pares:* «en cuanto eche la placenta»: nótese que la vellutera (como Vellida) no tiene pares.

[26] *la otra:* la vellutera.

[27] *que es:* el sujeto es la niña del hospital, fingida hija de la vellutera.

[28] *esta señora:* la pastelera.

Dígaselo vuestra merced, por amor de mí, y ruéguenselo que yo voy arriba.

AUTOR.—Señora, en vuestra casa podéis hacer lo que mandáredes, mas a mí, mal me parece. Y mirá lo que hacéis, que esta mujer no's engañe a vos y a vuestra nuera, porque ni de puta buena miga, ni d'estopa buena camisa[29]. (Notad: la puta cómo es criada y la estopa cómo es hilada. Digo esto porque, como me lo ha dicho a mí, lo dirá a otrie.)

PASTELERA.—Señor, miráme por la botica, que luego abajo.

COMPAÑERO.—¿Qué te parece, mentía yo? ¡Por el cuerpo de sant, que no es ésta la primera que ella hace! ¡Válgala y qué trato que trae con las manos! Parece que cuanto dice es ansí como ella lo dice; en mi vida espero ver otra símile. Mirá, ¿qué hará de sus pares ella cuando parirá? Esta es la que dio la posta a los otros[30] que tomasen al puente a la Bonica, y mirá qué treintón[31] le dieron porque no quiso abrir a quien se lo dio. Y fue que, cuando se lo dieron, el postrero fue negro, y dos ducados le dieron para que se medicase, y a ésta más de diez.

AUTOR.—¡Oh la gran mala mujer! ¿Cómo no la azotan?

COMPAÑERO.—Callá, que desciende.

—Señora, ¿pues qué libráis?

LOZANA.—Señor, que quiero ir aquella[32] señora para que esté todo en orden, que la misma partera me las traerá.

AUTOR.—A ella y a vos habían de encorozar. Señora, ¿qué haré para que mi amiga me quiera bien?

LOZANA.—Señor, comed de la salvia con vuestra amiga.

COMPAÑERO.—Señora, ¿y yo, que muero por vos?

LOZANA.—Eso sin salvia se puede hacer. No me den vues-

---

[29] Este refrán, como el siguiente, está en el *Voc. Ref.* de Correas, como se señala en *R. 75* (pág. 210).

[30] Lozana les indicó dónde podían esperar a la Bonica.

[31] *treintón:* no he podido documentar esta palabra; sin embargo, vuelve a aparecer en el mamotreto XXXIX: «[al Zopín] el año pasado le dieron un treintón como a puta». Con la ayuda de los dos contextos se puede pensar que el *treintón* era un castigo que los rufianes u otros machos del hampa infligían a las rebeldes o a las que no se portaban de conformidad con las reglas impuestas. La forma de la palabra deja suponer que se trataba de una pena reglamentada, quizá treinta palos o azotes. Si fuera así, «el último negro» indicaría que el último golpe fue tan duro que la Bonica tuvo que «medicarse», para lo cual le dieron dos ducados, mientras que Lozana recibía diez por el servicio prestado.

[32] *aquella:* contracción de «a aquella».

tras mercedes empacho agora, que para eso tiempo hay, y casa tengo, que no lo tengo de hacer aquí en la calle.

COMPAÑERO.—¡Señora, no! Mire vuestra merced, ¿qué se le cae?

LOZANA.—Ya, ya, fajadores[33] son para jabonar.

AUTOR.—¡Voto a Dios, que son de manlleva[34] para jabonar! No es nacida su par[35]. ¡Mal año para caballo ligero, que tal sacomano sea! Ésta comprará oficio en Roma, que beneficio ya me parece que lo tiene curado, pues no tiene chimenea, ni tiene do poner antojos[36].

COMPAÑERO.—¡Cómo va hacendosa! Lo que ella saca d'este engaño le sacaría yo si la pudiese conducir a que s'echase comigo, que ésta dará lo que tiene a un buen rufián, que fuese cordobés taimado.

AUTOR.—Callemos, que torna a salir. ¿Qué mejor rufián que ella si por cordobés lo habéis? Por vida suya que también se dijo ese refrán por ellas como por ellos. Si no, miraldo si se sabe dar la manera en Alcalá o en Güete[37]. ¿Qué es aquello que trae? Demandémoselo.

—¿Qué priesa es ésa, señora?

LOZANA.—Señores, como no saben en esta tierra, no proveen en lo necesario, y quieren hacer la cosa y no le saben dar la maña. La parida no tiene pezones, como no parió jamás, y es menester ponelle, para que le salgan, este perrico, y negociar por amor del padre, y después, como no tiene pezones, le pagaremos[38].

AUTOR.—¡Vuestra merced es el todo, a lo que vemos! Mirá,

---

[33] *fajadores:* probablemente los fajeros del niño, aunque puedan ser también fajas para las parturientas.

[34] *manlleva:* «manlieva», probablemente en su sentido de «empréstito con fianza o garantía», bonito eufemismo aquí para decir que Lozana es una ladrona.

[35] La proximidad de esta exclamación con el episodio de la terciopelera que quiere comprar pares no me parece gratuita (cfr. *supra*, nota 25).

[36] *Ésta comprará... antojos:* véase el comentario de esta frase en la Introducción, pág. 131.

[37] *Alcalá-Güete:* célebre la primera por su universidad, y la segunda por su significante, aunque también le da cabida el refranero.

[38] Otro pasaje poco claro. En el remedio para que le salgan los pezones a la primípara, si *negociar por amor del padre* (que Criado de Val señala como ocurrencia erótica) se entiende, no veo lo que sea el *perrico* que hay que ponerle. El verbo *pagaremos* que concluye el pasaje tampoco entiendo a qué se refiere; para Ugolini esta última ora-

señora, que esta tierra prueba[39] los recién venidos, no's amaléis, que os cerrarán cuarenta días[40].

LOZANA.—Señor, «de lo que no habéis de comer, dejaldo cocer»[41].

AUTOR.—[Aparte.] Y aun quemar.

SILVIO.—[Contesta a Lozana.] ¿Eso me decís? Con poco más me moriré. ¿Mas vuestra merced no será de aquéllas que prometen y no atienden?[42]

LOZANA.—Dejáme pasar, por mi vida, que tengo que hacer, porque es menester que sea yo la madre de la parida, y la botillera y lo demás, porque viene la más linda y favorecida cortesana que hay en Roma por madrina, y más viene por contentarme a mí que por otra cosa, que soy yo la caja de sus secretos, y vienen dos banqueros por padrinos. Sólo por vella no's partáis, que ya vienen. ¿Veisla? Pues, ¿de la fruta no tenemos? Una mesa con presutos[43] cochos y sobreasadas, con ca-

---

ción significa: «y después, si no le salen los pezones (y no pueda dar de mamar), proveeremos a eso (pagando)». Pero esta interpretación no me convence, porque dista demasiado del texto de Delicado.

[39] *prueba:* los pone a prueba, los hace sufrir.

[40] Alusión a la cuarentena que se impone a ciertos enfermos.

[41] Este refrán trae Covarrubias *s. v. cozer,* con su explicación: «nadie se entremeta entre lo que no le toca» (citado en *R. 75,* pág. 213). En Correas hay una variante, sin negación («De lo que habéis de comer, dejaldo bien cocer», pág. 313).

[42] Curiosamente, Silvio contesta a Lozana como si ésta se hubiera dirigido a él cuando, evidentemente, el refrán apuntaba al autor. Si recordamos lo dicho arriba en la nota 3, tenemos que comprobar que Silvio necesitaba verdaderamente a un compañero que «le dijera cualque remoquete» (a Lozana) para ver lo que ésta le contestaría a él, Silvio [«por ver qué *me* respondiera»]. Me pregunto si no estamos aquí en presencia de otro caso de desdoblamiento, después del de Rampín (mam. XI); tendríamos ahora una pareja *Autor/Silvio* susceptible de reducirse a la unidad, como pasará más lejos con la pareja *Autor/Silvano,* siendo el denominador común de los tres (Autor-Silvio-Silvano) la referencia al leño, si consideramos que el autor se declara, en un tratado, especialista del leño (guayaco) que permite aliviar el mal francés. Enigmáticamente también, la pastelera de este mamotreto se llama Silvana, a no ser en este último caso, no el nombre de la mujer sino una exclamación gratuita dentro de la economía del mamotreto, pero no desde el punto de vista del desciframiento del enigma, puesto que Lozana exclama «¡señora Silvana...!» precisamente al reconocer a Silvio que viene acompañado de *el autor* (véase también Introducción, nota 173).

[43] *presuto:* «jamón». Véase mam. XII, nota 58.

pones y dos pavones y un faisán, y astarnas[44] y mile cosas. Mirad si viésedes a mi criado, que es ido a casa, y díjele que trujese dos cojines vacíos para llevar fajadores, y paños para dar a lavar, por meter entre medias[45] de lo mejor y no viene.

AUTOR.—¿Es aquél que viene con el otro Sietecoñicos?

LOZANA.—Sí, por mi vida, y su pandero trae. Mil cantares nos dirá el bellaco. ¿Y no miráis, anillos y todo? ¡Muéranse los barberos![46]

SIETECOÑICOS.—Mueran por cierto, que muy quejoso vengo de vuestro criado, que no me quiso dar tanticas de blanduras.

LOZANA.—¡Anda, qué bueno vienes, borracha! Alcohol y todo, no te lo sopiste poner. Calle, que yo te lo adobaré. Si te miras a un espejo, verás la una ceja más ancha que la otra.

SIETECOÑICOS.—Mirá que norabuena algún ciego me querría ver[47].

LOZANA.—Anda, que pareces a Francisca la Fajarda[48]. Entra, que has de cantar aquel cantar que dijiste cuando fuimos a la viña a cena, la noche de marras.

SIETECOÑICOS.—¿Cuál? ¿Vayondina?

LOZANA.—Sí, y el otro.

SIETECOÑICOS.—¿Cuál? ¿Bartolomé del Puerto?

LOZANA.—Sí, y el otro.

SIETECOÑICOS.—Ya, ya. ¿Ferreruelo?

LOZANA.—Ese mismo.

SIETECOÑICOS.—¿Quién está arriba? ¿Hay putas?

LOZANA.—Sí, mas mira que está allí una que presume.

SIETECOÑICOS.—¿Quién es? ¿La de Toro? Pues razón tiene, puta de Toro y trucha de Duero[49].

---

[44] *astarnas:* véase mam. XII, nota 1.

[45] *entre medias:* en medio.

[46] *¡Muéranse los barberos!:* supongo que Lozana alude al hecho de que el invertido Sietecoñicos se afeita como una mujer, o quizás porque huele tanto a perfumes; es maldición al que se los echó (que tenía que ser barbero).

[47] Cfr. refrán: «Algún ciego me quisiera ver, aunque no fuera sino por tener vista» (Correas, 50, b). Por eso corrijo en *querría* la voz *quería* de la edición *Venecia 1528*.

[48] *Francisca la Fajarda:* debe de ser referencia a la *Carajicomedia* que Delicado llama coplas de Fajardo; sin embargo no recuerdo a ninguna Francisca en las coplas (hay sí una Francina), y Fajardo se llamaba Diego.

[49] Como se advierte en *R. 75* (pág. 215), es un refrán que trae el *Voc. Ref.* de Correas.

LOZANA.—Y la Sevillana.

SIETECOÑICOS.—La seis veces villana, señores, con perdón.

AUTOR.—Señora, no hay error.

—¡Subí vos, alcuza de santero![50]

LOZANA.—Señores, no se partan, que quiero mirar qué es lo que le dan los padrinos, que me va algo en ello.

AUTOR.—Decíme, ¿qué dan los padrinos?

COMPAÑERO.—Es una usanza en esta tierra que cada uno da a la madre según puede, y hacen veinte padrinos, y cada uno le da.

AUTOR.—Pues no iban allí más de dos con la criatura. ¿Cómo hacen tantos?

SILVIO.—Mirad, aquella garrafa que traen de agua es la que sobró en el bacín cuando se lavaron los que tienen la criatura, y tráenla a casa, y de allí envíanla al tal y a la tal, y ansí a cuantos quieren, y dicen que, por haberse lavado con aquel agua, son compadres, y así envían, quién una cana de raso, quién una de paño, quién una de damasco, quién un ducado o más, y d'esta manera es como cabeza de lobo para criar la criatura hasta que se case o se venda si es hija[51]. Pues notá otra cláusula que hacen aquí las cortesanas: prometen de se vestir de blanco o pardillo, y dicen que lo han de comprar de limosnas. Y ansí van vestidas a expensas del compaño; y esto de los compadres es así.

AUTOR.—No se lo consentirían, esto y otras mil supersticiones que hacen, en España.

SILVIO.—Pues por eso es libre Roma, que cada uno hace lo que se le antoja, agora sea bueno o malo y mirá cuánto, que si uno quiere ir vestido de oro o de seda, o desnudo o calzado, o comiendo o riendo, o cantando, siempre vale por testigo, y

---

[50] *alcuza de santero:* cfr. «Quien el aceite mesura, las manos se unta» (Correas, 391), definiéndose en Covarrubias (926, a) el *santero:* «el medio ermitaño que tiene a su cuenta la custodia, limpieza y adorno de alguna ermita, y de pedir para aceite con que arda la lámpara».

[51] Se saca, pues, tanto beneficio del agua del bautismo así repartida como de la consabida cabeza de lobo, bastante para criar la criatura *hasta que se case o se venda si es hija.* Ugolini llama la atención sobre el «destino distinto de la mujer respecto al hombre», por entender: «hasta que se case si es varón o se venda si es hija»; nótese sin embargo que no se dice en el *Retrato:* «hasta que se case si es hombre» sino «hasta que se case o se venda...», lo que entraña una ambigüedad, pudiéndose entender que casarse y venderse es lo mismo para una mujer, o mejor que si no se casa tiene que venderse (*i. e.* ser *meretriz*).

no hay quien os diga mal hacéis ni bien hacéis, y esta libertad encubre munchos males. ¿Pensáis vos que se dice en balde, por Roma, Babilón, sino por la muncha confusión que causa la libertad? ¿No miráis que se dice Roma meretrice, siendo capa de pecadores? Aquí, a decir la verdad, los forasteros son muncha causa, y los naturales tienen poco del antiguo natural, y de aquí nace que Roma sea meretrice y concubina de forasteros y, si se dice, guay quien lo dice. Haz tú y haré yo, y mal para quien lo descubrió[52]. Hermano, ya es tarde, vámonos, y haga y diga cada uno lo que quisiere.

AUTOR.—Pues año de veinte e siete, deja a Roma y vete.

COMPAÑERO.—¿Por qué?

AUTOR.—Porque será confusión y castigo de lo pasado.

COMPAÑERO.—¡A huir quien más pudiere!

AUTOR.—Pensá que llorarán los barbudos, y mendicarán los ricos, y padecerán los susurrones, y quemarán los públicos y aprobados o canonizados ladrones.

COMPAÑERO.—¿Cuáles son?

AUTOR.—Los registros del jure cevil[53].

MAMOTRETO XXV

Cómo el autor, dende a pocos días, encontró en casa de una cortesana favorida a la Lozana y la habló.

AUTOR.—¿Qu'es esto, señora Lozana? ¿Ansí me olvidáis? Al menos, mandános hablar.

LOZANA.—Señor, hablar y servir. Tengo que hacer agora, mandáme perdonar, que esta señora no me deja, ni se halla sin mí, que es mi señora, y mire vuestra merced, por su vida, qué caparela[1] que me dio nueva, que ya no quiere su merced traer paño y su presencia[2] no es sino para brocado.

---

[52] La culpa de todo se echa al autor que dice lo que oye y ve, aunque «con menos culpa que Juvenal, pues escribió lo que en su tiempo pasaba» (Prólogo).

[53] Sobre estos *registros,* véase Introducción, pág. 75.

[1] *caparela:* «tabardo» o «manto».

[2] *presencia,* en su sentido de «disposición del cuerpo».

AUTOR.—Señora Lozana, decíme vos a mí cosas nuevas, que eso ya me lo sé, y soyle yo servidor a esa señora.

LOZANA.—¡Ay, ay, señora! ¿Y puede vuestra merced mandar a toda Roma y no se estima más? Por vida de mi señora, que ruegue al señor dotor[3] cuando venga, que le tome otras dos infantescas[4], y un mozo más, que el mío quiero que vaya a caballo con vuestra merced[5], pues vuestra fama vale más que cuanto las otras tienen. Mirá, señora, yo quiero venir cada día acá y miraros toda la casa, y vuestra merced que se esté como señora que es, y que no entienda en cosa ninguna.

CORTESANA.—¡Mira quién llama, Madalena, y no tires la cuerda si no te lo dice la Lozana.

LOZANA.—¡Señora, señora! ¡Asomaos! ¡Asomaos, por mi vida! ¡Guayas, no; él, él, el traidor! ¡Ay qué caballadas[6] que da! Él es que se apea. ¡Por mi vida y vuestra, abre, abre! ¡Señor mío de mi corazón! Mirá aquí a mi señora, que ni come ni bebe, y si no viniérades se moría. ¿Vuestra señoría es d'esa manera? Luego vengo, luego vengo, que yo ya me sería ida, que la señora me quería prestar su paño listado, y por no dejalla descontenta, esperé a vuestra señoría.

CABALLERO.—Tomá, señora Lozana, comprá paño y no lleveís prestado.

LOZANA.—Bésole las manos, que señor de todo el mundo le tengo de ver. Bésela vuestra señoría y no llorará por su vida, que yo cierro la cámara.

—¿Oyes, Madalena?: no abras a nadie.

MADALENA.—Señora Lozana, ¿qué haré, que no me puedo defender d'este paje del señor caballero?

LOZANA.—¿De cuál? ¿De aquél sin barbas? ¿Qué te ha dado?

MADALENA.—Unas mangas me dio por fuerza, que yo no las quería.

LOZANA.—Calla y toma, que eres necia. Vete tú arriba y déjamelo hablar, que yo veré si te cumple[7].

---

[3] *el señor doctor* es el canónigo, mayordomo de la cortesana.

[4] *infantescas:* «criadas».

[5] Para pregonar y acreditar su fama, aunque la frase es ambigua.

[6] *caballadas:* este caballero que viene a reunirse con la cortesana, se entiende que llega a caballo, pero, por ser el *caballo* también el «pene» en *La Lozana* (y otras obras), quiere decir Lozana que se le nota físicamente el ansia por llegar cuanto antes: apenas apeado, se mete en la cámara, como se ve algunas líneas más abajo.

[7] Quiere examinar al paje, con todos los pormenores que esto im-

—A vos, galán, una palabra.

PAJE.—Señora Lozana, y aun dos.

LOZANA.—Entrá, y cerrá pasico.

PAJE.—Señora, mercedes son que me hace. Siéntese, señora.

LOZANA.—No me puedo sentar, porque yo os he llamado que quiero que me hagáis un servicio.

PAJE.—Señora, mándeme vuestra merced, que muncho ha que os deseo servir.

LOZANA.—Mirá, señor, esta pobreta de Madalena es más buena que no's lo puedo decir, y su ama le dio un ducado a guardar y unos guantes nuevos con dos granos de almizcle, y todo lo ha perdido, y yo no puedo estar de las cosas que hace la mezquina. Querríaos rogar que me empeñásedes esta caparela en cualque amigo vuestro, que yo la quitaré presto.

PAJE.—Señora, el ducado veislo aquí, y esotras cosas yo las traeré antes que sea una hora, y vuestra merced le ruegue a Madalena de mi parte que no me olvide, que la deseo muncho servir.

LOZANA.—¡Hi, hi, hi! ¿Y con qué la deseáis servir?, que sois muy mochacho y todo lo echáis en crecer.

PAJE.—Señora, pues d'eso reniego yo, que me crece tanto que se me sale de la bragueta.

LOZANA.—Si no lo pruebo, no diré bien d'ello.

PAJE.—Como vuestra merced mandare, que mercedes son que recibo, aunque sea sobre mi capa[8].

LOZANA.—¡Ay, ay, que me burlaba! ¡Parece píldora de Torre Sanguina, que ansí labora![9] ¿Es lagartija? ¡Andar, por do

---

plica: sacarle dinero y «ser cabalgada primero» (véase XXIV, nota 17 y XX, nota 32).

[8] Discreta parodia de la literatura caballeresca, concretamente del primer ayuntamiento carnal de Amadís y Oriana.

[9] *Torre Sanguina,* que debe su nombre a una noble familia romana, los Sanguigni (véase *R. 75,* nota 11, pág. 290), entra aquí en la geografía burlesca del *Retrato,* como metáfora de «pene», como se lo permite el color que su nombre evoca, y evidentemente, la forma de torre (idéntica suerte corre, en *La Lozana,* el rollo de Écija, como en su lugar se dirá). Ahora bien, siendo la píldora un concentrado, le es permitido a la de Torre Sanguina representar a la misma en miniatura. Conste además que la misma forma de la píldora, por poder evocar una bellota, va en el mismo sentido. Se empleó *bellota* para el sexo masculino, como da fe de ello Covarrubias, 870, b, 58, s. v. *pija* («la vellotilla del niño»). No me convence la explicación que se propone en

pasa moja! Esta es tierra que no son salidos del cascarón y pían [10].

—¡Dámelo barbiponiente si quieres que me aproveche! [11]. Entraos allá, deslavado [12], y callá vuestra boca.

—¡Madalena, ven abajo, que yo me quiero ir! El paje del señor caballero está allí dentro, que se pasea por el jardín. Es carideslavado; si algo te dijere, súbete arriba, y dile que si yo no te lo mando, que no lo tienes de hacer. Y deja hacer a mí, que mayores secretos sé yo tener que este tuyo.

PAJE.—Señora Madalena, ¡cuerpo de mí!, siempre me echás unos encuentros como broquel de Barcelona [13]. Mirá bien que esta puta güelfa no's engañe, que es d'aquellas que dicen: Marica, cuécelo con malvas [14].

MADALENA.—¡Estad quedo, ansí me ayude Dios! Más me sobajáis vos que un hombre grande. Por eso los pájaros no viven muncho [15]. ¿Qué hacés? ¿Todo ha de ser eso? [16]. ¡Tomá, be-

---

R. 75 (nota 8, pág. 220: *píldora* por «péndola», es decir «badajo»), no por el sentido global, que conviene, sino por la etimología propuesta que no tiene en cuenta la fecha de introducción de *péndola* en castellano (véase Corominas, *D. C. E. L. C.*).

[10] *¡Andar, por do pasa moja!* es adaptación festiva de una frase proverbial: «¡Andar, pase!» que Pármeno utiliza en *La Celestina* (auto II). Para «no son salidos del cascarón...», cfr. «No ha salido del cascarón» (Correas, 653, a, con este comentario: «De los que en poca edad quieren ser grandes») y la variante, muy interesante para el caso, «Aún no ha salido del cascarón, y ya tiene espolón» (Correas, 32, a).

[11] Otra muestra del aprecio que les tiene Lozana a los barbiponientes para semejante tipo de conversación.

[12] *deslavado:* lo mismo que *carideslavado,* un poco más abajo, «caradura».

[13] Se refiere a su encuentro muy duro para él (le duele el frenillo) con la Lozana, y se vale para expresarlo de la metáfora del escudo porque «los broqueles barceloneses tenían fama en España» según el testimonio de Covarrubias (s. v. *broca,* 237, a, 28).

[14] Creo que tiene razón Damiani, a propósito de «Marica... malvas», cuando explica: «Parece ser refrán con el sentido de *id despacio» (L. A. 69,* pág. 123, y *R. 75,* pág. 220). Lozana quiere dar largas al asunto para sacar más provecho, pero Madalena tiene prisa y le desbarata los planes.

[15] Madalena dice de los pájaros lo que Covarrubias dice del gallo que «por ser tan lascivo y tan continuo en tomar las gallinas, pierde presto sus fuerzas» (625, a, 25).

[16] Decepcionada está la chica, se dio demasiada prisa el paje (cfr. lo que dice Pelegrina de los hombres en general, mam. LXIII).

beos estos tres huevos, y sacaré del vino[17]. Esperá, os lavaré
todo con este vino griego que es sabroso como vos.

PAJE.—Ésta y no más, que me duele el frenillo.

MADALENA.—¿Heos hech'yo mal?

PAJE.—No, sino la Lozana.

MADALENA.—Dejalda torne la encrucijada.

MAMOTRETO XXVI

Cómo la Lozana va a su casa, y encuentra su criado y respon-
de a cuantos la llaman.

LOZANA.—¿Es posible que yo tengo de ser faltriquera de
bellacos?[1].

—¿Venís, Azuaga[2]? ¿Es tiempo? ¿No sabéis dar vuelta por
do yo estó? Andá allí adonde yo he estado, y decí a Madalena

---

[17] Mezcla o cóctel que en las modernas barras americanas se pre-
para con vino de oporto, y con el nombre de *Porto-flip;* se vende bastante caro, posiblemente por las virtudes afrodisíacas que se atribuyen
a este brebaje.

[1] Se alude aquí, irónicamente, al hecho de que Lozana tenga que
guardar (como se ve a continuación) lo que Magdalena se ha ganado
(deshonestamente, hay que concederlo) con los regalos del paje: se justifica Lozana a sí misma, con buenas razones, pero no se puede dudar
que va a quedárselo todo, o al menos buena porción de la ganancia.

[2] *Azuaga:* Otro remoquete para Rampín. Según Ugolini aludiría a
cierto aire melancólico de Rampín, como indica un comentario, sacado de *D. Aut. (¿Autoridades?),* que no he podido localizar («por alusión se suele decir alguna vez de él que tiene el rostro melancólico, adus-
to y que naturalmente causa desazón y tristeza al que le mira»). Sin
embargo es interesante recurrir una vez más al refranero para comprender por qué le llama Azuaga a Rampín, puesto que Correas *(Ref.,*
121) ofrece una sentencia que —a través de Azuaga— asemeja una vez
más Rampín a un puerco: «En Azuaga, lechones, y en Berlanga, me-
lones», comentando: «y al trocado, lugares de Extremadura». Pero va-
liéndonos siempre de la paremiología, podemos pensar en una maldición: *«En Azuaga te gastes como mal vino.* No se coge allí; véndese
bien lo que tienen» *(ibíd,* 121, a).

que os dé las mangas que dijo que le dio el paje, que yo se las guardaré; no se las vea su ama que la matará. Y vení presto.

RAMPÍN.—Pues caminá vos, que está gente en casa.

LOZANA.—¿Quién?

RAMPÍN.—Aquel canónigo que sanastes de lo suyo, y dice que le duele un compañón.

LOZANA.—¡Ay, amarga!, ¿y por qué no se lo vistes vos si era peligroso?

RAMPÍN.—¿Y qué sé yo? No me entiendo.

LOZANA.—¡Mira qué gana tenéis de saber y aprender! ¿Cómo no miraríades cómo hago yo?, que estas cosas quieren gracia, y la melecina ha de estar en la lengua, y aunque no sepáis nada, habéis de fingir que sabéis y conocéis para que ganéis algo, como hago yo, que en decir que Avicena fue de mi tierra, dan crédito a mis melecinas[3]. Sólo con agua fría sanara[4], y si él viera que se le amansaba, cualque cosa os diera. Y mirá que yo conozco al canónigo, que él vendrá a vaciar los barriles[5], y ya pasó solía[6], que por mi vida si no viene cayendo[7], que ya no hago credencia[8], y por eso me entraré aquí y no iré allá, que si es mal de cordón o cosón, con las habas cochas en vino, puestas encima bien deshechas, se le quitará luego. Por eso, andá, decígelo[9], que allí os espero con mi compadre.

MARIO.—Señora Lozana, acá, y hablaremos de cómo las alcagüetas son sutiles.

LOZANA.—Señor, por agora me perdonará, que vo de priesa.

---

[3] Bonita adaptación de las reconvenciones de Celestina a Elicia: «¿Por qué tú no tomabas el aparejo y comenzabas a hacer algo? Pues en aquellas tales te había yo de avezar y probar, de cuantas veces me lo has visto hacer, etc. (auto VII).» Pero luego cesa el paralelismo, sin que por eso pierda su interés esta conversación que aclara en qué consiste el saber o resaber de Lozana.

[4] *sanara:* empleo corriente en el siglo XVI de esta forma de subjuntivo para expresar lo que el actual «hubiera sanado».

[5] *barriles:* otra metáfora sexual (igual sentido que, más adelante, *cordón* o *cosón).*

[6] *ya pasó solía:* expresión que se hizo proverbial para decir que ha pasado la costumbre, que ya no se suele hacer.

[7] *Caer:* «pagar» (argot).

[8] *credencia:* «crédito».

[9] Subsistía aún la forma *ge* del pronombre dativo *(decígelo* por «decídselo»).

GERMÁN.—¡Ojo a Dios, señora Lozana![10].

LOZANA.—Andá, que ya no's quiero bien, porque dejastes a la Dorotea, que os hacía andar en gresca[11] por tomar a vuestra Lombarda, qu'es más dejativa que menestra de calabaza[12].

GERMÁN.—¡Pues pese al mundo malo! ¿Habían de turar para siempre nuestros amores? Por vida del embajador, mi señor, que no pasaréis de aquí si no entráis.

LOZANA.—No me lo mande vuestra merced, que voy a pagar un par de chapines allí, a Batista chapinero.

GERMÁN.—Pues entrá, que buen remedio hay.

—Ven, acá, llama tú aquel chapinero.

SURTO.—Señor, sí.

GERMÁN.—¡Oh señora Lozana, qué venida fue ésta! Sentaos.

—Ven acá, saca aquí cualque cosa que coma.

LOZANA.—No, por vuestra vida, que ya he comido, sino agua fresca.

GERMÁN.—Va, qu'eres necio. Sácale la conserva de melón que enviaron ayer las monjas lombardas, y tráele de mi vino.

LOZANA.—Por el alma de mi padre, que ya sé que sois Alijandro, que si fuésedes español, no seríades proveído de melón, sino de buenas razones. Señor, con vos estaría toda mi vida, salvo que ya sabéis que aquella señora quiere barbiponientes y no jubileos[13].

---

[10] *¡Ojo a Dios, señora Lozana!:* este sorprendente modo de saludar no puede explicarse por las costumbres ni por la lengua de la época: tiene su única razón de ser en la lección moral que expresa Herjeto en el mamotreto XLIX, para censurar la imprevisión de los mortales: «no pusieron a Dios... delante a sus ojos». Y conste que no guarda relación alguna con los personajes de Germán ni de la Lozana de este mamotreto. Otra solución sería leer: «¡Ojo! Adiós, señora...», pero no creo que se empleara *adiós,* ni siquiera en el siglo XVI, al principio de un encuentro sino, como hoy, para despedirse.

[11] *gresca:* «alboroto y alegría» (la Dorotea debía de ser una chica vivaracha y pizpireta, amiga de diversiones).

[12] *más dejativa... calabaza:* la lombarda (que son bobas, según Rampín, mam. XVII) se opone visiblemente a Dorotea; es *dejativa* porque es más que tranquila: apática (y quizás, laxativa).

[13] *jubileo:* aquí, posiblemente, en el sentido de «jubilación, retiro», o sea, retóricamente, «viejo». Según Correas (724, a), *por jubileo* quiere decir «de cuando en cuando», «raras veces» (en realidad, cada cien años), para el sentido global, da lo mismo.

GERMÁN.—¿Qué me decís, señora Lozana? Que más caricias me hace que si yo fuese su padre.

LOZANA.—Pues mire vuestra merced que ella me dijo que quería bien a vuestra merced porque parecía a su agüelo, y no le quitaba tajada[14].

GERMÁN.—Pues veis ahí, mirá otra cosa, que, cuando como allá, si no le meto en boca no come, que para mí no me siento mayor fastidio que vella enojada, y siempre cuando yo voy, su fantesca y mis mozos la sirven mal.

LOZANA.—No se maraville vuestra merced, que es fantástiga[15] y querría las cosas prestas, y querría que vuestra señoría fuese de su condición, y por eso ella no tiene sufrimiento.

GERMÁN.—Señora, concluí que no hay escudero en toda Guadalajara más mal servido que yo.

LOZANA.—Señor, yo tengo que hacer; suplícole no me detenga.

GERMÁN.—Señora Lozana, ¿pues cuándo seréis mía todo un día?

LOZANA.—Mañana; que no lo sepa la señora.

GERMÁN.—So contento, y a buen tiempo, que me han traído de Tíbuli[16] dos truchas, y vos y yo las comeremos.

LOZANA.—Beso sus manos, que si no fuera porque vo a buscar a casa de un señor un pulpo, que sé yo que se los traen de España, y tollo[17] y oruga, no me fuera, que aquí me quedara con vuestra señoría todo hoy.

GERMÁN.—Pues tomá, pagaldo, y no vengáis sin ello[18].

LOZANA.—Bésole las manos, que siempre me hace mercedes como a servidora suya que so.

---

[14] Cfr. *echar un tajo,* «gozar un hombre a una mujer» *(P. E. S. O., 76,* 13, pág. 131); de forma que *no le quitaba tajada* significa que no la tocaba.

[15] *fantástiga:* «fantástica». Se entiende, por lo que sigue, que es autoritaria y mimada.

[16] *Tíbuli:* «Tívoli» (nota Damiani, *L. A. 69,* pág. 126 y *R. 75,* página 224).

[17] *tollo:* «mielga» o «cazón», pescado.

[18] Cfr. lo que decía el Compañero Silvio: «Come lo mejor, mas siempre llama quien ella sabe que lo pagará más de lo que vale» (mamotreto XXIV, nota 22).

MAMOTRETO XXVII

Cómo va por la calle y la llaman todos, y un portugués que dice:

—Las otras beso[1].

LOZANA.—Y yo las suyas, una y boa[2].

PORTOGUÉS.—Señora, si rapa la gracia de Deus, so vuestro[3].

LOZANA.—¿D'eso comeremos? Pagá si queréis, que no hay coño de balde.

---

[1] *Las otras beso:* referencia a las manos que parece curiosa. Joaquín del Val corrige su «las vuestras veso», y Damiani indica en nota que *las otras* es «quizá errata, por *as vossas,* las vuestras en portugués» *(L. A. 69,* pág. 126, y *R. 75,* pág. 225). Pero, como en la ed. *Venecia 1528* se lee perfectamente *las otras,* si hay errata, es probable que lo sea por «las vuestras»; sin embargo yo creo que hay que conservar *las otras,* porque, a pesar de la interrupción causada por el argumento del mamotreto, puede remitir a la última réplica del mamotreto anterior, sin menoscabo de una alusión maliciosa al sentido traslaticio, corriente en la novela, de *manos.*

[2] *una y boa:* españolización aproximativa de *uma e boa,* se hizo más o menos proverbial, como advierte Ugolini (que se apoya en el *Refranero* de Martínez Kleiser, núm. 28207), con el sentido de «todo junto y perfectamente». Nótese que en esta réplica, Lozana se dirige al portugués en tercera persona.

[3] *Señora, si rapa la gracia de Deus, so vuestro:* Damiani, que adopta otra puntuación («Señora, sí. ¡Rapá la gracia de Deus, so vuestro!»), entiende que «el portugués vanidoso se ofrece a la Lozana» (con lo cual, «la gracia de Dios» sería él) [cfr. *L. A. 69,* pág. 126, y *R. 75,* página 225]. Yo creo que *rapar la gracia de Dios* es una condición que pone el portugués para ser servidor de Lozana; sin embargo, la expresión puede entenderse de dos maneras, porque descarto, imprudentemente quizás, *rapar* como «afeitar»:

a) «robar la gracia de Dios», porque, con la vida que lleva, la andaluza no tiene más remedio que robarla si quiere salvación, y el portugués no quiere servir a una condenada.

b) «robar (o raptar) la gracia de Dios», con referencia a la querida del portugués [enfáticamente: «la gracia de Dios»]; Lozana tendría que entregársela para que el portugués pueda decirle: «soy vuestro». Lo que le contesta Lozana me parece confirmar esta interpretación a la que doy, por lo tanto, mi preferencia. Nótese que «gracia de Dios» es la

307

CANAVARIO.—A quien digo... ¡señora Lozana!... ¿tan de priesa?... soy forrier de aquella[4]...

LOZANA.—Para vuestra merced no hay priesa, sino vagar y como él mandare[5].

GUARDARROPA.—¡Me encomiendo, mi señora!

LOZANA.—Señor sea vuestra merced de sus enemigos.

CANAVARIO.—¿De dónde[6], por mi vida?

LOZANA.—De buscar compañía[7] para la noche.

GUARDARROPA.—Señora, puede ser, mas no lo creo, que quien menea la miel, panales o miel come[8].

LOZANA.—¡Andá, que no en balde sois andaluz, que más ha de tres meses que en mi casa no se comió tal cosa! Vos, que sois guardarropa y tenéis mil cosas que yo deseo, y tan mísero sois agora como antaño, ¿pensáis que ha de durar siempre? No seáis fiel a quien piensa que sois ladrón.

GUARDARROPA.—Señora, envíame aquí a vuestro criado, que no seré mísero para serviros.

LOZANA.—Viváis vos mil años, que burlo, por vuestra vida. ¿Veis? Viene aquí mi mozo que parece y que fue pariente de Algecira[9].

---

traducción aproximativa de Dorotea y que, precisamente, en el mamotreto anterior, había una cortesana de este nombre, «protegida» de Lozana.

[4] *A quien digo... ¡señora Lozana!... ¿tan de priesa?... soy forrier de aquella...* (o: *aquélla...*): yo creo que el canavario o despensero no puede exponer lo que quiere a Lozana, por pasar ésta tan deprisa (sobre esta prisa de Lozana, véase más precisamente, algunas líneas más abajo, con el sobrestante). Por otra parte, *soy forrier,* «furriel», debe de indicar que el canavario mantiene a una fulana, pero que desea la intervención de Lozana por cualquier motivo.

[5] *él:* tratamiento que se usaba de vez en cuando (como equivalente más o menos de «vuestra merced»); por otra parte *hay vagar,* que significa *no hay prisa,* indica quizás también que el canavario va errado en su proceder (no debe de ser bastante generoso, lo que sería cierto si este canavario fuera el mismo que el guardarropa: hemos visto que Delicado recurre de vez en cuando a la táctica de presentar a un mismo personaje con nombres distintos, pero en este caso no hay certidumbre).

[6] *¿De dónde?:* «¿los enemigos de dónde?».

[7] Entiéndase: «los enemigos de buscar compañía».

[8] Cfr. «A quien miel menea, miel se le pega», refrán recogido por Correas, citado en *R. 75,* nota 225).

[9] *mi mozo... Algecira:* Lozana dice que Rampín fue pariente de Algecira y que ahora lo parece porque Algezira (así en la edición *Vene-*

GUARDARROPA.—Alegre viene, parece que ha tomado la paga.

—Camina, pariente, y enfardeláme esas quijadas, que entraréis do no pensastes[10].

LOZANA.—Señor, pues yo os quedo obligada.

GUARDARROPA.—Andá, señora, que si puedo, yo verné a deciros el sueño y la soltura[11].

LOZANA.—Cuando mandáredes.

PIERRETO.—Cabo d'esquadra de vuestra merced, señora Lozana; adió, adió.

LOZANA.—A Dios va quien muere.

SOBRESTANTE.—Señora, una palabra.

LOZANA.—Diciendo y andando, que vo de priesa.

SOBRESTANTE.—Señora, ¡cuerpo del mundo! ¿por qué no queréis hacer por mí, pues lo puedo yo pagar mejor que nadie?

LOZANA.—Señor, ya lo sé; mas voy agora de priesa. Otro día habrá, que vo a comprar para esa vuestra favorita una cin-

---

cia 1528, forma normal en aquella época por Algeciras) significa «que se aparta de tierra firme»; entonces, como viene borracho el criado, andará tambaleándose, por lo cual parece pariente de Algecira, y lo fue porque la presente borrachera no debe de ser la primera. No hace sino acentuar el desmañado andar del patituerto. (Sobre el sentido de *Algecira,* véase Covarrubias, s. v.)

[10] Réplica de las más interesantes, aunque *enfardelar* no me parece aquí muy claro. Ugolini entiende *enfardeláme esas quijadas* como «¡callaos, tened la boca cerrada!», mientras que en *R. 75* interpretan «llenad vuestras quijadas». Como Covarrubias define *enfardelar* como «recoger en los fardeles» (519, a, 48) y el *D. R. A. E.* «empaquetar», no sé qué opinar. Este personaje es andaluz (véase anteriormente) y ropero, lo que evoca *ipso facto* al famoso Ropero de Córdoba, poeta judío del que se recogen varias composiciones en el *Cancionero de Obras de Burlas;* ahora bien, trata a Rampín de «pariente», como lo hacía Trigo, e incluso el «enfardeláme esas quijadas» guarda cierta relación con una de las réplicas, asimismo dirigida a Rampín, con que aquel usurero invitaba al criado: «Y vos, pariente, aparejáme esos dientes» (mamotreto XVIII, nota 16).

[11] *el sueño y la soltura:* normalmente «el sueño [actividad onírica] y su interpretación»; pero aquí la expresión se refiere al sueño que Rampín va a echar para dormir la mona, de forma que la *soltura* de que habla el guardarropa corresponde a la solución o conclusión del episodio de la borrachera de Rampín: cuando haya dormido, el guardarropa vendrá a informar a Lozana de cómo han sucedido las cosas; pero además, por un juego sobre las palabras, el guardarropa le promete a Lozana que irá a dormir con ella el día, o la noche, que pueda.

ta napolitana verde, por hacer despecho al cortecero[12], que ya lo ha dejado.

SOBRESTANTE.—¿Es posible? Pues él era el que me quitaba a mí el favor. Tomá, y comprá una para ella y otra para vos; y más, os pido de merced que os sirváis d'esta medalla, y hagáis que se sirva ella de mí, pues que está sede vacante[13], que yo, señora Lozana, no's seré ingrato a vuestros trabajos.

LOZANA.—Señor, vení a mi casa esta tarde, que ella viene ahí, que ha de pagar un mercader, y allí se trabajará en que se vea vuestro extrato[14].

SOBRESTANTE.—Sea ansí; me encomiendo.

LOZANA.—Si sois comendador, seldo en buen hora, aunque sea de Córdoba[15].

COMENDADOR.—Señora Lozana, ¿por qué no os servís de vuestros esclavos?

LOZANA.—Señor, porque me vencés de gentileza, y no sé qué responda, y no quise bien a hombre en este mundo sino a vuestra merced, que me tira el sangre[16].

---

[12] *por hacer despecho al cortecero:* se comenta en *R. 75* como «a despecho del cortecero» (pág. 227, nota 15), pero se trata, a mi parecer, de «causarle pesar» o «celos». En cuanto a *cortecero,* que no he podido documentar, proponen (nota 16) «quizá por curtidor, o bien por trinchante», y no tengo otra solución. Se podría pensar en el sentido de *corteza* en germanía («guantes») para explicar el oficio de *cortecero,* pero tampoco sería seguro.

[13] Hay bastante socarronería en la expresión si se piensa en la relación etimológica entre *sede* y *asentaderas (asentaderos* en *La Lozana).* Mucha confianza tiene el sobrestante en las leyes naturales que Lozana expresa así: «... y el coño de la mujer, el cual no debe estar vacuo, según la filosofía natural...» (mam. LXI). Como se ve, el sabor eclesiástico que tiene *sede vacante* encubre otro, algo más picante aunque un tanto sacrílego.

[14] *extrato:* «extracto», es decir lo que se saca de él, pensando Lozana tanto en lo económico como en lo otro, aunque es posible que el sobrestante no piense más que en esto y no en aquello.

[15] Alusión a la triste suerte y muerte de los Comendadores de Córdoba (véase mam. XV, nota 1). Por otra parte, transición hábil entre el «me encomiendo» y la aparición del Comendador.

[16] *me tira el sangre:* en *Venecia 1528* «el sagre», que Damiani interpreta como *Sagres,* ciudad portuguesa, porque supone que el comendador es portugués; pero yo adopto la misma lección de Joaquín del Val *(el sangre)* porque pienso que el comendador es de Córdoba, y por eso le dijo antes que fuese comendador «en buen hora», aunque fuera de Córdoba (ver nota anterior). Entonces *me tira el sangre* (se dieron

COMENDADOR.—¡Oh cuerpo de mí! ¿Y por ahí me tiráis? Soy perro viejo y no me dejo morder[17], pero si vos mandáis, sería yo vuestro por servir de todo.

LOZANA.—Señor, yo me llamo Sancho[18].

COMENDADOR.—¿Qué come ese vuestro criado?

LOZANA.—Señor, lo que come el lobo.

COMENDADOR.—Eso es porque no hay pastor, ni perro que se lo defienda.

LOZANA.—Señor, no, sino que la oveja es mansa, y perdonáme, que todo comendador, para ser natural, ha de ser portugués o galiciano[19].

COMENDADOR.—¡Dóla a todos los diablos, y qué labia tiene! ¡Si tuviera chimenea![20]

NOTARIO.—Señora Lozana, ¿así os pasáis?

LOZANA.—Señor, no miraba, y voy corriendo porque mi negro[21] criado se enoja, que no tiene dinero para gastar, y vóyselo a dar, que están en mi caja seis julios y medio, que dice que quiere pagar cierta leña.

NOTARIO.—¡Pues vení acá, Peranzules[22]! Tomá, id vos y

---

casos de empleo del masculino, como en latín, aunque fue dominante el femenino: la sangre) significaría la atracción por el paisanaje, casi parentesco (siendo cordobeses, son de la misma sangre, en sentido lato).

[17] Se prosigue el juego sobre la sangre, puesto que el comendador no se deja morder porque es *perro viejo* (tiene experiencia: «a perro viejo no hay tus-tus», es decir que no quiere que Lozana le sangre, sacándole demasiado dinero, sin perjuicio de una alusión más verde puesto que *sacar sangre, sangrar* significan comúnmente «tener acceso carnal» *(P. E. S. O., La Lozana)*. Pero, finalmente, el comendador se ofrece a todo.

[18] Cfr. «al buen callar, llaman Sancho».

[19] Y, como no lo es, lo deja plantado.

[20] *chimenea:* «nariz».

[21] *negro:* «pobre, triste, infeliz».

[22] *Peranzules:* Con este nuevo apodo para Rampín, entramos en el campo de la parodia de los temas cidianos que la figura del criado de Lozana le permite abordar a Delicado. Esta referencia a Per Ansúrez, tío de los Infantes de Carrión, permanecería totalmente incomprensible si no se relacionara con aventuras venideras de Rampín (a partir del mam. XXXI). Conocidas eran las diferencias entre los antipáticos Vani Gómez y Rodrigo de Bivar, y es evidente que Rampín debía formar parte de los malos y cobardes, como se verá en adelante. Hay toda una «gesta» del criado de Lozana, por lo cual me permito calificar esta cara de su personaje de «Rampín épico» (véase *infra,* nota 6 del mamotreto XXXII).

pagá la leña, y quedaos vos aquí, que quiero que veáis una emparedada.

LOZANA.—Por vida de vuestra merced, que pasé por su casa y sospeché que no estaba allí, que suelo yo vella, y con la priesa no puse mientes. ¡Por mi vida, que la tengo de ver!

NOTARIO.—Entrá allá dentro, que está haciendo carne de bembrillos.

LOZANA.—Es valenciana, y no me maravillo.

NOTARIO.—¿Qué te parece, germaneta? La Lozana pasó por aquí y te vido.

BEATRICE.—¿Y por qué no entró la puta moza? ¿Pensó que estaba al potro?[23].

LOZANA.—¡Ay, ay! ¿Ansí me tratáis? Más vale puta moza, que puta jubilada en el publique. ¡Por vida del Señor que, si no me dais mi parte, que no haga la paz!

MAMOTRETO XXVIII

Cómo va la Lozana en casa de un gran señor, y pregunta si, por dicha, le querrían recebir uno de su tierra que es venido y posa en su casa.

LOZANA.—Decíme, señores, ¿quién tiene cargo de tomar mozos en casa d'este señor?

PALAFRENERO.—¡Voto a Dios que es vuestra merced española!

LOZANA.—Señor, sí; ¿por qué no? ¿Soy por ventura tuerta o ciega? ¿Por qué me tengo despreciar de ser española? Muy agudillo salistes, como la hija del herrero que pegó[1] a su padre en los cojones; tornaos a sentar.

PALAFRENERO.—Señora, tenéis razón.

---

[23] «Haciendo aguas menores» si el *potro* es un orinal, como puede ser, o «dando a luz» si es el sillón para las parturientas asimismo llamado *potro*.

[1] *pegó:* en la edición *Venecia 1528* «peo», lo que plantea un problema de comprensión, resuelto de manera distinta por Joaquín del Val, que escoge «pegó», y Damiani que deja *peó,* comentando «soltó un pedo», como si hubiera *peyó.* Yo, a pesar de que opto finalmente por *pegó,* por parecerme este verbo muy adecuado para los descendientes

ESCUDERO.—Señora, si no le pesa a vuestra merced, ¿es ella[2] el mozo? Que todos la tomaremos.

LOZANA.—¡Por Dios, sí, que a vos busco yo! Sé que[3] no soy lecho que me tengo de alquilar.

BADAJO.—No lo digo por tanto, sino porque no veo venir ninguno con vuestra merced. Pensé que queríades vos, señora, tomarme a mí por vuestro servidor.

LOZANA.—Déjese d'eso, y respóndame a lo que demando.

OTRO.—Señora, el mastro d'estala lo tomará, que lo ha menester.

LOZANA.—Señor, por su vida, que me lo muestre.

BADAJO.—Señora, agora cabalgo[4], si lo quiere esperar, éntrese aquí y hará colación.

LOZANA.—Señor, merced me hará que, cuando venga ese señor, me lo envíe a mi casa, y allí verá el mozo si le agradare, que es un valiente mancebo, y es estado toda su vida rufián, que aquí ha traído dos mujeres, una de Écija y otra de Niebla; ya las ha puesto a ganar.

OTRO.—¿Dónde, señora? ¿En vuestra casa?

LOZANA.—Señor, no, mas ahí junto.

EL SEÑOR DE CASA dice:—¿Quién es esta mujer?, ¿qué busca?

---

de Vulcano, sigo vacilando aún. En efecto, el verbo *peer* (recuérdese el papel de las ventosidades en la literatura de burlas cuando de sexualidad se trata) evocaría un tipo de relaciones entre la hija y el padre (el incesto) encargado de declarar la estupidez. Otro refrán, conocidísimo gracias a una obra inmortal que lo popularizó indirectamente, viene en el *Retrato* con una significación global comparable con la de esta frase que también parece proverbial; me refiero concretamente a «Lazarillo, el que cabalgó a su abuela» (mam. XXXV), que Blasón emplea para quejarse de que se le tome por tonto. Para volver a la hija del herrero (comparación antifrástica de Lozana: «muy agudillo»), no es pues de descartar sin más que peyera en las condiciones ya declaradas, si ese viento de abajo tiene por misión representar o simbolizar al que le llena la cabeza.

[2] *ella:* como su correlativo *él,* pudo emplearse en el trato directo conversacional (véase mam. XXVII, nota 5). Sin embargo, el que se emplee aquí esta forma que no puede sino evocar la feminidad con un atributo como *mozo,* me parece evidente voluntad chistosa, como creo lo confirman las réplicas siguientes (nótese el verbo *tomar* que desencadena la furia e indignación de Lozana).

[3] *Sé que:* en *R. 75* proponen los editores que se entienda como «sí que; cierto es que», apoyándose en un ejemplo de Valdés que trae Carmen Fontecha.

[4] *agora cabalgo:* nótese que el escudero se llama *badajo.*

ESCUDERO.—Monseñor, no sé quién es; ya se lo quería demandar.

MONSEÑOR.—*Etatem habet?*

LOZANA.—Monseñor, soy buena hidalga y llámome la Lozana.

MONSEÑOR.—Sea norabuena. ¿Sois de nuestra tierra?

LOZANA.—Monseñor, sí.

SIÑOR.—¿Qué os place d'esta casa?

LOZANA.—Monseñor, el patrón d'ella.

MONSEÑOR.—Que se os dé[5], y más, si más mandáredes.

LOZANA.—Beso las manos de vuestra señoría reverendísima; quiero que me tenga por suya.

MONSEÑOR.—De buena gana; tomá, y veninos a ver.

LOZANA.—Monseñor, yo sé hacer butifarros a la ginovesa, gatafurias[6] y albóndigas, y capirotada y salmorejo.

SEÑOR.—Andá, haceldo, y traénoslo vos misma mañana para comer. ¡Cuánto tiempo ha que yo no sentí decir salmorejo! Déjala entrar mañana cuando venga, y vai[7] tú allá, que sabrás compralle lo necesario, y mira, si ha menester cualque cosa, cómprasela. ¡Oh qué desenvuelta mujer!

DESPENSERO.—Señora, si queréis cualque cosa, decímelo, que soy el despensero.

LOZANA.—Señor, solamente carbón, y será más sabroso.

DESPENSERO.—Pues ¿do moráys?, y enviaros he dos cargas por la mañana.

LOZANA.—Señor, al burgo do moraba la de los Ríos, si la conocistes.

DESPENSERO.—Señora, sí; esperá un poco y tal seréis vos como ella. Mas sobre mí[8] que no compréis vos casa, como ella, de solamente quitar cejas y componer novias[9]. Fue muy querida de romanas. Esta fue la que hacía la esponja llena de sangre de pichón para los virgos. Esto tenía, que no era interesal, y más ganaba por aquello[10]...

---

[5] Conste que lo dice sin intención de ofender.

[6] *galafurias:* «itmo - especie de torta; cfr. ital. *gattafura, gattafora» (R. 75,* nota 10, pág. 232).

[7] *vay:* forma de imperativo que, al lado de *ve,* figura en la gramática de Nebrija.

[8] *sobre mí:* sobreentendido «juro».

[9] *componer novias:* para que el marido no se dé cuenta de que ha perdido la inocencia.

[10] Ganaba con creces por perdonar el interés: ¡conciértame esos amigos!

—Y fue ella en mejor tiempo que no esta sinsonaderas[11], que fue tiempo de Alejandro VI[12], cuando Roma triunfaba, que había más putas que frailes en Venecia, y filósofos en Grecia, y médicos en Florencia, y cirúgicos en Francia, y maravedís en España[13], ni estufas en Alemaña, ni tiranos en Italia, ni soldados en Campaña[14]. ¿Y vos, siempremozo, no la conocistes? Pues cualque cosa os costaría, y esta Lozana nos ha olido, que ella os enfrenará. ¡A mi fidamani[15], miralda que allí se está con aquel puto viejo rapaz![16].

VALIJERO.—¿Si la conozco, me dice el borracho del despensero? Yo fui el que dormí con ella la primera noche que puso casa, y le pagué la casa por tres meses. ¡Por vida de monseñor mío, que juraré que no vi jamás mejores carnes de mujer! Y las preguntas que me hizo aquella noche me hicieron desvalijar todos los géneros de putas[17] que en esta tierra había, y agora creo que ella los sabe mejor por su espiriencia.

BADAJO.—Ésta no hace jamás colada sin sol[18].

A partir de aquí, es un soliloquio del despensero; hay que imaginar que ya se ha ido a otra parte Lozana; y enseguida, el despensero se dirige al recién llegado que no es otro que el valijero de marras (mamotreto XX).

[11] *sinsonanderas:* «sin narices».

[12] *Alejandro VI:* Rodrigo Borja, Papa de 1492 a 1503.

[13] Y siempre el tema de «cualquier tiempo pasado fue mejor; sabemos que ahora, en 1513 o poco después, dicen «España mísera».

[14] Según Ugolini «Campaña» (por Compania, región de Italia alrededor de Nápoles). Damiani en *L. A. 69* acepta la misma solución, pero en *R. 75* escoge la lección «soldados en campaña», como Joaquín del Val. Yo sigo a Ugolini que advierte, con razón creo, que la enumeración se hace a base de datos geográficos, pero evidentemente, los «soldados en campaña» es lección semánticamente muy aceptable.

[15] *A mi fidamani:* es un latinismo curial según Ugolini, pero en *R. 75* (pág. 233) lo presentan como italianismo. La locución parece significar aquí «a mi fe...» aunque es normalmente un hombre el *fideimanus,* y no una virtud.

[16] *Puto y rapaz,* bien puede ser; *viejo y rapaz,* también puede ser.

[17] Quien se acuerde del mam. XX, sabrá que no desvalijó solamente eso, puesto que durmió con ella (y nótese aquí la motivación del nombre).

[18] Frase que se entiende fácilmente del provecho económico, para lo cual Criado de Val sugiere una interpretación erótica a partir de *colada* que probablemente interpreta como derivado jocoso de *cola.* Sin embargo no me parece probante el contexto.

Cómo torna su criado: que venga presto, que la esperan una hija puta y su madre vieja.

LOZANA.—¿A qué tornáis, Malurde?[1]. ¿Hay cosa nueva?

RAMPÍN.—Acabá, vení, que es venida aquella madre.

LOZANA.—Callá, callá, que ya os entiendo. ¿Vacía verná, según Dios la hizo?

RAMPÍN.—No; ya me entendéis, y bueno.

LOZANA.—¿Uno solo?

RAMPÍN.—Tres y otras dos cosas.

LOZANA.—¿Qué, por mi vida?

RAMPÍN.—Ya lo veréis, caminá, que yo quiero ir por lo que dejó tras la puerta de su casa, y veis aquí su llave.

SENÉS (PAJE).—¡Señora Lozana, acá, acá; mirá acá arriba!

LOZANA.—Ya, señor, os veo, mas poco provecho me viene de vuestra vista, y estoy enojada porque me contrahicistes en la comedia de carnaval.

SENÉS.—Señora Lozana, no me culpéis, porque, como vi vuestra saya y vuestro tocado, pensé que vos lo habíades prestado.

LOZANA.—Yo lo presté, mas no sabía para qué. Aosadas[2] que si lo supiera que no me engañaran; pero de vos me quejo porque no me avisastes.

SENÉS.—¿Cómo decís eso? A mí me dijeron que vos estovistes allí.

LOZANA.—Sí estuve, mas dijéronme que me llamaba monseñor vuestro.

SENÉS.—¿No vistes que contrahicieron allí a munchos? Y ninguna cosa fue tan placentera como vos a la celosía, reputando al otro de potroso, que si lo hiciera otrie, quizá no mi-

---

[1] *Malurde:* nuevo apodo para Rampín, que en *R. 75* se compara con Urdemalas, el célebre burlador. Sin embargo es probable que Rampín sea «malurde» no tanto porque «las urda malas» como por «urdir mal»: en efecto, menos en la cama, es un paranada que no tiene ninguna clase de talento.

[2] *Aosadas:* «a buen seguro».

rara ansí por vuestra honra como yo. Por eso le[3] suplico me perdone, y sírvase d'estas mangas de velludo que mi padre me mandó de Sena.

LOZANA.—Yo's perdono porque sé que no sois malicioso. Vení mañana a mi casa, que ha de venir a comer comigo una persona que os placerá.

OTRO PAJE.—So caballo ligero de vuestra merced.

LOZANA.—¡Ay, cara de putilla sevillana, me encomiendo, que voy de priesa!

HIJA.—¿Tiro la cuerda?[4]. Esperá, que ni hay cuerda ni cordel.

LOZANA.—Pues vení abajo.

HIJA.—Ya va mi señora madre.

GRANADINA.—Vos seáis la bienvenida.

LOZANA.—Y vos la bien hallada, aunque vengo enojada con vos.

MADRE.—¿Y por qué comigo, sabiendo vos que os quiero bien, y no vernía yo con mis necesidades y con mis secretos a vos si os quisiese mal?

LOZANA.—¿Cómo? ¿Vos sois mi amiga y mi corazón, y venís cargada a casa, sabiendo que haría por vos y por vuestra hija otra cosa que estas apretaduras, y tengo yo para vuestro servicio un par de ducados?

GRANADINA.—Señora Lozana, mirá que con las amigas habéis de ganar, que estáis preñada y todo será menester, y cuanto más, que a mi hija no le cuesta sino demandallo, y tal vuelta[5] se entra ella misma en la guardarropa de monseñor, y toma lo que quiere y envía a casa, que, como dicen: más tira coño que soga[6]. Estos dos son agua de ángeles, y éste es azahar, y este cofín son dátiles, y esta toda es llena de confición[7], todo venido de Valencia, que se lo envía la madre de monseñor. Y mirá, señora Lozana, a mí me ocurre otro lance, que para con vos se puede decir.

_____

[3] Curioso cambio de tratamiento, pasando del _vos_ a una tercera persona gramatical.

[4] Porque se abrían las puertas mediante una cuerda que permitía correr el cerrojo o el pestillo a distancia.

[5] _tal vuelta:_ «a veces» (en italiano _talvolta,_ como se apunta en _R. 75,_ pág. 236).

[6] Este refrán aparece edulcorado en el _Voc. Ref._ de Correas: «más tira moza...»; menos casta pero más castiza me parece la lección de Delicado.

[7] _confición:_ «confitura».

LOZANA.—¿Qué, señora?

GRANADINA.—Un señor no me deja a sol ni a sombra, y me lo paga bien, y me da otro[8] que me hija no me dará, y no sé cuándo terné necesidad. Mirá, ¿qué me aconsejáis?

LOZANA.—Lo que os aconsejé siempre, que si vos me creyérades, más ha de un año que habíades de comenzar, que en Roma todo pasa sin cargo de conciencia. Y mirá qué os perdistes en no querer, más que no's dará ese otro, y era peloso[9] y hermoso como la plata, y no quería sino viudas honradas como vos.

GRANADINA.—Señora Lozana, mirá, como se dice lo uno se diga todo, y os diré por qué no lo hice: que bien estaba yo martela[10] por él, mas porque se echó con mi hija, no quise pecar dos veces.

LOZANA.—No seríades vos la primera qu'eso hace en Roma sin temor. ¡Tantos ducados tuviésedes! Eso bien lo sabía yo, mas por eso no dejé de rogároslo, porque veía que era vuestro bien, y si lo veo, le tengo de decir que me hable. Por eso es bueno tener vos un amiga cordial que se duele de vos, que perdéis lo mejor de vuestra vida. ¿Que pensáis que estáis en Granada, do se hace por amor?[11]. Señora, aquí a peso de dineros, daca y toma, y como dicen el molino andando gana[12], que guayas tiene quien no puede. ¿Qué hace vuestra hija? ¿Púsose aquello que le dí?

GRANADINA.—Señora, sí, y dice que mucho le aprovechó, que le dijo monseñor: ¡qué coñico tan bonico!

LOZANA.—Pues tenga ella avertencia que, cuando monseñor se lo quiera meter, le haga estentar[13] un poco primero.

---

[8] La comparación no se refiere únicamente al dinero.

[9] *peloso:* recuérdese que el pelo o cabello es señal de lozanía, o sea de vigor sexual.

[10] *Martelo:* «pasión o capricho amoroso», a veces «celos»; se registra solamente como sustantivo en el *D. R. A. E.;* el empleo que se da aquí como adjetivo sería un calco del italiano, tanto más cuanto que el sustantivo *martelo* no se documenta en español (fuera de Delicado se entiende) antes de 1599 (Corominas).

[11] Lozana está diciendo «en Roma por todo», como otros dicen «A Roma por todo». Sobre este diálogo entre Lozana y la granadina, véase Introducción, págs. 130-131).

[12] Véase *supra,* mam. XVIII, nota 17.

[13] *estentar:* según *R. 75,* italianismo que significa «hacer con trabajo, fatigar» (del it. *stentare);* a pesar de que no he podido documentar este verbo, yo creo que significa «pagar», a juzgar por otra ocurrencia

GRANADINA.—Sí hará, que ya yo la avisé, aunque poco sé d'eso, que a tiento se lo dije.

LOZANA.—Todas sabemos poco, mas a la necesidad no hay ley. Y mirá que no coma vuestra hija menestra de cebollas, que abre muncho, y cuando se toca, tire la una pierna y encoja la otra.

MAMOTRETO XXX

Cómo viene su criado, y con él un su amigo, y·ven salir las otras de casa.

ULIXES.—¿Quién son aquéllas que salen de casa de la Lozana?

RAMPÍN.—No sé. Decíaos yo que caminásemos, y vos de muncha reputación[1].

ULIXES.—Pues no quiero ir allá, pues no hay nadie.

RAMPÍN.—Andá, vení, que os estaréis jugando con madona.

AMIGO.—Digo's que no quiero, que bien sabe ella, si pierde, no pagar, y si gana, hacer pagar, que ya me lo han dicho más de cuatro que solían venir allí; y siempre quiere porqueta o berengenas, que un julio le di el otro día para ellas, y nunca me convidó a la pimentada que me dijo. Todo su hecho es palabras y hamamuxerías[2]. Andá, poneos del lodo[3] vos y ella, que su casa es regadero[4] de putas, y no para mí.

---

del mam. XLIV (véase nota 4): no sería de extrañar que Lozana pensase también en el provecho económico.

[1] *y vos de muncha reputación:* caminando muy dignamente, sin prisa.

[2] *hamamuxerías:* «bufonadas». No modernizo en *hamamujerías,* conservando en este caso la x de *Venecia 1528* porque me parece que esta palabra procede del mismo étimo que *mamarracho* (algo así como *[a]mamuchería* por el moderno *mamarrachada);* para *mamarracho,* la forma primitiva fue en castellano *moharrache,* después *momarrache,* que nos acercan más a la *hamamuxería* de Delicado. Sin embargo esta última palabra me recuerda más aún una palabra turca de la misma familia, que Molière hizo famosa en Francia: *mamamouchi,* propiamente «paranada» o «bufón», como el *muharray* etimológico de *mamarracho.* Para recapacitar esta hipótesis etimológica: *mamamuchi/mamamuche,* o **hamamuche,* y de ahí **hamamuxe* y *hamamuxe-*

319

—¡Pese a tal con el judío[5], mirá cómo me engañaba! No se cure, que a ella tengo de hacer que le pujen la casa; y a él, porque es censal[6] de necios, le tengo de dar un día de zapatazos. Ésta[7] ha sido la causa que se echase mi amiga con dos hermanos. Es turca, y no hay más que pedir. Pues venga a monseñor con sus morcillas o botifarros, que no quiero que su señoría coma nada de su mano. ¿Compadre me quería hacer?[8]. ¡Pese a tal con la puta sin sonaderas!

COMPAÑERO VALERIÁN.—¿Qué hacés, caballero, aquí solo? ¿Hay caza o posta[9], o sois de guardia hoy de la señora Lozana?

ULIXES.—Señor, antes estoy muy enojado con su señoranza.

COMPAÑERO.—Eso quiero oír, que martelo tenéis[10], o muncha razón.

ULIXES.—Antes muncha razón, que sé yo castigar putas lo mejor del mundo[11].

VALERIÁN.—Sois hidalgo y estáis enojado, y el tiempo ha-

---

ría, con la equis que era grafía de la fricativa palatal (y no africada como la *ch*). Cfr. más adelante lo que dice Ulises de Lozana: *es turca.*

[3] *Poner del lodo* es normalmente «insultar» o «denigrar», pero en *La Lozana,* lo mismo que *enlodar* (ver mam. XIV, nota 13) es referencia también al acto sexual; aquí la expresión «poneos del lodo» es ambivalente, aunque más propia en lo segundo que en lo primero porque, si bien Lozana le dice constantes improperios a Rampín, éste no contesta jamás, según un plan que se expone en el mam. XV (véase nota 4).

[4] *regadero,* pero en *Venecia 1528* «regagero». Sigo a Joaquín del Val porque *regadero* me parece posible, como «acequia» o «canal de irrigación», sea que en casa de Lozana «se riegue» a las mujeres, sea que ellas se encaucen allí como por canal. Sin embargo se podría pensar en *regazero de putas* si se considera que se *arregazan* (o *regazan)* las faldas, siendo bastante parecidas las formas de la zeta y de la ge en la vieja edición.

[5] *el judío* es evidentemente Rampín, que debe de haberse ido ya.

[6] *censal:* «corredor, agente», del it. *sensal* según *R. 75,* sentido éste muy satisfactorio, aunque se pueda defender el de «censo, contrato» que ofrece el *D. R. A. E.*

[7] *Ésta:* se refiere a Lozana.

[8] *Compadre* quería hacerle Lozana para sacarle dinero (véase mamotreto XXIV, desde: «decíme, ¿qué dan los padrinos?»).

[9] *posta:* «[lugar de] acecho» (cfr. mod. «centinela», y mam. XXIV, nota 30).

[10] Véase mam. XXIX, nota 10.

[11] Recuerdo aquí la polisemia de *razón,* cuyo segundo sentido casa bastante bien con «castigar putas».

lla[12] las cosas, y ella está en Roma y se domará. ¿Sabéis cómo se da la difinición a esto que dicen: Roma, la que los locos doma y a las veces las locas?[13]. Si miráis en ello, a ellos doman ellas, y a ellas doma la carreta[14]. Así que vamos por aquí, veamos qué hace, que yo también ando tras ella por mis pecados, que cada día me promete y jamás me atiende.

ULIXES.—Mirá, si imos[15] allá, voto a Dios que tenemos de pagar la cena, según Dios la hizo. Mas no me curo —por serviros—, que guay de quien pone sus pleitos en manos de tales procuradores como ella[16].

VALERIÁN.—Mirá, que mañana irá a informar; por eso solicitémosla hoy.

—Tif, taf[17]. Señora Lozana, mandános abrir.

LOZANA.—Anda, ¿quién es?, que me parece que es loco o privado[18]. Familiares son; tira esa cuerda[19].

VALERIÁN.—¿Qué se hace, señora?

LOZANA.—Señores, cerner y amasar y ordenar de pellejar[20].

---

[12] *halla:* «revela» (es refrán).

[13] Cfr. *Voc. Ref.* de Correas (574, b):
—Roma, a los viejos mata y a los mozos doma [comentario del maestro Gonzalo: «Es enferma en el estío, y suelen tardar en ella muchos años sin alcanzar prebenda o beneficio»;
    —Roma, que sus manos tuerce quien en ella envejece (o: que roe sus manos).
    —Roma, Roma, la que a los locos doma y a los cuerdos no perdona.
    Todo esto es continuación lógica del «beneficio curado» del mam. XXIV.

[14] *carreta:* «sífilis» [cfr. «el último, francés», XXI].

[15] *imos:* «vamos».

[16] Nótese el empleo, y consiguiente contaminación, de *pleito* y *procurador.*

[17] Técnica de imitación de ruidos, heredada de *La Celestina;* añádase que Valerián (o Valerio, que es el mismo) podría tener peores aldabas, o mejores.

[18] Caso que no se da frecuentemente de «loco» y «privado» (o «familiar y favorito») como sinónimos; pero la observación del grabado de la portada del libro nos convence fácilmente de que «loco» o «privado de Lozana» es todo uno; por eso, al decir «familiares son», dice Lozana que locos son los que están llamando a la puerta.

[19] Véase mam. XXIX, nota 4.

[20] Trabajos domésticos éstos muy dignos de alabanza cuando los ejecuta una perfecta casada, pero más cuestionables quizás en casa de Lozana, si a la moral de entonces tenemos por referencia.

ULIXES.—Eso de pellejar, que me place: pellejedes, pellejón, pelléjame este cosón[21].

LOZANA.—Vivas y adivas[22], siempre coplica.

VALERIÁN.—Señora, salí acá fuera; a teneros palacio venimos.

LOZANA.—Soy contenta, si queréis jugar dos a dos.

VALERIO.—Sea ansí; mas vuestro criado se pase allá y yo aquí, y cada uno ponga.

LOZANA.—Yo porné mi papo.

VALERIO.—¿Cuál, señora?

LOZANA.—Todos dos, que hambre tengo[23].

VALERIO.—Pues yo porné por vuestra merced.

LOZANA.—Yo me porné por vos a peligro donde vos sabéis.

VALERIO.—Señora, eso fuese y mañana Pascua[24].

—Pues pon tú.

RAMPÍN.—So contento. Prestáme vos, compañero.

ULIXES.—¡Voto a Dios que no me toméis por ahí, que no quiero prestar a nadie nada![25]

LOZANA.—Por mi vida, que le prestes, que yo te los pagaré en la Garza Montesina[26].

[ULIXES[27]].—Dos julios le daré, que no tengo más.

---

[21] *cosón:* «testículo», sinónimo de «cordón» (véase mam. XXVI).

[22] *Vivas y adivas: adivas* son «cierta inflamación de garganta en las bestias» *(D. R. A. E.),* o plural de *adiva,* que es otra forma de *adive,* es decir «mamífero parecido a la zorra; este animal, que se domestica con facilidad, se puso de moda en Europa en el siglo XVI *(D. R. A. E.).* No guarda, a mi parecer, más relación con *vivas* (forma del adjetivo *vivo* o del verbo *vivir)* que por el sonsonete.

[23] *papo:* «boca» y, metafóricamente, «vulva».

[24] En el *Voc. Ref.* de Correas: «Eso fuese, y mañana Pascua», o: «Eso se fuese...» (147, b).

[25] Nótese que el pobre Ulises —a pesar de su homérica cautela y de sus denegaciones anteriores— no pudo menos de entrar en casa de Lozana.

[26] Cortesana famosa, que protagoniza el mam. LVIII, a pesar de los sesenta años que tiene, como se indica en el mamotreto siguiente. El autor nos da parte de su muerte en su epístola final: es modelo ejemplar del transcurrir de la vida en el *Retrato.* En el momento en que Lozana le fía en calidad de lucido premio a Úlises, tendrá más de cincuenta años. Es evidente que *garza* es nombre simbólico para una mujer.

[27] Falta, en la edición *Venecia 1528,* la mención —*Ulises;* la restauran Joaquín del Val y Damiani. Nótese que, a pesar de venir avisado, Ulises cae en la trampa.

LOZANA.—Hora jugá, que nosotros somos dos y vosotros veinte y cuatro, como jurados de Jaén.

MAMOTRETO XXXI

Cómo la Lozana soñó que su criado caía en el río, y otro día lo llevaron en prisión[1].

LOZANA.—Agora me libre Dios del diablo con este soñar que yo tengo, y si supiese con qué quitármelo, me lo quitaría[2]. Querría saber cualque encantamiento para que no me viniesen estos sobresaltos, que querría haber dado cuanto tengo por no haber soñado lo que soñé esta noche. El remedio sería que no durmiese descubierta ni sobre el lado izquierdo, y dicen que cuando está el estómago vacío, que entonces el hombre sueña, y si ansí es, lo que yo soñé no será verdad. Mas munchas veces he yo soñado, y siempre me ha salido verdad, y por esto estó en sospecha que no sea como la otra vez, que soñé que se me caían los dientes y moví otro día[3]. Y vos, cuando os metistes debajo de mí, que soñábades que vuestros enemigos os querían matar, ¿no vistes lo que me vino a mí aquel día? Que me querían saltear los porquerones de Torre Sabela, cuando lo del tributo[4], que la señora Apuleya[5], por reír ella y verme bravear, lo hizo[6]. Esto que soñé, no querría que fuese verdad. Mirá no vais en todo hoy al río, no se me ensuelva el sueño[7].

---

[1] Estas aventuras de Rampín corresponden exactamente a lo que le pronosticó Lozana en el mamotreto XI.

[2] Para apreciar mejor el tipo de composición de la novela, así como el enfoque de cada personaje, compárese todo lo que sigue del sueño de Lozana con lo que dice *el autor* de los sueños y de su interpretación o «soltura» en el mamotreto XLII, donde se verá que le da la razón a pesar de que declare que no puede aguantar ese tipo de supersticiones, o a la inversa, porque con él, nada se sabe.

[3] *moví otro día:* «aborté al día siguiente».

[4] Véase mam. XII, nota 18.

[5] *la señora Apuleya:* este nombre, como otros en la novela, evoca el burro, figura señera y áurea del *Retrato*.

[6] *lo hizo:* es decir que Apuleya había concertado la broma con los corchetes de Torre Sabela, queriendo hacer rabiar a la andaluza, y reírse a expensas suyas.

[7] *Ensolver el sueño:* como se ha dicho en el mam. XXVII (nota 11), es normalmente decir su soltura, explicarlo; pero aquí vale por su realización efectiva: no querría la Lozana que le saliera cierto el presagio.

RAMPÍN.—Yo soñaba que venía uno, y que me daba de zapatazos, y yo determinaba de matallo, y desperté.

LOZANA.—Mirá, por eso sólo meteré vuestra espada do no la halléis, que no quiero que me amancilléis. Si solamente vos tuviésedes tiento y hiriésedes a uno o a dos, no se me daría nada, que dineros y favor no faltarían, mas, como comenzáis, pensáis que estáis en la rota de Ravena[8]; y por el sacrosanto saco de Florencia, que si no os emendáis de tanta bravura, ¿cómo hago yo por no besar las manos[9] a ruines? Que más quiero que me hayan menester ellos a mí que no yo a ellos. Quiero vivir de mi sudor[10], y no me empaché jamás con casadas ni con virgos, ni quise vender mozas ni llevar mensaje a quien no supiese yo cierto que era puta, ni me soy metida entre hombres casados, para que sus mujeres me hagan desplacer, sino de mi oficio me quiero vivir[11]. Mirá, cuando vine en Roma, de todos los modos de vivir que había me quise informar, y no supe lo que sé agora, que si como me entremetí entre cortesanas, me entremetiera con romanas, mejor gallo me cantara que no me canta, como hizo la de los Ríos, que fue aquí a Roma peor que Celestina, y andaba a la romanesca vestida con batículo y entraba por todo, y el hábito la hacía licenciada, y manaba en oro, y lo que le enviaban las romanas valía más que cuanto yo gano[12]: cuando[13] grano o leña, cuando tela, cuando lino, cuando vino, la bota entera. Mas como yo no miré en ello, comencé a entrar en casas de cortesanas, y si agora entro en casa de alguna romana, tiénelo por vituperio, no porque no me hayan munchas menester; y porque so tan conocida, me llaman secretamente. Andá vos, comprá eso que os dije anoche, y mirá no's engañen, que yo me voy a la judería a hablar a Trigo, por

[8] *rota de Ravena:* batalla célebre por el número de muertos que hubo que deplorar en un campo y otro; pero, a pesar de tanta comparación épica, veremos que, para Rampín, la sangre no llega al río.

[9] *besar las manos:* «avasallarse».

[10] *sudor:* evocación no exenta de ironía por la doble alusión; a la maldición bíblica por una parte, y al segundo sentido de la misma palabra («concúbito») por otra.

[11] Esta deontología de la alcahueta es un tema que se repite insistentemente en la novela, con algunas contradicciones, pero pocas y mínimas, lo que hace pensar que quizás fuese tema serio en Delicado.

[12] ¿Quién dijo que no tenía por la Lozana ni la tuvo? Cierto que no fue ella.

[13] *cuando... cuando...:* «algunas veces...» ... «otras veces»...

ver la mula que parió, que cualque prenóstico es parir una mula casa de un cardenal[14].

OLIVERO.—¡A vos, mancebo! ¿Qué hace la señora Lozana?

RAMPÍN.—Señor, quiere ir fuera.

COMPAÑERO.—Y vos ¿dó is?

RAMPÍN.—A comprar ciertas berengenas para hacer una pimentada.

OLIVERO.—Pues no sea burla que no seamos todos en ella.

RAMPÍN.—Andad acá, y compradme vos las especias y los huevos, y vení a tiempo, que yo sé que os placerán, veislas allí buenas.

—¿Cuántas das?[15].

OLIVERO.—Cómpralas todas.

RAMPÍN.—Quanto voi de tuti?[16].

PECIGEROLO.—Un carlín.

RAMPÍN.—Un groso.

FRUTAROLO.—¿No quieres?

RAMPÍN.—Seis bayoques[17].

PECIGEROLO.—Señor, no, lasa estar[18].

RAMPÍN.—¿Quién te toca?

PECIGEROLO.—Mete qui quese[19].

RAMPÍN.—¡Va, borracho, que no son tuyas, que yo las traía!

PECIGEROLO.—¡Pota de Santa Nula, tú ne mente per la cana de la gola![20].

RAMPÍN.—¡Va d'aquí, puerco! ¿Y rásgasme la capa? ¡Así vivas tú como son tuyas!

---

[14] *Andá vos... cardenal:* esta frase es de transición; después de disertar sobre sus cuidados y aflicciones Lozana se decide a salir para ver un nuevo portento; ya es extraordinario que para una mula, animal normalmente estéril, pero que lo haga en casa de un cardenal merece especial atención: tiene que ser agüero de algo. No sabemos exactamente si se debe mayormente al parto de la mula o a la casa del cardenal, pues no lo dice Lozana.

[15] Supongo que Rampín le pregunta a Olivero cuántas berenjenas «da» o compra, para la pimentada (cuánto dinero invierte en la compra).

[16] «¿Cuánto quieres de todos?» [en realidad: «de todas»].

[17] Me equivoqué al decir que Rampín era un inútil, pues sabe regatear, y conoce las monedas.

[18] *lasa estar:* «deja estar», es decir: «déjalo».

[19] *Mete qui quese:* «ésas, ponlas aquí» (o: «déjalas aquí»).

[20] «¡Por el chocho de Santa Nula, que mientes por mitad de la barba!»

PECIGEROLO.—¡Pota de mi madre! ¿Io no te vidi? ¡Espeta, verai si lo diró al barrachelo![21].

BARRACHELO.—¡Espera, espera, español, no huyas!

—Tómalo, y llévalo en Torre de Nona.

—¿De aqueste modo compras tú y robas al pobre hombre? Va dentro, no te cures.

—Va, di tú al capitán que lo meta en secreta.

ESBIRRO.—¿En qué secreta?

BARRACHELO.—En la mazmorra o en el forno[22].

GALINDO[23].—Hecho es.

MAMOTRETO XXXII

Cómo vino el otro su compañero corriendo, y avisó la Lozana, y va ella radiando[1], buscando favor.

COMPAÑERO.—Señora Lozana, a vuestro criado llevan en prisión.

LOZANA.—¡Ay! ¿qué me decís? ¿Que no se me había de ensolver mi sueño?[2]. ¿Y cuántos mató?

___

[21] ¡La madre que me parió! ¿No te vi yo? ¡Espera! ¡verás como se lo digo al barrachel!

[22] *forno:* «horno» en el sentido de «cárcel» o «calabozo».

[23] *Galindo:* «adj. ant.: torcido, engarabitado» *(D. R. A. E.);* añádase que antiguamente *galindo* se aplicaba sobre todo a los pies, como testimonia Oudin *(galindo:* «qui a l'oignon du pied gros»). El Arcipreste de Talavera cita así los defectos de pronóstico sexual: «las ancas salidas afuera, las piernas tuertas, las manos y pies galindos».

No hay duda: la forma de garabato o gancho (es decir: Rampín), las uñas de rapiña, y las patas torcidas o los pies zopos, que en este caso le impiden huir ¿quién es? Fácil enigma como comentaría Gonzalo Correas: el criado de Lozana, a quien le resultaron ciertos los pronósticos («guardaos de tomar lo ajeno, que peligrarés», le advirtió Lozana en el mam. XI, añadiendo ella: «vuestro peligro está en Saturno de una prisión»: véase mam. XI, nota 22).

[1] *radiando:* en *R. 75,* lo interpretan a partir de un verso de J. Ruiz: «Por la cibdat, andando *radío* e perdudo» (1310), dándole la equivalencia «errando». *Radío,* en Juan Ruiz, parece ser más o menos sinónimo de «perdido». En cuanto al verbo *radiar,* no he podido documentarlo. Quizás sea errata por «rodeando».

[2] Véase mam. XXXI, nota 7.

COMPAÑERO.—Señora, eso no sé yo cuántos ha él muerto. Por un revendedor creo que le llevan.

LOZANA.—¡Ay, amarga de mí, que también tenía tema con regateros![3]. Es un diablo travieso, infernal, que si no fuese por mí, ciento habría muerto; mas como yo lo tengo limpio[4], no encuentra con sus enemigos. No querría que nadie se atravesase con él, porque no cata ni pone, sino como toro es cuando está comigo. Mirá qué hará por allá fuera; es que no es usado a relevar[5]. Si lo supistes el otro día cuando se le cayó la capa, que no le dejaron cabello en la cabeza[6], y guay d'ellos si le esperaran, aunque no los conoció, con la priesa que traía, y si yo no viniera, ya estaba debajo la cama buscando su espada[7]. Señor, yo voy aquí en casa de un señor que lo haga sacar.

OLIVERO.—Pues mire vuestra merced, si fuere menester favor, a monseñor mío pornemos en ello.

LOZANA.—Señor, ya lo sé; salen los cautivos cuando son vivos. ¡Ay, pecadora de mí! Bien digo yo: a mi hijo lozano no me lo cerquen cuatro[8].

---

[3] *tema:* «cuestión, querella»; nótese la amplificación paródicamente épica con el paso al plural, «un revendedor» dice el compañero, «regateros» para Lozana.

[4] *limpio:* «apartado (de las pendencias)».

[5] *relevar:* «absolver, perdonar»; hasta aquí ha pintado al vengativo Rampín como un valiente, pero, a continuación, una fina ironía arruina tales afirmaciones, de tal forma que Rampín se nos revela como un cobarde, disfrazado de valiente por Lozana.

[6] Es evidente que el episodio remite a las diferencias «pilosas» entre el Cid y los Vani Gómez (cfr. el apodo de Peranzules aplicado a Rampín en el mam. XXVII —véase nota 22— que permite saber que «el otro día» a que se refiere Lozana se sitúa un poco antes, probablemente a principios de la parte segunda, pero no se evoca directamente. *Se le cayó la capa* es alusión a su cobardía, pues del valiente se decía «defender su capa. Sabe bien defender su capa» (Correas, 688, b).

[7] Se entiende con toda claridad que Rampín huyó a ¡pies para qué os quiero! para ir a esconderse (no siendo la espada más que un pretexto) debajo de la cama, sitio adonde se refugian proverbialmente los cobardes y los cornudos (véase mam. XLVI, nota 6.

[8] En la nota 10, pág. 249 de *R. 75,* proponen entender *a mi hijo Lozano no me lo cerquen cuatro* («paredes») y en la nota 9: «*hijo Lozano* no tiene significado de *hijo hermoso* sino de *perteneciente a la Lozana,* según una adjetivación análoga, ya en *Celestina:* ¿Yo? Melibeo so y a Melibea adoro...».

Esta interpretación es coherente, primero las cuatro paredes ya que Rampín está en la cárcel, y *lozano* como Melibeo en razón de los lazos que unen al ama con el criado. Sin embargo, *a mi hijo lozano, no me*

MALSÍN[9].—Mirá cómo viene la trujamana[10] de la Lozana. ¡Voto a Dios, no parece sino que va a informar auditores[11], y que vienen las audiencias tras ella!

—¿Qu'es eso, señora Lozana? ¿Qué rabanillo[12] es ése?

LOZANA.—Tomá, que noramala para quien me la tornare[13]. ¿No miráis vos cómo yo vengo, amarga como la retama, que me quieren ahorcar a mi criado?

MALSÍN.—Tenés, señora, razón, tal mazorcón y cétera[14], para que no estéis amarga. ¡Si lo perdiésedes!

—Allá va la puta Lozana; ella nos dará que hacer hoy. ¿Veis, no lo digo yo? Monseñor[15] quiere cabalgar. Para putas sobra caridad; si fuera un pobre, no fuéramos hasta después de comer. ¡Oh pese a tal con la puta que la parió, que la mula me ha pisado! ¡Ahorcado sea el barrachelo si no lo ahorcare antes que lleguemos! No parará nuestro amo hasta que se lo demande al senador. Caminad, que deciende monseñor y la Lozana.

MONSEÑOR.—Señora Lozana, perdé cuidado, que yo lo traeré conmigo, aunque sean cuatro los muertos.

LOZANA.—Monseñor, sí, que yo voy a casa de la señora Velasca para que haga que vaya el abad luego a Su Santidad[16], porque si fueren más los muertos que cuatro. Que a mi criado yo lo conozco, que no se contentó con los enemigos, sino que si se llegó alguno a despartir[17], también los llevaría a todos por un rasero.

---

lo cerquen cuatro, a pesar de que no se documenta antes del *Retrato,* parece refrán, y Martínez Kleiser lo recoge como tal en su *Refranero General* (núm. 59.757), proponiendo además una variante, «mi hijo el lindo». Para este paremiólogo no se trata de paredes sino de enemigos con superioridad numérica. Yo me inclino por esta última interpretación sin descartar un posible juego con la ambigüedad que las circunstancias le permiten cobrar a la fórmula, pues en la página siguiente bien hablan de *cuatro muertos...* ¡que resultan berenjenas!

[9] *Malsín:* «delator, soplón».

[10] *trujamana:* «intérprete», aquí «medianera».

[11] *auditores:* «oidores, jueces».

[12] *rabanillo:* en su sentido de «desdén».

[13] *me la tornare:* «¿me tornare la respuesta?» ¿«me respondiere» o «se me opusiere»?

[14] *mazorcón y cétera:* «el pene y lo demás».

[15] *Monseñor:* «Título de honor que se da en Italia a los prelados eclesiásticos y de dignidad» *(D. R. A. E.).* Muy digno me parece en efecto éste... de salir retratado.

[16] He aquí a León X mezclado en la liberación de Rampín.

[17] *despartir:* «separar» (a las contrincantes).

POLIDORO.—Señora Lozana, ¿qué es esto, que is[18] enojada?

LOZANA.—Señor, mi criado me mete en estos pleitos.

POLIDORO.—¿En qué, señora mía?

LOZANA.—Que lo quieren ahorcar por castigador de bellacos.

POLIDORO.—Pues no's fatiguéis, que yo os puedo informar mejor lo que sentí decir delante de Su Santidad.

LOZANA.—¿Y qué, señor? Por mi vida, que soy yo toda vuestra, y os haré cabalgar de balde putas honestas.

POLIDORO.—Soy contento. El arzobispo y el abad y el capitán que envió la señora Julia, demandaban al senador de merced vuestro criado, y que no lo ahorcasen. Ya su excelencia era contento que fuese en galera[19], y mandó llamar al barrachelo, y se quiso informar de lo que había hecho, si merecía ser ahorcado. El barrachelo se rió. Su excelencia dijo:

—¿Pues qué hizo? Dijo el barrachelo que, estando comprando merenzane o berengenas, hurtó cuatro. Y ansí todos se rieron, y su excelencia mandó que luego lo sacasen; por eso no estéis de mala voluntad.

LOZANA.—Señor, ¡guay de quien puoco puede! Si yo me hallara allí, por la leche que mamé[20], que al barrachelo yo le hiciera que mirara con quién vivía mi criado[21]. Soy vuestra; per-

---

[18] *is:* «vais».

[19] *que fuese en galera:* se contentaba con que lo condenaran a las galeras.

[20] *por la leche que mamé:* muy noble la Lozana que apela a su linaje, pero cuidado con la polisemia de *leche* que podría remitir tanto a sus aventuras sentimentales como a su nodriza.

[21] Lozana concede su protección como una gran señora, portándose con mucha nobleza cuando exige que se respete a su criado por el mero hecho de serlo. En este caso Lozana recuerda a la triste y famosa doña Lambra, quien se quejó de los Infantes de Lara, exigiéndole a su marido la muerte de sus enemigos y valiéndose de este argumento: «matáronme un cocinero/so faldas de mi brial». Evidentemente la postura idéntica en este caso de Lozana y doña Lambra podría explicarse por la común tradición caballeresca y feudal (aunque en el caso de Lozana, con la distancia irónica que requiere la parodia); sin embargo hay otro punto de contacto —no más probatorio por lo tradicional pero sí por tenerlo en común *una vez más*— entre las dos heroínas; como Lozana, doña Lambra se declara del bando cordobés:

Amad, señoras, amad
cada una en su lugar,
que más vale un caballero

dóneme que quiero ir a mi casa, y si es venido mi criado, enviallo he al barrachelo que lo bese en el trancahilo[22] él y sus zafos[23].

MAMOTRETO XXXIII

Cómo la Lozana vido venir a su criado, y fueron a casa, y cayó él en una privada por más señas.

LOZANA.—¿Salistes, chichirimbache[1]? ¿Cómo fue la cosa? ¡No me queréis vos a mí creer! Siempre lo tuvo el malogrado ramazote de vuestro agüelo[2]. Caminá, mudaos, que yo verné luego.

RAMPÍN.—Venid a casa. ¿Dó queréis ir? ¿Fuistes a la judería?

de los de *Córdoba la llana*
que no veinte ni treínta
de los de la casa de Lara.

En el mamotreto XXXVI también se ve a Lozana implícitamente comparada con una señora que recibe pleitesía y homenaje: «señora Lozana, este señor os suplica que lo metáis debajo de vuestra caparela...». Veremos, en el mamotreto LII, que Lozana se siente orgullosa «de su sangre y linaje», pero no será una vez más ocasión de utilizar paródica y burlescamente el registro caballeresco y épico como allí se dirá.

[22] *trancahilo:* Covarrubias y Correas no dejan lugar a dudas sobre el sentido que tuvo en aquella época esta palabra: en señal de vasallaje los héroes épicos besaban las manos de su señor, o la hierba delante de sus pies, pero me parece mucho más avasallador que el barrachel tenga que darle un beso a Rampín en el salvohonor.

[23] *zafos:* «esbirros, alguaciles», cfr. it. ant. *zaffo* (nota de *R. 75,* página 252).

[1] *chichirimbache:* voz expresiva que en *R. 75,* como en Ugolini, se asemeja con *chiquiribaile* o *ciquiribaile,* «ladrón» u «hombre ruin» en germanía (véase Hidalgo), pero que también puede evocar «chincharrazo» (por alusión jocosa a los talentos de esgrimidor de Rampín), «chichonería» (por sus malas burlas), u otras palabras.

[2] *ramazote:* según Ugolini «deshollinador» y para *R. 75* «parece aumentativo de ramazo como injuria». Estos significados de *ramazote* me

LOZANA.—Sí que fui, mas estaban en pascua los judíos; ya les dije. ¡Que mala Pascua les dé Dios! Y vi la mula parida, lo que parió muerto[3].

TRINCHANTE.—Señora Lozana, ¿qué es eso? ¡Alegre viene vuestra merced!

LOZANA.—Señor, veislo aquí, que cada día es menester hacer paces con tres o con dos[4], que a todos quiere matar, y sábeme mal mudar mozos, que de otra manera no me curaría[5].

TRINCHANTE.—¡El bellaco Diego Mazorca[6], cómo sale gordo!

LOZANA.—Señor, la gavia[7] lo hizo. Eran todos amigos míos, por eso se dice: el tuyo allégate a la peña, mas no te despeña[8]. Entrá y mirá la casa, que con este señor quiero hablar largo, y tan largo que le quiero contar lo que pasó anoche el embajador de Francia con una dama corsaria[9] que esta mañana,

ayudarían quizá a entender la frase si supiera lo que tuvo siempre el abuelo de Rampín; desgraciadamente no es así.

[3] Cfr. mam. XXXI, nota 14. Supongo que el (mal) agüero de la mula que parió correspondería a las desgracias de Rampín, que finalmente no resultaron ser nada, posiblemente por haberse malogrado el mulero fruto.

[4] Nótese la progresión inversa.

[5] Es que «no es de dejar este tal unicornio» (mam. XIV) como confirma Trinchante en la réplica siguiente.

[6] *Diego Mazorca,* apodo que se refiere aún a Ramapín, pero tanto a una parte específica como a la totalidad de la persona: véase nota anterior y nota 14 del mam. XXXII. (Ha engordado en la cárcel por varios motivos, pero esencialmente por la inacción.)

[7] *gavia:* para los editores de *R. 75* es calco del italiano «gabbia», o sea «cárcel». Ugolini, por su parte, apunta la posibilidad de un juego de palabras: *gavia,* «jaula de pájaros» (trae la definición de Oudin), y en germanía, «casco» (Hidalgo), sugiriendo que se pueda entender *la gavia lo hizo:* «su cerebro.lo ha hecho así». Para mí Lozana se refiere a la cárcel de donde acaba de salir Rampín, valiéndose para expresarlo de la palabra *gavia,* calco del italiano, o simplemente con su sentido de «jaula», y especialmente la de madera en que se encerraba al loco o furioso» (que es definición académica), y metafóricamente «cárcel».

[8] Este refrán, en forma casi idéntica, en Correas: «el tuyo llévate a la peña, y no te despeña» (111, b). Lozana parece querer decir que el amigo o el familiar puede amenazar e incluso dar comienzo al castigo, pero no lo lleva a cabo, o a sus extremos.

[9] *corsaria:* César Oudin, s. v. *cosario:* «corsaire, pirate, escumeur de mer, fin, rusé, expert, expérimenté, un qui a bien couru et hanté le monde». La *dama corsaria* de quien habla Lozana podría ser, pues, «una bellaca astuta, que ha surcado los mares, y que tiene mucha gramática

cuando se levantaba, le puso tres coronas en la mano, y ella no se contentaba, y él dijo: —¿Cómo, señora? ¿Sírvese al rey un mes por tres coronas, y vos no me serviréis a mí una noche? ¡Dámelas acá!

TRINCHANTE.—¡Voto a Dios que tuvo razón, que por mí ha pasado, que las putas no se quieren contentar con tres julios por una vez, como que no fuese plata! ¡Pues, voto a Dios que oro no lo tengo de dar sino a quien lo mereciere a ojos vistas! Poné mientes que esas tales vienen a cuatro torneses o a dos sueldos, o diez cuatrines, o tres maravedís. Señora, yo siento remor[10] en vuestra casa.

LOZANA.—¡Ay, amarga! ¿Si vino alguien por los tejados y lo mata mi criado? ¡Sobí, señor!

TRINCHANTE.—¿Qué cosa, qué cosa?[11]. ¡Sobí, señora, que siento llamar, y no sé dónde!

LOZANA.—¡Ay de mí! Agora subió mi criado; ¿dónde está? ¡Escuchá!

—¿Dónde estáis? ¡Adalí, Fodolí![12]

TRINCHANTE.—¡Para el cuerpo de mí, que lo siento! Señora, mirá allá dentro.

LOZANA.—Señor, ya he mirado y no está en toda la cámara, que aquí está su espada.

TRINCHANTE.—¡Pues, voto a Dios que no se lo comió la paparresolla, que yo lo siento! ¡Mirá, cuerpo de Dios, está en la privada y andámoslo a buscar!

—¡Sorbe, no te ahogues!

—Dad acá una cuerda.

---

parda», pudiendo ser asimismo una de esas prostitutas «que van por los mares», como se dice en el *C. O. B.* (de este tipo de prostitución itinerante se ha hablado ya a propósito de Lozana).

[10] *remor:* «rumor».

[11] *¿Qué cosa, qué cosa?:* Trinchante llama a Rampín como si jugaran al escondite; se vale de una fórmula que evoca un juego de sociedad muy popular entonces, el *quisicosa* o *¿qué es cosa y cosa?,* pregunta ésta que remataba la presentación de un enigma o de un acertijo, invitando a que se contestara.

[12] *Adalí, Fodolí:* la fórmula («al parecer, rima del juego del escondite», según Damiani) le quita toda seriedad a la angustia de Lozana. C. Oudin define *fodolí:* «Un homme qui se fourre partout et en un lieu ou il n'a que faire», [*i. e.:* «uno que se mete en todo y donde no tiene nada que hacer»]. Siendo elocuente —dadas las circunstancias— esta definición, me limitaré a añadir que *fodolí* evoca además el verbo *foder* (ant., por hoder, joder), y que *adalid,* si no es jefe militar, es uno de los nombres de la alcahueta en el *Libro de Buen Amor.*

—¿Estás en la mierda?

RAMPÍN.—¡Tirá, tirá más!

TRINCHANTE.—¡Ásete, pese a tal contigo, que agora saliste de prisión y veniste a caer en la mierda!

RAMPÍN.—¡Así, bien! ¿Qué hacéis? ¡Tirá, tirá!

TRINCHANTE.—¡Tira tú como bellaco, tragatajadas![13]

—Ven acá, señora, ayudáme a tirar este puerco[14].

RAMPÍN.—¡Tirá más, que me desvaro! ¡Tirá bien, no soltés!

TRINCHANTE.—¡Va allá! ¡Pese a tal con quien te parió, que no te lavarás con cuanta agua hay en Tíber!

—Dalde en que se envuelva el Conde de Carrión[15].

[13] *tragatajadas:* cfr. *tajada,* mam. XXXVI, nota 14. Es de suponer que Trinchante (que, con este nombre, debe de ser especialista en tajadas) llama así a Rampín porque éste aguanta que otros echen tajos a Lozana, a no ser que lo trate —gratuitamente al parecer— de maricón. Este posible segundo sentido no es exclusivo, por supuesto, del inmediato «glotón» (cfr. el apodo «tragamallas» aplicado también a Rampín). En cuanto a la comparación *tira como bellaco,* podría explicarse por un juego sobre el verbo *tirar,* interpretable también a partir de *tiro,* en germanía «engaño o burla» (Hidalgo).

[14] *puerco:* quiero solamente insistir en la constancia de la denominación porcina aplicada a Rampín, en otras partes «lechón» o «verraco», etc., según las circunstancias.

[15] Al asemejar Trinchante Rampín al Conde de Carrión, queda bien patente el tema de la parodia. Hay que precisar que el episodio del viejo cantar en que los yernos del Cid se escondieron vergonzosamente por temor al león, había tenido un éxito extraordinario. En el romancero, varios poemas lo recogen, dándole a veces proporciones considerables, como en éste *(Acabado de yantar):*

> El menor, Fernán González,
> dio principio al fecho malo;
> en zaga del Cid se escondió,
> bajo su escaño agachado,
> Diego, el mayor de los dos,
> se escondió a trecho más largo,
> *en un lugar tan lijoso*
> *que no puede ser contado.*

> —¡Señor!
> albricias, ya le han sacado!
> El Cid replicóle: ¿A quién?
> Él respondió: —Al otro hermano,
> *que se sumió de pavor*
> *do no se sumiera el diablo.*
> Miradle, señor, do viene,

LOZANA.—¿Cómo caíste?

RAMPÍN.—Por apartarme de un rata grande caí.

TRINCHANTE.—¡Señora, voto a Dios que esto vale mil ducados! Salir de prisión y caer en la melcocha, por no morir malogrado a las uñas de aquella leona.

LOZANA.—Señor, es degraciado y torpe el malaventurado[16].

TRINCHANTE.—Yo me voy. Váyase a lavar al río.

LOZANA.—Vení, señor, y tomá un poco de letuario.

TRINCHANTE.—No puedo, que tengo de trinchar a mi amo.

LOZANA.—¡Buen olor lleváis vos para trinchar! ¡Is oliendo a mierda perfeta! Trinchá lo que vos quisiéredes. Por eso no dejo de ser vuestra.

TRINCHANTE.—Yo, de vuestra merced, y acuérdese.

LOZANA.—Soy contenta. ¿Veisla? Está a la celosía. Cara de rosa, yo quiero ir aquí a casa de una mi parroquiana; luogo torno.

SALAMANQUINA.—Por mi vida, Lozana, que no paséis sin entrar, que os he menester.

LOZANA.—Señora, voy de priesa.

SALAMANQUINA.—Por vida de la Lozana, que vengáis para tomar un consejo de vos.

LOZANA.—Si entro m'estaré más de quince días, que no tengo casa.

SALAMANQUINA.—Mira, puta, qué compré, y más espero. Siéntate y estáme de buena gana, que ya sé que tu criado es salido que no te costó nada, que el abad lo sacó. Que él pasó por aquí y me lo dijo, y le pesó porque estaba por otra cosa más, para que vieras tú lo que hiciera.

LOZANA.—A vos lo agradezco, mas no queda por eso, que más de diez ducados me cuesta la burla.

SALAMANQUINA.—Yo te los sacaré mañana cuando jugaren, al primer resto. ¡Sús, comamos y triunfemos[17], que esto nos ga-

---

empero, facéos a un lado,
que habéis, para estar par dél,
menester un incensario.

(*Flor Nueva de Romances Viejos,* Austral, pág. 166.)

[16] Lozana da aquí equivalencias muy claras de algunos de los numerosos apodos que caracterizan a Rampín (hadraga, calcotejo, galindo, etc.), ahora conde de Carrión que tiene miedo a una rata (aunque grande).

[17] *Triunfar:* además de la liberalidad en los gastos, tiene connotación sexual como apunta Criado de Val.

naremos! De cuánto trabajamos, ¿qué será? «Ellos a hoder, y nosotras a comer» como soldados que están alojados a discrición. El despachar de las buldas lo pagará todo, o cualque minuta[18]. Ya sabes, Lozana, como vienen los dos mil ducados del abadía, los mil son míos y el resto poco a poco[19].

Mamotreto XXXIV

Cómo va buscando casa la Lozana.

ESCUDERO.—¿Qué buscáis, señora Lozana? ¿Hay en que pueda el hombre servir a vuestra merced? Mirá por los vuestros, y servíos d'ellos.

LOZANA.—Señor, no busco a vos, ni os he menester, que tenéis mala lengua vos y todos los d'esa casa, que parece que os preciáis en decir mal de cuantas pasan. Pensá que sois tenidos por maldicientes, que ya no se osa pasar por esta calle por vuestras malsinerías, que a todas queréis pasar por la maldita, reprochando cuanto llevan encima, y todos vosotros no sois para servir a una, sino a usanza de putería, el dinero en la una mano, y en la otra el tú m'entiendes, y ojalá fuese ansí. Cada uno de vosotros piensa tener un duque en el cuerpo[1], y por eso no hay

---

[18] Si se ve claramente de qué servía la venta de las *buldas* o bulas, que eran las llamadas de la Santa Cruzada «cuyo importe se destina a las atenciones del culto divino» *(D. R. A. E.),* no acabo de entender *cualque minuta.* Si *minuta* se interpreta con referencia a los honorarios (los que cobran, v. gr., los notarios), podría ser: «el despachar de las buldas, o cualquier minuta, lo pagará todo», aunque también: «el despachar... lo pagará todo, o (al menos) cualquier minuta», refiriéndose en este caso *minuta* a los honorarios que cobran putas y rufianes (llamados *notarios* en *La Lozana,* véase Introducción. Por otra parte, conste una vez más que no se habla de religión en todo este *Retrato...* si se cree al autor.

[19] Es decir que los 2.000 ducados de la abadía vienen a parar en el bolsillo de la salmantina: mil ducados enseguida *(como vienen,* o sea, «tan pronto como vienen») y lo que queda (el resto), poco a poco.

[1] *tener un duque en el cuerpo* se entiende fácilmente de engreídos y entonados, pero cuidado con la connotación de *duque;* cfr. lo que dice Sagüeso en el mam. LII: «Si como tengo yo Celidonia, la del vulgo,

puta que os quiera servir ni oír. Pensá cuánta fatiga paso con ellas cuando quiero hacer que os sirvan, que mil veces soy estada por dar con la carga en tierra, y no oso por no venir en vuestras lenguas.

ESCUDIERO.—Señora Lozana, ¿tan cruel sois? ¿Por dos o tres que dicen mal, nos metéis a todos vuestros servidores? Catad que la juventud no puede pasar sin vos, porque la pobreza la acompaña, y es menester ayuda de vecinos.

LOZANA.—No digan mal, si quieren coño de balde.

ESCUDIERO.—¡Señora, mirá que se dice que a nadie hace injuria quien honestamente dice su razón! Dejemos esto. ¿Dónde se va que gocés?

LOZANA.—A empeñar estos anillos y estos corales, y buscar casa a mi propósito.

ESCUDIERO.—¿Y por qué quiere vuestra merced dejar su vecindad?

LOZANA.—Señor, quien se muda, Dios lo ayuda[2].

ESCUDIERO.—No se enmohecerán vuestras baratijas[3], ni vuestras palomas fetarán[4].

LOZANA.—No me curo, que no soy yo la primera. Las putas cada tres meses se mudan por parecer fruta nueva.

ESCUDIERO.—Verdad es, mas las favoridas no se mudan.

LOZANA.—Pues yo no so favorita, y quiero buscar favor.

ESCUDIERO.—Señora Lozana, buscáis lo que vos podéis dar. ¿Quién puede favorecer al género masculino ni al feminino mejor que vos? Y podéis tomar para vos la flor[5].

LOZANA.—Ya pasó solía, y vino tan buen tiempo que se dice pesa y paga; éste es todo el favor que os harán todas las putas. Hállase que en ellas se espenden ciento mil ducados, y no lo

---

de mi mano, tuviese a esta traidora, colmena de putas, yo sería *duque del todo*...»

[2] Esta variante de «Quien madruga, Dios le ayuda» (Correas, 417, a) está recogida así también: «Quien se muda, Dios le ayuda» (Hernán Núñez, Mal Lara), añadiéndosele a veces «... mas no todavía» (P. Vallés) [citados en la ed. de Combet de Correas, 398]. Como explica la misma Lozana (más adelante), el mudarse de casa era una necesidad profesional de las prostitutas y alcahuetas.

[3] Cfr.: «Piedra movediza, nunca moho la cobija», o «... nunca la cubre moho» (Correas, 469, b).

[4] *Fetar:* cfr. «fetación», o «desarrollo del feto, gestación» *(D. R. A. E.)*.

[5] Alusión a la costumbre, ya expuesta aquí, de «hacerse cabalgar primero» las alcahuetas.

tomés en burla, que un banquero principal lo dio por cuenta a Su Santidad.

ESCUDIERO.—Son prestameras holgadas. No es maravilla: para ellas litigamos el día por reposar la noche. Son dineros de beneficio sin cura[6].

LOZANA.—Y aun pinsiones rematadas[7] entre putas.

ESCUDIERO.—¿A qué modo se les da tanto dinero, o para qué?

LOZANA.—Yo's diré. En pinsiones o alquiler de casas, la una ha envidia a la otra, y dejan pagada aquélla por cuatro o cinco meses, y todo lo pierden por mudar su fantasía, y en comer, y en mozos, y en vestir y calzar, y leña y otras provisiones, y en infantescas, que no hay cortesana, por baja que sea, que no tenga su infantesca. Y no pueden mantenerse así, y todavía procuran de tenerla buena o mala[8], y las siervas, como son o han sido putas, sacan por partido que quieren tener un amigo que cada noche venga a dormir con ellas, y ansí roban cuanto pueden.

ESCUDIERO.—Señora, el año de veinte y siete ellas serán fantescas a sus criadas, y perdóname que os he detenido, porque no querría jamás carecer de vuestra vista. Mirá que allí vi yo esta mañana puesta una locanda[9], y es bonica casa, aparejada para que cuando pasen, puedan entrar sin ser vistas vuestras feligresas[10].

LOZANA.—¡Callá, malsín! ¡Queríades vos allí para que entrasen por contadero! ¡Yo sé lo que me cumple!

---

[6] *beneficio sin cura:* «sin cura de almas» (y además «sin preocupaciones»); cfr. *beneficio curado,* mam. XXIV; y cuidado que *prestamero* no es «prestamista» (véase *D. R. A. E.).*

[7] *pinsiones rematadas:* «remotadas» (que no entiendo) en la edición *Venecia 1528.* La enmienda *rematada* es de Joaquín del Val, a quien sigo. *Pensión rematada* dirá Lozana de las ganancias de las prostitutas porque ellas *hacen remate* en la venta o arrendamiento de sus personas, obteniendo seguramente *la preferencia por su postura o proposición* (véase *D. R. A. E., s. v. rematar* y *remate).*

[8] *tenerla buena o mala:* tener una *fantesca* o *infantesca (i. e.:* «criada») buena o mala.

[9] *vi puesta una locanda:* No me parece probable que *locanda* tenga aquí su sentido italiano de «posada» u «hospedería», como se ha dicho, sino más bien, en razón de la sintaxis de la frase, el latino de «por alquilar» o, mejor aún, en este caso, de «cartel», destinado a anunciar que la casa se alquila.

[10] *feligresas* ahora: «parroquianas» antes: Lozana es verdaderamente una sacerdotisa (de «beneficio curado»).

ESCUDIERO.—¡Oh qué preciosa es este diablo! Yo querría espedir[11] gratis, mas es taimada andaluza, y si quiere hacer por uno, vale más estar en su gracia que en la del gran Soldán. ¡Mirá cuál va su criado tras ella!

—¡Adiós, zarpilla![12].

RAMPÍN.—Me recomiendo, caballero... el caballo no se comprará hogaño[13]. Piensan estos puercos revestidos de chamelotes, hidalgos de Cantalapiedra, villanos atestados de paja cebadaza, que porque se alaben de grandes caramillos[14], por eso les han de dar de cabalgar las pobres mujeres. ¡Voto a San Junco que a éstos yo los haría pagar mejor! Como dijo un loco en Porcuna[15], este monte no es para asnos.

---

[11] *espedir*, por «expedir»; no conocemos el valor del documento a que se refiere el escudero, pero no podía faltar el verbo en la lista de las contaminaciones eróticas apuntadas por Criado de Val.

[12] *zarpilla:* Se señala con mucho acierto en *R. 75* (nota 24, página 260) que *zarpilla,* diminutivo de zarpa, es el equivalente del italiano *rampino,* es decir, *garfio, gancho;* cfr.: *echar la zarpa.* Es en efecto este nuevo apodo una palabra clave para entender que el nombre de nuestro «héroe» no ha sido escogido sin intención significativa. El autor llama así la atención sobre el nombre genérico, *Rampín,* de un protagonista que tiene tantos en la novela. Conforme a la técnica de onomancía que le gusta tanto, Delicado ha escogido, para determinar al hombre, una palabra que evocara sus características fundamentales: el *gancho* o *garfio* del ladrón (su *zarpa,* su *garra);* por otra parte *Rampín,* «garfio», es asimismo «garabato» y «engarabitado», es decir rufián *(garabato* es uno de los nombres de la alcahueta en el *Libro de Buen Amor)* y *galindo* por sus pies engarabitados o sus piernas torcidas. Habría más que decir aún, por ejemplo de esa *rampa* que, por Murcia, significa «calambre», noción ésta de virtualidades eróticas («contracción de un miembro»), y de *rampante,* «que trepa» o «sube encima»; pero esta nota no es para tanto, y quien sienta curiosidad por las disquisiciones etimológicas a que da lugar el nombre de Rampín, vea *Allaigre 1980* (págs. 209-227).

[13] *el caballo no se comprará hogaño:* en *Venecia 1528,* «comprerá», comentado como italianismo en *R. 75* (nota 26, pág. 261), y la frase como refrán (nota 27, pág. 261), lo que no he podido comprobar. Entiendo solamente que Rampín, que acaba de saludar al escudero con el tratamiento de *caballero,* añade para sus adentros que lo que define al *caballero,* es decir *el caballo,* no lo tiene, negándole así la calidad que en la salutación le concedía. Se explicita enseguida su idea: son hidalgos en apariencia *(revestidos de camelote),* pero *puercos* en realidad.

[14] *caramillo:* de iguales propiedades metafóricas que la *flauta* y la *zampoña* entra en el mismo paradigma erótico que ellas (véase mamotreto XXII, nota 3).

[15] *Como dijo... asnos:* los elementos de esta frase vuelven a aparecer

338

JULIO.—¿Qu'es eso, Rodrigo Roydo[16]? ¿Hay negocios? ¿Con quién las habéis?

RAMPÍN.—No, con nadie, sino serviros. ¿Habéis visto la Lozana?

JULIO.—Decí vuestra ama, no's avergoncéis. Andá, que allí entró. Hacelda salir, que la espero, y decí que la quiero dar dineros, por que salga presto.

FALILLO[17].—¿Quién es?

RAMPÍN.—Yo so. ¿Está acá ella?

FALILLO.—¿Quién ella? ¡Decid, duelos os vengan, vuestra ama la señora Lozana, y esperá, cabrón!

—Señora Lozana, vuestro criado llama.

LOZANA.—Abrildo, mi alma, que él no habrá comido, y veréis cuál lo paro.

FALILLO.—Sube, Abenámar[18].

en la novela, en boca de Lozana, pero separados: *Porcuna* en el mamotreto XL, donde dice, para quejarse de la ingratitud de Giraldo, olvidado de los antiguos favores que le había hecho la andaluza: «sembré en Porcuna», siendo Porcuna un lugar entre Córdoba y Jaén, proverbial por su esterilidad. *Este monte no es para asnos* es una manera irónica de negar en el mam. LXIV; se ofrecen cuatro palafreneros a Lozana, quien les manda a paseo mediante esta fórmula.

[16] *Rodrigo Roydo:* Apoyo dirigido a Rampín que evoca para mí sus hazañas «cidianas». Rodrigo no tiene por qué comentarse, pero *Roydo* es bastante expresivo. Conservo la grafía con *y* de la edición antigua porque *Roydo* me parece redundancia del nombre del Cid: Roy -do como Ruy o Roy Díaz (téngase en cuenta que no siempre hay que mostrarse demasiado exigente con las parominias; cfr. el juego sobre *sevillana / seis veces villana* del mam. XXIV). Pero, además, *Roydo* es «ruido» (con el trasfondo de las «gloriosas» pendencias de Rampín), porque quizás con referencia al sentido de esta palabra en germanía: «rufián» (Hidalgo), como apunta Ugolini. Y como participio del verbo *roer* también cabe, puesto que, en el mamotreto anterior, Rampín fue víctima de una rata grande. Considérese aún lo que sigue: ¿*Hay negocios?* y ¿*Con quién las habéis?*, preguntas en algún modo relacionadas con las significaciones de «Rodrigo Roydo».

[17] *Falillo:* no me explico la agresividad que va a manifestar este personaje para con Rampín o Diego Mazorca sino por el diminutivo que caracteriza su nombre: se sentiría celoso.

[18] *Abenámar:* como si el judaísmo no bastara para denigrar a Rampín, también se le dota de vez en cuando de rasgos moros (véase, mamotreto LXIV: *¡guay de ti Jerusalén!*). En este caso, el apodo no carece de gracia porque se sobreentiende la continuación del viejo romance: «daréte en arras y dote a Córdoba», lo que es una forma como otra para decirle que suba a reunirse con Lozana-Córdoba.

LOZANA.—¿Qué queréis? ¿Por dineros venís? ¡Pues tan blanco el ojo![19] ¿No's di ayer tres julios? ¿Ya los gastastes? ¿So yo vuestra puta? ¡Andá, tornaos a casa!

OROPESA[20].—Señora Lozana, llamaldo, que yo le daré dineros que espenda.

—Ven acá, Jacomina, va, saca diez julios, y dáselos que coma, que su ama aquí se estará esta semana, y dale a comer, no se vaya.

—¡Ven acá, Rampín, va, come allí con aquellos mozos, duelos te vengan!

—Vosotros no llamaréis a nadie por comer y reventar.

MOZOS.—Señora, venga, que él de casa es.

—Ven acá, come, pues que veniste tarde, que milagro fue quedar este bocado del jamón. Corta y come, y beberás.

RAMPÍN.—Ya he comido, no quiero sino beber.

FALILLO.—¡Pues, cuerpo de tal contigo! ¿En ayunas quieres beber, como bestia?[21].

—Señora Lozana, mandalde que coma, que ha vergüenza.

LOZANA.—Come presto un bocado, y despacha el cuerpo de la salud[22].

---

[19] *tan blanco el ojo:* expresión que era corriente, para negar o expresar la voluntad de no hacer caso, que ahora me extraña no encontrar en el *D. R. A. E.*

[20] *Oropesa:* era corriente que se llamaran con el nombre de la ciudad de donde eran, pero adviértase que éste es además, el encargado de la gestión de la casa: oro pesa. Otros jugaron con el vocablo, como por ejemplo el conde de Salinas, marqués de Alenquer en un romance que me ha señalado mi amigo Claude Gaillard: «Cuando le daba más oro / ella pesaba y valía / era marqués de Oropesa / sin ser conde de Tendilla.»

[21] Cfr. «Los hombres no deben beber / salvo al tiempo del comer», sentencia que trae el *Libro de exemplos* de Climente Sánchez. Esta es, pues, otra reprobación paremiológica contra Rampín. Nótese que en el orden alfabético de las sentencias en latín, ésta precede inmediatamente a otra que también se aplica indirectamente a Rampín (véase mamotreto XII, nota 5).

[22] *despacha... salud:* me parece curiosa la sintaxis de esta frase, o la expresión «el cuerpo de la salud». Me pregunto si hay que entender *de la* como artículo partitivo, como se da a veces en *La Lozana* (cfr.: *comed de la salvia),* y *despachar* como «proveer», con lo cual significaría *despacha (de la) salud al cuerpo,* o bien *el cuerpo de la salud* como expresión que se referiría al alimento (el *bocado),* que habría entonces que despachar o comer: me inclino, sin pruebas, por esta última interpretación, porque bien podría ser otra traducción estrafalaria del latín

FALILLO.—¿Qué esperas? ¡Come, pese a tal con quien te parió! ¿Piensas que te tenemos de rogar? Ves ahí vino en esa taza de plata. ¡Paso, paso! ¿Qué diablos has? ¡Oh, pese a tal contigo! ¿Y las tripas echas? ¡Sal allá, que no es atriaca[23]! ¡Ve d'aquí, oh cuerpo de Dios con quien te bautizó, que no te ahogó por grande que fueras![24]. ¿Y no te podías apartar?

—¡Sino manteles, y platos y tazas, todo lo allenó este vuestro criado, cara de repelón[25] trasnochado!

LOZANA.—¿Qué es esto de que reviesa? ¿Algo vido sucio? Que él tiene el estómago liviano.

FALILLO.—¿Qué es eso que echa? ¿Son lombrices?

MOZOS.—Agora, mi padre, son los bofes en sentir el tocino.

LOZANA.—Denle unas pasas para que se le quite el hipar, no se ahogue.

MOZOS.—¡Guay d'él si comiera más! Dios quiso que no fue sino un bocado.

OROPESA.—No será nada.

LOZANA.—Señora, no querría que le quebrase en ciciones, porque su padre las tuvo siete años, de una vez que lo gustó[26].

—como en el caso de *vanda izquierda* por «bazo»— a base de *corpus,* y de *salus* o *sanus* (cfr. *corporibus res salutaris).*

[23] *atriaca:* «triaca», se refiere al vómito, que por cierto no es medicina.

[24] Porque bautizaron al judío a la fuerza, cuando ya era grande; sin embargo la conversión no pudo con la repulsión por la carne de cerdo que sienten los judíos, de ahí que Rampín, obligado a comer jamón o tocino, lo restituyera de manera tan ridícula y asquerosa (otro rasgo que tiene en común nuestro protagonista con los pícaros literarios que le sucederán).

[25] *repelón:* Rampín tiene cara de *repelón* porque todo el mundo debe de tener ganas de arrancarle o «mesarle» el pelo, como ya hicieron algunos (véase mam. XXXII, nota 5). Sin embargo me parece que la palabra evoca aquí más, en razón del contexto; en efecto, en el nivel del significante, *repelón,* tiene afinidad con *repeler,* «arrojar, echar de sí con violencia», y con *repelo,* «repugnancia que se muestra al ejecutar una cosa», de manera que, desde este punto de vista, *repelón* alude al que «vomita» —que es el caso presente de Rampín— y al «hereje», que repele el Cristianismo y sus costumbres, mientras que *trasnochado* se refiere a la tez de Rampín, quien, después del lance, tuvo que perder sus colores, a no ser que la tez quebrada sea la característica del criado de Lozana, judío probado con sus pespuntes morunos.

[26] Lozana, que se esfuerza por ocultar las verdaderas razones de la desazón de su criado (ella es la que pretexta que tiene el estómago liviano), está insistiendo aquí, por un procedimiento de ironía constante

341

FALILLO.—¡Amarga de ti, Guadalajara! Señora Lozana, no es nada, no es nada, que lleva la cresta hinchada[27].

LOZANA.—Hijo mío, ¿tocino comes? ¡Guay de mi casa, no te me ahogues![28].

FALILLO.—¡Quemado sea el venerable tocino!

MAMOTRETO XXXV

Cómo, yendo en casa de otra cortesana, vino su criado, y lo hizo vestir entre sus conocidos.

LOZANA.—Mira, Jacomina, no despiertes a la señora, déjala dormir, que el abad no la dejó dormir esta noche. Ya se fue a cancillería por dineros; allá desollará cualquier pobre por estar en gracia de tu ama[1]. Yo me salí pasico, cierra la puerta y mira; si me demanda, di que fui a mi casa.

---

en la novela, en la genealogía fatal del mozo, cuyo padre cayó más enfermo aún que él, con fiebres y todo, por una vez que probó el cerdo.

[27] No he podido documentar la alusión a la amargura de Guadalajara; pero el que lleve la cresta hinchada Rampín muestra a todas luces que ha recobrado *todas* sus fuerzas (cfr. lo que decía Celestina a Areusa al meter a Pármeno en la cama de la chica: «entiendo que en tres noches no se le demude la cresta»).

[28] Esta réplica de Lozana es la adaptación de un refrán desde la perspectiva del cual fue probablemente concebido todo este episodio del tocino. Muestra claramente que las raíces de Rampín son en su mayor parte folklóricas y literarias; y por el procedimiento de ironía del que se ha hablado ya, Lozana es quien quita definitivamente el velo pues lo que dice es un calco casi perfecto de:

> Mari Gómez, ¿tocino comes?
> Sal de mi casa, no te me ahogues.
> (Correas, 526, b.)

De esta forma, Rampín aparece vinculado estrechamente al antisemitismo tradicional, como excelso botón de muestra de la especie a qué pertenece.

[1] Si *el autor* no hubiera afirmado que en el *Retrato* no había «cosa nnguna que habl[ase] de religiosos ... ni eclesiásticos», yo pensaría que la evocación del comportamiento de este abad es ferozmente anticlerical.

JACOMINA.—Sí haré, mas acordaos de mí.

LOZANA.—¿De qué?

JACOMINA.—Que me traigáis aquello para quitar el paño de la cara.

LOZANA.—¿Y qué piensas? ¿Por dos julios te habían de dar los porcelletes, y limón, y agraz estilado[2], y otras cosas que van dentro? Hermana, es menester más dineros si quieres que te traya buena cosa.

JACOMINA.—Tomá, veis ahí cinco julios, y no lo sepa mi señora, que mi vizcaíno me dará más si fuesen menester.

LOZANA.—¿Por qué no le dices tú a ese vizcaíno que me hable, que yo te lo haré manso, que te dará más? Y no le digas que me has dado nada, que yo le haré que pague él el agua y la fatiga, y a mi mozo quiero que le dé una espada de dos manos liviana[3]. Mañana te lo trairé, que para una romana lo tengo de hacer que es muy morena, y me ha de dar uvas para colgar, y más que sacaré calla callando. Y tú, si quieres ser hermosa, no seas mísera de lo que puedes ser larga. Saca d'ese tu namorado lo que pudieres, que en mi casa te lo hallarás, y de tu señora me puedes dar mil cosas que ella lo tome en placer. Ansí se ayudan las amigas. ¿Quién sabe si tú algún tiempo me habrás menester? Que las amas se mueren y las amigas no faltan, que tú serás aún con el tiempo cortesana, que ese lunar sobre los dientes dice que serás señora de tus parientes, y todos te ayudaremos, que ventura no te faltará[4], sino que tú estás ciega con este vizcaíno, y yo sé lo que me sé, y lo que más de dos me han dicho, sino que no quiero que salga de mí, que yo sé dónde serías tú señora, y mandarías y no serías mandada[5]. Yo me vo, que tengo que hacer. Aquí verná mi mozo; dale tú aquello que sabes qu'escondimos. ¿Veslo? ¡Aquí viene!

—¿Venís? Es hora, Merdohem[6]. Entrá allá, con Jacomina, y

---

2 *estilado:* «destilado».

3 Es cierto que a Rampín le hace falta una espada *liviana* para poder huir más aprisa (como sus antecesores de» *La Celestina*).

4 *ventura no te faltará:* como le dijo su tía a Aldonza: «Hija, sed buena, que ventura no os faltará» (mam. I, nota 8), confirmándolo Diomedes: «Y por mi vida que será su ventura» (mam. III).

5 Salvando las diferencias, y para atenernos al fondo del discurso, así le hablaba Celestina a Lucrecia (podríamos titular este pasaje, a imitación de P. Heugas para el correspondiente episodio de *La Celestina*, «la tentación de Jacomina»).

6 *Merdohem:* este recuerdo de su caída en la letrina como nuevo apodo para Rampín revela el desfase que existe entre las aventuras del pro-

después id a casa, y cerrá bien, y vení, que me hallaréis en casa de la señora del solacio[7].

BLASÓN.—Señora Lozana, ¿dónde, dónde tan de priesa?

LOZANA.—Señor, ya podéis pensar: mujer que es estada cuatro sábados mala, y sin ayuda de nadie, mirá si tengo de darme priesa a rehacer el tiempo perdido. ¿Qué pensáis, que me tengo de mantener del viento, como camaleón[8]? No tengo quien se duela de mí, que vosotros sois palabras de presente y no más.

BLASÓN.—¡Oh señora Lozana! Sabe bien vuestra merced que yo soy palabras de pretérito y futuro servidor vuestro. Mas mirando la ingratitud de aquélla que vos sabéis, diré yo lo que dijo aquel lastimado: *patria ingrata, non habebis ossa mea*[9], que quiere dezir, *puta ingrata, non intrabis in corpore meo*[10]. ¿Cómo, señora Lozana? Si yo le doy lo que vos misma mandastes y más, como se ve, que no son venidos los dineros de mis beneficios cuando se los echo encima y le pago todas sus deudas, ¿por qué aquella mujer no ha de mirar que yo no soy Lazarillo, el que cabalgó a su agüela[11], que me trata peor, voto a Dios?

---

tagonista y su caracterización onomástica; hay aquí un procedimiento casi constante, y bastante curioso, en todo el *Retrato*, de distanciamiento y aproximaciones, no solamente para el criado de Lozana, sino para toda una serie de hechos y juicios que parecen desconectados de su fuente o de su finalidad, como imagen del enigmático destino del hombre en este mundo.

[7] *solacio:* «solarium» o «solaz», según la nota 8 (pág. 266) de *R. 75.* Yo tampoco sé a qué se dedica exactamente la señora del solacio; no creo que se haya mencionado hasta ahora ni se vuelva a mencionar.

[8] *camaleón:* ... «Es cosa muy recebida de su particular naturaleza mantenerse del aire, y mudarse la color que se le ofrece en su presencia...» (Covarrubias, s. v., 274, a, 64).

[9] «patria ingrata, no tendrás mis huesos» (cita casi exacta de Valerio Máximo que refería palabras de Escipión el Africano, como advierte Ugolini).

[10] «puta ingrata, no entrarás en mi cuerpo», supuestamente traducción de la frase anterior en latín (cfr. nota 9).

[11] *yo no soy Lazarillo, el que cabalgó a su agüela:* si se da crédito a la hipótesis de Bataillon que asemeja este Lazarillo al bobo de Coria, el refrán tiene que completarse: «y preguntaba si era pecado», pregunta ésta que es prueba de tontería, como aquí para Blasón. Esta comparación y la de la hija del herrero (con tal que se lea que «le peyó en los cojones a su padre») mostrarían que el incesto es señal de subnormalidad mental.

LOZANA.—En eso tiene vuestra merced razón, mas mirá, que con el grande amor que os tiene, ella hace lo que hace, y no puede más, que ella me lo dijo, y si no fuese porque voy agora de priesa a buscar unos dineros prestados para comprar a mi criado una capa mediana sin ribete, yo haría estas paces.

BLASÓN.—Señora Lozana, no quiero que sean paces, porque yo determino de no vella en toda mi vida. Mas por ver qué dice y en qué términos anda la cosa, os ruego que vais[12] allá, y miréis por mi honra, como vos señora soléis, que yo quiero dar a vuestro criado una capa de Perpiñán que no me sirvo d'ella y es nueva, y a vuestra merced le enviaré una cintura napolitana.

LOZANA.—¿Y cuándo?

BLASÓN.—Luego, si luego viene vuestro criado.

LOZANA.—Veislo, viene.

—¡Caminá, alvanir[13] de putas, que veis ahí vuestro sueño suelto![14] Este señor os quiere honrar; id con él, y vení donde os dije.

BLASÓN.—Señora, hacé el oficio como soléis.

LOZANA.—Andá, perdé cuidado, que ya sé lo que vos queréis. ¡Basta, basta!

UN SUSTITUTO la llama: ¡Señora Lozana, acá acá! ¡Oh, pese al turco, si en toda mi vida os hube menester, agora más que nunca!

LOZANA.—Ya sé qué me queréis[15]. Yo no puedo serviros porque pienso en mis necesidades, que no hay quien las piense por mí, que yo y mi criado no tenemos pelo de calza ni con qué defendernos del frío.

SUSTITUTO.—Señora Lozana, eso es poca cosa para vuestra merced. Yo os daré una cana de medida d'estameña fina, y zapatos y chapines, y dejáme luego la medida, que mañana, antes que vos, señora, os levantéis, os lo llevarán. Y vuestro mozo enviámelo aquí, que yo le daré la devisa de mi señora y mi vida, aunque ella no me quiere ver.

---

[12] *vais:* «vayáis».

[13] Si, como es de suponer, *alvanir* significa aquí «albañil» (formas antiguas con b o v: *albañir, albanir,* o *albani),* es el único papel constructivo que desempeña Rampín en toda la historia; constructivo sí, edificante no.

[14] *vuestro sueño suelto:* es decir «ensuelto» o «resuelto» («explicado», pero aquí «realizado», como otras veces en *La Lozana).*

[15] En otras ediciones: «ya sé que me quëréis», pero yo entiendo que Lozana sabe lo que le quiere el Sustituto, de ahí mi acentuación de *qué.*

LOZANA.—¿Y de cuándo acá no's quiere ver? Que no dice ella eso, que si eso fuera, no me rogara ella a mí que fuese con ella disimulada a dar de chapinazos a la otra con quien os habéis envuelto, mas no con mi consejo, que para eso no me llama vuestra merced a mí, porque hay diferencia d'ella a la señora Virgilia. Y mirá, señor, ésa es puta salida, que en toda su casa no hay alhaja que pueda decir «por esta gracia de Dios», que todo está empeñado y se lo come la usura, que Trigo me lo dijo. Quiere vuestra merced poner una alcatraza[16] con aquélla, que su gracia y su reposo y su casa llena y su saber basta para hacer tornar locos a los sabios. Y si vuestra merced dará[17] la devisa a mi mozo, será menester que yo me empeñe para dalle jubón de la misma devisa.

SUSTITUTO.—Andá, señora Lozana, que no suelo yo dar devisa que no dé todo. En esto verá que no la tengo olvidada a mi señora Virgilia, que voto a Dios que mejor sé lo que tengo en ella que no lo que tengo en mi casa[18]. Veis, aquí viene el malogrado de vuestro criado con capa; parece al superbio de Perusa[19], que a nadie estima. Quédese él aquí, y vaya vuestra merced buen viaje.

LOZANA.—¡Cuántas maneras hay en vosotros los hombres por sujetar a las sujetas, y matar a quien muere! Allá esperaré al señor mi criado, por ver cómo le dice la librea de la señora Virgilia.

_____

[16] _poner una alcatraza_ significa «comparar con una alcatraza»; en _R. 75_ explican _alcatraza_ a partir de _alcartaz,_ «cucurucho»: «meretriz encorozada». Yo creo que _cucurucho,_ por ser «receptáculo», basta.

[17] _dará:_ en la ed. _Venecia 1528_ (que no acentúa sino con las tildes de ñ o de abreviaturas) _dara:_ ¿quizás errata por «da»? ¿o _sí dará_ por _cuando dará,_ puesto que, en _La Lozana,_ se emplea a veces el futuro de indicativo en este tipo de oraciones?

[18] _casa:_ en _Venecia 1528, caxa,_ que también podría ser «caja» como recoge Damiani en _L. A._ 69; pero me parece más probable «casa».

[19] Este _superbio de Perusa_ podría ser, según los editores de _R. 75,_ Giampaolo Baglioni (decapitado por León X en 1520) o su hijo Malatesta, ambos famosos por su soberbia (véase nota 22, pág. 270). Pero me gusta más la hipótesis de Ugolini que supone un personaje legendario, aduciendo en nivel literario un texto perusino de la segunda mitad del siglo XIV, en el cual es cuestión de un legendario señor de Perusa, el _Argolioso_ («el orgulloso») _de Peroscia,_ que se enfrenta con sus enemigos «con grande soperbia e menaccie», finalmente muerto por Orlando [_Il romanzo di Perugia e Corciano,_ en _Boll. della Deputazione di St. P. per l'Umbria,_ XXVII, 1925].

*Cómo un caballero iba con un embajador napolitano, traves-
tidos, y vieron de lejos a la Lozana y se la dio a conocer el caballero al embajador:*

—Monseñor, ¿ve vuestra señoría aquella mujer que llama
allí?

EMBAJADOR.—Sí.

CABALLERO.—Corramos y tomémosla en medio, y gozará
vuestra señoría de la más excelente mujer que jamás vido, para
que tenga vuestra señoría qué contar; si la goza por entero y
si toma conociencia con ella, no habrá menester otro solacio,
ni quien le diga mejor cuántas hermosas hay, y cada una en
qué es hermosa. Que tiene el mejor ver y judicar[1] que jamás
se vido, porque bebió y pasó el río de Nilo[2], y conoce sin espejo, porque ella lo es, y como las tiene en plática, sabe cada
una en qué puede ser loada. Y es muy universal en todas las
otras cosas que para esto de amores se requiere, y miréla en
tal ojo[3] que para la condición de vuestra señoría es una perla.
D'ésta se puede muy bien decir: *Mulier que fuit in urbe habens
septem mecánicas artes*[4]. Pues, a las liberales jamás le faltó retórica ni lógica para responder a quien las estudió. El mirable
ingenio que tiene da que hacer a los que la oyen. Monseñor,
vamos d'esta parte. Esperemos a ver si me conoce.

EMBAJADOR.—¡Al cuerpo de mí, esta dona yo la vi en Ban-

---

[1] *judicar:* «enjuiciar», aquí: «juición, apreciación».

[2] *bebió... Nilo:* Lozana pasó efectivamente el Nilo si realmente se
cumplió su viaje con Diomedes tal como éste lo presentó: «Damieta...
Alejandría... El Cairo» (mam. IV). Pero *bebió* no entiendo. Damiani
supone que es referencia a su astucia («como gitana») y efectivamente
bien podría ser alusión a las gitanerías de Lozana.

[3] *miréla en tal ojo que:* «me ha parecido tal que...» (véase mamotreto XII, «yo te he mirado en ojo, que no mentiré, que tú huecas de
husos harás»).

[4] «mujer que estuvo en la ciudad, teniendo las siete artes mecánicas», artes que se oponen a las artes *liberales* mencionadas enseguida,
que también domina Lozana, por lo cual bien merece ella que se la califique de mujer del arte.

cos que parlaba, muy dulce y con audacia, que parecía un Séneca!

CABALLERO.—Es parienta del Ropero[5], conterránea de Séneca, Lucano, Marcial y Avicena. La tierra lo lleva, está in agibílibus, no hay su par, y tiene otra excelencia, que *lustravit provincias*[6].

EMBAJADOR.—¿Es posible? ¡Cómo reguarda in qua![7].

LOZANA.—¡Ya, ya conocido es vuestra merced, por mi vida, que, aunque se cubra, que no aproveche, que ya sé que es mi señor! ¡Por mi vida, tantico la cara, que ya sé que es de ver y de gozar! Ese señor no lo conozco, mas bien veo que debe ser gran señor. ¡A seguridad le suplico que me perdone, que yo lo quiero forzar, por mi vida, que son matadores esos ojos! ¿Quién es este señor? ¡Que lo sirva yo, por vida de vuestra merced, y de su tío y mi señor!

CABALLERO.—Señora Lozana, este señor os suplica que le metáis debajo de vuestra caparela[8], y entrará a ver la señora Angélica porque vea si tengo razón en decir que es la más acabada dama que hay en esta tierra.

LOZANA.—A vuestra señoría metelle he yo encima[9], no debajo, mas yo lo trabajaré. Esperen aquí, que si su merced está sola, yo la haré poner a la ventana, y si más mandaren, yo verné abajo. Bien estaré media hora, paséense un poco, porque le tengo de rogar primero que haga un poco por mí, que estoy en gran necesidad, que me echan de la casa, y no tengo de qué pagar, que el borracho del patrón no quiere menos de seis meses pagados antes.

CABALLERO.—Pues no os detengáis en nada d'eso, que la casa se pagará. Enviáme vos a vuestro criado a mi posada, que yo le daré con qué pague la casa, porque su señoría no es persona que debe esperar.

LOZANA.—¿Quién es, por mi vida?

CABALLERO.—¡Andá, señora Lozana, que persona es que no perderéis nada con su señoría!

---

[5] *El Ropero:* poeta cordobés del siglo XV conocido por su talento satírico y mordaz, que se llamaba Antón de Montoro. En el *C. O. B.* hay varias composiciones suyas, y también panfletos contra él, los más para vituperar su judaísmo.

[6] «recorrió el mundo». Otra alusión a las aventuras del mam. IV.

[7] «mira hacia aquí».

[8] Se declara vasallo de Lozana (véase mam. XXXII, nota 21).

[9] Véase mam. XXV, nota 8.

LOZANA.—Sin eso y con eso sirvo yo a los buenos. Esperen.

CABALLERO.—Monseñor, ¿qué le parece de la señora Lozana? Sus injertos siempre toman.

EMBAJADOR.—Me parece que es astuta, que cierto ha de la sierpe e de la paloma[10]. Esta mujer sin lágrimas parará más insidias que todas las mujeres con lágrimas. ¡Por vida del visorrey, que mañana coma conmigo, que yo le quiero dar un brial!

CABALLERO.—¡Mírela vuestra señoría a la ventana; no hay tal Lozana en el mundo! Ya abre, veamos qué dice. Cabecea que entremos donde ni fierro ni fuego a la virtud empece[11].

EMBAJADOR.—¡Qua'più bella la matre que la filla![12].

CABALLERO.—Monseñor, ésta es Cárcel de Amor; aquí idolatró Calisto, aquí no se estima Melibea, aquí poco vale Celestina.

MAMOTRETO XXXVII

Cómo de allí se despidió la Lozana, y se fue en casa de un hidalgo que la buscaba, y estando solos se lo hizo por que diese fe a otra que lo sabía hacer[1].

LOZANA.—Señores, aquí no hay más que hacer. La prisión es segurísima, la prisionera piadosa, la libertad no se compra. La sujeción aquí se estima, porque hay merecimiento para todo. Vuestra señoría sea muy bien venido, y vuestra merced me tenga la promesa, que esta tarde irá mi criado a su posada, y si

---

[10] *ha de la sierpe e de la paloma:* es referencia evangélica: «... sed cuerdos como las serpientes y puros como las palomas», Mat. X, 16 (copio esta nota de *R. 75,* pág. 273).

[11] Supongo que hierro y fuego no causan perjuicio a la virtud en esta casa que supera la *Cárcel de Amor* y deja pequeña la de Celestina, porque no hace falta violencia para conquistar el corazón de Angélica, con quien estará en el paraíso el embajador (cfr. principio del mamotreto siguiente).

[12] «¡Cuánto más bella la madre que la hija!» (traducción de Damiani).

[1] Véase mam. XX, nota 32, XXV, nota 7, y XXXIV, nota 5.

vuestra merced manda que le lleve una prenda de oro o una toca tonici[2], la llevará, porque yo no falte de mi palabra, que prometí por todo hoy[3]. A este señor yo lo visitaré.

CABALLERO.—Señora Lozana, no enviéis prenda, que entre vos y mí no se pueden perder sino los barriles[4]. Enviá, como os dije, y no curéis de más, y mirá que quiere su señoría que mañana vengáis a verlo.

LOZANA.—Beso sus manos y vuestros pies, mas mañana no podrá ser, porque tengo mi guarnelo[5] lavado, y no tengo qué me vestir.

CABALLERO.—No curéis, que su señoría os quiere vestir a su modo y al vuestro. Vení ansí como estáis, que os convida a comer; y no a esperar, que su señoría come de mañana.

LOZANA.—¡Por la luz de Dios, no estuviese sin besar tal cara como ésa, aunque supiese enojar a quien lo ve!

ANGÉLICA.—¡Ansí, Lozana, no curéis! ¡Andá, dejaldo, que me enojaré, aunque su merced no me quiere ver!

CABALLERO.—Señora, deseo's yo servir; por tanto, le suplico que a monseñor mío le muestre su casa y sus joyas, porque su señoría tiene munchas y buenas, que puede servir a vuestra merced. Señora Lozana, mañana no se os olvide de venir.

LOZANA.—No sé si se me olvidará, que soy desmemoriada después que moví[6] que si tengo de hacer una cosa es menester ponerme una señal en el dedo.

CABALLERO.—Pues vení acá, tomá este anillo, y mirá que es un esmeralda, no se os caiga.

LOZANA.—Sus manos beso, que más la estimo que si me la diera la señora Angelina dada.

ANGELINA.—Andá, que os la do, y traelda por mi amor.

LOZANA.—No se esperaba menos d'esa cara de luna llena[7].

—¡Ay, señora Angelina, míreme, que parezco obispo!

—¡Por vida de vuestra merced y mía, que no estoy más aquí!

---

[2] *tonici:* «tunecina».

[3] *por todo hoy* podría ser errata: «todo por hoy».

[4] Bonita manera de decir que los dos son corsarios: cfr. «De cosario a cosario, no se pierden sino los barriles», refrán que indica igualdad: como apunta Correas, ya en *La Celestina.*

[5] *Guarnelo:* Ugolini dice «E' l'italiano *guarnello,* sorta di sopravveste con sottana senza maniche e molto scollata». En *R. 75* traducen por «enaguas» (pág. 276).

[6] Véase mam. XXXI, nota 3.

[7] Supongo que lo diría aparte, porque esta comparación lunar no me parece piropo.

—Ven a cerrar, Matehuelo, que me esperan allí aquellos mozos del desposado de Hornachuelos[8], que no hay quien lo quiera, y él porfiar y con todas se casa, y a ninguna sirve de buena tinta.

MATEHUELO.—Cerrar y abriros[9], todo a un tiempo.

MOZOS.—¿Venís, señora Lozana? ¡Caminá, cuerpo de mí, que mi amo se desmaya y os espera, y vos todavía queda! Sin vos no valemos nada, porque mi amo nunca se ríe sino cuando os ve, y por eso mirá por nosotros y sednos favorable agora que le son venidos dineros, antes que se los huelan las bagasas[10], que voto a Dios, con putas y rufianas y tabaquinas[11] no

---

[8] *Los desposados de Hornachuelos:* «cuando los novios no se conciertan y el uno aborrece al otro igualmente. Dicen haber pasado el hecho en Hornachuelos, lugar en Extremadura, donde los padres de dos mozos, hijo e hija, trataron de casarlos, y otorgáronse antes que se viesen el uno al otro, pero ambos eran tan feos que cuando los carearon para darles las manos, ni el uno quiso ni el otro tampoco; casáronse en fin por dar contento a sus padres, pero quedó el refrán: *los novios de Hornachuelos, él llora por no llevarla y ella por no ir con él* (Covarrubias, 700, b, s. v. *Hornachuelos).*

[9] *abriros:* la malicia que encierra aquí el verbo viene reforzada por el nombre de quien lo enuncia: *Matehuelo* (o «Matihuelo»). Para que se entienda bien a qué me refiero cito, a continuación, dos notas de los editores de *P. E. S. O.:* «El *Diccionario de Autoridades* registra la palabra matigüelo (diminutivo de Mateo, Matías), citando un texto de 1598: —Pronosticándole que había de vencer a Syria con la facilidad que suele el toro echar a rodar el Mortigüelo *(sic)* de paja [Fr. Cristóbal de Fonseca, *Tratado del amor de Dios].*

Desde luego el virtuoso padre Fonseca no daría a esa palabra el mismo sentido que el autor de la *Visión deleitable;* para él, como para *Aut.,* «Matihuelo era "lo mismo que el dominguillo", es decir "un pelele en figura de soldado y lleno de paja, que solían poner en la plaza para que el toro se cebara en él". Es de suponer que Matihuelo no tendría siempre la apariencia de un soldado y que, alguna vez, la falta de habilidad o la bellaquería, del artesano le daría aspecto de tronco más bien que de ser humano, lo cual provocaría las pullas y los chistes que contribuyeron a darle la significación particular que tiene en nuestra poesía».

La segunda nota se refiere a dicha poesía: «¿Quién es ese Martigüelo, o Matihuelo, que gusta tanto a las muchachas, a pesar de no ser muy lindo ni muy alto? Sencillamente un símbolo fálico, algo como la reencarnación hispánica del antiguo dios Príapo» (para el poema *Yo soy Martigüelo,* véase *P. E. S. O.,* pág. 273, y el que lo aclara pág. 275).

[10] *bagasa:* «puta» (voz común en italiano y provenzal). Mucha rivalidad hay entre mozos y rameras para pelar al amo.

[11] *tabaquinas:* «alcahuetas», de la voz italiana *tabaque* que significa

podemos medrar. Por eso, ayúdenos vuestra merced, y haga cuenta que tiene dos esclavos.

LOZANA.—Callá, dejá hacer a mí, que yo lo porné de lodo [12] a dos manos. Vuestro amo es como el otro que dicen: cantar mal y porfíal. Él se piensa ser Pedro Aguilocho [13], y no lo pueden ver putas más que al diablo. Unas me dicen que no es para nada, otras que lo tiene tan luengo que parece anadón [14], otras que arma y no desarma [15], otras que es mísero, y aquí firmaré yo, que primero que me dé lo que le demando, me canso, y al cabo saco d'él la mitad de lo que le pido, que es trato cordobés [16]. Él quiere que me esté allí con él, y yo no quiero perder mis ganancias que tengo en otra parte; y mirá qué tesón ha tenido comigo, que no he podido sacar d'él que, como me daba un julio por cada hora que estoy allí, que me dé dos, que más pierdo yo en otras partes [17]. Que no vivo yo de entrada como

---

«canasto», «cesta». Ugolini indica que *tabacchina* es, en el italiano del siglo XVI, sinónimo de "ruffiana", porque, para introducirse en las casas y conducir así sus intrigas con las mujeres fingían ser merceras ambulantes, sirviéndoles el canasto de *cobertura* o pretexto». Es muy convincente lo que dice Ugolini, y cuadra perfectamente con los pretextos de Celestina para meterse por las casas, concretamente en la de Melibea. Y ese comportamiento de la *tabaquina* aclara bastante bien la conducta de Lozana, de quien se dice en el argumento del mam. LVII que «salió la Lozana con su canastillo debajo, con diversas cosas para su oficio» (véase además mam. LV , nota 27).

[12] *lo porné del lodo:* en este caso «lo pondré como chupa de dómine».

[13] *Pedro Aguilocho,* de quien se dice en *R. 75,* nota 15, pág. 278: personaje legendario muy popular en el siglo XVI *(Pícara Justina,* III, 105)», haciéndose de él, en la misma edición, una comparación con la palabra *aguilucho* que es, en germanía, «el ladrón que entra a la parte con otros ladrones sin hallarse en los hurtos» (Hidalgo). Yo creo que aquí *Pedro Aguilocho* es sinónimo de «listo», como lo podría ser Cardona (o más).

[14] *tan luengo... anadón:* creo que hay que entender «largo y delgado» [el miembro viril], a tal punto que parece ánade pequeña o, mejor dicho, debe de semejar el cuello del animal y adoptar su movimiento [dentro] «volteándose de una parte a otra, por ser el modo de andar los ánades» (Covarrubias, 115, b, s. v. *anadear).*

[15] *arma y no desarma:* le censuran, pues, la «sobra de sanidad» (véase mam. LVIII) que, en su caso, no produce efecto (cfr. abajo: «todo es viento su amor», con punto de aplicación más específico, como se dice en la nota 27 de este mamotreto).

[16] *cordobés:* «engañoso», como se ha dicho varias veces.

[17] *que no he podido sacar dél... en otras partes:* adopto puntuación distinta de las otras ediciones por entender que ese amo le paga a Lo-

él, que tiene veinte piezas, las mejores de Cataluña, y no sé en qué se las espende que no relucen, y siempre me cuenta deudas[18]. ¡Pues mándole yo que putas lo han de comer a él y a ello[19] todo! No curés, que ya le voy cayendo en el rastro[20]. ¿Veis el otro mozo dó viene?

MARZOCO.—¿Qué es eso? ¿Dó is[21], señora?

LOZANA.—A veros.

MARZOCO.—Hago saber a vuestra merced que tengo tanta penca de cara de ajo[22].

LOZANA.—Esa sea la primera alhaja que falte en tu casa, y aun como a ti llevó la landre. ¡Tente allá, bellaco! ¡Andando se te caiga!

MARZOCO.—Señor, ya viene la Lozana.

PATRÓN.—Bien venga el mal si viene solo, que ella siempre vendrá con cualque demanda.

LOZANA.—¿Qué se hace, caballeros? ¿Háblase aquí de cosas de amores o de mí, o de cualque señora a quien sirvamos todos? ¡Por mi vida, que se me diga! Porque si es cosa a que yo pueda remediar, lo remediaré, porque mi señor amo no tome

---

zana dándole un julio por hora de presencia, aunque ella le pidiera dos julios, y que se pierde ella más de dos julios en otras partes, es decir, probablemente, jugando (cfr. mamotreto siguiente) y, sobre todo, bebiendo (cfr. frase siguiente).

[18] *Que no vivo... me cuenta deudas:* Ese señor tiene pues veinte *piezas* en Cataluña; como no puedo creer que tuviera veinte *beneficios eclesiásticos* (cfr. *D. R. A. E.:* «pieza eclesiástica»), supongo que tendrá veinte *piezas* en el sentido de «porción de terreno cultivado» (viñedos, probablemente) con la correspondiente renta o *entrada* [es decir «el caudal que entra en su caja o en su poder» *(D. R. A. E.)].* Pero Lozana no puede vivir de *entrada,* como él, porque no tiene «favor» que la ampare, ni «renta» que la cobije (definiciones siempre de *entrada* en el *D. R. A. E.),* y por eso necesitaría que dicho señor o amo la retribuyera mejor, que lo podría él hacer, puesto que no sabe Lozana en qué *expende* (o gasta) su *entrada,* sin contar que el hombre le dice siempre (le *cuenta,* en el sentido de «cuento», o «historia») que tiene *deudas,* y por eso no *reluce* (o aparece) la plata que las veinte piezas le devengan.

[19] *ello:* las veinte piezas y su renta.

[20] *ya le voy cayendo en el rastro:* aquí «le estoy pisando los talones», «no lo pierdo de vista», ver mamotreto XIV, nota 50.

[21] *is:* «vais».

[22] *penca de cara de ajo:* en la pronunciación relajada es corriente que no suene la preposición *de* (cfr. «como la copa un pino» por «como la copa *de* un pino»), y lo mismo podría suceder con la cara (de) ajo.

pasión[23], como suele por demás, y por no decir la verdad a los médicos. ¿Qué es eso? ¿No me quiere hablar? Ya me veo, que ansí como ansí aquí no gano nada.

MOZOS.—Vení acá, señora Lozana, que su merced os hablará y os pagará.

LOZANA.—No, no, que ya no quiero ser boba, si no me promete dos julios cada hora.

MARZOCO.—Vení, que es contento, porque más merecéis, máxime si le socorréis, que está amorado.

LOZANA.—¿Y de quién? ¡Catá que me corro si de otra se enamoró!, mas como todo es viento su amor, yo huelgo que ame y no sea amado.

MARZOCO.—¿Cómo, señora Lozana, y quién es aquél que ama y no es amado?

LOZANA.—¿Quién? Su merced.

MARZOCO.—¿Y por qué?

LOZANA.—Eso yo me lo sé; no lo diré sino a su merced solo.

MARZOCO.—Pues ya me voy. Vuestras cien monedas agora, Dios lo dijo.

LOZANA.—Andá, que ya no es el tempo de Maricastaña.

PATRÓN.—Dejá decir, señora Lozana, que no tienen respeto a nadie. Entendamos en otro: yo muero por la señora Angélica, y le daré seis ducados cada mes, y no quiero sino dos noches cada semana. Ved vos si merece más, y por lo que vos dijéredes me regiré.

LOZANA.—Señor, digo que no es muncho, aunque le diésedes la meatad de vuestro oficio de penitencería[24]. Mas ¿cómo haremos? Que si vuestra merced tiene ciertos defectos que

En cuanto a *penca,* ya se tratase del *cardo,* ya del azote o látigo (cfr. Covarrubias, s. v. *penca,* 861, a), convenía bastante bien la palabra para evocar el deseado concepto (sobre *cardo,* véase *supra,* mamotreto XIV, nota 35; del azote no se diga nada). Nótese que el poseedor de esta alhaja (como dice Lozana en la réplica siguiente) se llama Marzoco, cuasi Mazorco (cfr. *supra mazorcón* y *Diego Mazorca,* mamotreto XXXII, y XXXIII.

[23] *tomar pasión:* «encolerizarse», «enfurecerse», considerándose el furor como un estado patológico; de ahí la alusión a los médicos que sigue.

[24] *la meatad de vuestro oficio de penitencería:* aunque no fuera sino la *meatad* (o «mitad») debían de ser bastante pingües los beneficios que llevaba aneja la obligación de confesar, sobre todo si la *penitenciaría* era en tiempos de Delicado lo que es ahora, a saber la «Penitenciaría de la curia romana».

dicen, será vuestra merced perder los ducados y yo mis pasos.

PATRÓN.—¿Cómo, señora Lozana? ¿Y suelo yo pagar mal a vuestra merced? Tomá, veis ahí un par de ducados, y hacé que sea la cosa de sola signatura[25].

LOZANA.—Soy contenta, mas no me entiende vuestra merced.

PATRÓN.—¿Qué cosa?

LOZANA.—Digo que si vuestra merced no tiene de hacer sino besar, que me bese a mí.

PATRÓN.—¿Cómo besar? ¡Que la quiero cabalgar!

LOZANA.—¿Y adónde quiere ir a caballar?

PATRÓN.—¡Andá para puta, zagala! ¿Burláis?

LOZANA.—¡No burlo, por vida d'esa señora honrada a quien vos queréis cabalgar, y armar y no desarmar![26].

PATRÓN.—¡Oh pese a tal! ¿Y eso decís? ¡Por vida del tal que lo habéis de probar, porque tengáis qué contar!

LOZANA.—¡Ay, ay, por el siglo de vuestro padre, que no me hagáis mal, que ya basta!

PATRÓN.—¡Mal le haga Dios a quien no's lo metiere todo, aunque sepa ahogaros, y veréis si estoy ligado![27]. ¡Y mirá cómo desarmo![28].

LOZANA.—¡Tal frojolón[29] tenés! Esta vez no la quisiera perder, aunque supiera hallar mi anillo que perdí agora cuando venía.

PATRÓN.—Tomá, veis aquí uno que fue de monseñor mío, que ni a mí se me olvidará, ni a vos se os irá de la memoria[30] de hablar a esa señora, y decilde lo que sé hacer.

LOZANA.—¡Por mi vida, señor, que como testigo de vista,

---

[25] *que sea la cosa de sola signatura* se opone evidentemente (que lo sepan o no lo sepan los interesados da lo mismo) a la táctica de Lozana, y de las alcahuetas buenas en general, que quieren ser refrendadas, lo que implica que haya por lo menos *dos* signaturas (o firmas, o sellos).

[26] Véase aquí *supra* e *infra*, nota 27.

[27] *si estoy ligado:* «si soy impotente».

[28] *Desarmar:* en este caso «disparar» (o sea «eyacular»).

[29] *frojolón:* véase nota 25 del mam. XIV.

[30] Dos veces le dan un anillo a Lozana para que se acuerde de un mensaje; se ve aquí cómo se matiza más ricamente aún el *mamotreto,* o memorándum (cfr. «por traer a la memoria muchas cosas que en nuestros tiempos pasan»). Una vez más el autor y su protagonista tienen una finalidad común.

diré el aprieto en que me vi![31]. ¡Ay, ay! ¿Y d'essos sois? Desde aquí voy derecha a contar a su merced vuestras virtudes.

PATRÓN.—Si más no esta, que tomará celos su porfía.

LOZANA.—Muncho hará a vuestro propósito aunque estáis ciego; que según yo sé y he visto, esa señora que pensáis que es a vuestra vista hermosa, no se va al lecho sin cena.

PATRÓN.—¿Cómo?, ¡por vida de la Lozana!

LOZANA.—Que su cara está en mudas[32] cada noche, y las mudas tienen esto, que si se dejan una noche de poner que no valen nada. Por eso se dice que cada noche daba de cena[33] a la cara.

PATRÓN.—Y esas mudas, ¿qué son?

LOZANA.—Cerillas[34] hechas de uvas asadas. Mas si la veis debajo de los paños[35], lagartija parece.

PATRÓN.—¡Callá, señora Lozana, que tiene gracia en aquel menear de ojos!

LOZANA.—Eso yo me lo tengo, que no soy puta, cuanto más ella que vive d'eso.

PATRÓN.—Quien a otra ha de decir puta, ha de ser ella muy buena mujer, como agora vos[36].

---

[31] En otras ocasiones Lozana exclama: «¡Nunca en tal me vi!», sin embargo habla aquí de *aprieto,* porque «la apretó» el caballero o jinete (cfr. mam. XIV, «aprieta y cava, y ahoya...»), pero también porque supo el dicho caballero dónde le apretaba el «zapato» por tener él tal frojolón (o tal pie).

[32] *mudas:* véase mam. V, notas 13 y 14 (por donde se entenderá por qué *mudas* y *blanduras* son «cena»).

[33] *daba de cena:* en la mayor parte de las ediciones, ponen *daba de cená* como si *cená* fuese verbo en infinitivo *(cenar).* Pero en la edición *Venecia 1528,* no hay nunca apócope de la r final del infinitivo, y la forma *dar de* seguida de sustantivo no me parece a tal punto anómala que se deba descartar, sobre todo si se sobreentiende *las* (las mudas): «cada noche se las daba de cena».

[34] *cerillas:* «ungüento» o «pomada».

[35] Cfr.: «va diciendo a todos qué ropa es debajo paños» (mamotreto XXIV).

[36] El patrón tiene ahora que saber si es buena o no Lozana. Para el procedimiento de ironía en esta frase, véase Introducción, páginas 123-124 y nota 138.

Cómo la Lozana entra en la baratería[1] de los gentiles hombres y dice:

LOZANA.—Algo tengo yo aquí, que el otro día cuando vine, por no tener favor[2], con seis ducadillos me fui, de un resto que hizo el faraute, mi señor[3], mas agora que es el campo mío, restos y resto mío serán.

OCTAVIO.—Señora Lozana, resto quejoso será el mío.

LOZANA.—¡Andá, señor, que no de mí!

AURELIO.—Vení acá, señora Lozana, que aquí se os dará el resto y la suerte principal.

LOZANA.—¡Viva esa cara de rosa, que con esa magnificencia las hacés esclavas siendo libres! Que el resto dicen que es poco[4].

AURELIO.—¿Cómo poco? ¡Tanto, sin mentir!

LOZANA.—Crezca de día en día, porque gocés tan florida mocedad.

AURELIO.—Y vos, señora Lozana, gocéis de lo que bien queréis.

LOZANA.—Yo, señor, quiero bien a los buenos y caballeros[5]

---

[1] *baratería* (italianismo): «garito, casa de juegos».

[2] *por no tener favor:* yo creo que Lozana se refiere al hecho de que no tenía nada especial que hacer aquel día, motivo por el cual se entró en la casa de juegos: «no teniendo recados ni encargos, no corría nada a favor de ella».

[3] *el faraute, mi señor:* debía de ser Rampín, al mismo tiempo *señor* de Lozana —ya sabemos por qué— y su criado, siendo el *faraute,* en germanía, «criado de mujer pública, o de rufián».

[4] Se habrá notado ya el juego conceptista sobre la voz *resto:* juego iniciado por Octavio quien desvió el vocablo de su acepción relativa al juego. Esta alusión de Lozana se sitúa a todas luces en el campo de lo sexual, queriendo decir la mujer que si bien Aurelio se muestra magnífico en dinero y regalos, las putas le reputan escaso en ese otro campo (que tampoco desprecian) de la virilidad, o lozanía masculina (cfr. con ligera variación, lo que significa *lo ál* en *La Celestina*).

[5] *buenos y caballeros:* palabras contradictoriamente motivadas. Por una parte indican proclividad a lo sensual (de connotaciones distintas,

que me ayudan a pasar mi vida sin decir ni hacer mal a nadie[6].

OCTAVIO.—Eso tal sea este resto, porque es para vos. Tomaldo, que para vos se ganó.

LOZANA.—¡Sepamos cuánto es!

OCTAVIO.—Andá, callá y cogé, que todos dicen amén, amén, sino quien perdió, que calla.

LOZANA.—Soy yo capellana[7] de todos, y más de su señoría.

ORACIO.—Cogé, señora Lozana, que si los pierdo, en habellos vos los gano, aunque el otro día me motejastes delante de una dama.

LOZANA.—Yo, señor, lo que dije entonces digo agora, que ellas me lo han dicho, que diz que tenéis un diablo que parece conjuro de sacar espíritus[8].

ORATIO[9].—¡Oh, pese a tal! ¿Y eso dicen ellas? No saben bien la materia.

---

según el contexto, si se trata de los *buenos,* de conciencia muy ancha, o de los *caballeros,* dados a *cabalgar,* o *caballar,* como también en la novela se dice), y, por otra parte, entran en la serie sinonímica de los términos de nobleza, destinados a evocar, en *La Lozana,* el escaso rendimiento sexual. Con este último sentido hay que entender los *gentiles hombres* a quienes se refiere el argumento del mamotreto, pues se ha visto ya que Aurelio gozaba al respecto de una reputación fatal, repitiéndose, como vamos a ver, el esquema despectivo con los otros *gentiles hombres,* a saber: Octavio, Oracio, Milio, Salustio y Camilo. Todos los chistes relativos a estos personajes giran alrededor de esas sus pocas posibilidades, que darán lugar a un comentario genérico en el mam. LXIII, con ocasión de una pregunta de Pelegrina a Lozana (véase *infra,* nota 10).

[6] Frase parafraseada y explicitada por el autor en *Cómo se escusa el autor...:* «sin perjuicio de partes, procuraba (Lozana) comer y beber sin ofensión alguna».

[7] *capellana:* lo es Lozana porque los bienes que todos éstos —y mayormente Octavio— le hacen, quedan sujetos al cumplimiento —por parte de la capellana Lozana— de cargas pías (es lo correcto para toda *capellanía* que se estime).

[8] *diz que... espíritus:* una vez asentado que *diablo* (como en otros textos *demonio)* es el pene, y que el *conjuro de sacar espíritus* de que habla Lozana es el exorcismo («conjuro ordenado por la Iglesia contra el espíritu maligno», como lo define el *D. R. A. E.),* queda patente que el *diablo* de Oracio es un *anti-diablo,* al revés de lo que se esperaban esas parroquianas decididas a luchar a brazo partido con las fuerzas del mal.

[9] En la edición *Venecia 1528,* este nombre se escribe *Oracio,* menos aquí donde ponen *Oratio,* grafía que conservo por ser afín al juego es-

LOZANA.—Si no saben la materia, saben la forma.

ORACIO.—¡No hay ninguno malo, mozas!

LOZANA.—Señor, no, sino que unos tienen más fuerza que otros[10].

MILIO.—Señora Lozana, hacé parte a todos de lo que sabéis. ¿De mí qué dicen, que no me quieren ver ni oír?

LOZANA.—¡Ay pecador! ¡sobre que dicen que vuestra merced es el que muncho hizo![11].

---

colástico sobre «materia» y «forma». En efecto, más que Horacio es aquí *oración* (en latín, y con el sentido gramatical de la palabra). Sobre el juego *materia-forma,* véase Introducción, nota 82, d y mamotreto LXIV, nota 11.

[10] *fuerza:* los *gentiles hombres* no tiene tanta *fuerza* como sus criados, como explica Lozana a Pelegrina (LXIII).

[11] *¡sobre que dicen... muncho hizo!: sobre que dicen* significa, a mi parecer, «y además dicen». Pero el chiste que tiene que haber en la frase (pues si no hay chiste ni alusión graciosa no tiene razón de ser) no me parece muy claro. Yo veo dos posibilidades; una sería un juego sobre el nombre *(Milio),* y otra que la expresión «el que mucho hizo» fuese proverbial, pudiendo así calificar indirectamente al protagonista. Yendo por partes, examinemos primero las virtualidades que ofrece el nombre; *Milio* podría ser forma culta (o italiana) de *mijo,* o sea, según Covarrubias (805, a) «un género de mies conocido, *latine milium, a mille dictum, ut putat Festus, propter multitudinem granorum».* Entonces, este *mijo* o *milio,* símbolo de lo muy pequeño, *v. gr.* en el *Libro de Buen Amor,* da una «multitud de granos», o por decirlo de otra forma, «Mijo o milio, mucho fruto, poca simiente (o: con poca cosa que la efunda)». En segundo lugar, la expresión «el que hizo mucho», parece frase proverbial o parte de refrán; de hecho hay algunos que evocan este molde, por ejemplo en el refranero de Correas:

—Quien mucho anda, poco ataja (o: poco manja).
—Quien mucho abarca, poco aprieta.
—Quien mucho apaña, poco arranca.
etcétera.

De ahí que se pueda concluir que «el que mucho hace, o hizo, poco hace, o hizo», si se considera que el verbo *hacer* es verbo vicario que puede sustituir a cualquier otro (para simplificar: *mucho hizo* / vs. / *poco alcanzó, poco cogió, poco dio, poco pudo,* etc.).

Tratándose en ambos casos de hipótesis, no voy a concluir, sino preguntar: ¿por qué excluir un cruce de estas posibilidades si eso no es esperar demasiado del conceptismo de Delicado ni de su espíritu burlón? Lo que daría: «El que (Milio o mijo) hizo (o produjo) mucho, poco sembró (o con poco sembró).» Si no tiene la ventaja de la certidumbre, esta explicación tiene al menos la de lamentar la triste suerte de quien cogió fruto grande sin gozar apenas de la semilla.

SALUSTIO.—¿Y yo, señora Lozana?

LOZANA.—Vuestra merced el que poco y bueno[12], como de varón.

CAMILO.—¿A mí, señora Lozana, qué?

LOZANA.—Vos, señor, el que no hizo nada que se pareciese[13].

CAMILO.—Porque cayó en mala tierra[14], que son putas insaciables[15]. ¿No le basta a una puta una y dos, y un beso, tres, y una palmadica, cuatro, y un ducado, cinco? Son piltracas[16].

LOZANA.—Sí para vos, mas no para nos. ¿No sabés que uno que es bueno, para sí es bueno, mas mejor es si su bondad aprovecha a munchos?

CAMILO.—Verdad decís, señora Lozana, mas el pecado callado, medio perdonado[17].

---

[12] *el que poco y bueno,* parece otro refrán truncado, técnica que Delicado aprendió de Celestina y le gustó tanto. Es evidente que falta el verbo, pero «como de varón» permite entender que la fórmula original se aplica a los varones cuerdos y discretos que *hablan* «poco y bueno» (cfr. portugués: «dizer poucas e boas»). Sin embargo, en el contexto particular de *La Lozana,* donde lo viril suple lo varonil, cabe entender que lo «poco y bueno» viene regido por otro miembro que el de la boca, y otra facultad que el seso, regularmente suplantado en la novela por su temible aunque vergonzoso rival. No sé si *Salustio* es alusión al historiador latino; nótese sin embargo que el estilo de éste suele celebrarse por su concisión.

[13] ¡Vaya piropo! en fin, algo es algo.

[14] Tuvo éxito en las letras la maldición a Onán cuya simiente cayó en tierra mala. Ronsard reprendió a su rey, Enrique III, a quien le gustaba demasiado la compañía de los efebos, advirtiéndole «votre semence chet en terre qui n'est bonne» *(Contre les mignons),* es decir: «vuestra simiente cae en tierra que no es buena».

[15] *insaciables:* cfr. «antes cansada que harta». Camilo es otro ejemplo de la falta de fuerza de los «gentiles hombres».

[16] *piltracas:* pertenece la voz *piltraca* a un semantismo que evoca el dormir y la prostitución. El *Diccionario de Autoridades,* da, para *piltraca:* «Lo mismo que *piltrafa*»; pero si acudimos al registro de la germanía, se ve que *piltro* significa «aposento», y *piltra* «cama», siendo además *piltro* el «mozo rufián». Puede relacionarse además con *piltrofera* (véase mam. XVIII, 6). En el *Lazarillo* de Luna significa «puta», pero lo que dice Camilo permite pensar que la *piltraca* lo es por vicio, que no está bien sino en la *cama...* pero no con *Camilo.*

[17] Refrán del mismo tenor en Correas: «Pecado encelado es medio perdonado», con este comentario: «encelado es encubierto» (467, b). En buena doctrina, tendrá que significar que por callar un pecado no se alcanza más que la mitad del perdón (la que de todas formas con-

LOZANA.—Si por ahí tiráis, callaré, mas siempre oí decir que las cosas de amor avivan el ingenio, y también quieren plática. El amor sin conversación es bachiller sin repetidor[18]. Y voyme, que tengo que hacer.

AURELIO.—Mirá, señora Lozana, que a vos encomiendo mis amores.

LOZANA.—¿Y si no sé quién son?

AURELIO.—Yo's lo diré, si vos mandáis, que cerca están, y yo lejos.

LOZANA.—Pues dejáme agora, que voy a ver si puedo hallar quien me preste otros dos ducados para pagar mi casa.

AURELIO.—¡Voto a Dios, que si los tuviera que os los diera! Mas dejé la bolsa[19] en casa por no perder, y también porque se me quebraron los cerraderos. Mas sed cierta que eso y más os dejaré en mi testamento.

LOZANA.—¿Cuándo? Soy vuestra sin eso y con eso. Véngase a mi casa esta noche y jugaremos castañas[20], y probará mi vino, que raspa[21]. Sea a cena, haré una cazuela de peje, que dicen que venden unas acedías[22] frescas vivas, y no tengo quien me vaya por ellas y por un cardo.

AURELIO.—Pues yo enviaré a mi mozo esta tarde con todo.

LOZANA.—Vuestra merced será muy bien venido. Nunca me

---

cede la misericordia), porque en el catecismo que tengo a mano se ve que medio perdonado resulta el pecado *confesado*. A mi modo de ver, pues, en este último caso, la mitad del perdón es positiva mientras que en aquél es negativa. Toda la ironía está en que Lozana quiere callar sus pecados (cfr. su réplica) para conseguir una mitad de absolución, como si fuera la positiva, porque no creo pueda quedar ironía para los catecúmenos que se la ganan a pulso y confesando.

[18] *repetidor:* se llama también el que repasa a otro la lección que leyó o explicó el Maestro *(Autoridades).*

[19] *bolsa: Aurelio* es muy corto de bolsa, como se ve (me refiero aquí a su bolsa *áurea,* o de oro, pues de lo otro se habló antes).

[20] Jugarán *castañas,* que servirán de fichas, en vez de dinero real; así alude Lozana a la fingida pobreza de Aurelio, o a su tacañería (a no ser las castañas lo que verdaderamente se jugará, pagándolas el que pierda, pero no me parece tan probable el considerar que Lozana propone, a continuación, otro menú).

[21] *mi vino, que raspa:* literalmente «vino que pica, con un saborcillo agriculce».

[22] *acedías:* «platijas» (pez parecido al lenguado): Lozana quiere hacer una cazuela de peje, zarzuela quizás, ¡pero no le falta más que el pescado! (sobre el procedimiento de invitar a comer a quien se lo pague, véase mam. XXIV, nota 22).

encuentra Dios sino con míseros lacerados[23]. Él caerá[24], que para la luz de Dios, que bobo y hidalgo es[25].

GUARDIÁN.—¿Qué se dice, señora Lozana? ¿Dó bueno?

LOZANA.—Señor, a mi casa.

GUARDIÁN.—Llegaos aquí al sol, y sacáme un arador[26], y contáme cómo os va con los galanes d'este tiempo, que no hay tantos bobos como en mis tiempos, y ellas creo que también se retiran.

LOZANA.—¿Y cómo? Si bien supiese vuestra merced, no hay puta que valga un maravedí, ni dé de comer a un gato, y ellos, como no hay saco de Génova, no tienen sino el maullar, y los que algo tienen piensan que les ha de faltar para comer, y a las veces sería mejor joder poco que comer muncho. ¡Cuántos he visto enfermos de los riñones por miseria de no espender![27]. Y otros que piensan que por cesar han de vivir más, y es al contrario, que *semel in setimana*[28] no hizo mal a nadie.

ALCAIDE.—¡Por mi vida, señora Lozana, que yo *semel in mense y bis in anno!*[29].

LOZANA.—Andá ya, que ya lo sé, que vuestra merced hace como viejo y paga como mozo.

GUARDIANO.—Eso del pagar, mal pecado, nunca acabó, porque cuando era mozo pagaba por entrar y agora por salir.

LOZANA.—Viva vuestra merced munchos años, que tiene del peribón[30]. Por eso, dadme un alfiler, que yo os quiero sacar diez aradores.

---

[23] Ya se ha ido Aurelio, y Lozana puede expresar lo que realmente piensa de él (mísero lacerado), confirmando lo dicho anteriormente de su avaricia o falta de liberalidad.

[24] *Caer:* «pagar» (mejor, estilísticamente, «apoquinar»).

[25] Nótese que *hidalgo* está en el mismo nivel que *bobo.*

[26] *arador:* «arador de la sarna», parásito de la piel (véase *Carta de Excomunión).*

[27] *por miseria de no espender:* por avaricia en el gastar, y por retención seminal.

[28] «una vez a la semana».

[29] «una vez al mes y dos veces al año».

[30] *peribón:* es un *hapax legomenon* que Damiani interpreta según el contexto posterior (de los aradores) como «especie de sarna», mientras que Ugolini lo relaciona con *bribón* (por evolución popular a partir de una raíz común, * *beribón,* y por disimilación de las bes: *peribón);* si tiene razón, la palabra remite al contexto anterior, y al juego lingüístico sobre *entrar* y *salir,* con el cual el guardián demuestra que *tiene del peribón* (o pícaro), como Lozana tiene, en otra parte, «del natural y del positivo».

ALCAIDE.—Pues sacá, que por cada uno os daré un grueso.

LOZANA.—Ya sé que vuestra merced lo tiene grueso, que a su puta beata lo oí, que le metíades las paredes adentro[31]. Dámelo de argento.

ALCAIDE.—Por vida de mi amiga, que si yo los hubiese de comprar, que diese un ducado por cada uno, que uno que retuve me costó más de ciento.

LOZANA.—Lofa[32] sería ése; no hace para mí. Quiérome ir con mi honra.

ALCAIDE.—Vení acá, traidora; sacáme uno no más de la palma.

LOZANA.—No sé sacar de la palma ni del codo.

GUARDIÁN.—¿Y de la punta de la picarazada?[33].

LOZANA.—De ahí sí, buscallo, mas no hallarlo.

GUARDIÁN.—¡Oh cuerpo de mí, señora Lozana, que no sabéis de la palma y estáis en tierra que los sacan de las nalgas con putarolo[34], y no sabéis vos sacallos al sol con buena aguja!

LOZANA.—Sin aguja los saco yo cuando son de oro o de plata, que d'esotras suertes o maneras no me entiendo. Mejor hará vuestra merced darme un barril de mosto para hacer arrope.

GUARDIÁN.—De buena gana. Enviá por ello y por leña para hacello, y por membrillos que cozgáis[35] dentro. Y mirá si mandáis más, que a vuestro servicio está todo.

LOZANA.—Soy yo suya toda.

ALCAIDE.—Y yo vuestro hasta las trencas[36].

---

[31] *las paredes adentro:* véase mam. LI, nota 14.

[32] *Lofa* (italianismo): «zulla, ventosidad silenciosa». Nótese en este diálogo la ambigüedad que nace de que no se menciona lo que hay que sacar, interpretando maliciosamente el guardián y Lozana *uno* o *ése, los,* etc., como les parece: alfiler de argento o plata, alfiler metafórico y arador. Es posible que este juego sobre los aradores tenga su origen o lejana fuente de inspiración en un romance viejo que cita Covarrubias: «Con la punta de un venablo / sacarán un arador» («para encarecer cuán aguda era», añade el maestro).

[33] *picarazada:* será una derivación expresiva de *pica,* porque, si bien ciertas aves o pájaros sirven fácilmente de metáfora sexual, hasta ahora, que yo sepa, se conoce más la picaraza por sus talentos de ladrona que por tales propiedades retóricas.

[34] *putarolo* (ital.), *puntarolo:* «punzón» (nota 20, pág. 288, de *R. 75).*

[35] *cozgáis:* verbo cocer: «cozáis».

[36] *trencas:* la malicia está en la referencia implícita al hecho de *enlodarse* (véase mam. XIV, nota 13), puesto que *meterse hasta las trencas* significa «enlodarse» *(D. R. A. E.).*

*Cómo la señora Terencia vido pasar a la Lozana y la manda
llamar:*

—Ves allí la Lozana que va de priesa. Migallejo, va, asómate y llámala.

MIGALLEJO.—¡Señora Lozana! ¡Ah, señora Lozana! Mi señora le ruega que se llegue aquí.

LOZANA.—¿Quién es la señora?

MIGALLEJO.—La del capitán.

LOZANA.—¿Aquí se ha pasado su merced? Yo huelgo con tal vecina. Las manos, señora Terencia.

TERENCIA.—Las vuestras vea yo en la picota, y a vos encorozada sin proceso, que ya sin pecado lo merece, mas para su vejez se le guarda.

—¡Miralda cuál viene, que parece corralario de putas y jaraíz de necios![1]. Dile que suba.

MIGALLEJO.—Sobí, señora.

LOZANA.—¡Ay, qué cansada que vengo, y sin provecho!

—Señora, ¿cómo está vuestra merced?

TERENCIA.—A la fe, señora Lozana, enojada, que no me salen mis cosas como yo querría. Di a hilar, y hame costado los ojos de la cara porque el capitán no lo sienta, y agora no tengo trama.

LOZANA.—Señora, no's maravilléis, que cada tela quiere trama. El otro día no quesistes oír lo que yo os decía, que de allí sacáredes trama.

TERENCIA.—Callá, que sale el capitán.

CAPITÁN.—¿Qué es, señora?

LOZANA.—Señor, servir a vuestra merced[2].

---

[1] *corralario... necios; jaraíz* (o lagar) de necios se entiende fácilmente, porque los apretuja y exprime; en cambio, *corralario*, que no se documenta, podría ser *corolario* (por venir las mujeres inevitablemente acompañadas de Lozana) o, más probablemente, *corralero,* con cambio de sufijo *(-ario* por *-ero,* tratándose de oficio o función no plantea problema): la otra comparación rural (el jaraíz) refuerza, creo yo, esta interpretación.

[2] Por lo visto, lo quiere servir con cuernos. Pero, como se lo ordenó Terencia, se lo calla.

CAPITÁN.—¿Qué mundo corre?

LOZANA.—Señor, bueno, sino que todo vale caro, porque compran los pobres y venden los ricos. Duelos tienen las repúblicas cuando son los señores mercadantes y los ricos revenden. Este poco de culantro seco me cuesta un bayoque.

CAPITÁN.—¡Hi, hi, hi! ¡Comprándolo vos, cada día se sube! Mas decíme, ¿qué mercado hay agora de putas?

LOZANA.—Bueno, que no hay hambre d'ellas, mas todas son míseras, y cada una quiere avanzar para el cielo. Señor, no quiero más putas, que harta estó d'ellas. Si me quisieren, en mi casa estaré, como hacía Galazo, que a Puente Sisto moraba, y allí le iban a buscar las putas para que las aconchase, y si él tenía buena mano, yo la tengo mejor; y él era hombre y mujer, que tenía dos naturas, la de hombre como muleto, y la de mujer como de vaca. Dicen que usaba la una, la otra no sé, salvo que lo conocí que hacía este oficio de aconchar, al cual yo le sabré dar la manera mejor, porque tengo más conversación que no cuantas han sido en esta tierra[3].

CAPITÁN.—Dejá eso. Decíme cómo os va, que muncha más conversación tiene el Zopín[4] que no vos, que cada día lo veo con vestidos nuevos y con libreas, y siempre va medrado. No sé lo que hace, que toda su conversación es a Torre Sanguina.

LOZANA.—¡Señor, maravíllome de vuestra merced! ¡quererme igualar con el Zopín, que es fiscal de putas, y barrachel de regantío[5] y rufián magro! ¡y el año pasado le dieron un treintón[6] como a puta! No pensé que vuestra merced me tenía en esa posesión. Yo puedo ir con mi cara descubierta por todo, que no hice jamás vileza, ni alcagüetería ni mensaje a persona vil. A caballeros y a putas de reputación, con mi honra procuré de interponer palabras, y amansar iras, y reconciliar las partes, y hacer paces y quitar rencores, examinando partes, quitar

---

[3] Es, más o menos, lo que pretende el autor en el mam. V.

[4] *el Zopín:* véase *R. 75,* pág. 290, nota 10 («alude aquí a aquel maleante romano que ha hecho pensar en la posible relación entre *La Lozana Andaluza* y un «ragionamento» de Aretino: el de *Zoppino fatto frate et Ludovico puttaniere*).

[5] *barrachel de regantío: regantío* se entiende de «regar», con una formación como la de *manantío* (véase mam. LXII); forma parte, en *La Lozana* de una serie sinonímica, con *noria (añora* en el mam. II), *pantano* (LIV), *foso* (LIX), y *manantío,* ya citado, términos todos que en el libro se refieren a las pudendas femeninas. El Zopín es pues el alguacil de la parte rentable de las prostitutas.

[6] *un treintón:* véase nota 31, mam. XXIV.

martelos viejos, haciendo mi persona albardán por comer pan[7].
Y esto se dirá de mí, si alguno me querrá poner en fábula: muncho supo la Lozana, más que no demostraba[8].

CAPITÁN.—Señora Lozana, ¿cuántos años puede ser una
mujer puta?

LOZANA.—Dende doce años hasta cuarenta[9].

CAPITÁN.—¿Veinte y ocho años?

LOZANA.—Señor, sí: hartarse hasta reventar.

—Y perdonadme, señora Terencia.

MAMOTRETO XL

*Cómo, yendo su camino, encuentra con tres mujeres, y después
con dos hombres que la conocen de luengo tiempo.*

LOZANA.—¿Para qué es tanto ataparse? Que ya veo que no
pudo el baño hacer más que primero había, salvo lavar lo limpio, y encender color donde no fue menester arrebol.

GRIEGA.—¡Hi, hi, hi! Vuestra casa buscamos y, si no os en-
contrábamos, perdíamos tiempo, que imos[1] a cena a una viña,
y si no pasamos por vuestra mano, no valemos nada, porque
tenemos de ser miradas, y van otras dos venecianas, y es menester que vos, señora Lozana, pongáis en nosotras todo vuestro saber, y pagaos. Ansimismo vaya vuestro criado con nosotras, y verná cargado de todo cuanto en el banquete se diere,
y avisaldo que se sepa ayudar porque cuando venga[2] traiga qué
rozar[3].

---

[7] La relación *albardán - comer pan* es proverbial; *«El porfiado albardán comerá de tu pan;* refrán que advierte que los entremetidos,
aunque más los despidan, volverán adonde conocen que pueden sacar
alguna cosa» *(Autoridades).* En Santillana ya: «híceme albardán, y co-
míme el pan». Nótese con qué propiedad emplea Delicado el término
pues se dice del «entremetido».

[8] Véase *Argumento,* nota 8.

[9] Efectivamente, Lozana tenía aproximadamente doce años de edad
cuando se dio a la fuga con Diomedes, para iniciar sus periplos
marítimos.

[1] *imos:* «vamos».

[2] *cuando venga:* «cuando vuelva».

[3] *rozar:* «comer».

LOZANA.—Señoras mías, en fuerte tiempo me tomáis, que en toda mi casa no hay cuatrín, ni maravedí, ni cosa aparejada para serviros, mas por vuestro amor, y por comenzar a aviar la gente a casa, yo iré y buscare las cosas necesarias para de presto serviros. Mi criado irá, más por haceros placer que por lo que puede traer; y vosotras miráme bien por él, y no querría que hiciese cuistión con ninguno, porque tiene la mano pesada, y el remedio es que, cuando se enciende como verraco[4], quien se halla allí más presto le ponga la mano en el cerro[5], y luego amansa, y torna como un manso[6]. Veislo, viene anadeando[7]. ¿Qué cosa?, ¿qué cosa?[8]. ¿En qué están las alcabalas?[9]. Como se ve festivo, que parece dominguillo de higueral[10], no estima el resto.

—Volveos, andá derecho. ¡Ansí relumbre la luna en el rollo como este mi novio![11]. Andá a casa, y tenémela limpia, y guardá no rompáis vos esa librea, colgalda.

---

[4] *verraco:* esta comparación con el cerdo es habitual, como se ha visto, para Rampín; sin embargo ésta tiene interés por aludir a dos campos distintos, característicos los dos del criado de Lozana. *Verraco,* como «cerdo padre», evoca el apetito venéreo desenfrenado de los puercos, pero, por otra parte, evoca también el lloro, capricho y rabieta de los niños (cfr. *varraquear, verraquera).* Ya se ha hablado aquí bastante de las aptitudes de Rampín para «servir a quien se lo merece»; y para ese su comportamiento infantil, Lozana indica a continuación cómo se le puede aquietar.

[5] *cerro:* es sabido que se trata del cuello o del pescuezo; quiero solamente subrayar que nos quedamos en contexto de brutos.

[6] *amansa... manso:* por oposición al *verraco,* macho y rabioso (cfr. además mam. XLVI)

[7] *anadeando:* si anda como pato, es que está ebrio.

[8] *¿Qué cosa? ¿qué cosa?:* pregunta que enuncia juego o diversión (mam. XXXIII, nota 11).

[9] *alcabalas:* en *R. 75* se interpretan estas *alcabalas* como «jábegas»; pero la pregunta «en qué están» demuestra claramente que se trata del tributo así llamado, tanto más cuanto los gastos le traen sin cuidado a Rampín («que no estima el resto»), ya se trate de juego (cfr. *resto)* ya de bebida (véase cómo viene).

[10] *Como se ve...higueral:* cfr. Covarrubias: «Pues a este soldado de paja le llamaron *Dominguillo,* porque le vestían de colorado, *color festivo* y *dominguero,* para que el toro le apeteciese con más rabia» (481, a, 34).

[11] *Ansí relumbre... mi novio:* hay mucha malicia en este deseo luminoso de Lozana si se considera que el *rollo* viene a ser, en la novela, por metáfora formal, lo mismo que *dominguillo,* sinónimo éste de *Matihuelo* (véase mam. XXXVII, nota 9). El reluciente criado de Lozana

368

—Señoras, id a mi casa, que allí moro junto al río, pasada la Vía Asinaria, más abajo[12]. Yo voy aquí a una especiería por ciertas cosas para vuestro servicio, aunque sepa[13] dejar una prenda.

GRIEGA.—Señora Lozana, tomá no dejéis prenda, que después contaremos. Caminá.

LOZANA.—¡Ay, pecadora de mí! ¿Quién son éstos? Aquí me ternán dos horas, ya los conozco. ¡Ojalá me muriera cuando ellos me conocieron! ¡Beata la muerte cuando viene después de bien vivir! Andar, siempre oí decir que en las adversidades se conocen las personas fuertes. ¿Qué tengo de hacer? Haré cara, y mostraré que tengo ánimo para saberme valer en el tiempo adverso[14].

GIRALDO.—Señora Lozana, ¿cómo está vuestra merced? No menos poderosa ni hermosa os conocí siempre y si entonces, mejor agora os suplicamos nos tengáis por hermanos, y muy aparejados para vuestro servicio.

LOZANA.—Señores, ¿cuándo dejé yo de ser presta para servir esas caras honradas? Que agora y en toddo tiempo tuvieron merecimiento para ser de mí muy honrados, y no solamente agora que estoy en mi libertad, mas siendo sujeta no me faltaba inclinación para serles muy aficionada. Bien que yo y mi casa seamos pobres, al menos aparejada siempre para lo que sus mercedes me quisieren mandar.

GIRALDO.—Señora, servir[15].

LOZANA.—Señores, beso las manos de vuestras mercedes mil veces, y suplícoles que se sirvan de mi pobreza, pues saben que soy toda suya.

—¡Por vida del rey, que no me la vayan a penar al otro mundo los puercos! Que les he dicho mil honras cuando estábamos en Damiata y en Túnez de Berbería, y agora con palabras prestadas me han pagado. ¡Dios les dé el mal año! Quisiera yo, ¡pese al diablo!, que metieran la mano a la bolsa por cualque docena de ducados, como hacía yo en aquel tiempo, y si no los

_____

se halla así reducido a su atributo fundamental por metonimia rehilada.

[12] Véase Introducción, págs. 128-129 y mam. LXIV, nota 19.

[13] *sepa*: «deba».

[14] Obsérvese con qué toques anuncia Delicado la decadencia de Lozana.

[15] Se despide malamente Giraldo (que da una vuelta como *veleta,* característica incluida en su nombre) cuando se da cuenta de que Lozana, ahora pobre, no puede serle de ningún provecho.

tenía se los hacía dar a mi señor Diomedes[16], y a sus criados los hacía vestir, y agora a mala pena me conocen, porque sembré en Porcuna[17]. Bien me decía Diomedes: —Guárdate, que éstos a quien tú haces bien te han de hacer mal. ¡Mirá qué canes renegados, villanos secretos, capotes de terciopelo![18]. Por estos tales se debía decir: si te vi no me acuerdo; quien sirve a munchos no sirve a ninguno[19].

---

[16] Lozana se acuerda de la época de Diomedes como del periodo fastuoso, lo que prueba, a pesar de todo lo que dice el autor de sus ganancias en Roma, y de su talento sin par, que ha venido decayendo con el tiempo, siendo mejor, *una vez más,* el pasado.

[17] *sembré en Porcuna:* Véase mam. XXXIV, nota 15.

[18] *capotes de terciopelo:* Ugolini piensa que la referencia al terciopelo se debe a que este tejido cambia de color según el ángulo desde el que se mira, lo que me parece muy acertado, y además muy adecuado para caracterizar la conducta de Giraldo, protavoz del grupo de los antiguos «amigos». Pero no creo imposible que la voz *capote* aluda también, en boca de la defraudada Lozana, al hecho de que «le han dado capote» por no darle parte en su rancho, aunque lo hicieron con toda la urbanidad requerida («señora, servir»), o sea «aterciopeladamente».

[19] La filosofía de Lozana halla una vez más su expresión en el campo paremiológico (véanse: «si te vi...» y «Quien sirve...» en Correas).

La figura central, en esta habitación dominada por la gula (parte superior: véase lo que cuelga del techo), es Lozana con sus «tenacillas» en la mano, en actitud de depilar a la cortesana Clarina. Al fondo está Divicia acostada con Sagüeso probablemetne (véanse mam. LII y LIII). Más sorprendente es la presencia, entre las clientas de Lozana, de Oriana: este personaje no aparece nunca en el texto del *Retrato*. Pero si recordamos que se llamaba Oriana la novia de Amadís de Gaula, quizás haya que interpretar su presencia en el lupanar como indicio de uno de los blancos de la parodia de Delicado. La pareja Lozana-Rampín, con su misterioso y prolongado noviazgo y una boda *in extremis*, recuerda el tipo de relaciones que mantuvieron los héroes de la novela de caballerías, como también varios detalles de las aventuras marítimas de Lozana (mam. IV) evocan diversos motivos del *Amadís,* sin hablar de Rampín, «bravo de la Peña Camasia», equiparado así con el Doncel del Mar. De Aquilea, que tampoco aparece en la novela, no he podido averiguar nada; quizás sea también la protagonista de una novela de caballerías, o referencia a Aquiles disfrazado de mujer (véase *Ilíada*). Observermos que Rampín está representado dos veces: a la izquierda, con una «mano de mortero» (cfr. mam. XIV), y a la derecha, con un fuelle para avivar, metafóricamente también, la lumbre. Esta doble representación corresponde al misterio que rodea al amante de Lozana en su presentación inicial (mam. V y X), en la que aparece uno y doble (o sea impar y par compañero de la sin par que tiene pares: véase Introducción). En fin, una de las tres mujeres que esperan turno está leyendo, probablemente en voz alta; detalle a mi parecer importantísimo (ver Introducción).

PARTE TERCERA

MAMOTRETO XLI

Aquí comienza la tercera parte del retrato, y serán más gracio-sas cosas que lo pasado [1]. *Cómo tornó a casa y afeitó con lo que traía las sobredichas* [2], *y cómo se fueron, y su criado con ellas, y quedó sola, y contaba todo lo que había menester para su trato que quería comenzar. Y de aquí adelante le daremos fin.*

LOZANA.—Agora que me arremangué a poner trato en mi casa, vale todo caro. Andar, pase por agora por contentar estas putas, que después yo sabré lo que tengo de hacer.

GRIEGA.—¡Míramela cuál viene, que le nazcan barbas, na-rices de medalla! [3].

LOZANA.—Parece mi casa atalaya de putas [4]. Más puse del mío que no me distes.

---

[1] Queda así bien patente el propósito lúdicro del autor; estas «cosas graciosas» permiten también entender que, en la última página del li-bro, cuando escribe de él que son «cosas ridiculosas», quiere solamente decir lo mismo que aquí.

[2] No hay ruptura de una parte a otra: la división del libro es pura-mente formal, sin vínculo real con la separación de los diversos nú-cleos narrativos o escenas. La mayor parte de las veces, las rupturas se producen dentro de los mamotretos, que se merecen así su defini-ción como «desorden».

[3] La consabida alusión a su nariz roma viene precedida aquí de una maldición que se cumplirá, hallando su expresión en el último nombre de la protagonista: Vellida.

[4] *atalaya de putas:* es ambiguo, puesto que no se sabe si son las pu-tas las que atalayan o si se les atalaya a ellas; lo más probable es que

373

TULIA.—¡Sús, a mí primero, señora Lozana!

LOZANA.—Andá, no curéis, que eso hace primero para esto que a la postre[5].

—Vení acá vos, gaitero[6]. Id con ellas y mirá que es convite de catalanes, una vez en vida y otra en muerte. Apañá lo que pudiéredes, que licencia tenés plomada d'estas señoras putas, que sus copos[7] lo pagarán todo. Garbeá y traer de cara casa y no palos[8].Caminá delante; id cantando.

---

haya reciprocidad, pudiendo ver ella a sus clientes, y sus clientes a ellas en casa de la medianera. Además, sería para el autor el lugar ideal para observarlas.

[5] Entiendo que Lozana le dice a Tulia que es igual, para lo que va a hacerle, que pase primera o última.

[6] *gaitero:* creo que Lozana, con este nuevo apodo, alude no solamente a la escasa formalidad del que ha empezado a llamar su novio en el mamotreto anterior, ni a sus acostumbrados trajes llamativos, sino también a su característica esencial: la gaita, o caramillo que tan bien toca.

[7] Véase mam. III, nota 5.

[8] *Garbeá, y traer de cara casa y no palos:* En *L. A. 69,* Damiani entendió *garbear* en el sentido que tiene la voz en germanía («robar», página 271, *s. v.*), pero en *R. 75* no se pone nota. Yo creo que, otra vez, tenemos con este imperativo, una referencia irónica al andar desgarbado de Rampín («calcotejo», «galindo», etc...), a quien Lozana le está aconsejando que *garbee,* es decir haga un esfuerzo por parecer elegante. *De cara,* en *L. A. 69* lo mismo que en *R. 75,* se explica como *hacia,* lo que critica Margherite Morreale en los siguientes términos: «Así a propósito de *garveá y traer de cara casa y no palos (R. 75,* pág. 298) no se puede remitir a §41.32 de dicha obra [Keniston, *Syntax...]* donde se ilustra *cara* por *hacia.* El pasaje es oscuro; podría intentarse siquiera la inversión de *cara* y *casa;* cfr. *hacer cara,* pág. 294.» Esta vez no me convence mucho la proposición de Margherite, ni creo se entienda mejor *traer de casa cara y no palos,* ni veo que *traer cara (?)* tenga que ver con *hacer cara,* «afrontar». Ugolini, por su parte, supone una errata y propone enmendar *cara casa* por «cada cosa». Tampoco me gusta esta frase, pero no me parece tan mala la interpretación de Damiani *(cara* como «hacia»), aunque tenemos aquí *de cara* y no *cara;* «hacia» pudo decirse *cara* pero normalmente *de cara* significa «enfrente». Si falta una palabra quizá sea *todo: traer de todo;* ¡*cara casa y no palos!* Podría querer decir Lozana a su criado o novio que lo traiga todo, y hacia la casa sin apartarse del camino recto, por palos, ya aludan éstos a una pendencia eventual (conoce el temible genio de Rampín), ya a los *palos* de la baraja, puesto que conocemos la afición al juego de este hombre tan «putañero y jugador» como el padre de Lozana. Lo que va cantando después permitiría entender que el criado no sabe

374

RAMPÍN.—¿Qué dirán que guardo,
mal logrado?
¿Qué dirán que guardo?

LOZANA.—¡Bueno, por mi vida, bueno como almotacén de
mi tierra![9]. Aquí me quedo sola. Deseo tenía de venir a mi casa
que, como dicen: mi casa y mi hogar cien ducados val[10]. Ya
no quiero andar tras el rabo de putas. Hasta agora no he perdido nada; de aquí adelante quiero que ellas me busquen. No
quiero que de mí se diga puta de todo trance, alcatara[11] a la
fin. Yo quiero de aquí adelante mirar por mi honra, que, como
dicen: a los audaces la fortuna les ayuda. Primeramente yo tengo buena mano ligera para quitar cejas, y sélo hacer mejor que
yo me pienso, y tengo aquí esta casa al paso, y tengo este hombre que mira por mi casa, y me escalienta, y me da dentro con
buen ánimo, y no se sabe sino que sea mi mozo[12], y nunca me

guardar (porque juega) a pesar de lo que le dijera Lozana al principio
de su unión: «y lo que yo ganare, sabeldo vos guardar» (cfr. además mamotreto XLII: «si se mete a jugar no torna acá hoy...»).

[9] Es probable que Lozana se refiera a Rampín, que se está alejan-
do hasta desaparecer como se ve en la frase siguiente, en su comparación con los almotacenes de su tierra. Pienso que hay ironía por partida doble, primero porque los almotacenes de la tierra de Lozana serían cordobeses, es decir, con el valor que tiene regularmente la palabra en la novela, especialistas en engaños, y en segundo lugar porque
Rampín es *bueno,* como se ha dicho varias veces, por los cuernos que
consiente y le mantienen (cfr. más abajo: «nunca me demanda celoss...
es como un ciervo ligero»).

[10] *mi casa... val:* refrán registrado en Correas y en Covarrubias
(s. v. *hogar).*

[11] *alcatara:* «alquitara, alambique». Según *R. 75* (pág. 300, nota 12),
sería más lógica la interpretación «alcatraza=alcartaza» (véase *supra,*
mam. XXXV, nota 17). Sin embargo, a no ser que se lea *alcatára,* o
sea *alcántara* por «alcantarilla», hay otra ocurrencia de la palabra *alcatara* (referida a las actividades de Lozana) en el mam. LII (ver
nota 6), donde parece significar «alambique». Quizás haya que entender aquí: «puta destilada» o «quintaesencia de puta», siendo la expresión más o menos sinónima de «puta de todo trance». Lo que me parece interesante aquí es la alusión implícita al tiempo que pasa, y a la
vejez, que se acerca: ¿cuántos años tendrá Lozana para pensar en aban-
donar la prostitución activa? cuarenta quizás si recordamos lo que dijo
el patrón en el mam. XXXIX.

[12] *mi mozo:* sin embargo, en el mamotreto anterior, le llamó «mi novio» en presencia de la griega. En toda la tercera parte hay un juego
sobre las relaciones de Lozana y Rampín, o mejor dicho sobre lo que

demanda celos, y es como un ciervo ligero. Asimesmo tengo muncha plática con quien yo tengo de usar este oficio. Yo soy querida y amada de cuantas cortesanas favoridas hay, yo so conocida ansí en Roma como en el vulgo y fuera de Roma de munchos a quien yo he favorecido, y me traerán presentes de fuera, que terné mi casa abastecida. Y si amuestro favor a villanos, vernán sus mujeres y, porque las enseñe cómo se han de hacer bellas, me traerán pasitas de higos y otras mil cosas, como la tibulesa por el cuatrín del sublimato que le vendí, y como le prometí que otra vez le daría otra cosa mejor porque secretamente se afeitase, pensó que hurtaba bogas[13], y envióme olivas y munchas manzanas y granadas que de Baena no podían ser mejores. Pues si una villana me conoce, ¿qué haré cuando todas me tomen en plática? Que mi casa será colmena, y también, si yo asiento en mi casa, no me faltarán munchos que yo tengo ya domados, y mitirillo por encarnar[14], y será más a mi honra y a mi provecho, que no tomo sabor en casa de otrie, y si quisiere comer en mi casa, será a costa de otrie y sabráme mejor. Que no verná hombre aquí que no saque d'él

---

de ellas se dice. Lo interpreto como parodia de los amores e interminables noviazgos de los libros de caballerías, con la boda al final de Lozana (a pesar de que no quiere ser la reina Ginebra) con su bravo de la peña Camasia. Éste, por el momento, va a verse precisado, en la frase que sigue, como *bueno,* según he dicho ya *supra,* nota 9, lo que también podría ser épico en otros contextos.

[13] *pensó que hurtaba bogas:* es frase hecha que comenta Covarrubias: «del que metió la mano en el banasto del pescador y tomó unos ruines pececillos. Es la boga un pescado muy sabroso y sano; dícese del que comprando o trocando alguna cosa, tiene opinión de que ha hecho buena compra y engañado al mercader que le hizo la venta» (707, b, 8). Lo aplica pues Lozana a la campesina que imaginaba salir ganando en el negocio.

[14] *y mitirillo por encarnar:* aunque no resulta muy claro, no estoy de acuerdo con la nota 19, pág. 301 y de *R. 75:* «debe de ser algún dicho de tipo irónico por antífrasis, pues no hay noticia de que el mirtilo o arándano haga engordar, eso es *encarnazar».* No sé de dónde viene la asimilación *mirtillo/mitilo;* personalmente no he podido documentar esta palabra. En cuanto a *encarnazar,* no creo que signifique *encarnar* ni *engordar.* El contexto me parece sugerir más bien que los clientes que ya tiene Lozana (los que ya tiene «domados») serán cebo o señuelo para atraer otros, serán mitirillo (?) para *encarnazar,* o sea para echar *carnada* o *cebo,* «para cazar sin red», como dice el autor en el *Argumento.* Pero tampoco he podido documentar este verbo *encarnazar.*

cuándo de la leña, otro el carbón, y otro el vino, y otro el pan y otro la carne, y ansí, de mano en mano, sacaré la expesa[15], que no se sentirá, y esto riendo y burlando, que cada uno será contento de dar para estas cosas, porque no parece que sean nada cuando el hombre demanda un bayoque para peras[16], y como les sea poquedad sacar un bayoque, sacarán un julio y un carlín, y por ruin se tiene quien saca un groso. Ansí que, si yo quiero saber vivir, es menester que muestre no querer tanto cuanto me dan, y ellos no querrán tomar el demás, y ansí se quedará todo en casa. Otros vernán que traerán el seso en la punta del caramillo[17], y con éstos se ganará más, porque no tienen tiento hasta variar su pasión, y demandándoles darán cuanto tienen. Y vernán otros que, con el amor que tienen, no comen, y hacelles he comprar de comer y pagar lo comprado, y hacelle he que corte, y comeré yo y mi criado, y así se castigan los necios. Y vernán otros que no serán salamones[18], y afrentallos luego en dos o tres julios para cartas, y vernán otros novicios[19] que agora vuelan. A estos tales no demandalles nada, sino fingir que si ellos tuviesen que yo no pasaría necesidad, y darme han fin a las bragas[20], y cuanto más si los alabo de valientes y que son amados de la tal, y que no vinieron a tiempo, y que el enamorado ha de ser gastador como el tal, y no mísero como el tal, y alabarlos que tienen gran cosa[21], que es esto para muchachos hacellos reyes. Y a todos mirar de qué grado y condición son, y en qué los puedo yo coger, y a qué se extiende su facultad, y ansí sacaré provecho y pagamiento, si no en dineros, en otras cosas, como de pajes, rapinas, y de hijos de mercaderes, robaína, y ansí daré a todos melecina. Yo sé que si me dispongo a no tener empacho, y vo por la calle con

---

[15] *la expesa:* «el gasto».

[16] *Venecia 1528:* «perras» (corregido en *peras* en todas las ediciones).

[17] *caramillo:* «flauta», «zampoña», metáfora por «pene».

[18] *Salamón:* corriente, por «Salomón».

[19] *novicios:* se les llama también *bisoños,* de los cuales se hablará en el mam. XLIX.

[20] *fin a las bragas:* hasta (ital. «fin a») las bragas [y yo creo que pasarán]. Se reconoce aquí la filosofía de la alcahueta que quiere sacar provecho de su oficio, y también deleite porque tienen que «cabalgarla primero». Nótese además el procedimiento de ironía: Lozana está soñando con un futuro feliz, pero la peripecia que imagina aquí con los novicios o bisoños —y que realmente se cumplirá— redundará en detrimento suyo: véase la burla de Trujillo (mam. XLIX y L).

[21] ¿Qué es cosa y cosa? El que no me lo acierta..., etc.

mi cestillo[22] y llevo en él todos los aparejos que se requieren para aconchar, que no me faltará la merced del Señor[23], y si soy vergonzosa seré pobre, y como dicen: mejor es tener que no demandar. Así que, si tengo de hacer este oficio, quiero que se diga que no fue otra que mejor lo hiciese que yo. ¿Qué vale a ninguno lo que sabe si no lo procura saber y hacer mejor que otrie? Ejemplo gratia: si uno no es buen jugador, ¿no pierde? Si es ladrón bueno, sábese guardar que no lo tomen. Ha de poner el hombre en lo que se hace gran diligencia y poca vergüenzna y rota conciencia para salir con su empresa al corrillo de la gente[24].

Mamotreto XLII

Cómo, estando la Lozana sola, diciendo lo que le convenía hacer para tratar y platicar en esta tierra sin servir a nadie, entró el autor callando, y disputaron los dos; y dice el autor:

—Si está en casa la Lozana, quiero vella y demandalle un poco de algalia para mi huéspeda qu'está sorda. En casa está. ¡Dame! ¿Con quién habla? ¡Voto a mí, que debe de estar enojada con cualque puta! Y agora todo lo que dice será nada, que después serán amigas antes que sea noche, porque ni ella sin ellas, ni ellas sin ella no pueden vivir. Sabello tengo; que cualque cosa no le han querido dar, y por esto son todas estas braverías o braveaduras: ¿Quién mató a leona?, ¿quién la mató? ¡Matóla vuestro yerno, marido de vuestra hija! Así será esta cuistión. Su criado habrá muerto cualque ratón, y pensará que sea leona[1]. ¡Otra cosa es, agora la entiendo! ¿Qué dice de

---

[22] *cestillo:* cfr. mam. LVII, epígrafe.
[23] Es sabido que le gustan los virgos. No se olvide que la vieja Lozana acabará santamente (véase el epígrafe del mam. LXVI).
[24] Máxima de las más picarescas que, por lo visto, no impide que haya salvación.

[1] Reminiscencia del «cidiano» episodio de la caída de Rampín en la letrina (véase mam. XXXIII, notas 15 y 16). Se suele hablar de agrandamiento épico, pero aquí, en el registro paródico, las cosas pueden

sueños? También sabe de agüeros, y no sé qué otra cosa dijo de urracas y de tordos que saben hablar y que ella sabría vivir. ¿El Persio he oído?[2]. ¡Oh, pese a san, con la puta astuta! ¡Y no le bastaba Ovidio, sino Persio! Quiero sobir, que no es de perder, sino de gozar de sus desparates, y quiero atar bien la bolsa antes que suba, que tiene mala boca[3] y siempre mira allí. Creo que sus ojos se hicieron de bolsa ajena, aunque yo siempre oí decir que los ojos de las mujeres se hicieron de la bragueta del hombre, porque siempre miran allí, y ésta a la bolsa[4]: de manera que para con ella no basta un ñudo en la bolsa y dos gordos en la boca[5], porque huele los dineros donde están.

—Señora Lozana, ¿tiene algo de bueno a que me convide?, que vengo cansado, y parecióme que no hacía mi deber si no entraba a veros, que, como vos sabéis, os quiero yo muncho por ser de hacia mi tierra. Bien sabéis que los días pasados me hecistes pagar unas calzas a la Maya, y no quería yo aquello, sino cualque viuda que me hiciese un hijo y pagalla bien, y vos que no perdiésedes nada en avisarme de cosa limpia sobre todo, y haremos un depósito[6] que cualquier mujer se contente, y vos primero.

---

suceder al revés: así la que fuera *rata grande,* ya de por sí ridícula comparada con el león de Ruy Díaz, es ahora «cualquier ratón».

[2] *Venecia 1528:* «El Persio ha oído», pero debe de ser errata porque el autor está escuchando lo que se dice dentro, y se habla a sí mismo. En cuanto al Persio, que Lozana parece conocer tanto como a Ovidio, debe de ser el poeta satírico latino (34-62, o sea siglo I d. C.) Aulo Persio Flaco.

[3] *que tiene mala boca:* no creo que «tiene mala boca» signifique aquí lo que normalmente (maldiciente), pero no sé si el autor se refiere a la boca de su bolsa, alabándose de liberal (con la boca de su bolsa siempre abierta), o a Lozana que siempre sabe soltar la maldita para pedir (le hiede la boca), si se da cuenta de que tiene dinero el visitante. Lo cierto es que, después, es la mujer la que siempre «mira allí», es decir a la bolsa.

[4] Nótese que si Lozana mira siempre la bolsa, sus encuentros con Diomedes y Rampín prueban que tampoco desdeña lo otro; pero, finalmente, es posible que bragueta y bolsa estén en una relación biunívoca (como dicen los lingüistas modernos).

[5] Cfr. *Un ñudo a la bolsa y dos a la boca.* Elegante consejo; y trocado: *Dos ñudos a la boca y uno a la bolsa;* o: *un ñudo a la boca y dos a la bolsa* (Correas, 178, a). Citado también en *R. 75,* pág. 304.

[6] Este *depósito,* considerando que *el autor* quiere pagar pero que también quiere hijo (en cosa limpia), podría ser ambivalente (el «y vos primero» no puede molestar para dicha ambigüedad, puesto que Lo-

LOZANA.—Señor, a todo hay remedio sino a la muerte[7]. Asentáos, y haremos colación con esto que ha traído mi criado, y después hablaremos.

—Va por vino. ¿Qué dices? ¡Oh buen grado haya tu agüelo![8] ¿Y de dos julios no tienes cuatrín? ¡Pues busca, que yo no tengo sino dos cuatrinos!

AUTOR.—Deja estar: toma, cambia, y trae lo que has de traer.

LOZANA.—¡Por mi vida, no le deis nada, qu'él buscará! D'esa manera no le faltará a él qué jugar.

—¡Caminá pues, vení presto!

—¿Sabéis, señor, qué he pensado? Que quizá Dios os ha traído hoy por aquí. A mí me ha venido mi camisa[9], y quiero ir esta tarde al estufa, y como venga, que peguemos con ello[10], y yo soy d'esta complisión, que como yo quiero, luego encajo, y mirá, llegar y pegar todo será uno. Y bástame a mí que lo hagáis criar vos, que no quiero otro depósito. Y sea mañana, y veníos acá, y comeremos un medio cabrieto, que sé yo hacer apedreado[11].

AUTOR.—¡Hi, hi! Veis, viene el vino *in quo est luxuria*.

LOZANA.—Dame a beber, y da el resto del ducado a su dueño.

RAMPÍN.—¿Qué resto? Veislo ahí, todo es guarnacha y malvasía de Candía, que cuesta dos julios el bocal, ¿y queréis resto?

LOZANA.—¡Mirá el borracho! ¿Y por fuerza habéis vos de traer guarnacha? ¡Trajérades corso o griego, y no expendiera tanto!

AUTOR.—Anda, hermano, que bien hecistes traer siempre de lo mejor. Toma, tráeme un poco de papel y tinta, que quiero notar aquí una cosa que se me recordó agora.

LOZANA.—¡Mirá, mancebo, sea ese julio como el ducado, hacé de las vuestras!

---

zana quiere retribución monetaria pero también que «se la refrende primero».

[7] Frase proverbial conocida (la registra Correas).

[8] Debe de ser adaptación jocosa de «buen siglo haya...», pero es para preguntarse lo que entiende Lozana por *grado:* probablemente *agrado* (gusto), pero creo que me haría más gracia el grado universitario.

[9] *camisa:* aquí «menstruo».

[10] Se refiere a lo que desea *el autor:* pegar (o ligar) con cosa limpia para tener un hijo.

[11] Ya sabía hacerlo Aldonza con limón ceutí (mam. II).

—Señor, si él se mete a jugar no torna acá hoy, que yo lo conozco.

AUTOR.—¿En qué pasáis tiempo, mi señora?

LOZANA.—Cuando vino vuestra merced, estaba diciendo el modo que tengo de tener para vivir, que quien veza a los papagayos a hablar, me vezará a mí a ganar[12]. Yo sé ensalmar y encomendar y santiguar cuando alguno está aojado, que una vieja me vezó, que era saludadera y buena como yo[13]. Sé quitar ahitos, sé para lombrices, sé encantar la terciana, sé remedio para la cuartana y para el mal de la madre. Sé cortar frenillos de bobos y no bobos, sé hacer que no duelan los riñones y sanar las renes[14], y sé medicar la natura de la mujer y la del hombre, sé sanar la sordera y sé ensolver sueños, sé conocer en la frente la fisionomía, y la quiromancia en la mano, y prenosticar[15].

AUTOR.—Señora Lozana, a todo quiero callar, mas a esto de los sueños, ni mirar en abusiones, no lo quiero comportar. Y pues sois mujer de ingenio, notá que el hombre, cuando duerme sin cuidado, y bien cubierto y harto el estómago, nunca sueña, y al contrario, asimismo, cuando duerme el hombre sobre el lado del corazón, sueña cosas de gran tormento, y cuando despierta y se halla que no cayó de tan alto como soñaba, está muy contento, y si miráis en ello, veréis que sea verdad[16]. Y otras veces sueña el hombre que comía o dormía con la tal persona, que ha gran tiempo que no la vido, y otro día verála o hablarán d'ella, y piensa que aquello sea lo que soñó, y son

---

[12] Muy interesante para apreciar qué clase de saber es el de Lozana: gana ella (cuando gana) como hablan los papagayos, o sea con frases discretas pero sin inteligencia ni conocimiento, como se comenta en *Autoridades* (s. v. *papagayo*). O sea, como dice Lozana en otra parte: *si pega, pega*.

[13] Es decir, que la vieja era bruja y puta. Para la ironía, y el sistema de espejos y pronósticos, véase mam. XVIII, nota 14.

[14] *las renes*: «los riñones».

[15] La fisionomía en la frente o el rostro, la quiromancia en la mano, y pronosticar... probablemente la ventura y el futuro: y de hacer pleonasmos no se hable.

[16] En *R. 75* se apunta aquí (nota 30, pág. 307) que «reitera el autor lo ya mencionado por la Lozana en mam. XXXI; por esto, el desacuerdo ostensible del autor es una equivocación». Estoy de acuerdo con la observación, pero no con la conclusión, porque, a mi modo de entender, es una burla (sobre las contradicciones como sistema, véase Introducción).

los humos del estómago, que fueron a la cabeza, y por eso conforman los otros sentidos con la memoria. Ansí que, como dicen los maestros que vezan los niños en las materias, munchas veces acaece qu'el muchacho sueña dineros, y a la mañana se le ensuelven en azotes. También decís que hay aojados; esto quiero que os quitéis de la fantasía, porque no hay ojo malo[17], y si me decís, como yo vi, una mujer que dijo a un niño que su madre criaba muy lindo, y dijo la otra: ¡ay, qué lindo hijo y qué gordico! y alora[18] el niño no alzó cabeza, esto no era mal ojo, mas mala lengua, y dañada intención y venenosa malicia, como sierpe que trae el veneno en los dientes, que si dijera ¡Dios sea loado que lo crió!, no le pudiera empecer. Y si me decís cómo aquella mujer lo pudo empecer con tan dulce palabra, digo que la culebra con la lengua hace caricias, y da el veneno con la cola y con los dientes. Y notá: habéis de saber que todas vosotras, por la mayor parte, sois más prestas al mal y a la envidia que no al bien, y si la malicia no reinase más en unas que en otras, no conoceríamos nosotros el remedio que es signarnos con el signo de la cruz contra la malicia y dañada intención de aquéllas, digo, que lícitamente se podrían decir miembros del diablo. A lo que de los agüeros y de las suertes decís, digo que si tal vos miráis, que hacéis mal, vos y quien tal cree, y para esto notá que munchos de los agüeros en que miran, por la mayor parte, son alimañas o aves que vuelan. A esto digo que es suciedad creer que una criatura criada tenga poder de hacer lo que puede hacer su Criador, que tú que viste aquel animal que se desperezó, y has miedo, mira que si quieres, en virtud de su Criador, le mandarás que reviente y reventará. Y por eso tú debes creer en el tu Criador, que es omnipotente, y da la potencia y la virtud, y no a su criatura. Ansí que, señora, la cruz sana con el romero, no el romero sin la cruz, que ninguna criatura os puede empecer tanto cuanto la cruz os puede defender y ayudar. Por tanto, os ruego me digáis vuestra intención[19].

[17] Véase nota 19.

[18] *alora* (ital. *allora)*: «entonces».

[19] Con la excepción de la afirmación de que «no hay ojo malo» al principio de este párrafo sobre el mal de ojo, no veo la menor huella de chiste; y aun, «no hay ojo malo» puede interpretarse como juego, más a causa de la tonalidad general del libro que del pasaje que introduce aquí, el cual, como dicen los editores de *R. 75* (nota 39, pág. 308) «tiene traza de sermón dominical» aunque no les parece «sincera re-

LOZANA.—Cuanto vos me habéis dicho es santo y bueno, mas mirá bien mi respuesta, y es que, para ganar de comer, tengo de decir que sé muncho más que no sé[20], y afirmar la mentira con ingenio, por sacar la verdad. ¿Pensáis vos que si yo digo a una mujer un sueño, que no le saco primero cuanto tiene en el buche? Y dígole yo cualque cosa que veo yo que allí tiene ella ojo, y tal vuelta el ánima apasionada no se acuerda de sí misma[21], y yo dígole lo que ella otra vez ha dicho, y como ve que yo acierto en una cosa, piensa que todo es ansí, que de otra manera no ganaría nada. Mirá el prenóstico que hice cuando murió el emperador Maximiliano, que decían quién será emperador. Dije: yo oí aquel loco que pasaba diciendo oliva d'España[22], d'España, d'España, que más de un año turó, que otra

<hr>

probación de creencias en que, por aquel tiempo (mam. XVII, nota 26) casi todo el mundo creía». Para mí, sin embargo, es difícil afirmar que la reprobación no es sincera, ni la amplia difusión de tales creencias me parece prueba de que los predicadores también las compartieran, todo lo contrario; en *La Lozana* además, seria o jocosamente, todo está encaminado a desmentir las habilidades de hechicera o bruja de Lozana, como lo prueba, aquí mismo, su respuesta. Covarrubias, en su artículo *aojar,* después de enumerar las supersticiones relativas a este mal, concluye: «Todo esto es superstición y burla, y sólo se ha traído para curiosidad y no para que se le dé crédito; verdad es que no del todo se reprueba la opinión de que hay mal de ojo, y que la mujer que está con su regla suele empañar el espejo mirándose a él, y ésta podría hacer daño al niño, y algunas otras personas compuestas de malos humores. Yo me remito a la escuela de los médicos y no a la común opinión del vulgo» (129, a, 42). Para volver a Delicado, aunque no creo que fuese incapaz de escribir esa diatriba contra la superstición del mal de ojo, cabe imaginar también que la sacara de cualquier manual de predicación, conforme a la técnica de compilación de que habla en su definición del mamotreto, y por haber avisado, lo haría con menos culpa que el presentado de Góngora, en la letrilla del «bien puede ser».

[20] Véase *Argumento,* nota 8.

[21] *el ánima... sí misma:* parecen dos versos sacados de un poema amoroso, o místico. Esta formulación, introduce aquí, en el nivel estilístico, una disonancia sorprendente.

[22] Este grito se repite dos veces en el mam. LXII, en el epígrafe y en los diálogos; en este caso claramente de júbilo, como parece serlo también aquí, donde se refiere al monarca español Carlos V, sucesor de su abuelo Maximiliano en el trono imperial, en 1519. Siendo francés el otro candidato, «Oliva de España» pudo ser pronóstico de la elección de don Carlos, pero, de no ser comparación implícita del emperador con el famoso caballero Palmerín de Oliva, me pregunto si De-

cosa no decían sino d'España, d'España. Y agora que ha un año que parece que no se dice otro sino carne, carne, carne salata[23], yo digo que gran carnecería se ha de hacer en Roma.

AUTOR.—Señora Lozana, yo me quiero ir, y estó siempre a vuestro servicio. Y digo que es verdad un dicho que munchas veces leí, que, *quidquid agunt homines, intentio salvat omnes*[24]. Donde se ve claro que vuestra intención es buscar la vida en diversas maneras, de tal modo que otro cría las gallinas y vos coméis los pollos sin perjudicio ni fatiga. Felice Lozana, que no habría putas si no hubiese rufianas que las injiriesen a las buenas con las malas.

MAMOTRETO XLIII

Cómo salía el autor de casa de la Lozana, y encontró una fantesca[1] *cargada y un villano con dos asnos cargados, uno de cebollas y otro de castañas, y después se fue el autor con un su amigo, contándole las cosas de la Lozana.*

AUTOR.—¿Qué cosa es esto que traés, señoreta?

JACOMINA.—Bastimento para la cena, que viene aquí mi señora y un su amigo notario, y agora verná su mozo, que trae dos cargas de leña. Señor, ¿es vuestra merced de casa? Ayúdeme a descargar, que se me cae el bote de la mostaza.

AUTOR.—Sube, que arriba está la Lozana.

—¿Qué quieres tú? ¿Vendes esas cebollas?

VILLANO.—Señor, no, que son para presentar a una señora que se llama la Fresca[2], que mora aquí, porque me sanó a mi hijo del ahito.

---

licado no convirtió chistosamente en vítor lo que fuera pregón de cualquier vendedor ambulante de aceitunas.

[23] *carne salata* (salada): «grito usado en los tumultos populares» (Damiani, *L. A. 69*, pág. 178; para más detalles véase *R. 75*, nota 46, página 309). Anuncia aquí la sexta alusión al saco de Roma de 1527.

[24] «Cualquier cosa que hagan los hombres, les salva a todos la intención.»

[1] *fantesca*: «criada».

[2] La Fresca es Lozana: véase Introducción, nota 125.

AUTOR.—Llamá, que ahí está. Esas castañas son para que se ahíte ella, y tú con sus pedos[3].

VILLANO.—Micer, sí.

AUTOR.—¡Pues voto a Dios, que no hay letrado en Valladolid que tantos cliéntulos tenga! Pues aquéllas, ocultas allá van, que por ella demandan, y no me partiré de aquí sin ver el trato que esta mujer tiene. Allá entra la una, y otra mujer con dos ánades. Aquélla no es puta, sino mal de madre; yo lo sabré al salir. Ya se va el villano. Ya viene la leña para la cena; milagros hace, que la quiere menuda. Ya van por más leña, dice que sea seca. Al mozo envía que traiga especias y azúcar, y que sean hartas y sin moler, que traiga candelas de sebo de las gordas, y que traiga hartas, por su amor, que será tarde, que han de jugar: yo me maravillaba si no lo sabía decir. A mi fidamani que ella cene más de tres noches con candelas de notario[4] y a costa de cualque monitorio[5]. ¿Veis dó sale la de los anadones? Quiero saber qué cosa es.

—Decime, madre, ¿cómo os llamáis?

VITORIA.—Fijo, Vitoria, enferma de la madre, y esta señora española me ha dado aqueste cerote para poner al omblígo.

AUTOR.—Decíme, señora, ¿qué mete dentro, si vistes?

VITORIA.—Yo's lo diré, gálbano y armoníaco, que consuma la ventosidad. Y perdonadme, que tengo priesa.

AUTOR.—Ándate en buen hora. Yo me quiero estar aquí y ver aquel palafrenero a qué entra allá, que no estará muncho, que ya viene el notario o novio[6] ¿qué será? ¿Cardico[7] y mojama le trae? ¡el ladrón! Bueno, pues entra, que ahí te quiero yo,

---

[3] Alusión a un consejo proverbial: «Fiá en castañas» que Correas comenta: «Que no hay que fiar que deje de ventosear quien las come, y usar el ruin sus mañas» (340, a).

[4] *Notario* es profesión más que sospechosa en *La Lozana* (véase Introducción, nota 106, y aquí un poco más abajo). Por eso, esas *candelas* (que también se cenan, si se acepta que *cenar con candelas* pueda encubrir un doble sentido) podrían propiciar tanto alumbramiento como lumbre (ya se ha visto en el mam. XVII, nota 9, para qué servían, en ocasiones, los cirios pascuales). Sobre *a mi fidamani,* véase mam. XXVIII, nota 15.

[5] Es para preguntarse qué clase de amonestaciones haría después de sus visitas a Lozana este tal monitorio.

[6] Véase arriba, nota 4, y abajo, nota 11.

[7] *Cardico:* variedad de cardo, planta comestible que aprecian particularmente Lozana y Rampín (véase mam. XIV, nota 35); podría ser *alcachofa* según Oudin.

que mejor notario es ella que tú, que ya está matriculada. Ya sale el otro; italiano es, mas bien habla español y es mi conocido.

—¡A vos, Penacho! ¿Qué se dice? ¿Sois servicial a la señora Lozana? ¿Qué cosa es eso que lleváis?

PENACHO.—¡Juro a Dios, cosas buenas para el rabo! Guarda, que tú no lo dices a otro. Questo es para l'himorroide[8] que tiene monseñor mío. Adío.

AUTOR.—Va norabuena, que aquí viene quien yo deseaba.

—Si vuestra merced viniera más presto viera maravillas, y entre las otras cosas oyera un remedio que la señora Lozana ha dado para cierta enfermedad.

SILVANO[9].—Pues d'eso me quiero reír, que os maravilléis vos de sus remedios, sabiendo vos que remedia la Lozana a todos de cualquier mal o bien. A los que a ella venían no sé agora cómo hace, mas, en aquel tiempo que yo la conocí, embaucaba las gentes con sus palabras y por cierto que dos cosas le vi hacer; la una a un señor que había comido tósigo, y ella majó presto un rábano sin las hojas, y metiólo en vinagre fuerte, y púsoselo sobre el corazón y pulsos; y cuando fue la peste, ella en Velitre hizo esto mismo en vino bueno, y que tomase siempre placer, y que no se curase de otras píldoras ni purgas. Cada mes de mayo come una culebra; por eso está gorda y fresca la traidora, aunque ella de suyo lo era[10].

AUTOR.—¿No veis qué prisa se dan a entrar y salir putas y notarios[11]?

SILVANO.—Vámonos, que ya son vacaciones, pues que cierran la puerta.

---

[8] *himorroide:* que el monseñor tenga almorranas no tendría que llamar especialmente la atención si el que mira tan cuidadosamente por la parte dolorida («rabo») no se llamase Penacho, nombre de radical muy evocador, y sufijo no menos *(*pene-acho)* a pesar de que este análisis se aparta ligeramente de la etimología auténtica. Nótese además cómo Penacho le insiste al autor para que no divulgue el secreto.

[9] *Silvano:* el segundo amigo que se le conoce al autor después de *Silvio;* véase Introducción, nota 173.

[10] Ver Introducción, pág. 109.

[11] *notarios:* nótese el paso al plural que confiere un valor genérico a la profesión.

*Cómo fue otro día a visitarla este su conocido Silvano, y las
cosas que allí contaron.*

Silvano.—Señora Lozana, no se maravelle, que quien viene no viene tarde[1], y el deseo grande vuestro me ha traído, y
también por ver si hay pájaros en los nidos d'antaño[2].

Lozana.—Señor, nunca faltan palomas al palomar, y a
quien bien os quiere no le faltarán palominos que os dar.

Silvano.—No sean de camisa, que todo cuanto vos me decís os creo. ¡Dios os bendiga, qué gorda estáis!

Lozana.—Hermano, como a mis espesas[3] y sábeme bien, y
no tengo envidia al Papa, y gánolo, y esténtolo[4], y quiéromelo
gozar y triunfar, y mal año para putas, que ya las he dado de
mano, que por la luz de Dios, que si me han menester, que vienen cayendo[5], que ya no soy la que solía[6]. ¡Mirá qué casa, y
en qué lugar, y qué paramentos, y qué lecho que tengo! Salvo
que ese bellaco[7] me lo gasta cada noche, que no duerme seguro, y yo que nunca estoy queda, y vos que me entendéis, que
somos tres[8]. ¡Hi, hi! ¿Acordáisos de aquellos tiempos, pasados
cómo triunfábamos, y había otros modos de vivir, y eran las
putas más francas, y los galanes de aquel tiempo no compra-

---

[1] «Quien viene, no tarda» (Correas, 415, b).

[2] «En los nidos de antaño, no hay pájaros hogaño» (Correas, 127, b;
así también en Hernán Núñez).

[3] *espesas:* «expensas».

[4] *Estentar* parece significar «pagar» o «gastar» (véase mam. XXIX,
nota 13).

[5] *que vienen cayendo:* como se ha dicho ya *caer* es también «pagar»;
pero aquí se esperaría más bien un subjuntivo: «que vengan...».

[6] Se marca aquí otro hito en la decadencia de Lozana; y ella va a
iniciar una de sus variaciones y diferencias sobre el «cualquier tiempo
pasado...», tema anunciado al principio por la alusión a los nidos de
antaño.

[7] *ese bellaco* es, evidentemente, Rampín, bebedor, jugador y putañero.

[8] Por eso sale el bueno de Rampín; para que el tercero pueda quedarse tranquilo con Lozana (téngase en cuenta que ahora son novios).

ban oficios ni escuderatos como agora, que todo lo espendían con putas y en placeres y convites? Agora no hay sino maullantes (overo[9] como dicen en esta tierra: fotivento[10]) que todo el año hacen hebrero[11], y ansí se pasan. No como cuando yo me recuerdo, que venía yo cada sábado con una docena de ducados ganados en menos tiempo que no ha que venistes, y agora, cuando traigo doce julios, es muncho. Pues Sábado Santo me recuerdo venir tan cansada, que estaba toda la Pascua sin ir a estaciones, ni a ver parientas ni amigas, y agora este Sá-

---

[9] *overo:* ital., «ovvero»; «es decir» u «o bien»; véase también Introducción, nota 32: *ovverament* u *o veramente*.

[10] *fotivento* (ital «fottivento»); este animal, usado aquí como metáfora, plantea un problema, porque Delicado presenta la palabra como si fuera traducción de *maullante* (palabra ésta que evoca al gato), mientras que se trata de un ave de rapiña. En su «Thrésor de trois langues» (Español, francés, italiano), de 1617, César Oudin, sin dar traducción, explica que *fotivento* es «ucel de rapina», «gheppio altramenti», y s. v. *gheppio* da la equivalencia *cernícalo*. En su *L. A. 69,* Damiani pone «especie de búho» mientras que en *R. 75* dicen que *fotivento* corresponde ya al «chotacabras» ya al «alfaneque», siendo éste una especie de halcón pequeño, próximo al cernícalo. Ugolini da *fotivento* como «nottolone», que también es rapaz nocturno, tipo búho o lechuza. Sin embargo, Ugolini y los editores de *R. 75* coinciden en la existencia, para fottivento, de un sentido traslaticio, «pisaverde, petimetre», en *R. 75,* y más precisamente para Ugolini en la lengua del Aretino, *amoreggiatore vanitoso e di borsa scarsa»*.

Ahora bien, ¿qué sacar de todo ello? Yo creo que Delicado juega con tres clases de semas (la nocturnidad, el celo amoroso y la rapiña) comunes en gatos por una parte, y aves de rapiña nocturnas o enamorados nocherniegos por otra. Podría objetárseme que los gatos no son precisamente nocturnos, pero sí lo son en febrero, mes de sus amores (al menos proverbialmente), como los fotiventos (o en este caso «enamorados»») para quienes también la noche es capa de pecadores. Comparar el gato de febrero con el amoroso («amoreggiatore»») fotivento sería perder el tiempo. Ave de rapiña es, por definición, el ave llamada fotivento (ya sea halcón, ya sea búho); y en este caso también vale la comparación con el gato, ladrón tradicional, llamado por eso, por ejemplo en «La muerte de la gata de Juan Crespo, poema gatuno» (ed. H. Bonneville, Madrid, 1977, Aguirre, *Boletín Real Academia,* t. LVII, c. CCV): *Garfila, Garfiñanto, Zarpacano, Zarpantes y Zarpindo.* Me he explayado bastante en este detalle, sin mayor importancia lingüística, porque me parece ilustrar bastante bien el conceptismo bilingüe de Delicado.

[11] Cfr.: «Febrero, el mes de los gatos; cayeron en la cuenta, y toman todo el año» (Correas, 339, 2).

bado Santo con negros ocho ducadillos me encerré, que me maravillo cómo no me ahorqué. Pues las Navidades de aquel tiempo, ¡los aguinaldos y las manchas [12] que me daban! Como agora, cierto nunca tan gran estrechura [13] se vido a Cataluña ni en Florencia como agora hay en Roma: y si miráis en ello, entonces traían unas mangas bobas, y agora todos las traen a la perladesca [14]. No sé, por mí lo digo, que me maravillo cómo pueden vivir munchas pobres mujeres que han servido esta corte con sus haciendas y honras, y puesto su vida al tablero por honrar la corte y pelear y batallar, que no las bastaban puertas de hierro, y ponían sus copos por broquel y sus oídos por capacetes, combatiendo a sus espesas y a sus acostamientos [15] de noche y de día. Y agora ¿qué mérito [16] les dan?, salvo que unas, rotos brazos, otras, gastadas sus personas y bienes, otras, señaladas y con dolores, otras, paridas y desmamparadas, otras que siendo señoras son agora siervas, otras, estacioneras, otras, lavanderas, otras, estableras, otras, cabestro [17] de símiles, otras,

---

[12] Ya sabe Lozana lo que es *mancha*, «mancia» en italiano, es decir «manga» o «propina» (cfr. mam. III, nota 5).

[13] *estrechura* es «escasez», pero también «avaricia», de ahí la comparación con Cataluña (cfr. mam. XLI, la definición del *convite de catalanes*). No sé si se decía igual de los florentinos.

[14] *mangas a la perladesca,* o sea «como los prelados»; razón tiene Damiani al ver en estas mangas una alusión a la avaricia del clero (que suele traer mangas ajustadas) porque me malicio que estas *mangas* guardan cierta relación con las *manchas* comentadas arriba (nota 12).

[15] *a sus espesas y a sus acostamientos:* parece mera redundancia *(expensa=acostamiento* o «costo»), pero, desde luego, juega con *costo/costa* y *acostarse.*

[16] *mérito:* todo lo que sigue estriba en la asimilación (que permite la etimología) de *mérito, meritorio* y casos y cosas de *meretrices.* Es probable que el juego le fuera inspirado a Delicado por la lengua latina *(mereo, mereor)* y especialmente la comparación de la meretriz con el soldado, pues *mereri* o *merere* significa también en latín: «cobrar el sueldo (los militares)» y «hacer el servicio militar». En cuanto al hecho de que el senado romano diera «la taberna meritoria» a los soldados viejos o lisiados, como afirma Lozana, está documentado en *R. 75* (nota 27, pág. 317), pero hay que ver además lo que significan en latín «meritoria», «meritorium» (o sea «mancebía») y la «meritoria salutatio», que se aplica fundamentalmente a una visita de prostituta.

[17] *cabestro:* uno de los nombres de la alcahueta en el *Libro de Buen Amor* (924). Nótese de paso que casi todos los casos que evoca Lozana tienen su ilustración en la novela; no sin ironía además varios le cuadran a ella.

389

alcahuetas, otras, parteras, otras, cámara locanda[18], otras que
hilan y no son pagadas, otras que piden a quien pidió y sirven
a quien sirvió, otras que ayunan por no tener, otras por no poder, ansí que todas esperan que el senado las provea a cada
una según el tiempo que sirvió y los méritos que debe haber,
que sean satisfechas. Y según piensan y creen que harán una
taberna meritoria como antiguamente solían tener los romanos y agora la tienen venecianos, en la cual todos aquellos que
habían servido o combatido por el senado romano, si venían
a ser viejos o quedaban lisiados de sus miembros por las armas, o por la defensión del pueblo, les daban la dicha taberna
meritoria en la cual les proveían del vito e vestito. Esto alora[19]
era bueno, que el senado cobraba fama y los combatientes tenían esta esperanza, la cual causaba en ellos ánimo y lealtad,
y no solamente entonces, mas agora se espera que se dará a las
combatientes, en las cuales ha quedado el arte militario, y máxime a las que con buen ánimo han servido y sirven en esta
alma cibdad, las cuales, como dije, pusieron sus personas y fatigas al carro del triunfo pasado[20] por mantener la tierra y te-
nella abastada y honrada con sus personas, viniendo de lejos
y luengas partidas de diversas naciones y lenguajes, que si bien
se mira en ello, no hay tantos lenguajes en Babilonia, adonde
yo soy estada en mi juventud. Ansí que, si esto se hiciese, munchas más vernían, y sería como en las batallas cuando echan
delante la gente armada, y a la postre, cuando van faltando éstos, los peones y hombres d'armas, y esles fuerza pelear a ellos
y a los otros que esperaban seguir vitoria que, si bien vencen
el campo, no hay quien lo regocije como en la de Ravena[21], ni
quien favorezca el placer que consiguen por ser pocos y solos,
que no tienen quien los ayude a levantar; y así esperan la luna
de Boloña, que es como el socorro de Scalona[22]. Ansí que, tor-

---

[18] *cámara locanda:* aquí «prostituta», que en italiano quiere decir
que es cuarto que se alquila, es, aproximadamente, la traducción del
latín *taberna meritoria:* ¡véase la clase de juegos lingüísticos!

[19] *alora* (ital. «allora»): «entonces».

[20] Juega aquí con las palabras: «carro del triunfo» (como los romanos) y «triunfo pasado», como las rameras que un tiempo triunfaron
(«se dieron buena vida»), en detrimento, hay que concederlo, de la sintaxis lógica.

[21] *la de Ravena:* véase mam. XXXI, nota 8.

[22] *esperan la luna... Scalona:* Delicado parece decir que es igual *(es
como)* esperar la luna de Boloña que esperar el socorro de Escalona,
del cual se lee en Covarrubias: «[Escalona] está en un alto, de lo cual

nando al propósito, quiero decir que, cuando a las perdidas y lisiadas y pobres y en senetud constitutas, no les dan el premio o mérito que merecen, serán causa que no vengan munchas que vinieran a relevar a las naturales las fatigas y cansancios y combates, y esto causará la ingratitud que con las pasadas usaron, y de aquí redundará que los galanes requieran a las casadas y a las vírgenes d'esta tierra, y ellas darán de sus casas joyas, dinero y cuanto ternán a quien las encubra y a quien las quiera, de modo que quedarán los naturales ligeros como ciervos asentados a la sombra del alcornoque[23], y ellas contentas y pobres, porque se quiere[24] dejar hacer tal oficio a quien lo sabe manear[25].

---

tuvo origen un proverbio, que refiere el Comendador Griego: *El socorro de Escalona, cuando le llega el agua es quemada la villa toda»* (532, b, 51). En cuanto a la luna de Boloña, se decía según Antoine Oudin (citado por Ugolini) *Ecco la luna di Bologna* para significar «Voici la Lune de Bologne, *i. e.,* un homme qu'on n'a vu de longtemps» [«Ahí viene la L. de B., *v. gr.* un hombre a quien no se había visto de mucho tiempo atrás»]; sería, pues, símbolo de lo que no suele pasar o acontecer muy a menudo, como los milagros. *Esperar la L. de B.* sería entonces, propiamente, contar con un milagro. Nótese que la luna ha sido símbolo, hasta nuestros días, de algo inalcanzable (cfr. «pedir la luna», fr. «demander, vouloir la lune»), lo imposible, lo milagroso. Ahora bien, creo que esta Luna de Boloña es una referencia al famoso Colegio Mayor de San Clemente de los Españoles, creado en esta ciudad en 1364. Famosísimo al principio (en él estudiaron Agustín, Fortuny de Arteaga, Fernando de Loaces, Nebrija y Luis Vives), pero que defraudó pronto (o causó envidia a murmuradores), a tal punto que se llegó a calificar de *bolonios* a los que, siendo ignorantes, presumen de sabios (véase Iribarren, *El Porqué de los Dichos,* «ser un bolonio»): en vano se esperaría un milagro, o la luna, de ellos.

[23] *alcornoque:* en razón de su significante *(-corn-),* árbol tutelar de los cornudos, aquí dos los consentidos («ciervo ligero», como Rampín)

[24] *se quiere:* «se requiere».

[25] *manear:* forma antigua de «menear», con el sentido de «manejar».

Una respuesta que hace este Silvano, su conocido de la Lozana:

—¡Por mi vida, señora Lozana, que creo que si fuérades vos
la misma teórica, nos dijérades más de lo dicho! Mas quiero
que sepáis que la taberna meritoria para esas señoras ya está
hecha archihospital, y la honra, ayuda, y triunfo que ellas dan
al senato es como el grano que siembran sobre las piedras, que
como nace se seca. Y si oístes decir que antiguamente, cuando
venía un romano o emperador con vitoria, lo llevaban en un
carro triunfante por toda la cibdad de Roma, y esto era gran
honra, y en señal de forteza una corona de hojas de roble, y él
asentado encima, y si alguna señal tenía de las heridas que en
las batallas y combates hobiese recebido, la mostraba pública-
mente, de manera que entonces el carro y la corona y las heridas eran su gloria, y después su renombre, fama y gloria. ¿Qué
mejor ni más largo os lo puedo yo dar a entender, señora Lozana, de lo que vos misma podéis ver? Que como se hacen francesas[1] o grimanas[2], es necesario que, en muerte o en vida, va-

---

[1] *francesas:* sifilíticas.

[2] *grimanas:* según Damiani *(L. A. 69,* nota 322), «al parecer paronimia de *germana,* alemana, y *griñimón,* sífilis». Pero Ugolini señala
que *grimana* procede del argot italiano *grima,* o sea «vieja». A mí me
parecen muy interesantes ambas explicaciones, la de Damiani porque
es evidente que hay un juego sobre las nacionalidades, y si bien la paronimia *grimana / griñimón* es algo floja, no se puede descartar, puesto que Delicado nos propone otros juegos no más evidentes (cfr. *sevillana / seis veces villana).* La solución de Ugolini tiene la ventaja de
hallar, bajo el significante de la seudo-nacionalidad, un significado
(«vieja») muy en conformidad con la temática general de la obra
(cfr. Vellida). Sin embargo, me pregunto si en vez de buscar un significado procedente del italiano «gergale», como dice el erudito italiano,
no se podría pensar en otro, siempre a partir de *grima,* pero con la acepción tradicional española: «el horror y espanto que se recibe de ver alguna cosa horrenda, de que un hombre queda pasmado» (Covarrubias,
659, b). Es posible además que el italiano *jergal* y el español *grima* tengan la misma procedencia; en todo caso, desde el punto de vista del
sentido, convienen ambos. Si me inclino a hacer derivar aquí *grimanas*
de la significación española, es porque Silvano prosigue con «en muer-

yan a Santiago de las Carretas[3], y allí el carro y la corona de flores y las heridas serán su mérito y renombre a las que vernán, las cuales tomarán *audibilia pro visibilia*[4]. Ansí que, señora Lozana, a vos no's ha de faltar sin ellas de comer, que ayer, hablando con un mi amigo, hablamos de lo que vos alcanzáis a saber, porque me recordé cuando nos rompistes las agallas a mí y a cuantos estábamos en el banco de ginoveses.

LOZANA.—Y si entonces las agallas, agora los agallones[5]. Y oídme dos razones.

MAMOTRETO XLVI

Respuesta que da la Lozana en su laude:

—Aquél es loado que mira y nota y a tiempo manifiesta[1]. Yo he andado en mi juventud por Levante, so estada en Nigroponte, y he visto y oído munchas cosas, y entonces notaba,

---

te o en vida», y que *muerte* debe parecer más horroroso y espantoso que la vejez.

[3] *Santiago de las Carretas: carreta* es la sífilis (véase mam. XXX, nota 14), y Santiago, un hospital de Roma, el «archi hospitali Sancti Jacobi in alme urbis» como apunta Joaquín del Val (Introducción de su edición de *La Lozana,* pág. 20). Delicado pudo haber escogido otro nombre para la sífilis, pues había tantos, pero este de *carreta* le venía aquí de molde como «carro triunfante».

[4] «lo que se oye en vez de (o por) lo que se ve». Porque las recién venidas no podrán ver a las veteranas; pero, más allá de esta consideración sobre las generaciones sucesivas de rameras en Roma, y lo que transmite la tradición gloriosa, creo que este nuevo latinajo funciona como glosa y comentario irónico del «reportaje» del mismo autor que, si se le cree, escribió solamente lo que oyó y vio.

[5] *agallas... agallones:* conocidas metáforas sexuales («la voz *agallas,* empleada metafórica y eufemísticamente, con alusión a la virilidad, no significa agallas de pez... sino agallas de roble...» declara Iribarren para rendir cuenta de la expresión *hombre de muchas agallas,* en *El Porqué de los Dichos).*

[1] Lozana lo dice en alabanza propia y también del autor como se verá más adelante. Así quedan equiparados el autor y su criatura, tan similares y dispares a la vez (la delicada Lozana y el lozano Delicado, y viceversa).

y agora saco de lo que entonces guardé. ¿No se os acuerda, cuando estaba por ama de aquel hijo de vuestro amo, qué concurrencia tenía de aquellos villanos que me tenían por médica, y venían todos a mí, y yo les decía: andaos a vuestra casa y echaos un ayuda, y sanaban? Aconteció[2] que una vieja había perdido una gallina que munchos días había que ponía huevos sobre una pared, y como se encocló, echóse sobre'ellos, y vino la vieja a mí que le dijese de aquella gallina, y yo estaba enojada, y díjele: Andá, id a vuestra casa, y tráeme la yerba canilla[3] que nace en los tejados. Y díjeselo porque era vieja, pensando que no subiría; en fin, subió, y halló la gallina, y publicóme que yo sabía hallar lo perdido. Y así un villano perdió una borrica; vino a mí que se la encomendase, porque no la comiesen lobos. Mándele que se hiciese un cristel d'agua fría, y que la fuese a buscar; él hízolo, y entrando en un higueral a andar del cuerpo, halló a su borrica, y d'esta manera tenía yo más presentes que no el juez. Decíme, por mi vida, ¿quién es ese vuestro amigo que decís que ayer hablaba de mí? ¿Conózcolo yo? ¿Reísos? Quiérolo yo muncho, porque me contrahace tan natural mis meneos y autos[4], y cómo quito las cejas, y cómo hablo con mi criado[5], y cómo lo echo de casa, y cómo le decía, cuando estaba mala: andá por esas estaciones, y mira esas putas cómo llevan las cejas, y cómo bravea él por mis duelos, y cómo hago yo que le hayan todos miedo, y cómo lo hago mo-

---

[2] *Aconteció:* en este caso significa «érase una vez» porque todas las hazañas de Lozana que siguen, como el percance que, más abajo, sufre Rampín con la olla de agua de mayo, son historietas tradicionales, o adaptaciones de motivos folklóricos.

[3] Esta *hierba canilla,* evidentemente, no existe; pero creo que en esta expresión hay que entender *canilla* como en la expresión «irse uno de canilla», porque es materia propia para mandar a ... paseo. Nótese además que este cuento de la vieja se sitúa entre el consejo a los villanos de *echarse una ayuda,* y la del villano de la borrica a quien le receta Lozana un *cristal* o «clíster» de agua fría. Todo pasa como si Delicado hubiese utilizado para su compilación un patrañuelo de temas agrupados.

[4] *autos:* «actos», pero la palabra puede remitir a los autos de La Celestina, y además de la contaminación erótica que apunta Criado de Val, aludir a las resoluciones judiciales (recuérdese que habría que retraer —o retratar— a Lozana en «otra parte más alta que una picota»).

[5] Vamos a tener ahora una versión muy elocuente y aclaradora de las hazañas de Rampín.

ler todo el día solimán. Y el otro día no sé quién se lo dijo, que mi criado hacía cuistión con tres, y yo, porque no los matase, salí y metílo en casa, y cerré la puerta, y él metióse debajo del lecho a buscar la espada[6], y como yo estaba afanada porque se fuesen ante que'el saliese, entré y busquélo, y él tiene una condición, que cuando tiene enojo, si no lo desmuele luego, se duerme, y como lo veo dormido debajo de la cama, me alegré, y digo: en este medio los otros huirán. Y cómo lo halago que no se me vaya, y cómo reñimos porque metió el otro día lo suyo en una olla que yo la tenía media de agua de mayo y, como armó dentro por causa del agua, traía la olla colgada[7], y yo quise más perder la olla y el agua, que no se le hiciese mal. Y el otro día que estaban aquí dos mochachas como hechas de oro, parece que el bellaco armó, y tal armada que todas dos agujetas de la bragueta rompió, que eran de gato soriano. Y cómo yo lo hago dormir a los pies, y él cómo se sube poco a poco, y otras mil cosas que, cuando yo lo vi contrahacerme, me parecía que yo era. Si vos lo viérades aquí cuando me vino a ver que estaba yo mala, que dije a ese cabrón de Rampín que fuese aquí a una mi vecina, que me prestase unos manteles, dijo que no los tenía; dije yo simplemente: ¡Mira qué borracha, que'está ella sin manteles! Toma, vé, cómprame una libra de lino, que yo me los hilaré, y ansí no la habré menester. Señor yo lo dije, y él lo oyó: no fue menester más. Como él ha tiempo, cuando yo no pensaba en ello, me contrahizo, que quedé espantada.

---

6 Cfr. mam. XXXII, nota 7, y este refrán de Correas: «Marido so la cama, como carnero bala.» El maestro comenta: «una cosa como carnero; nota de cornudo» (526, a).

7 Por donde se ve que el agua de mayo es un afrodisiaco, y que Rampín, como lo demuestra también el episodio siguiente, no ha perdido nada aún de la desaforada virilidad que seduce tanto a Lozana.

Mamotreto XLVII

Cómo se despide el conocido de la señora Lozana, y le da señas de la patria del autor[1]

—Señora Lozana, quisiera que acabáramos la materia comenzada de la meritoria, mas como no tuvo réplica, manda vuestra merced que digamos reliqua, para que se sienten y vayan reposadas, donde la rueda de la carreta las acabará[2]. Y tornando a responderos de aquel señor que de vuestras cosas hace un retrato, quiero que sepáis que so estado en su tierra, y daréos señas d'ella. Es una villa cercada y cabeza de maestrazgo de Calatrava, y antiguamente fue muy gran cibdad, dedicada al dios o planeta Marte (como dice Apuleyo: cuando el planeta Mercurio andaba en el cielo)[3], al dios Marte que aquella peña era su trono y ara, de donde tomó nombre la Peña de Marte, y al presente, de los Martos, porque cada uno de los que allí moran son un Marte en batalla, que son hombres inclinados al arte de la milicia y a la agricultura, porque remedan a los romanos que reedificaron donde agora se habita, al pie de la dicha peña, porque allí era sacrificado al[4] dios de las batallas. Y ansí son los hombres de aquella tierra muy aptos

---

[1] Sobre la compilación a que dio lugar esta evocación de la peña de Martos, véase Introducción, «El autor».

[2] Con este juego sobre la rueda de la carreta que deja tan maltrechos a los que atropella como la carreta «sífilis», y sobre la rueda de la fortuna, se da realmente fin al mamotreto XLV. El recurso al latín *reliqua*, para expresar que Lozana manda o quiere que se hable «del resto», es decir aquí del otro tema (puesto que no contestó), debe de correponder a la voluntad estilística de connotar por anticipación la muerte próxima de las prostitutas veteranas («que digamos: *reliqua*...», o sea «restos mortales»), asemejando así implícitamente su vejez decrépita a unos cadáveres.

[3] En el sueño final de Lozana (mam. LXVI), Marte y Mercurio son también los planetas (o dioses) simbólicos; la referencia a Mercurio es, a todas luces, negativa (véase mam. XI, nota 21), y citar a Apuleyo para introducir la alabanza de la Peña de Martos no puede ser sino una guiñada al lector.

[4] En *Venecia 1528* «el», que supongo errata.

para armas, como si oístes decir lo que hicieron los Covos de Martos en el reino de Granada, por tanto que decían los moros que el Covo viejo y sus cinco hijos eran de hierro y aun de acero, bien que no sabían la causa del planeta Marte, que en aquella tierra reinaba de nombre y de hecho, porque allí puso Hércules la tercera piedra o colona que al presente es puesta en el templo; hállose el año MDIV. Y la Peña de Martos nunca la pudo tomar Alejandro Magno ni su gente, porque es inexpuñábile a quien la quisiese por fuerza; ha sido siempre honra y defensión de toda Castilla. En aquella tierra hay señales de su antigua grandeza en abundancia. Esta fortísima peña es tan alta que se ve Córdoba, que está catorce leguas de allí. Esta fue sacristía y conserva cuando se perdió España, al pie de la cual se han hallado atahutes de plomo y marmóreos escritos de letras gódicas y egipcíacas, y hay una puerta que se llama la Puerta del Sol, que guarda al oriente, dedicada al planeta Febo. Hay otra puerta, la Ventosilla, que quiere decir que allí era la silla del solícito elemento Mercurio[5], y la otra, puerta del Viento, dedicada a este tan fuerte elemento aéreo; por tanto, el fortísimo Marte dedicó a este elemento dos puertas que guardasen su altar. Todas dos puertas de Mercurio guardan al poniente. Hay un albollón, que quiere decir salida de agua, al baluarte do reposa la diosa Ceresa[6]. Hay dos fortalezas, una en la altísima peña, y otra dentro en la villa, y el Almedina, que es otra fortaleza, que hace cuarenta fuegos[7], y la villa de Santa María, que es otra forteza, que hace cien fuogos, y toda la tierra hace mil y quinientos, y tiene buenos vinos torronteses y albillos y aloques; tiene gran campiña, donde la diosa Ceresa se huelga; tiene monte, donde se coge muncha grana, y grandes términos y muy buenas aguas vivas. Y en la plaza, un altar de la Madalena, y una fuente, y un alamillo, y otro álamo delante la puerta de una iglesia, que se llama la solícita y fortísima y santísima Marta, huéspeda de Cristo. En esta ilesia está una capilla que fue de los Templares[8] que se dice de San

───────

⁵ En *R. 75* interpretan Mercurio como solícito, en el sentido de «inquieto, trémulo» (nota. 10, pág. 326). Sin embargo me parece más propio de Mercurio el sentido corriente de la palabra en español, «diligente» (cfr. mensajero con alas en los talones, amén de sus otras especialidades), a pesar de que «inquieto» lo mismo que «trémulo» conviene bastante bien al mercurio como elemento, es decir «azogue».

⁶ *Ceresa:* «Ceres» (será adjetivo: «diosa ceresa»?).

⁷ *hace cuarenta fuegos:* «tiene cuarenta fuegos» (hogares).

⁸ *Templares:* «templarios».

Benito; dicen que antiguamente se decía Roma la Vieja. Todas estas cosas demuestran su antigua grandeza, máxime que todas las ciudades famosas del Andalucía tienen la puerta Martos, que dice su antigua fortaleza, salvo Granada, porque mudó la puerta Elvira. Tiene ansimismo una fuente marmórea, con cinco pilares, a la puerta la villa, edificada por arte mágica en tanto espacio cuanto cantó un gallo, el agua de la cual es salutífera; está en la vía que va a la cibdad de Mentesa, alias Jaén[9]. Tiene otra al pie de Malvecino, donde Marte abrevaba sus caballos, que agora se nombra la fuente Santa Marta, salutífera contra la fiebre. La mañana de San Juan sale en ella la cabelluda, que quiere decir que allí munchas veces apareció la Madalena, y más arriba está la peña la Sierpe, donde se ha visto Santa Marta defensora, la cual allí miraculosamente mató un ferocísimo serpiente, el cual devoraba los habitadores de la cibdad de Marte, y ésta fue la principal causa de su despoblación[10]. Por tanto, el templo lapídeo y fortísima ara de Marte fue y es al presente consagrado a la fortísima Santa Marta, donde los romanos, por conservar sus mujeres en tanto que ellos eran a las batallas, otra vez la fortificaron, de modo que toda la honestidad y castidad y bondad que han de tener las mujeres, la tienen las de aquel lugar, porque traen el orígine de las castísimas romanas, donde munchas y munchas son con un solo marido contentas. Y si en aquel lugar, de poco acá, reina alguna invidia o malicia, es por causa de tantos forasteros que corren allí por dos cosas: la una porque redundan los torculares[11] y los copiosos graneros, juntamente con todos los otros géneros de vituallas, porque tiene cuarenta millas de términos, que no le falta salvo tener el mar a torno; la segunda, que en todo el mundo no haya tanta caridad, hospitalidad y amor projimal cuanta en aquel lugar, y cáusalo la caritativa huéspeda de Cristo. Allí poco lejos está la sierra de Ailló, antes de Alcaudete.

LOZANA.—Alcaudete, el que hace los cornudos a ojos vistas.

SILVANO.—Finalmente, es una felice patria donde, siendo el rey, personalmente mandó despeñar los dos hermanos Carvajales[12], hombres animosísimos, acusados falsamente de tiranos, cuya sepultura o mausoleo permanece en la capilla de Todos

---

[9] Mentesa es efectivamente el nombre antiguo de Jaén.
[10] Esta es la leyenda de Tarascón (véase Introducción, «El autor»).
[11] *redundan los torculares:* «rebosan los lagares».
[12] Véase Introducción, nota 172.

Santos, que antiguamente se decía la Santa Santorum, y son en la dicha capilla los huesos de fortísimos reyes y animosos maestres de la dicha orden de Calatrava.

LOZANA.—Señor Silvano, ¿qué quiere decir que el autor de mi retrato no se llama cordobés, pues su padre lo fue, y él nació en la diócesi?

SILVANO.—Porque su castísima madre y su cuna fue en Martos, y como dicen: no donde naces, sino con quien paces[13], Señora Lozana, veo que viene gente, y si estoy aquí os daré empacho. Dadme licencia, y mirá cuándo mandáis que venga a serviros.

LOZANA.—Mi señor, no sea mañana ni el sábado, que terné priesa, pero sea el domingo a cena, y todo el lunes, porque quiero que me leáis, vos que tenéis gracia, las coplas de Fajardo y la comedia Tinalaria y a Celestina, que huelgo de oír leer estas cosas muncho.

SILVANO.—¿Tiénela vuestra merced en casa?

LOZANA.—Señor, velda aquí, mas no me la lean a mi modo como haréis vos. Y traé vuestra vihuela y sonaremos mi pandero[14].

SILVANO.—Contempláme esa muerte[15].

---

[13] Véase mam. XIX, nota 12.

[14] *Mi señor, no sea mañana... y sonaremos mi pandero:* véase Introducción, nota 9.

[15] Sería incomprensible esta frase sin el grabado del *memento mori*

Cómo vinieron diez cortesanas a se afeitar, y lo que pasaron y después otras dos, casadas, sus amigas, camiseras

DOROTEA.—¡Señora Lozana, más cara sois vos de haber, que la muerte cuando es deseada! Mirá cuántas venimos a serviros, porque vos no's dejáis ver después que os enriquecistes, y habemos de comer y dormir todas con vos.

LOZANA.—¡Sea norabuena que, cuando amanece, para todo el mundo amanece[1]. ¿Quién diría de no a tales convidadas? ¡Por mi vida, que se os parece que estáis pellejadas de mano de otrie que de la Lozana! Así lo quiero yo, que me conozcáis; que pagáis a otrie bien por mal pelar. ¡Por vida de Rampín, que no tengo de perdonar a hija de madre, sino que me quiero bien pagar! ¡Mira qué ceja ésta, no hay pelo con pelo! Y quién gastó tal ceja como ésta; ¡por vida del rey!, que merecía una cuchillada por la cara, porque otra vuelta mirara lo que hacía. ¡Mirá si hubiera un mes que yo estuviera en la cama, cuando en quince días os han puesto del lodo![2]. ¡Y vos, señora, ¿qué paño[3] es ese que tenéis? Esa, agua fuerte y solimán crudo fue. Y vuestra prima, ¿qué es aquello que todos los cabellos se le salen? ¡La judía anda por aquí! No me cure, que por eso se dice: a río vuelto, ganancia de pescadores[4].

—Vení acá vos. ¿Qué manos son ésas? Entrá allá, y dáme aquel botecillo de oro. ¿Y manos eran éstas para dejar gastar? Tomá y teneldo hasta mañana, y veréis qué mano sacaréis el domingo.

—Si estuviera aquí mi criado, enviara a comprar ciertas cosas para vosotras, mas torná por aquí, que yo lo enviaré a com-

---

(tema éste fundamental de la novela). Nótese también la relación formal con la primera réplica del mamotreto siguiente.

[1] Refrán, registrado en Correas.

[2] Efectivamente ha estado mala la Lozana (se lo dijo a Silvano, mam. XLVI). Sabemos ahora que debió de guardar cama alrededor de quince días, tiempo suficiente para que las cortesanas quedasen hechas unos adefesios (que es el sentido que parece tener aquí *poner del lodo*).

[3] *paño*: mancha en la cara que, como se sabe a continuación, le causó la aplicación de un emplasto mal hecho.

[4] Refrán, así en *La Celestina* (auto II).

prar si me dejáis dineros que, a deciros la verdad, éstos que me habéis dado, bien los he ganado, y aún es poco que, cuando os afeito cada sábado, me dais un julio y agora merecía dos, por haber emendado lo que las otras os gastaron.

TERESA NARBÁEZ.—Mirá bien y contá mejor, que no hay entre nosotras quien os haya dado menos de dos.

LOZANA.—Bien, mas no contáis vosotras lo que yo he puesto de mi casa. A vos, aceite de adormideras y olio de almendras amargas perfetísimo, y a ella, unto de culebra, y a cada una segundo[5] vi que tenía menester, por mi honra, que quiero que las que yo afeito vayan por todo el mundo sin vergüenza y sean miradas.

—Por el siglo de vuestro padre, señora Dorotea, ¿qué os parece? ¡qué cara llevan todas! Y a vos, ¡cómo se os ha pasado el fuego que traíades en la cara con el olio de calabaza que yo's puse! Id en buena hora, que no quiero para con vosotras estar en un ducado, que otro día lo ganaré que vernés mejor apercebidas.

NARBÁEZ.—Oh, ¡qué cara es este diablo! ¡Ésta y nunca más! Si las jodías me pelan por medio carlín, ¿por qué esta ha de comer de mi sudor? ¡Pues antes de un año Teresa Narbáez quiere saber más que no ella!

LOZANA.—¿Quién son éstas que viene a la romanesca? ¡Ya, ya acá vienen!

LEONOR.—Abrí, puta vieja, que a saco os tenemos de dar[6]. ¿Paréceos bien que ha un mes que no visitáis a vuestras amigas? En puntos estamos de daros de masculillo. ¡Ay, qué gorda está esta putana! Bien parece que come y bebe y triunfa, y tiene quien bien la cabalgue para el otro mundo.

LOZANA.—Tomá una higa, porque no me aojéis[7]. ¿Qué vien-

---

[5] *segundo*: «según».

[6] en *R. 75* entienden *dar a saco* como «convencer, engañar», o sea como calco del ital. *dare il sacco*. Pero me parece que significa más bien «asaltar», «entrar a saco en su casa», «saquearla» y aun me temo que la amenaza sea más obscena, algo así como el moderno y argótico «dar por el saco», aunque lo dice una mujer. Nótese que la otra amenaza que sigue, *dar de masculillo,* se refiere al trasero (¿también?).

[7] De *higa* (y *aojar)* hay un largo comentario que hacemos cerrando el puño y mostrando el dedo pulgar por entre el dedo índice y el medio; es disfrazada pulla. La higa antigua era solamente una semejanza del miembro viril... Dice un proverbio *mee yo claro, y una higa para el médico;...* También es cosa usada al que ha parecido bien darle una higa, diciendo: *Toma, porque no os aojen...,* etc.

to fue este que por acá os echó? Mañana quería ir a Pozo Blanco a veros.

LEONOR.—Mirá, hermana, tenemos de ir a unas bodas de la hija de Paniagua con el Izquierdo, y no valemos nada sin ti. Tú has de poner aquí toda tu ciencia, y más que no puedo comportar a mi marido los sobacos, dame cualque menjurje que le ponga; y vézanos a mí y a esta prima cómo nos rapemos los pendejos, que nuestros maridos lo quieren ansí, que no quieren que parezcamos a las romanas que jamás se lo rapan, y págate a tu modo. Ves aquí cinco julios, y después te enviaremos el resto.

LOZANA.—Las romanas tiene razón, que no hay en el mundo mujeres tan castas ni tan honestas[8]. Andá, quitá allá vuestros julios, que no quiero de vosotras nada[9]. Enviá a comprar lo que es necesario, y dejá poner a mí el trabajo.

LEONOR.—Pues sea ansí, enviemos a vuestro mozo que lo compre.

LOZANA.—Bien será menester otro julio, que no se lo darán menos de seis.

LEONOR.—Tomá, veis ahi, vaya presto.

LOZANA.—¿Cómo estáis por allá?, que acá muy ruinmente lo pasamos. Por mí lo digo, que no gano nada. Mejor fuera que me casara.

LEONOR.—¡Ay, señora, no lo digáis, que sois reina ansí como estáis! ¿Sabéis qué decía mi señor padre, en requia sea su alma?: que la mujer que sabía tejer era esclava a su marido, y qu'el marido no la había de tener sujeta sino en la cama. Y con esto nos queremos ir, que es tarde, y el Señor os dé salud a vos y a Rampín, y os lo deje ver barrachel de campaña, amén.

LOZANA.—Ansí veáis de lo que más queréis, que si no fuera aquella desgracia qu'el oro dio le vino, ya fuera él alcalde de la hermandad de Velitre. Y si soy viva el año que viene, yo lo haré porquerón de Bacano[10], que no le falta ánimo y manera

---

[8] Lozana se acuerda aquí de lo que le dijo Silvano en el mamotreto anterior; siente ella una curiosa propensión a la castidad.

[9] Sin embargo, como se ve por su réplica siguiente, los toma, y pide uno más: no es «perdonera».

[10] *Velitre... Bacano:* coinciden los comentarios de Ugolini y los de *R. 75*; me limito a reproducir la nota 22, pág. 335 de esta edición: «Baccano es un pueblo de Lacio que está en los montes Sabatini... el lugar era famoso por los bandidos que infestaban los bosques de los alrededores, y la expresión "il bosco de Baccano" equivalía, sin duda alguna, a cueva de ladrones, puerto de maleantes, etc. Por tanto, es fácil su-

para ser eso y más. Andad sanas y encomendáme toda la ralea[11].

MAMOTRETO XLIX

Cómo venieron a llamar a la Lozana que fuese a ver un gentilhombre nuevamente venido, que estaba malo, y dice ella entre sí, por las que se partieron

—Yo doy munchas gracias a Dios porque me formó en Córdoba más que en otra tierra, y me hizo mujer sabida y no bestia, y de nación española y no de otra[1]. Miraldas cuáles van después de la Ceca y la Meca y la Val d'Andorra[2]. Por eso se

---

poner el tipo de tareas que podían serle confiadas a Rampín con su anhelada colocación... El nombre de "Belitre", por otra parte, remacha el mismo sentido, pues aparte de indicar la ciudad de Vellitri, no lejos de Roma, puede tener el sentido de "pícaro"» (germanía III, s. v. *belitre* y *belitrero*).

[11] Se refiere a la gran cofradía de las camiseras de Pozo Blanco (que ahora aparecen como lo que son) con las que Lozana trabó amistad al llegar a Roma (mam. VI a VIII).

[1] No se crea que Delicado está haciendo aquí, por boca de Lozana, un elogio sincero de su tierra ni de su país. Ya se ha visto cómo juega él con los refranes contradictorios que existen sobre el tema (véase mam. XLVII, nota 13 y XIX, nota 12); pero ahora, la autosatisfacción patriótica de la andaluza tiene que considerarse desde la conclusión del episodio con Herjeto y Trujillo (este mamotreto y el siguiente) que la iluminan irónicamente, puesto que Lozana va a ser víctima ahora de una burla mucho más sonada que la del mam. VIII, en que Teresa de Córdoba descubrió su abolengo judío.

[2] *de la Ceca y la Meca y la Val d'Andorra:* a propósito de la expresión «De la Ceca a la Meca» dice Iribarren en *El Porqué de los Dichos:* «He aquí una expresión proverbial que ha dado lugar a muchos comentarios.» Efectivamente, él pasa lista de varias opiniones, cubriendo varias planas a las que remito. Añadiré sin más que la ocurrencia que tenemos en *La Lozana* es la más antigua de las documentadas, ofreciendo una variante interesante: *de la Ceca y la Meca* (no: *de... a ...*); con las artículos *(la... la...)* cuando Iribarren pensaba que la forma más antigua era: *«de* Ceca *en* Meca» o *«de ceca en* meca». Y por fin, si interesa mi opinión: *ceca* es la casa de la moneda, *Meca* la de los musulmanes (tan distante), sin menoscabo del sonsonete que, a mi modo de ver, fue ocasión de rima, pero no produjo palabra nueva, y *Val de Andorra,* igual; digo: que preexistía pero que se agregó aquí por evo-

dice: sea marido aunque sea de palo[3], que por ruin que sea, ya es marido. Éstas están ricas, y no tienen sus maridos salvo el uno una pluma y el otro una aguja, y trabajan de día y de noche, porque se den sus mujeres buen tiempo, y ellos trampear, y de una aguja hacen tres y ellas al revés[4]. Yo me recuerdo haber oído en Levante a los cristianos de la cintura, que contaban cómo los moros reprendían a los cristianos en tres cosas: la primera, que sabían escrebir y daban dineros a notarios y a quien escribiese sus secretos, y la otra, que daban a guardar sus dineros y hacían ricos a los cambiadores; la otra que hacían fiesta la tercia parte del año, las cuales son para hacer al hombre siempre en pobreza, y enriquecer a otrie que se ríe de gozar lo ajeno[5]. Y no me curo, porque, como dicen: no hay cosa nueva debajo del sol. Querría poder lo que quiero, pero, como dijo Séneca: gracias hago a este señal que me dio fortuna, que me costriñe a no poder lo que no debo de querer, porque de otra manera yo haría que me mirasen con ojos de alinde[6].

RAMPÍN.—¿Qué hacéis? Mirá, que os llama un mozo de un novicio bisoño[7].

---

car la *andorra* o *andorrera* que va a lo que salga, andando «sin rumbo fijo, de una parte a otra».

[3] *sea marido aunque sea de palo:* cfr. «Sea velado, y séase un palo»; «Sea maridillo, siquiera de lodillo»; «Sea maridillo, y sea sapillo»; «sea marido, y sea grano de mijo» (Correas, 274, a y b).

[4] *y ellas al revés:* Además y más allá del despilfarro de estas mujeres que se opone al espíritu de ahorro y trabajo intenso de sus maridos, esta inversión encuentra también su traducción en el nivel erótico. El cazurrismo estriba aquí en *tres,* expresión común de la virilidad, y *aguja,* metáfora corriente por su forma y su capacidad de penetración. Cfr. estos maliciosos versos de seguidilla *(P. E. S. O.,* pág. 264):

> Si la puerta es chiquita y los tres no caben,
> entre el uno dentro y los dos aguarden

Entiéndase entonces que a las de Pozo Blanco les interesa que *tres* se haga *aguja.*

[5] Aunque sea origen remoto, tenemos aquí en ciernes el procedimiento de crítica de las costumbres propias desde la supuesta ingenuidad y sabiduría de ojos ajenos, orientales por más señas, que se desarrollaría después con éxito en las letras españolas y europeas, sin que se conozca (yo, al menos) su filiación, aunque se puedan citar *El Viaje de Turquía, Les lettres persanes* (de Montesquieu) y las *Cartas marruecas* (de Cadalso).

[6] *Mirar con ojos de alinde:* «sentir envidia».

[7] *bisoño:* aquí «recién llegado» (cfr. mam. XV y epígrafe del presen-

LOZANA.—Vení arriba, mi alma. ¿Qué buscáis?

HERJETO.—Señora, a vuestra merced, porque su fama vuela.

LOZANA.—¿De qué modo, por vida de quien bien queréis? Que vos nunca lo[8] hecistes sosegadamente, que el aire os lo da, y si no, os diese cien besos en esos ojos negros. Mi rey, decíme, ¿y quién os dijo mal de mí?[9].

HERJETO.—Señora, en España nos dijeron mil bienes de vuestra merced, y en la nao unas mujeres que tornan acá con unas niñas que quedan en Civitavieja; y ellas vezan a las niñas vuestro nombre porque, si se perdieren[10] que vengan a vos, porque no tienen otro mamparo, y vienen a ver el año santo, que, según dicen, han visto dos, y con éste serán tres, y creo que esperarán el otro por tornar contentas.

LOZANA.—Deben de ser mis amigas, y por eso saben que mi casa es alhóndiga para servirlas, y habrán dicho su bondad[11].

HERJETO.—Señora Lozana, mi amo viene de camino y no está bueno. Él os ruega que le vais[12] a ver, que es hombre que pagará cualquier servicio que vuestra merced le hiciere[13].

---

te mamotreto). Nótese que *novicio,* lo mismo que *bisoño,* evoca la juventud, si bien éste no es el primer sentido con que aquí se le entiende, y significa también «inexperto», como apuntan los editores de *R. 75* (nota 7, pág. 336). Connotando la juventud y la inexperiencia *bisoño* se aplica fácilmente a la virilidad de los barbiponientes (cfr. «bisoño de frojolón» en el mam. XIV). Todos estos temas encuentran su justificacion en la burla, como se verá, su justificacion, en uno u otro sentido. Sin embargo, no camina solamente hacia adelante la ironía; y se apreciará la mención que de los *novicios* hacía Lozana en el mam. XLI (nota 19) a la luz de lo que va a pasar.

[8] *vos nunca lo hecistes sosegadamente:* en *Venecia 1528* «nunca *os* hecistes», que Joaquín del Val enmienda, con razón según creo, en *lo* alusión al acto sexual (no entiendo: *os*). En efecto, Herjeto debe de ser joven y Lozana, que tiene la experiencia de esas cosas, barrunta que Herjeto «se da priessa en hacer aquella cosa» como dice Pelegrina en el mam. LXIII; recordemos que Lozana tuvo que «avezar» a Rampín también para que lo hiciera sosegadamente (mam. XIV). Este es un motivo que se repite en el libro (véase Introducción).

[9] Considérese cómo Lozana interpreta aquí la *fama* que le atribuye Herjeto.

[10] *si se perdieran:* adviértase la ironía; porque con tales carabinas ya están perdidas.

[11] *bondad:* si las niñas vienen «de allá de buenas, [serán] acá de mejores», como decía, sobre poco más o menos, el valijero en el mamotreto XXI.

[12] *vais:* «vayáis».

[13] Esta promesa es precisamente la que no se cumplirá.

LOZANA.—Vamos, mi amor.

—A vos, os digo, Rampín, no's partáis, que habéis de dar aquellos trapos a la galán portuguesa.,

RAMPÍN.—Sí haré, vení presto.

LOZANA.—Mi amor, ¿dó posáis?

HERJETO.—Señora, hasta agora yo y mi amo habemos posado en la posada del señor don Diego o Santiago [14] a dormir solamente y comer en la posada de Bartoleto [15], que siempre sa-

---

[14] Como en la burla del mam. VIII, el colmo es que Herjeto anuncia así a Lozana que se le está preparando una mala pasada (véase mam. LI, nota 11).

[15] *Bartoleto:* en *Venecia 1528,* «Bartolero», que Damiani había corregido en Bartoleto en *L. A. 69,* antes de restaurar el «Bartolero» de la edición antigua en *R. 75,* pareciéndome más feliz aquella lectura porque debe de ser el diminutivo de Bartol o Bartolo que, al lado de Bartulo y Bartolomico, eran variantes de Bartolomé, según Covarrubias (198, a, 57).

En este pasaje de Delicado, Bartoleto, inmediatamente mencionado después de Santiago o Diego, inaugura, con su taberna, toda una serie de lugares altamente picarescos que le sirven de punto de comparación. Es verdad que, como apunta Ugolini, hay un «Bartholomeo tavernaro» en el *Censimento* de Gnoli; sin embargo, yo creo que, una vez más, sin descartar que pudiera influir la existencia histórica de un tabernero así llamado, hay que buscar los resortes del Bartoleto delicadiano en el folklore y la tradición popular. Andaba en canciones y refranes un Bartolomé famoso, conocido por «Bartolomé del Puerto»; en el mam. XXIV, cuando Lozana le pide al invertido Siete Coñicos que venga a cantar, éste hace mención a *Vayondina* y *Bartolomé del Puerto,* personaje del cual apuntan en *R. 75* (pág. 214, nota 56) que era legendario en el hampa del siglo XV, ya que lo recordaba don Francesillo de Zúñiga: «En estos tiempos, en las Españas, se levantaron dos hombres de mala vida, el uno fue llamado Bartolomé del Puerto, el otro se llamaba el abad Cayó de la Puente [...]. Estos dos nombres se extendieron por la tierra, apellidando con gran escándalo muchas mujeres casadas y doncellas, las cuales por la gran fama deste Bartolomé del Puerto, hicieron cosas que a sus honras no convenían.» Se ve enseguida todo el interés del tema erótico-picaresco que subyace al nombre para nuestro Bartoleto romano, en la fase inicial de la burla que hacen a Lozana, pero si Delicado hace de él un ventero, es que, en el *refranero,* Bartolomé del Puerto tiene otros rasgos (Correas, 349, b):

—Bartolomé del Puerto, cátale vivo, cátale muerto.
—Bartolomé del Puerto, ved lo que os parece,
que el pan vale caro, la gente perece.

Desgraciadamente, no hay comentarios de don Gonzalo: no obstante, al cotejar todos los datos arriba citados con las consideraciones de

limos sospirando de sus manos, pero tienen esto, que siempre sirven bien. Y allí es otro Estudio de Salamanca, y otra Sapiencia de París[16], y otras Gradas de Sevilla y otra Lonja de Valencia, y otro Drageto[17] a Rialto en Venecia, y otra barbería de cada tierra[18], y otro Chorrillo de Napoles[19], que más nuevas se cuentan allí que en ninguna parte d'estas que he dicho, por munchas que se digan en Bancos. En fin, hemos tenido una *vita dulcedo,* y agora mi amo está aquí en casa de una que creo que tiene bulda firmada de la cancillería de Valladolid para decir mentiras y loarse, y decir qué fue y qué fue, y voto a Dios, que se podía decir de quince años como Elena[20].

LOZANA.—¿Y a qué es venido vuestro amo a esta tierra?

Herjeto («siempre salimos sospirando de sus manos, pero... sirven bien»), antes de comparar la posada con la «barbería de cada tierra», se puede pensar que el tal Bartolomé evocaba una especie de bandido, seductor de mujeres, que a veces repartía sus ganancias entre la gente humilde, y a quien las autoridades no podían echar el guante. Y, para terminar, volveremos a Covarrubias que parecía dar consejos de prudencia al advertir: «El mundo está lleno de Bartolomicos» (198, a, 46). Cfr. también «Más sabio que Bartulo», como variante de «Más sabio que Séneca» (Correas, 533, b). Al oír en qué clase de lugar comían y se hospedaban, Herjeto y Trujillo, la gran Lozana, cordobesa, «sabida y no bestia», que además conocía las hazañas de Bartolomé, tenía que haber desconfiado, pero la ironía tiene sus exigencias y, después de todo, Lozana que ensarta más refranes que Sancho no conocía probablemente aquél que rezaba: «Dime con quien paces y decirte he que haces», apuntándolo, demasiado tarde para ella, Correas (324,a).

[16] La universidad de París, la Sorbona, frecuentada por estudiantes como François Villon, no era solamente lugar de estudio.

[17] *Drageto:* estación de las góndolas, termina Venciano (nota Damiani).

[18] *barbería:* todos los lugares citados son en realidad «mentideros», y evidentemente los barberos tenían que tocar su partición en aquel concierto. Pero la *barbería* aparece aquí como archilexema de la serie de los mentideros, como término genérico de todos estos lugares de mala fama.

[19] *Chorrillo de Nápoles:* «Il Cerriglio, famosa hostería napolitana» (nota DAmiani, *L . A. 69,* pág. 195). A propósito de este último lugar de la serie, los editores de *R. 75* (nota, 20, pág. 338) apuntan que todos los que se han enumerado son «los puntos claves del hampa durante los siglos XVIy XVII», nota muy documentada, que se apoya en ejemplos sacados de *El Rufián Dichoso, Estebanillo González, etc...,* a la que remito.

[20] En fin, hemos tenido... como Elena: esta casa, cuya dueña miente tanto, no desdice de lo anterior. Nótese de paso la irreverencia para con las cosas de la religión. De esta Elena que siempre tiene quince

HERJETO.—Señora, por corona[21]. Decíme, señora, ¿quién es aquella galán portuguesa que vos dejistes?

LOZANA.—Fue una mujer que mandaba en la mar y en la tierra, y señoreó a Nápoles, tiempo del Gran Capitán[22], y tuvo dineros más que no quiso, y vesla allí asentada demandando limosna a los que pasan.

HERJETO.—Aquélla es; temor me pone a mí, cuanto más a las que ansí viven[23]. Y mirá, señora Lozana, como dicen en latín: *Non praeposuerunt Deum ante conspectum suum,* que quiere decir que no pusieron a Dios las tales delante a sus ojos. Y nótelo vuestra merced esto.

LOZANA.—Sí haré. Entremos presto, que tengo que hacer. ¿Aquí posáis, cada d'esa puta vieja lengua d'oca?[24].

HERJETO.—Doña Inés[25], zagala como espada del Cornadillo.

LOZANA.—¡Ésta sacó de pila a la doncella Teodor?[26].

---

años, ya he dicho que no sabía quién era *(supra,* mam. XX, nota 16). En cuanto a *vita dulcedo,* es la traducción al latín de *Melibea,* la famosa protagonista de *La Celestina,* y asimismo alusión indirecta a la *Tragicomedia.*

[21] *corona:* «por tonsura, para ser ordenado» (nota 23, pág. 339, de *R. 75).* Pero a la luz del desenlace de la burla, cabe un segundo sentido menos sacramental (la *corona,* como todo lo que evoca el aro y el anillo, es metáfora formal de las pudendas femeninas).

[22] Es decir Gonzalo Fernández de Córdoba, Gran Capitán del ejército de los Reyes Católicos, famoso por su valentía y sus éxitos militares, pero más aún por sus célebres cuentas. Desgraciadamente, la Galán portuguesa no supo arreglárselas con tanto acierto, y por eso entró en la galería ejemplar de Delicado.

[23] Se refiere a las mujeres del partido, que siempre acaban mal (LXVI), y para quienes habría que hacer una taberna meritoria (XLIV y XLV).

[24] *lengua d'oca:* además del evidente juego sobre la nacionalidad quizás haya aquí una referencia a los cuentos o patrañas; a pesar de que se documentan mucho más tarde, en la esfera literaria, los cuentos de la Madre Oca debían de ser tradicionales en Europa. Todo el fin del mamotreto evoca los cuentos, y se sabe que la vieja «tiene bula de la cancillería de Valladolid para decir mentiras». Tampoco se puede descartar una alusión a las ocas del Capitolio, famosas por sus gritos de alerta; pero como los desoye Lozana, pasa de largo, hasta la roca tarpeya.

[25] *Inés,* acaba de calificarla Lozana de «puta vieja», pero no puede sino equivocarse puesto que, etimológicamente, Inés, es decir Agnes, significa «la casta» (Covarrubias, 735, b).

[26] «El Cornadillo y la doncella Teodor son nombres que pertenecen

Mamotreto L

Cómo la Lozana va a ver este gentilhombre, y dice subiendo:

—Más sabe quien muncho anda que quien muncho vive, porque quien muncho vive cada día oye cosas nuevas, y quien muncho anda, ve lo que ha de oír.

---

a los protagonistas de algunos cuentos populares. Nombrarlos aquí corresponde al propósito de subrayar irónicamente la respetable edad de
Inés la cortesana. Sobre la *Doncella Teodor*, véase Menéndez Pelayo
en *Estudios y Discursos de crítica histórica y literaria*, I, 211» (nota
30, pág 340 de *R. 75*). Todo el pasaje se caracteriza por sus ambigüedades y contradicciones (viejo/joven y castidad/lubricidad). *Zagala*
evoca «doncella», o sea joven y virgen: aplicarlo como comparación a
la espada podría significar que no sirvió nunca la espada del CORN-
adillo. *Teodor,* como *Dorotea* , puede ser objeto de un juego sobre la
etimología, que confunde (voluntariamente o no) los significados de
dor (ya «presente, regalo», ya «lanza»), es decir «don de Dios» (sentido
verdadero) y «lanza divina», donde *dor* se interpreta como el *doríforo*
(que lleva lanza, dotado de lanza); conste que tales discusiones etimológicas sobre el griego se hicieron realmente y en serio a propósito de
varias palabras. Volveré sobre este punto (mam. LV), pero aquí no puede sino llamar la atención el paralelismo de las dos últimas réplicas donde zagala/doncella y, quizás, espada/Teodor, lo reforzarían.

—¿Es aquí la estancia?

HERJETO.—Señora, sí, entrá en aquella cámara, que está mi amo en el lecho.

LOZANA.—Señor mío, no conociéndo's quise venir, por ver gente de mi tierra.

TRUJILLO.—Señora Lozana, vuestra merced me perdone, que yo había de ir a homillarme delante de vuestra real persona[1] y la pasión[2] corporal es tanta que puedo decir que es interlineal[3]. Y por eso me atreví a suplicalla me visitase malo porque yo la visite a ella cuando sea bueno, y con su visitación sane[4].

—¡Va tú, compra confites para esta señora!

LOZANA.—¡Nunca en tal me vi![5]. Mas veré en qué paran estas longuerías castellanas[6].

---

[1] Como Herjeto, Trujillo empieza por halagar a Lozana para encarecer su talento, con lo cual resultará mucho mayor el desfase entre la categoría que se le reconoce y la burla que va a dejarla corrida (palabra que el autor escoge con toda propiedad en el epígrafe del mamotreto siguiente).

[2] *pasión:* «dolor», pero también «ardor».

[3] *interlineal:* «que se escribe entre las líneas» (o «que se lee...»), es decir, como entiende Lozana, que una explicación sencilla (sin glosa interlineal) no basta para decir hasta qué punto ni cómo sufre el «gentilhombre» (y nótese una vez más el recurso al registro «noble»). Pero, en otro nivel que la cordobesa «sabida y no bestia» *no entiende,* significa también que lo que dice Trujillo de su mal se podría leer (o comprender) entre líneas; en este caso es inenarrable, en aquel indecible, y su placer va a ser inefable [uso del adj. *interlineal* por Covarrubias, 267, a, 56).

[4] Me parece inútil, después de lo dicho en la Introducción a propósito de *sanidad,* comentar una vez más *bueno* y *sanar.* Quedaría por decir algo de *visitar* y *visitación* si otros no lo hubiesen hecho antes, a propósito de un verso de *No me le digáis mal/madre, a Fray Antón (P. E. S. O., 66,* 42, pág. 107) que los editores aclaran de la manera siguiente: «*Visitación:* Cómo se turbó María cuando la Visitación del Ángel Gabriel (Lucas, I, 28-29). Alusión algo sacrílega. Nótese además que las palabras *visitación, visitar,* parecen cobrar en ciertos casos un sentido más preciso *(penetrare, intromittere).»* Otras ocurrencias de *visitar* (de igual orientación) en *P. E. S. O., 92* y 97.

[5] Véase mam. XIX, nota 18.

[6] *longuerías:* «sarcasmo ante los aspavientos y lenguajes complicados de aquellos caballeros hispanos; esta ceremoniosidad no encajaba en los ideales de simplicidad y claridad que el clérigo andaluz pregona en su libro» (José A. Hernández Ortiz, *G. A. L. A., op, cit.,* pág. 184), y en *R. 75,* (nota 3, pág. 341): «prolijidades». A mí me extraña sola-

TRUJILLO.—Señora, allégue se acá, y contalle he mi mal.

LOZANA.—Diga, señor, y en lo que dijere veré su mal, aunque debe ser luengo[7].

TRUJILLO.—Señora, más es ancho que luengo. Yo, señora, oí decir que vuestra casa era aduana[8] y, para despachar mi mercadería[9], quiero ponella en vuestras manos[10] para que entre esas señoras, vuestras contemporáneas, me hagáis conocer para desempachar y hacer mis hechos[11], y como yo, señora, no esté bueno munchos días ha, habéis de saber que tengo lo mío tamaño y, despues que venistes, se me ha alargado dos o tres dedos[12].

LOZANA.—En boca de un perro[13], señor; si el mal que vos te-

---

mente que no se pongan estas *longuerías* en relación con las dos acepciones del adjetivo *luengo*, y su uso, que se dan casi a continuación (véase nota siguiente).

[7] *debe ser luengo:* «consabido doble sentido, *luengo* el cuento, *luengo* el atributo viril del gentilhombre» *(R. 75,* nota 5 pág. 342).

[8] *aduana:* término contaminado. Cfr. «¿Qué aduanaré? Vos me habés llevado la flor» (XV). Véase más abajo; «quería aduanallo».

[9] *despachar mi mercadancía:* véase Introducción, nota 135.

[10] *manos,* véase mam. VI, nota 4 (este y su uso traslaticio a la vez que ambiguo en *La Lozana, passim*).

[11] Trujillo, que tiene mucho de Sagüeso (véase mam. LII, epígrafe), parece estar al corriente de la costumbre de las alcahuetas romanas que quieren ser cabalgadas primero «pare decir bien dello», según una expresión de Lozana.

[12] *habéis de saber... tres dedos:* ahora se sabe con toda claridad (por si acaso se dudara) en qué consistían las longuerías castellanas, y también que a pesar de los años Lozana sigue siendo apetecible, al menos para algunos.

[13] *En boca de un perro:* no entiendo claramente la alusión ni veo referencia segura. Ugolini entiende: «¡Que pueda acabar en boca de un perro!», es decir, una maldición. Pero quizás *boca de perro* sea una variante de *boca de lobo,* queriendo decir Lozana que, por estar a oscuras, no puede ver de qué tipo de mal se trata; en este caso habría que adoptar otra puntuación («¿En boca de un perro, señor? Si el mal...»). Otra posibilidad, a la que finalmente me inclino, sería que *en boca de un perro* remitiese al hueso, asociación de ideas bastante normal (cfr. «a otro perro con ese hueso»), y se opusiera por tanto a *bocado sin hueso* que, en sus frases proverbiales, Correas comenta así: «lo que se alcanza sin trabajo ni costa». Lozana expresaría pues, con esta expresión relativa a la boca del perro, la dificultad del pronóstico de la enfermedad de Trujillo («el trabajo que cuesta»).

néis es natural, no hay ensalme para él, mas si es acidental, ya se remediará.

TRUJILLO.—Señora, quería aduanallo por no perdello; meté la mano, y veréis si hay remedio.

LOZANA.—¡Ay triste! ¿de verdad tenéis esto malo? ¡Y cómo está valiente!

TRUJILLO.—Señora, yo he oído que tenéis vos muy lindo lo vuestro, y quiérolo ver por sanar.

LOZANA.—¡Mis pecados me metieron aquí! Señor, si con vello entendéis sanar, veislo aquí; mas a mí porque vine, y a vos por cuerdo, nos habían d'escobar[14].

TRUJILLO.—Señora, no hay que escobetear, que mi huéspeda escobeteó esta mañana mi ropa. Lléguese vuestra merced acá, que se vean bien, porque el mío es tuerto y se despereza[15].

LOZANA.—Bien se ven si quieren.

TRUJILLO.—Señora, bésense.

LOZANA.—Basta haberse visto.

TRUJILLO.—Señora, los tocos y el tacto es el que sana que así lo dijo Santa Nefija, la que murió de amor suave[16].

---

[14] escobar: entiendo «dar de palos, con el mango de la escoba». Con otro sentido lo toma Trujillo en la réplica siguiente (con la forma escobetear).

[15] Símil fálico muy corriente.

[16] Otra mención de la tan caritativa Nefija (véase mam. XXIII, nota 3 y mam. L, nota 10).

412

Mamotreto LI

Cómo se fue la Lozana corrida, y decía muy enojada:

—Esta venida a ver este guillote[1] me porná escarmiento para cuanto viviere. Nunca más perro a molino[2], porque era más el miedo que tenía que no el gozo que hube, que no osaba ni sabía a qué parte me echase. Éste fue el mayor aprieto[3] que en

---

[1] *guillote:* Asombra aquí la propiedad de este término aplicado a Trujillo y a lo que acaba de hacerle a Lozana. El *D. R. A. E.* lo define así: «1. Cosechero o usufructuario. 2. Holgazán y desaplicado. 3. Bisoño y no impuesto en las fullerías de los tahúres.» [Recapacitemos: 1. Trujillo goza a Lozana, o la «cosecha» después que Herjeto preparó el terreno. 2. Está en la cama y coge a la mujer sin miramientos. 3. Es bisoño (con todas las implicaciones del término; véase mamotreto XLIX, nota 5) y no paga en la jugada por tramposo.] La definición que da Covarrubias es muy elocuente: «Guillote... Es también el vellacón holgazán [más abajo Lozana le llama: «bellacazo»] que no quiere trabajar y se anda comiendo de mogollón do quiera que puede. Dice Diego de Urrea que vale tanto como el que come el fruto que otro [aquí, Herjeto] ha trabajado en criarlo y beneficiarlo... El padre Guadix dice también que *«guilla,* en arábigo, vale usufructo de la tierra; y así el que la desfruta se llama guillote en la sinificación dicha que coge donde no sembró» *(Tesoro,* s. v. 669, b, 20).

[2] *Nunca más perro a molino:* refrán con el que Pármeno expresaba su despecho en el auto II de *La Celestina.* Está en Correas que lo comenta así: «Dicen esto las gentes escarmentadas de lo que mal les sucedió; semejanza de un perro que fue a lamer al molino y le apalearon.» Se ve una vez más con qué propiedad lo usa Lozana, pero creo que hay más, en razón del contexto. En efecto, *perro* y *molino* son respectivamente metáforas sexuales *(perro* del hombre, *molino* de la mujer), con lo cual el refrán cobra, siempre con toda propiedad, nuevo punto de referencia. Y si consideramos ahora que la burla que consistía en no pagar a las prostitutas, después de cumplir ellas su función, se llamaba *dar perro muerto,* tenemos una idea más completa de la riqueza de la evocación. Y, otra ironía —aunque escarmentada ya, Lozana orientará al visitante hacia una amiga suya—, el primero que va a presentarse ante ella, se llama Sagüeso *(i. e.,* «sabueso»), y tiene por oficio «jugar y cabalgar de balde», o sea, guillote profesional.

[3] *el mayor aprieto:* este superlativo permite, por comparación, apreciar el tipo de dificultades que Lozana suele resolver, creándose así un desfase irónico entre los juicios encomiásticos que celebran su ciencia y arte, y las miserables tareas cotidianas a que se dedica. Pero es cierto que tampoco hay que olvidarse del sentido erótico de *aprieto;* adjeti-

mi vida pasé; no querría que se supiese por mi honra. ¡Y dicen que vienen d'España muy groseros[4]! ¡A la fe, éste más supo que yo! Es trujillano, por eso dicen: perusino en Italia y trujillano en España, a todas naciones engaña[5]. Este majadero ha quesido descargar en mí por no pagar pontaje[6], y veréis que a todas hará d'esta manera, y a ningún pagará: yo callaré por amor del tiempo[7]. ¡La vejez de la pimienta[8] le venga! Engañó a la Lozana, como que fuera yo Santa Nefija, que daba a todos de cabalgar en limosna[9]. ¡Pues no lo supiera ansí hordir Hernán Centeno[10]! Si yo esto no lo platicase con alguno, no

---

vado como lo está aquí, demuestra que Trujillo no tiene iguales, ni siquiera el gran Rampín.

[4] *Grosero,* en esta frase, remite a la vez a la calidad de *bisoño* de Trujillo y a los comentarios a que dio lugar *lo suyo:* «tengo lo mío tamaño..., [mi mal] es más ancho que luengo».

[5] *Es trujillano... engaña:* el verbo *dicen* es prueba que «perusino.. engaña» es un refrán (no sé si era real o si lo creó Delicado) que Lozana conocía, puesto que lo cita. Además, aunque no se dice, debía de saber que el «gentilhombre» se llamaba Trujillo, que era también el nombre de su patria; de forma que, antes de subir a su habitación, disponía ella de un indicio que hubiera tenido que incitarla a andar con la barba sobre el hombro (ella, tan astuta). Este refrán forma parte de la red de indicaciones que, por anunciarla, dan mayor relieve a la burla.

[6] *Este majadero... pontaje:* frase de doble sentido a causa de las dos significaciones de *majadero:* «tonto» y «mano de mortero» (véase mamotreto XIV, nota 23): «Este majadero (el tonto de Trujillo) ha querido...» y «[Trujillo] ha querido descargar en mí este [su] majadero...». *Pontaje* es una especie de peaje, o sea una imposición: admírese una vez más la propiedad del término, que se podrá apreciar al referirlo a la definición del guillote (véase *supra,* nota 1, acepción 3 del *D. R. A. E.*). En cuanto a *quesido,* era forma corriente del participio de *querer.*

[7] *por amor del tiempo: por amor (de)* significa normalmente *a causa (de),* pero aquí no tiene sentido. Ugolini interpreta: «por oportunidad».

[8] *La vejez de la pimienta:* se entiende là maldición de Lozana a la luz del refrán: «La vejez de la pimienta, arrugada y negra, y sobre todo quema» (Correas, 199, b).

[9] Véase mam. L, nota 16.

[10] Este *Hernán Centeno* que, según Lozana las urde tan bien (y probablemente tan malas como el Pedro de Urdemalas a quien menciona Lozana más abajo) tendría que ser proverbial; sin embargo, si he encontrado refranes de *Centeno,* del *tío Centeno* y de *Hernando,* no he visto ninguno en que viniera el apellido en unión del nombre; los dos que voy a citar podrían aplicarse al Hernán Centeno de *La Lozana:*

sería ni valdría nada si no lo celebrásemos al dios de la risa, porque yo sola me sonrío toda de cómo me tomó a manos. Y mirá que, si yo entendiera a su criado, bien claro me lo dijo, que bien mirado, ¿qué me podía a mí dar uno que es estado en la posada del señor don Diego, sino fruta de hospital pobre?[11]. En fin, la codicia rompe el saco. Otro día no me engañaré, aunque bien me supo[12]; mas quisiera comer semejante bocado en placer y en gasajo. Pedro de Urdemalas[13] no supiera mejor enredar como ha hecho este bellacazo, desflorador de coños. Las paredes me metió adentro [14]. Ansí me vea yo gran se-

---

¡Conque se murió Centeno! - bueno.
¡Pero no murió en el palo! - malo.
¿Cómo ha ganado don Mendo de honrado? - mintiendo.
¿Cómo adquirió don Hernando fama de sabio? - copiando.

(Sánchez Escribano y Pasquariello, *Más personajes, personas y personillas...*)

Por otra parte quizás influyera la planta para que se escogiese este nombre de *Centeno,* puesto que Covarrubias comenta su etimología de la manera siguiente: «Díjose Centeno en nuestra lengua castellana, porque de un grano que se siembra suelen coger ciento en su espiga» (405, b, 44).

[11] Se aclara ahora uno de los indicios que Herjeto le diera a Lozana de la preparación de la burla (véase mam. XLIX, nota 13). Siendo, como se dice en *R. 75* (nota 14, pág. 337 y 15, pág. 344), «referencia irónica al Hospital de Santiago (posada de... don Diego) o de los incurables, aquí algunas veces mencionado», se explica qué es la «fruta de hospital pobre», única prenda que le dio Trujillo a Lozana. Sin embargo, dicha referencia no basta para comprender por qué era también anuncio de la burla la mención de Diego o Santiago, si no se añade que, como para los otros, la explicación viene del refranero:

—Yo me llamo Diego, ni pago ni niego.
—Yo soy Diego que ni pago ni niego.
—Yo son Santiago que ni pago ni niego. [Variante que también aparecía en las «informaciones» de Herjeto; «la posada del señor don Diego o Santiago».]

[12] Véase la segunda frase del soliloquio de Lozana para hacerse cargo de la intensidad del miedo de ésta.

[13] *Pedro de Urdemalas:* este buen caso de onomancía corresponde a un personaje proverbial conocidísimo; cfr. los comentarios de Bataillon al *Viaje de Turquía,* y Correas: «Pedro de Urdimalas; ansí llaman a un tretero; de Pedro de Urdimalas andan cuentos por el vulgo de que hizo muchas tretas y burlas a sus amos y a otros» (467, a y b).

[14] *Las paredes... adentro:* en esta expresión, usada ya en el mamotreto XXXVIII con el mismo significado, *paredes* se refiere a los epitelios del sexo de la mujer.

ñora, que pensé que tenía mal en lo suyo, y dije: aquí mi ducadillo no me puede faltar, y él pensaba en otro[15]. No me curo, que en él va el engaño, pues me quedan las paredes enhiestas[16]. Quiero pensar qué diré a mi criado para que mire por él, mas no lo vi vestido. ¿Qué señas daré d'él salvo que a él le sobra en la cara lo que a mí me falta?[17].

RAMPÍN.—Caminá, que es venida madona Divicia, que viene de la feria de Requenate, y trae tantos cuchillos, que es una cosa de ver.

LOZANA.—¿Qué los quiere hacer?

RAMPÍN.—Dice que gratis se los dieron, y gratis los quiere dar.

LOZANA.—¿Veis aquí?, lo que con unos se pierde con otros se gana[18].

---

[15] Excelente ilustración del refrán: «Uno piensa el bayo y otro el que lo ensilla» *(Celestina,* auto X).

[16] Lozana aparece verdaderamente aquí como la roma (falta de narices) después del saco, puesto que en la *Epístola del autor,* se emplea la misma expresión («¡oh Dios!... No te ofendieron las paredes, y por eso quedaron enhiestas») para comentar el trágico destino de la ciudad saqueada. Que dicha epístola del autor se añadiera a la novela en 1528 prueba solamente que Delicado halló en ese momento una nueva correspondencia entre su heroína roma y (la ciudad) Roma que, por la virtud del lenguaje, corren idénticas suertes. Es prueba también del grado de irreverencia a que podía llegar Delicado a impulso de su *vis comica,* al medir el castigo divino («¡oh Dios!») que sufrió la *civitas meretrix* con la vara de esta aventura burlesca de la robusta andaluza. Buen ejemplo es también de la naturaleza de los lazos que entre sí mantienen los diversos capítulos del libro.

[17] *le sobra... me falta:* es, evidentemente, referencia a la nariz, cuyo imponente tamaño es señal, en el caso del hombre, de una virilidad casi excesiva (o: «sobra de sanidad»), ampliamente ilustrada por el episodio al que, con esta antítesis, se da fin..

[18] Frase proverbial: «En lo que se pierde se gana» (Correas, 127, b), aunque quizás con sentido algo distinto.

Cómo la Lozana encontró, antes que entrasé en su casa, con un vagamundo llamado Sagüeso[1], el cual tenía por oficio jugar y cabalgar de balde, y dice:

SAGÜESO.—Si como yo tengo a Celidonia[2], la del vulgo[3] de mi mano[4], tuviese a esta traidora, colmena de putas, yo sería duque del todo[5], mas aquel acemilón de su criado es causa que pierda yo y otros tales el susidio d'esta alcatara de putas[6] y alcancía[7] de bobas y alambique de cortesanas. Juro a Dios que la tengo de hacer dar a los leones[8], que quiero decir que Celi-

---

[1] *Sagüeso* («sabueso»): siendo el *perro* «miembro viril», como se ha dicho, y el sabueso un perro de *montería* (así lo define Covarrubias), se entiende por qué es su oficio el *cabalgar (de balde,* que es cabalgar perruno, aunque lo sea de *perro muerto,* como se dice en la nota 2 del mam. LI).

[2] *Celidonia* es nombre muy evocador. Por paronomasia primero, recuerda a Celestina, pero como *celidonia* es «hierba que tiene virtud de mundificar, y su zumo clarifica la vista y deshace toda suerte de opilaciones» (Covarrubias, 401, a, 60), también remite a los talentos médicos que caracterizan a Lozana, apareciendo así como rival temible de ella. Si se añade, como precisa Covarrubias, que «los alquimistas la llaman don de Dios», hela aquí equiparada con las *Doroteas* y *Teodoras* de quienes se ha tenido o se tendrá ocasión de hablar (nótese solamente la importancia concedida al significante, en este último caso de la ciencia esotérica: *celi-donia* como si realmente fuese su etimología «don de Dios»).

[3] *vulgo:* no sé si se refiere a la «mancebía», significado que tenía la palabra en germanía, o al burgo (Borgo), barrio ya mencionado anteriormente, aunque por lo que viene después («en el vulgo no hay casa tan frecuentada como la suya»), es más bien el barrio.

[4] *tener de (su) mano:* Correas le incluye en sus frases proverbiales: con la siguiente aclaración: «de (su) parte» (731, b).

[5] Véase mam. XXXIV, nota 1.

[6] *alcatara de putas:* me parece sinónimo de «alambique de cortesanas».

[7] *alcancía:* «hucha» (para las monedas) o, en germanía, «padre o madre de mancebía».

[8] *dar a los leones:* como los mártires, pero aquí en el sentido menos cruel de «hacerla rabiar» (aunque *león* es también «rufián» en germanía).

donia sabe más que no ella, y es más rica y vale más, aunque no es maestra de enjambres[9].

LOZANA.—¿Dónde is vos por aquí? ¿Hay algo que malsinar o que baratar?[10]. Ya es muerto el duque Valentín[11] que mantenía los haraganes y vagabundos.

SAGÜESO.—Señora Lozana, siempre lo tovistes de decir lo que queréis. Es porque demostráis el amor que tenéis a los dos vuestros servidores, máxime a quien os desea servir hasta la muerte. Vengo, que me arrastran estas cejas.

LOZANA.—Agora te creo menos. Yo deseo ver dos cosas en Roma antes que muera: y la una es que los amigos fuesen amigos en la prosperidad y en la adversidad, y la otra, que la caridad sea ejercitada, y no oficiada, porque, como veis, va en oficio y no en ejercicio, y nunca se ve sino escrito o pintada o por oídas[12].

SAGÜESO.—En eso y en todo tenéis razón. Mas ya me parece que la señora Celidonia os sobrepuja casi en el todo, porque en el vulgo no hay casa tan frecuentada como la suya, y está rica que no sabe lo que tiene, que ayer solamente, porque hizo vender un sueño a uno, le dieron de corretaje cuatro ducados.

LOZANA.—¿Sabes con qué me consuelo? Con lo que dijo Rampín, mi criado: que en dinero y en riquezas me pueden llevar, mas no en linaje ni en sangre.

SAGÜESO.—Voto a mí que tenéis razón; mas para saber lo cierto, será menester sangrar[13] a todas dos, para ver cuál es mejor sangre. Pero una cosa veo, que tiene gran fama, que dicen

---

[9] *maestra de enjambres:* supongo que es alusión a la rumorosa clientela de Lozana, «colmena de putas».

[10] *malsinar o... baratar:* «delatar, denunciar» o... «sacar barato».

[11] *duque Valentín:* es, como indica Damiani, César Borja. En efecto, fue duque de Valentinois (de Valence-de-Ródano en Francia) desde 1493, gracias a su alianza con Luis XII.

[12] Cfr. *Epístola de la Lozana,* nota 7. Aparte de la diatriba contra la caridad «profesional» y no ejercitada, nótese el juego sobre lo que *se ve por escrito* o *pintado* o *de oídas,* que recuerda las advertencias del autor en el *Prólogo* y el *Argumento.*

[13] *Sangrar:* con esta referencia a la sangre, quedan bien claras, una vez más, las pretensiones nobiliarias de Lozana (cfr. mam. XXXII, notas 20 y 21), pero no es sino pretexto para un juego más procaz, porque *sangría* quiere también decir «concúbito», siendo *sangrar* el verbo correspondiente (probable extensión de *desvirgar,* que en el refranero recoge traducción particular: *Sácote sangre del ojo del culo,* en Correas). Hay numerosísimos ejemplos de tales empleos de *sangrar* y *sangría* en *P. E. S. O.,* libro al que remito.

que no es nacida ni nacerá quien se le pueda comparar a Celidonia, porque Celestina la sacó de pila.

LOZANA.—D'eso me querría yo reír, de la puta cariacochillada[14] en la cuna, que no me fuese a mí tributaria la puta vieja otogenaria. Será menester hacer con ella como hicieron los romanos con el pópulo de Jerusalén.

SAGÜESO.—¿Qué por vuestra vida, señora Lozana?

LOZANA.—Cuando los romanos vencieron y señorearon toda la tierra de Levante, ordenaron que, en señal de tributo, les enviasen doce hijos primogénitos, los cuales, viniendo muy adornados de joyas y vestidos, traían sus banderas en las manos, y por armas un letrero que decía en latín: *Quis mayor unquam Israel?*[15], y ansí lo cantaban los niños hierosolimitanos. Los romanos, como sintieron la canción, hicieron salir sus niños vestidos a la antigua, y con las banderas del senado en las manos, y como los romanos no tenían sino una cruz blanca en campo rojo, que Constantino les dio por armas, hacen poner debajo de la cruz una S y una P que y una R, de manera que, como ellos decían, ¿quién fue jamás mayor que el pueblo israelítico? estotros les respondieron con sus armas, diciendo: *Senatus Populusque Romanus*[16]. Así que, como vos decís, que quién se halla mayor que la Celidonia, yo digo: Lozana y Rampín en Roma.

SAGÜESO.—¡Por vida del gran maestro de Rodas, que me convidéis a comer sólo por entrar debajo de vuestra bandera![17].

LOZANA.—¿Por qué no? Entrá en vuestra casa y mía, y de todos los buenos, que más ventura tenéis que seso; pero entrá cantando: —¿Quién mayor que la Celidonia? —Lozana y Rampín en Roma.

SAGÜESO.—Soy contento, y aun bailar como oso en colmenar, alojado a discrición.

LOZANA.—¡Calla, loco, cascos de agua, qu'está arriba madona Divicia y alojarás tu caballo![18].

---

[14] Alusión al famoso *chirlo* de Celestina, llamado también «Dios salve»; esta cuchillada en la cara era señal afrentosa que hacían los rufianes a las rameras por alguna rebelión o traición a las leyes del hampa (siendo el *treintón*, al parecer, una pena intermediaria).

[15] Lo traduce al español ella misma algunas líneas después.

[16] «El senado y el pueblo romano.» Todo el ejemplo parece compilado, y suena a antisemitismo.

[17] Nótese que al declararse vasallo de Lozana, Sagüeso sale con la suya pues va a consumir gratis.

[18] *Calla... caballo: cascos de agua*, porque se le han derretido los se-

SAGÜESO.—Beso las manos de sus alfardillas, que voto a Dios, que os arrastra la caridad como gramalla de luto[19].

LOZANA.—Y a ti la ventura, que nascistes de pies.

SAGÜESO.—¡Voto a mí que nací con lo mío delante![20]

LOZANA.—¡Bien se te parece en ese remolino. Cierra la puerta y sube pasico, y ten discreción.

SAGÜESO.—Así goce yo de vos, que esta mañana me la hollé, que me sobra y se me cae a pedazos.

MAMOTRETO LIII

Lo que pasa entre todos tres, y dice la Lozana a Divicia:

—¡Ay, cómo vienes fresca, puta! ¿Haste dado solacio y buen tiempo por allá? Y los dientes de plata, ¿qué son d'ellos?

DIVICIA.—Aquí los traigo en la bolsa, que me hicieron éstos de hueso de ciervo, y son mejores, que como con ellos.

LOZANA.—¡Por la luz de Dios, que se te parece la feria! ¿Chamelotes son ésos u que?

---

sos; «casquivano»; además no se entendería la relación entre la presencia de la vieja prostituta Devicia y la posibilidad para Sagüeso de *alojar su caballo*, si no se tuviera en cuenta la capacidad metafórica del noble animal, vinculado, a nivel semántico, a *cabalgar* (oficio de Sagüeso); de *caballo* con este significado sexual hay dos ejemplos en *P. E. S. O.* (véanse). Conste que todo parece indicar que Sagüeso ha venido a pie, no teniendo por consiguiente otro caballo que el que alojará *en* Devicia, «consumida del cabalgar». Caballo más puro será el de Coridón en el mam. LV, aunque lingüísticamente contaminado por éste (véase LV, nota 9).

[19] *Beso las manos... de luto:* alusión a las caritativas larguezas de Lozana, cuya caridad es tan larga que barre el suelo como los vestidos talares llamados *gramalla;* y Sagüeso besa las manos de Lozana de (o sea: por), sus *alfardillas* (es decir: el tributo que se paga), pero aquí, con un juego de palabras, puesto que *alfardillas* es también una prenda de vestir; de ahí la asociación *alfardillas... gramalla.*

[20] Otra asociación de ideas sugerida a Sagüeso por el uso lingüístico; como es sabido «nacer uno de pie o de pies» es expresión de la buena fortuna (lo dicen Lozana y el *D. R. A. E.);* pero Sagüeso se vale del sentido traslaticio de *pie* (ya expuesto aquí) para darle la equivalencia *lo mío,* del que va a ofrecer una visión un tanto exagerada en la última réplica del mamotreto.

DIVICIA.—Mira, hermana, más es el deseo que traigo de verte que cuanto gané. Siéntate y comamos, que por el camino coheché estas dos liebres[1]. Dime, hermana, ¿quién es éste que sube?

LOZANA.—Un hombre de bien[2], que comerá con nosotras.

SAGÜESO.—Esté norabuena esta galán compañía.

LOZANA.—¡Mira, Sagüeso, qué pierna de puta y vieja!

DIVICIA.—¡Está queda, puta Lozana, que no lo conozco, y quieres que me vea!

LOZANA.—¡Mira qué ombligo! ¡Por el siglo de tu padre, que se lo beses! ¡Mira qué duro tiene el vientre!

SAGÜESO.—Como hierba de cien hojas.

LOZANA.—¡Mira si son sesenta años estos!

DIVICIA.—Por cierto que paso, que cuando vino el rey Carlo a Nápoles, que comenzó el mal incurable el año de mil y cuatrocientos y ochenta y ocho[3], vine yo a Italia, y agora estoy consumida del cabalgar, que jamás tengo ya de salir de Roma sino para mi tierra.

LOZANA.—¡Anda, puta refata![4] ¿Agora quieres ir a tu tierra a que te digan puta jubilada? Y no querrán que traigas mantillo sino bernia[5]. Gózate, puta, que agora viene lo mejor; y no seas tú como la otra que decía, después de cuarenta años que

---

[1] *cohechó estas dos liebres:* entiendo que se las llevó bajo la capa o una prenda de vestir del mismo tipo; en efecto, «cohecho» (con el significado de «soborno») se usó alguna vez con este sentido. En una comedia (creo que de Tirso) recuerdo que el *cohecho del manto* se decía de lo que ocultaba la prenda de vestir, o sea la misma tapada, porque el *cohecho* o *soborno* se hace a hurtadillas.

[2] Nótese, una vez más, cómo se entiende *hombre de bien* en *La Lozana.*

[3] En *R. 75* rectifican esta fecha: «Carlos VIII, rey de Francia, entró en Nápoles no en 1488, sino el 22 de febrero de 1495» (nota 6, pág. 351).

[4] *puta refata:* Según *R. 75,* italianismo: «rehecha» (nota 7, pág. 351); pero no acepto la explicación según la cual Divicia «quiere hacerse la mujer honrada», a no tomar *honrada* por antífrasis, como ocurre frecuentemente en la novela, pues Divicia acaba de decir que está «consumida del cabalgar». A decir verdad, no entiendo qué pueda significar, y me pregunto si no es puro camelo.

[5] *mantillo... bernia:* no me parece muy claro; *mantillo* podría ser alusión a la niñez o juventud (más bien, al nacimiento; véase mam. IV, nota 19, y *bernia* a la vejez, por ser una capa gruesa, propia quizás de ancianos. Nótese que todo el diálogo gira en torno a la edad de Divicia o la que aparenta.

había estado a la mancebía: si de aquí salgo con mi honra, nunca más al burdel, que ya estoy harta[6].

SAGÜESO.—Agora está vuestra merced en el adolescencia, que es cuando apuntan las barbas[7], que en vuestra puericia otrie gozo de vos, y agora vos de nos.

DIVICIA.—¡Ay, señor, que tres enfermedades que tuve siendo niña me desmedraron! Porque en Medina ni en Burgos no había quien se me comparase; pues en Zaragoza más ganaba yo que puta que fuese en aquel tiempo, que por excelencia me llevaron al publique de Valencia, y allí combatieron por mí cuatro rufianes y fui libre; y desde entonces tomé reputación y, si hubiese guardado lo ganado, ternía más riquezas que Feliciana[8].

SAGÜESO.—Hasta riqueza tenéis, señora, en estar sana.

LOZANA.—¡Yo quería saber cuánto ha que no comí salmorejo mejor hecho!

SAGÜESO.—¡De tal mano está hecho! ¡Y por Dios, que no me querría morir hasta que comiese de su mano una capirotada o una lebrada! Aunque en esta tierra no se toma sabor ni en el comer ni en el hodor[9], que en mi tierra es más dulce que el cantar de la serena[10].

DIVICIA.—Pues yo os convido para mañana.

SAGÜESO.—Mi sueño ensuelto.

LOZANA.—¿Quiéreslo vender?[11].

SAGÜESO.—¡No voto a Dios!

LOZANA.—Guarda, que tengo buena mano, que el otro día vino aquí un escobador[12] de palacio, y dijo que soñó que era

---

[6] Buen ejemplo éste de optimismo; no faltan los chistes de este tema, a base de refranes, mudando lo que se ha de mudar.

[7] Prefiguración de Lozana, cuando, dentro de poco, sea *Vellida* (pero, más discreta que Divicia, Lozana «se apartó con tiempo»).

[8] *ternía más riquezas que Feliciana:* onomancia, porque *Feliciana* es «la feliz» (se supone que porque tiene dinero), y *Divicia* (lat.: *divitiae*) significa «riqueza», pero, desde luego, con bastante ironía aquí; Sagüeso, en la réplica siguiente, da en el clavo.

[9] *hodor:* dejo esta forma «hodor» que es la que da la edición veneciana de 1528, porque me pregunto si es «odor» (o sea, «olor»), o bien «hoder». (Sin embargo, había una frase proverbial, *al sabor y (no) al olor;* cfr. *Celestina,* auto V).

[10] *serena:* «sirena».

[11] Lozana se refiere a la venta de sueños que, según Sagüeso, practica Celidonia (ver mam. LII). Si se niega Sagüeso pienso que se venden los sueños por ensolver, que los «ensueltos» no están a la venta.

[12] *escobador:* según R. 75, como en Oudin *(Tres lenguas),* «barren-

muerto un canónigo de su tierra, y estaba allí un solicitador, y hice yo que se lo[13] comprase, y que le dijese el nombre del canónigo que soñó, y fue el solicitador, y demandó este canonigado, y diéronselo, y al cabo de quince días vino el aviso al escobador, y teníalo ya el otro[14] y quedóse con él, y yo con una caparela[15].

SAGÜESO.—Déjame beber, y después hablaremos.

LOZANA.—Siéntate para beber, que te temblarán las manos.

SAGÜESO.—¿Y d'eso viene el temblar de las manos? No lo sabía. Y cuando tiembla la cabeza ¿de qué viene?

LOZANA.—Eso viene de hacer aquella cosa en pie.

SAGÜESO.—¡Oh, pese a tal! ¿Y si no puede habello[16] el hombre de otra manera?

LOZANA.—Dime, Sagüeso, ¿por qué no estás con un amo, que te haría bien?

SAGÜESO.—¿Qué mejor amo que tenellos a todos por señores, y a vos y a las putas por amas, que me den leche, y yo a ellas suero?[17] Yo señora Lozana, soy gallego, y criado en Mogollón[18], y quiero que me sirvan a mí, y no servir a quien cuando esté enfermo me envíe al hospital, que yo me sé ir sin que me envíen. Yo tengo en Roma sesenta canavarios por amigos, que es revolución por dos meses[19].

LOZANA.—Mira cómo se te durmió Divicia encima de la pierna.

SAGÜESO.—Mirá la mano do la tiene.

LOZANA.—Fuésele ahí; es señal de que te quiere bien. Tó-

---

dero»; pero Ugolini se hace eco de una interpretación que me parece atrevida: «doméstico íntimo del Papa», probablemente a través de *escobar, escobetear,* o sea «cepillar».

[13] *lo:* «el sueño».

[14] *teníalo ya el otro:* el que lo solicitaba tenía ya el canonicato (o canonjía).

[15] *caparela:* «tabardo» (regalo acostumbrado para Lozana).

[16] *habello:* «haberlo», es decir «conseguirlo».

[17] *las putas por amas... a ellas suero:* porque las putas son «amas de leche», pero también «amantes» (además de «amas de un criado») como se verá en el mam. LV. En cuanto a *suero,* obvio es decir que su segundo sentido es sexual («semen»).

[18] Este *Mogollón* pertenece evidentemente a la geografía burlesca del *Retrato,* refiriéndose en realidad a la manera de vivir del vagabundo *(de mogollón).*

[19] *revolución:* entiéndase que, con 60 canavarios o despenseros, amigos suyos, Sagüeso puede hacer 60 comidas sin pagar, yendo de uno a otro (que eso es *revolución,* «dar la vuelta»).

mala tú, y llévala a esotra cámara y échala sobre el lecho, que su usanza es dormir sobre el pasto. Espera, te ayudaré yo, que pesa.

SAGÜESO.—¡Oh pese a mí; y pensáis que no me la llevaré espetada, por más pesada que sea! Cuanto más que estoy tan usado que se me antoja que no pesa nada. ¿Cómo haré, señora Lozana, que me duermo todo? ¿Queréis que me entre en vuestra cámara?

LOZANA.—Échate cabe ella, que no se espantará.

SAGÜESO.—Mirá que me llaméis, porque tengo de ir a nadar, que tengo apostado que paso dos veces el río sin descansar.

LOZANA.—Mira no te ahogues qu'este Tiber es carnicero como Tormes, y paréceme que tiene éste más razón que no el otro.

SAGÜESO.—¿Por qué éste más que los otros?

LOZANA[20].—Has de saber que esta agua que viene por aquí era partida en munchas partes, y el emperador Temperio quiso juntarla y que viniese toda junta, y por más excelencia quiso hacer que jamás no se perdiese ni faltase tan excelente agua a tan manífica cibdad. Y hizo hacer un canal de piedras y plomo debajo, a modo d'artesa, y hizo que de milla a milla pusiesen una piedra, escrita de letras de oro su nombre, Temperio, y andaban dos mil hombres en la labor cada día. Y como los arquimaestros fueron a la fin que llegaban a Ostia Tiberina, antes que acabasen, vinieron que querían ser pagados. El emperador mandó que trabajasen fin a[21] entrar en la mar; ellos no querían porque, si acababan, dubítaban lo que les vino, y demandáron que les diese su hijo primogénito, llamado Tiberio, de edad de diez y ocho años, porque de otra manera no les parecía estar seguros. El emperador se lo dio, y por otra parte mandó soltar las aguas, y ansí el agua con su ímpetu los ahogó a maestros y laborantes y al hijo, y por esto dicen que es y tiene razón de ser carnicero Tíber a Tiberio. Por eso, guárdate de nadar, no pagues la manifatura.

SAGÜESO.—Eso que está escrito, no creo que lo leyese ningún poeta, sino vos, que sabéis lo que está en las honduras, y

---

[20] Como se advierte en *R. 75* (nota 23, pág. 355), esta explicación que da Lozana de la «carnicería» del río (por decir que es carnívoro) tiene un fondo legendario tradicional, pudiendo variar la naturaleza del canal, aquí de piedra y plomo, en otras partes de cobre (cfr. *Libro de Buen Amor,* 266).

[21] *fin a:* «hasta» (ital.).

..ebrija²² lo que está en las alturas, exceto lo que estaba escrito
en la fuerte Peña de Martos, y no alcanzó a saber el nombre
de la cibdad que fue allí edificada por Hércules, sacrificando
al dios Marte, y de allí le quedó el nombre Martos a Marte for-
tísimo²³. Es esta peña hecha como un huevo, que no tiene principio ni fin²⁴, tiene medio como el planeta que se le atribuye
estar en medio del cielo, y señorear la tierra, como al presente,
que no reina otro planeta en la Italia. Mas vos que sabéis, decíme: ¿qué hay debajo de aquella peña tan fuerte?

LOZANA.—En torno d'ella te diré que no hay cosa mala de
cuantas Dios crió sobre la tierra, porque en todas las otras tierras hay en partes lo que allí hay junto, como podrás ver si vas
allá, que es buena tierra para forasteros como Roma.

SAGÜESO.—Todo me duermo, perdóname.

LOZANA.—Guarda, no retoces esa rapaceja.

SAGÜESO.—¡Cómo duerme su antigüedad!

LOZANA.—Quiero entender en hacer aguas y olios, porque
mañana no me darán hado ni vado²⁵, que se casan²⁶ ocho putas, y Madona Septuaginta querrá que yo no me parta d'ella
para decille lo que tiene de hacer. Ya es tarde, quiero llamar
aquel cascafrenos, porque, como dicen, al bueno porque te hon-
re, y a este tal²⁷ porque no me deshonre, que es un atregua-
do²⁸ y se sale con todo cuanto hace. Ya me parece que los siento hablar.

DIVICIA.—¡Ay, Sagüeso!, ¿qué me has hecho, que dormía?

---

²² *Lebrija:* es Antonio de Nebrija, de quien Delicado se proclama
en otro lugar, discípulo. Yo veo en toda esta frase una alusión irónica
de Delicado a su propia compilación, y en la oposición *honduras/al-
turas* una referencia a lo que llamaríamos hoy géneros literarios o a la
jerarquía de las asignaturas. Pero es evidente que juega con las palabras *honduras* y *alturas,* como lo prueba lo que sigue sobre la Peña
de Martos.
²³ Cfr. mamotreto XLVII.
²⁴ Por eso el huevo es símbolo de perfección.
²⁵ *no me darán hado ni vado:* «no me dejarán en paz; me darán mucho que hacer». De un sentido antiguo de *vado* («descanso»); supongo
que *hado ni vado* se debe a la rima, como en numerosas expresiones
proverbiales o dichos populares.
²⁶ *se casan:* en *Venecia 1528* «se casen», pero me parece errata.
²⁷ *este tal:* el refrán reza «al malo».
²⁸ *atreguado:* con su sentido de «lunático»; Lozana se teme de lo que
pueda ocurrírsele al vagabundo, tanto más cuanto que todas sus empresas conocen buen éxito.

425

SAGÜESO.—De la cintura arriba dormíades, que estábades quieta.

DIVICIA.—La usanza es casi ley; soy usada a mover las partes inferiores en sintiendo una pulga.

SAGÜESO.—¡Oh, pese al verdugo! ¿y arcando con las nalgas oxeáis las pulgas?[29]

DIVICIA.—Si lo que me heciste durmiendo me quieres reiterar, yo te daré un par de cuchillos que en tu vida los viste tan lindos.

SAGÜESO.—Sé que no so d'acero; mostrá los cuchillos.

DIVICIA.—Veslos aquí, y si tu quieres, en tanto que no tienes amo, ven, que yo te haré triunfar, y mira por mí, y yo por lo que tú has menester.

SAGÜESO.—¿Os contento donde os llego? No será hombre que ansí os dé en lo vivo como yo. Quedá norabuena.

—Señora Lozana, ¿mandáis en qué os sirva?

LOZANA.—Que no nos olvidéis.

DIVICIA.—No hará, que yo le haré venir aunque esté en cabo del mundo.

LOZANA.—Siéntate, puta hechicera, que más verná por comer que por todos tus encantes.

MAMOTRETO LIV

Cómo platicaron la Lozana y Divicia de munchas cosas.

LOZANA.—¡Oh, Divicia!, ¿oíste nunca decir entre col y col, lechuga?[1]. ¿Sabes qué quiere decir?: afanar y guardar para la vejez, que más vale dejar en la muerte a los enemigos, que no demandar en la vida a los amigos.

DIVICIA.—¿Qué quieres decir?

LOZANA.—Quiero decir que un hortolano ponía en una haza coles, y las coles ocupaban todo el campo, y vino su mujer y

---

[29] Cfr. la letra: *Corazón, una pulga me come.* / *¡Ay!, matámela si sois hombre (P. E. S. O., 65).*

[1] *Entre col y col, lechuga:* refrán, ya en *La Celestina* (auto VI), dándole aquí Lozana una interpretación económica, con el otro refrán que ensarta casi a continuación, y luego la anécdota del dicho. Guardar para la vejez es una preocupación constante de Lozana, como se ha dicho ya varias veces. Nótese además que la técnica literaria es la de los apólogos tradicionales.

dijo: Marido, entre col y col, lechuga, y ansí este campo nos
frutará lo que dos campos nos habían de frutar. Quiero decir
que vos no deis lo que tenéis, que si uno no's paga, que os hagáis pagar de otro doblado, para que el uno frute lo que el
otro goza. ¿Qué pensáis vos que ha de hacer aquel naciado[2] de
aquellos cuchillos? Jugallos ha, y ansí los perderéis.

DIVICIA.—No perderé, que en los mismos cuchillos van dichas tales palabras que él tornará[3].

LOZANA.—¡Ándate ahí, puta de Tesalia[4], con tus palabras
y hechizos!, que más sé yo que no tú ni cuantas nacieron, porque he visto moras, judías, zíngaras, griegas y cecilianas, que
éstas son las que más se perdieron en estas cosas y vi yo hacer
munchas cosas de palabras y hechizos, y nunca vi cosa ninguna salir verdad, sino todo mentiras fingidas. Y yo he querido
saber y ver y probar como Apuleyo, y en fin hallé que todo
era vanidad, y cogí poco fruto, y ansí hacen todas las que se
pierden en semejantes fantasías. Decíme, ¿por qué pensáis que
las palabras vuestras tienen efeto y llévaselas el viento? Decíme, ¿para qué son las plumas de las aves sino para volar? Qui-
taldas y ponéoslas vos, veamos si volaréis. Y ansí las palabras
dichas de la boca de una ostinada vieja antigualla como vos.
Decíme, ¿no decís que os acontecíó ganar en una noche ciento
y diez y ocho cuartos abrochados?[5]. ¿Por qué no les dijis-
tes esas palabras, para que tornasen a vos sin ganallos otra
vez?

DIVICIA.—¿Y vos los pelos de las cejas?[6] Y decís las palabras en algarabía, y el plomo con el cerco en tierra, y el orinal

[2] *naciado*: «enaciado» (o sea, «tornadizo, renegado»), pero que aquí
me parece remitir más bien a lo que dijo Lozana en el mamotreto anterior, que Sagüeso era un *atreguado* o lunático, inconstante.

[3] Este tema de los encantamientos y hechizos, tan frecuente en las
novelas de caballerías, va a dar ocasión a Lozana para tratar una vez
más de las supersticiones. Es errata la forma *dichos* de *Venecia 1528*.

[4] *Tesalia*: tierra tradicional de brujas, como se apunta en *R. 75*, pero
cuidado con la connotación erótica (véase mam. IV, nota 17).

[5] *cuartos abrochados*: dinero que representa el sueldo de la ramera
(véase *R. 75*, nota 8, págs. 359-360).

[6] ¿*Y vos... cejas?*: Divicia le pregunta a Lozana por qué no le vuelven a ella los pelos de las cejas que ha hecho caer la sífilis (cfr. la estrella de Lozana), y luego enumera las prácticas mágicas que le ha visto ejecutar (cfr. mam. XVII).

y la clara de huevo, y dais el corazón de la gallina con agujas y otras cosas semejantes.

LOZANA.—A las bobas se da a entender esas cosas, por comerme yo la gallina. Mas por eso vos no habéis visto que saliese nada cierto, sino todo mentira, que si fuera verdad, más ganara que gallina. Mas si pega, pega.

DIVICIA.—Quítame este pegote o jáquima, qu'el barboquejo de la barba yo me lo quitaré.

LOZANA.—Pareces borrica enfrenada.

DIVICIA.—Acaba presto, puta, que me muero de sed.

LOZANA.—No bebas d'ésa, qu'es del pozo.

DIVICIA.—¿Qué se me da?

LOZANA.—Porque todos los pozos de Roma están entredichos, a efeto que no se beba el agua d'ellos.

DIVICIA.—¿Por qué?

LOZANA.—Era muy dulce de beber, y como venían los peregrinos y no podían beber del río, que siempre viene turbia o sucia, demandaban por las casas agua, y por no sacalla, no se la querían dar. Los pobres rogaron a Dios que el agua de los pozos no la pudiesen beber, y ansí se gastaron, y es menester que se compre el agua tiberina de los pobres, como veis, y tiene esta excelencia, que ni tiene color, ni olor, ni sabor, y cuanto más estantiva o reposada está el agua d'este río Tíber, tanto es mejor.

DIVICIA.—¿Como yo?

LOZANA.—No tanto, que hedería o mufaría[7] como el trigo y el vino romanesco, que no es bueno sino un año, que no se puede beber el vino como pasa setiembre, y el pan como pasa agosto, porque no lo guarden de los pobres y si lo guardan, ni ellos ni sus bestias lo pueden comer, porque, si lo comen las gallinas, mueren.

DIVICIA.—¡Por tu vida y mía, que yo lo vi hogaño echar en el río, y no sabía por qué!

LOZANA.—Porque lo guardaron para el diluvio, que había de ser este año en que estamos, de mil e quinientos y veinte y cuatro, y no fue.

DIVICIA.—Hermana, ¿qué quieres que meta en estas apretaduras, que hierven en seco?

LOZANA.—Mete un poco de agua, que la retama, y la jara, y los marrubios y la piña, si no nadan en el agua, no valen

---

[7] mufaría: ital. muffare, que Oudin traduce por «marchitarse» (Tres lenguas).

nada. No metas d'ésa, qu'es de río y alarga; mete de pozo, que aprieta, y saca un poco y probá si os aprieta a vos, aunque tenéis seis tejaredecas[8], que ya no's había de servir ese vuestro sino de mear.

DIVICIA.—¡Calla, puta de *quis vel qui!*[9].

LOZANA.—¡Y tú, puta de tres cuadragenas menos una!

DIVICIA.—¡Calla, puta de candonque[10], que no vales nada para venderme, ni para ser rufiana!

LOZANA.—¡A tal puta tal rufiana! ¿Ves?, viene Aparicio, tu padrino.

DIVICIA.—Cual Valderas el malsín es de nuestra cofradía.

LOZANA.—¿Cofradía tenés las putas?

DIVICIA.—¿Y agora sabes tú que la cofradía de las putas es la más noble crofadía que sea, porque hay de todos los linajes buenos que hay en el mundo?

LOZANA.—Y tú eres la priosta; va, que te llama, y deja subir aquella otra puta vieja rufiana sarracina con su batirrabo, que por apretaduras verná.

DIVICIA.—Subí, madre, que arriba está la señora Lozana.

LOZANA.—Vení acá, madona Doméstica, ¿qué buscáis?

DOMÉSTICA.—Hija mía, habés de saber que cerca de mi casa está una pobre mochacha, y está virgen, la cual si pudiese o supiésedes cualque español hombre de bien que la quisiese, qu'es hermosa, porque le diese algún socorro para casalla.

LOZANA.—¡Vieja mala escanfarda[11]!, ¿qué español ha de querer tan gran cargo de corromper una virgen?

DOMÉSTICA.—Esperá, que no es muncho virgen, que ya ha

---

[8] *seis tejaredecas:* es evidentemente, una medida. *Seis* es número simbólico (el sexo, el demonio, el mal). *Tejaredecas* no sé lo que es; Ugolini piensa en una creación expresiva de Lozana, a partir de *teja* y de *redeja,* comparándose así la panza de Divicia, con un techo y una red, por los pliegos que tienen y que caen unos sobre otros, pero no me convence (además Lozana no alude a toda la barriga, como se ve claro por la función a que limita el uso de ese órgano); en *R. 75,* relacionan esas *tejaredecas* con las «tijeradas», y esto me parece ya más lógico; en definitiva, podría ser errata por *tajaderecas,* diminutivo de «tajaderas», en el sentido de «trozo de madera para picar la carne», tomando como medida algo así como seis palmos, lo que puede parecer exagerado, pero tales exageracioens, son corrientes en *La Lozana.*

[9] *quis vel qui:* «cualquiera».

[10] *candoque* (lat. *quandoque*): «de cualquier momento».

[11] *escanfarda*: (ital. *scanfarda*): «mujer de mala vida, ramera» (nota 28, pág. 363 de *R. 75).*

visto de los otros hombres, mas es tanto estrecha que parece del todo virgen.

LOZANA.—A tal persona podrías engañar con tus palabras antepensadas [12] que te chinfarase [13] a ti y a ella. ¡Oh, hi de puta! ¿Y a mí te venías, que so matrera? ¡Mirá qué zalagarda me traía pensada! ¡Va con Dios, que tengo que hacer!

DIVICIA.—¿Qué quería aquella mala sabandija?

LOZANA.—¡Tres bayoques de apretaduras, ansí la azoten! Conmigo quiere ganar, que la venderé yo por más vieja astuta que sea.

DIVICIA.—A casa de la Celidonia [14] va.

LOZANA.—¿Qué más Celidonia o Celestina qu'ella? Si todas las Celidonias o Celestinas que hay en Roma me diesen dos carlines al mes, como los médicos de Ferrara al Gonela [15], yo sería más rica que cuantas mujeres hay en esta tierra.

DIVICIA.—Decíme eso de Gonela.

LOZANA.—Demandó Gonela al duque que los médicos de su tierra le diesen dos carlines al año; el duque, como vido que no había en toda la tierra arriba de diez, fue contento [16]. El Gonela, ¿qué hizo? Atóse un paño al pie y otro al brazo, y fuese por la tierra. Cada uno le decía: ¿Qué tienes? Y él les respondía: Tengo hinchado esto. E luego le decían: Va, toma la tal hierba, y tal cosa, y póntela y sanarás. Después, escrebía el nombre de cuantos le decían el remedio, y fuese al duque, y mostróle cuántos médicos había hallado en su tierra. Y el duque decía: ¿Has tú dicho la tal medicina a Gonela? El otro respondía: Señor, sí. —Pues pagá dos carlines, porque sois médico nuevo en Ferrara. Así querría yo hacer por saber cuántas Celidonias hay en esta tierra.

DIVICIA.—Yo's diré cuántas conozco yo. Son treinta mil putanas y nueve mil rufianas sin vos. Contaldas. ¿Sabéis, Lozana, cuánto me han apretado aquellas apretaduras? Hanme hecho lo mío como bolsico con cerraderos.

LOZANA.—¿Pues qué, si metieras de aquellas sorbas secas

---

[12] *antepensadas:* «preparadas de antemano», «estudiadas». Es lo contrario de *antipensadas* del mam. IV.

[13] *chinfarase:* este verbo *chinfarar* me parece creación expresiva; podría significar «aplastar» o «destrozar».

[14] *Celidonia:* véase mam. LII, nota 2.

[15] *Gonela* (Gonella): célebre bufón y burlador italiano del siglo XIV. La anécdota que relata Lozana será también de compilación.

[16] *fue contento:* aceptó.

dentro? No hubiera hombre que te lo abriera por más fuerza que tuviera, aunque fuera micer puntiagudo, y en medio arcudo, y al cabo como el muslo.

DIVICIA.—Yo querría, Lozana, que me rapases este pantano[17] que quiero salir a ver mis amigos.

LOZANA.—Espera que venga Rampín, que él te lo raerá como frente de calvo. No viene ninguna puta, que deben jabonar el bien de Francia. Dime, Divicia, ¿dónde comenzó o fue el principio del mal francés?

DIVICIA.—En Rapalo[18], una villa de Génova, y es puerto de mar, porque allí mataron los pobres de San Lázaro, y dieron a saco los soldados del rey Carlo cristianísimo de Francia aquella tierra y las casas de San Lázaro[19], y uno[20] que vendió un colchón por un ducado, como se lo pusieron en la mano, le salió una buba ansí redonda como el ducado, que por eso son redondas. Después, aquél lo pegó a cuantos tocó con aquella mano[21], y luego incontinente se sentían los dolores acerbísimos y lunáticos, que yo me hallé allí y lo vi. Que por eso se dice: el Señor te guarde de su ira, que es esta plaga, que el sexto ángel[22] derramó sobre casi la meatad de la tierra.

LOZANA.—¿Y las plagas?

DIVICIA.—En Nápoles comenzaron, porque también me hallé allí cuando dicién que habían enfecionado los vinos y las aguas. Los que las bebían luego se aplagaban, porque habían echado la sangre de los perros y de los leprosos en las cisternas y en las cubas, y fueron tan comunes y tan invisibles que nadie pudo pensar de adónde procedién. Munchos murieron, y como allí se declaró y se pegó, la gente que después vino d'España

---

[17] *pantano:* recuerdo la serie sinonímica que tenemos en *La Lozana* (en nivel erótico): noria, foso, manantío, y, desde luego, pantano.

[18] *Rapalo:* es Rapallo en italiano; la ed. *Venecia 1528* trae «Rapolo» que debe ser errata, pues para el juego conceptista o asociación de ideas con «rapar el pantano», conviene tan bien el presente como el perfecto.

[19] Estas *casas de San Lázaro* eran hospital, probablemente de leprosos.

[20] *uno:* uno de los soldados que habían robado los muebles de los enfermos del hospital para venderlos.

[21] *aquella mano:* apréciese el juego conceptista sobre «mano» (y su doble sentido sexual), a la luz de la naturaleza de la enfermedad, que es el «bien de Francia» (o «mal...»), es decir la sífilis.

[22] *el sexto ángel:* el demonio, o ángel de mal, ángel tutelar de la sífilis (véase *supra* nota 8).

llamábanlo mal de Nápoles, y éste fue su principio, y este año de veinte y cuatro son treinta y seis años que comenzó. Ya comienza a aplacarse con el leño de las Indias Ocidentales [23]. Cuando sean sesenta años que comenzó, alora [24] cesará.

Mercader en su trato.
Nótese la forma sugestiva del animal objeto del trato.

---

[23] Es el palo guayaco, sobre el que Delicado escribió un tratado (véase Introducción).

[24] *alora* («allora»): entonces.

Mamotreto LV[1]

Cómo la Lozana vido venir un joven desbarbado[2], de diez y ocho años, llamado Coridón, y le dio este consejo como supo su enfermedad[3].

LOZANA.—Mi alma, ¿dó bueno? Vos me parecéis un Absalón[4], y Dios puso en vos la hermosura del gallo[5]. Vení arriba,

---

[1] Este mamotreto es de los más curiosos detro del tono general de la novela, con sus protagonistas, Coridón y Polidora, que, aparentemente son más enamorados de cancionero lírico que de obra pornográfica. Pero, la finalidad de los amores de estos jóvenes es la misma que la de las putas y rufianes y criados que pueblan los otros capítulos: en esto yace la lección moral de reprobación del amor que pasa por un rasero todas las apariencias, para atenerse a la pulsión fundamental que iguala a todos los hombres (básicamente, es el tema de *La Celestina*). Otra característica del episodio es que no tiene conclusión, pero como se verá, ésta sería inútil puesto que viene implícita en los nombres de los personajes (por onomancia) y en los detalles del plan de Lozana. Por lo demás, el fondo de la historia de Coridón parece inspirado en novelas italianas del siglo XV (Boccaccio, Bandello, Masuccio...).

[2] *desbarbado:* detalle importante para la continuación, ya que Coridón tiene que disfrazarse de mujer. Pero, con sus dieciocho años, debería de estar tan dispuesto como cualquier barbiponiente.

[3] *enfermedad:* el amor concebido como dolencia que requiere consejo de médicos sabios corresponde a la declaración de Diomedes a Aldonza (veremos asimismo que otros detalles de este mamotreto coinciden con los del mam. III). Este amor-enfermedad es un dato cancioneril a la par que celestinesco (pero claro que con enfoque distinto).

[4] *absalón:* «Personaje bíblico, hijo de David, celebrado como *el más bello de Israel* por su figura física» (*R. 75,* nota 3, pág. 367); pero Absalón, si bien evoca la hermosura, recuerda sobre todo el largo pelo de perdición. Esta cabellera es evidentemente un detalle importante del plan de Lozana, puesto que Coridón tiene que disfrazarse de mujer. Sin embargo, no se puede olvidar que, dentro de la simbólica particular del Retrato, los cabellos son señal de lozanía, entendiéndose ésta a nivel erótico. Pero, ¿cómo no evocaría en este caso el amor al considerar qué clase de *enfermedad* y de *remedio* se están aquí comentando?

[5] *la hermosura del gallo:* por la referencia al gallo evoca lozanía y lujuria; refuerza la impresión que se desprende de la comparación con Absalón.

buey hermoso[6]. ¿Qué habéis, mi señor Coridón?, decímelo, que no hay en Roma quien os remedie mejor. ¿Qué me traés aquí? Para comigo no era menester presente, pero porque yo's quiera más de lo que os quiero, vos, mi alma, pensáis que por venirme cargado lo tengo de hacer mejor. Pues no soy d'ésas, que más haré viéndo's penado, porque sé en qué caen estas cosas, porque no solamente el amor es mal que atormenta a las criaturas racionales, mas a las bestias priva de sí mismas; si no, veldo por esa gata, que ha tres días que no me deja dormir, que ni come, ni bebe, ni tiene reposo. ¿Qué me hará un mochacho como vos, que os hierve la sangre, y más el amor que os tiene consumido?[7]. Decíme vos a mí dónde y cómo y quién, y yo veré cómo os tengo de socorrer, y vos contándome lo aplacaréis, y gozaréis del humo, como quien huele lo que otro guisa o asa.

CORIDÓN.—Señora Lozana, yo me vine de mi tierra, qu'es Mantua, por esta causa. El primero día de mayo, al hora cuando Jove el carro de Fetonte intorno giraba[8], yo venía en un caballo bianco[9], y vestido de seda verde. Había cogido munchas flores y rosas, y traíalas en la cabeza sin bonete, como una guirnalda, que quien me veía se namoraba[10]. Vi a una ventana de un jardín una hija de un cibdadano; ella de mí y yo d'ella nos enamoramos, mediante Cupido, que con sus saetas nos unió,

---

[6] *buey hermoso:* «Ansí llaman a uno de buena presencia y mansedumbre; y de algunos se dice que no tienen obras más de buena apariencia» (Correas, 699, a): una caracterización de tipo paremiológico no sobraba para Coridón.

[7] Razonamiento típico de la ejemplaridad, en el que Coridón aparece como el caso particular de un caso general.

[8] Entiéndase: a la hora en que el carro de Faetón giraba en torno a Júpiter; se caracteriza aquí la hora como en los poemas amatorios, y en el mismo estilo ampuloso, aunque más recargado quizás. La referencia al carro de Faetón tiene que ser de mal agüero, sobre todo con la presencia de Júpiter que lo derribó para evitar que lo abrasara el universo; ese ardor contrariado halla una correspondencia en las aventuras por venir de Coridón.

[9] Este caballo blanco es símbolo de pureza, aunque sea difícil olvidarse de la connotación erótica del caballo en *La Lozana* (cfr. mamotreto LII, nota 18).

[10] Coridón no peca de modesto. Todo este pasaje parece prosificación de un poema, o de una *canción* como compuso algunas el Marqués de Santillana, con la referencia mitológica y zodiacal para la hora, el gusto por los vestidos lujosos, y el anuncio floral del *locus amoenus* (lugar ameno tópico) que se menciona a continuación (el jardín).

haciendo de dos ánimos un solo corazón[11]. Mi padre, sabiendo la causa de mi pena, y siendo par del padre de aquella hermosa doncella Polidora, demandóla por nuera; su parentado y el mío fueron contentos, mas la miseria vana estorbó nuestro honrado matrimonio, que un desgraciado viejo, vano de ingenio y rico de tesoro, se casó con ella descontenta. Yo, por no verme delante mi mal, y por excusar a ella infelice pena y tristicia, me partí por mejor, y al presente es venido aquí un espión[12] que me dice qu'el viejo va en oficio de senador a otra cibdad. Querría que vuestra señoría me remediase con su consejo[13].

LOZANA.—Amor mío, Coridón dulce, récipe[14] el remedio: va, compra un veste de villana que sea blanca y unas mangas verdes, y vayte descalzo y sucio y loqueando, que todos te llamarán loca, y di que te llaman Jaqueta, que vas por el mundo reprehendiendo las cosas mal hechas[15], y haz a todos servicios y no tomes premio ninguno, sino pan para comer. Y va munchas veces por la calle d'ella, y coge serojas, y si su marido te mandare algo, hazlo, y viendo él que tú no tomas ni quieres salario, salvo pan, ansí te dejará en casa para fregar y cerner

---

[11] Esta nueva pareja corre destinos paralelos con Diomedes y Aldonza, a quien decía su enamorado: «Señora, es tal ballestero que de un mismo golpe nos hirió a los dos. *Ecco adonque due anime in uno core.* ¡O Diana! ¡O Cupido! ¡Socorred el vuestro siervo 1 (mam. III, nota 15, y, arriba, nota 3). La luz que proyectan Diomedes y Aldonza sobre estos enamorados no puede sino incitar al lector a que desconfíe de tan idílica pasión.

[12] *espión:* aunque el papel de éste sea de favorecer a Coridón, mientras que aquéllos estaban al servicio del padre, la presencia de este tipo de personaje es, formalmente, otro punto de contacto con las aventuras de Diomedes y Lozana (cfr. mam. IV).

[13] Nótese que Coridón, excepto dos italianismos de poca monta *(bianco e intorno,* puesto que *infelice* y *tristicia* eran formas corrientes en el español de aquella época, sobre todo en poesía), habla hasta ahora una lengua castellana perfecta (sin tener en cuenta el estilo amanerado), sin tartamudear; se verá más adelante la importancia de este detalle.

[14] *récipe:* término de médicos (así empezaban las recetas) perfectamente adecuado a la función de Lozana en este caso (véase *supra,* nota 3).

[15] En este consejo de Lozana, todo tiene que ser ficción, símbolo de engaño, el disfraz y la locura. En cuanto a «reprehender las cosas mal hechas» es locura (verdadera según Cervantes) de caballeros andantes (que van por el mundo «enderezando tuertos»).

y jabonar[16]. Y cuando él sea partido, limpia la casa alto y bajo, y haz que sea llamada y rogada de cuantas amas terná en casa, por bien servir y a todas agradar con gentil manera. Y si te vieres solo con esa tu amante Polidora, haz vista que siempre lloras, y si te demandare por qué dile: porque jamás mi nación fue villana. Sabé que soy gentildona breciana, y me vi que podía estar par a par con Diana, y con cualquier otra dama que en el mundo fuese estada. Ella te replicará que tú le digas: ¿Por qué vas ansí, mi cara Jaqueta? Tú le dirás: Cara madona, voy por el mundo reprochando las cosas mal hechas. Sabed que mi padre me casó con un viejo como vuestro marido, calvo[17], flojo como niño, y no me dio a un joven que yo demandaba siendo doncella, el cual se fue desperado, que yo voy por el mundo a buscallo. Si ella te quiere bien, luego lo verás en su hablar, y si te cuenta a ti lo mismo, dile cómo otro día te partes a buscallo. Si ella te ruega que quedes, haz que seas rogada por sus amas que su marido le dejó, y así cuando tú vieres la tuya[18], y siendo seguro de las otras, podrás gozar[19] de quien tanto amas y deseas penando.

CORIDÓN.—¡Oh señora Lozana! Yo os ruego que toméis todos mis vestidos, que sean vuestros, que yo soy contento con este tan remediable consejo que me habéis dado. Y suplíco's que me esperéis a esta ventana, que verné por aquí, y veréis a la vuestra Jaqueta cómo va loqueando a sus bodas[20], y reprehenderé muncho más de lo que vos habéis dicho.

---

[16] En este juego de ser y del parecer, la falsa loca, Jaqueta, no pedirá el salario aparentemente normal de su trabajo, el dinero: como éste no es en realidad la meta de la empresa, no sería sino compensación ilusoria. Entonces tiene que pedir *pan* (metáfora sexual, como se ha dicho aquí varias veces) y *fregar, cerner* y *jabonar,* actividades que el cambio de plano me evitará comentar (nótese sin embargo, «salvo pan, *ansí* te dejarán»).

[17] *calva:* señal de falta de lozanía, que se opone al Absalón del principio; se explicita enseguida: «flojo como un niño».

[18] *la tuya* («ama»): *ama* no es una palabra corriente del vocabulario amoroso, pero cabe perfectamente en *La Lozana.* Recuérdese que Sagüeso deseaba tener a las putas por amas para que le diesen leche y él a ellas suero (mam. LIII, nota 17).

[19] *gozar:* no puede declararse más claramente aquí la finalidad de la empresa; se trata de engañar al marido, y este tema de los cuernos, a pesar de la diferencia de tonalidad del presente mamotreto, cuadra perfectamente con la temática general del *Retrato.*

[20] *cómo va loqueando a sus bodas:* el éxito de la empresa es tan previsible que no merece la pena que se relate el desenlace del mamotreto

LOZANA.—¿Y a mí qué me reprehenderás?

CORIDÓN.—A vos no siento qué, salvo diré que vivís *arte et ingenio.*

LOZANA.—¡Coridón, mira que quiere un loco ser sabio! Que cuanto dijeres e hicieres sea sin seso y bien pensado porque, a mi ver, más seso quiere un loco que no tres cuerdos, porque los locos son los que dicen las verdades. Di poco y verdadero y acaba riendo, y suelta siempre una ventosidad, y si soltares dos, serán sanidad, y si tres, asinidad[21]. ¿Y qué más? ¿Me dirás celestial sin tartamudear?[22]

CORIDÓN.—Ce-les-ti-nal.

LOZANA.—¡Ay, amarga, muncho tartamudeas! Di alcatara[23].

CORIDÓN.—Al-ca-go-ta-ra.

LOZANA.—¡Ay, amarga, no ansí! Y tanto ceceas; lengua d'estropajo tienes. Entendamos en lo que dirás a tu amiga cuando esté sola, y dilo en italiano, que te entienda[24]: «Eco, madona, el tuo caro amatore; se tu voi yo mora soy contento. Eco colui que con perfeta fede, con lacrime, pene y estenti te ha sempre amato e tenuta esculpita in suo core. Yo soy Coridone, tuo primo servitore. ¡Oh mi cara Polidora, fame el corpo felice, y serò sempre tua Jaqueta, dicta Beatrice!»[25]. Y así podrás hacer tu voluntad.

(que ¹ ⁻ ⁻ nente por ser mamotreto no puede sino terminarse de otra manera). Quiero solamente añadir, a propósito de esta frase, que la fingida locura encubre otra verdadera, que es el *loco amor* (como lo confirma Lozana dos réplicas después). Cfr. también la fingida locura de Calisto en *La Celestina* (auto XIII).

[21] *suelta siempre... asinidad:* véase Introducción, págs. 113-114.

[22] Ahora empieza el juego sobre los nombres de la alcahueta, tradicional desde Juan Ruiz al menos, y ahora va a tartamudear Coridón, lo que hasta ahora no había hecho: como se dirá abajo, es que Coridón ha adoptado la personalidad de Jaqueta, y las dificultades lingüísticas que *implica su nombre.*

[23] Véase mam. XLI, nota 11.

[24] Lozana llama aquí la atención sobre los juegos que se dan con las diversas lenguas. Ya se había expresado Coridón, a pesar de su inexperiencia, en *latín* («vivís arte et ingenio»); ahora el mozo tiene que hablar *italiano* para que se le entienda, y tiene un nombre griego.

[25] Esta frase, en italiano aproximativo, quiere decir: «Aquí tienes señora, a tu caro amador; si tú quieres que me muera, lo consiento. Aquí está el que, con una fe perfecta, con lágrimas, penas y trabajos, te ha amado siempre, guardándote grabada en el corazón. Yo soy Coridón,

CORIDÓN.—¡Mirá si lo que os digo a vos está bien!

LOZANA.—No, porque tú no piensas la malicia que otrie entenderá[26]. Haz locuras y calla, no me digas nada, que tienes

tu primer servidor. ¡Oh, mi cara Polidora, hazme el cuerpo feliz, y siempre será la Jaqueta tuya, dicha Beatriz!»

El juego sobre los nombres (introducido por el de los nombres de la alcahueta, y concluido después por el mismo), da la clave de todo el pasaje. Si se puede llamar *Beatriz* a Jaqueta, es fácil entender que la beatitud así alcanzada procede de la felicidad *corporal* que solicita Coridón. Los otros juegos son menos evidentes para nosotros, menos acostumbrados a los ejercicios escolásticos que Delicado y sus condiscípulos. *Jaqueta* remite al nombre bíblico *Jacob* que en las escuelas se comentaba así: «nombre hebreo, vale *supplantator vel calcaneus aut planta, id este vestigium* (Covarrubias, *Tesoro,* 710, a).Estas equivalencias latinas tienen un gran interés, pues cabe imaginar, a partir de *vestigium* «planta del pie» (lo mismo que *planta*) y *calcaneus* («calcañar, talón»), a qué chistes podían llevar todas esas alusiones al «pie», para un genio burlesco. ¿Qué decir entonces de *supplantator,* «el que suplanta» siendo este sustantivo un deverbal de *supplanto* que significa: «1-echar una zancadilla/ 2-derribar / 3-estropear las palabras». Casi no merece la pena comentar: Coridón se llamará Jaqueta (versión disfrazada de Jacob) porque se trata para él de *suplantar* al marido (derribándolo), pero por eso *cecea* y *tartamudea,* o sea *estropea* las palabras con su lengua de *estropajo,* materia, escogida más por su significante que por sus propiedades metafóricas que, sin embargo, no eran de desdeñar). Tampoco es posible descartar que *Jaqueta* se haya escogido, *además,* por su relación con *Jaque* (en germanía, «rufián»), puesto que Coridón vivirá a expensas de Polidora, de quien hace *ipso facto* su puta, bajo el techo del marido. De *Coridón,* que en realidad es una especie de alondra (propiamente *cugujada* o *cogujada,* ya que tiene cresta, y en griego viene de una palabra que significa «casco» o «cabeza»), hay indicios que se interpretó como «armado de dardo o lanza» (cfr. hipótesis etimológicas sobre *corito* en el *Tesoro* de Covarrubias). Ahora bien, *Polidora,* por ser etimológicamente también, «la muy bien dotada» (cfr. Dorotea y Teodora, «don de Dios»), remite a la Alaroza/Aldonza de quien se ha hablado antes; pero, jocosamente, se pudo interpretar este nombre como «de muchas lanzas» al aceptar *dor-dora,* ya no como «don» sino como *lanza* (cfr. *doríforo).*De forma que *Polidora* viene a ser «la que lleva varias lanzas» (como en la *Segunda Celestina,* se llama una *Poliandria* «de varios hombres»), siendo uno de esos dardos el de Coridón, puesto que, jocosamente, se define *Coridón* por tal atributo, el cual le permite convertirse en *Jaqueta* «suplantador», e incluso, gracias a la felicidad de sus locas bodas, en *Beatriz.* [Para un análisis más detallado de esas etimologías, véase *Allaigre 80,* págs. 240-243.]

[26] *tú no piensas... otrie entenderá:* frase capital por su función de embrague; si bien se refiere a las deformaciones que Coridón/Jaqueta im-

trastrabada la lengua, que muncho estropajo comiste, pues no puedes decir en español arrofaldada, alcatara, celestial.

CORIDÓN.—A-rro-fia-na-da; al-ca-go-ta-ra; ce-les-ti-nal.

LOZANA.—Calla, que por decirme taimada me dijiste taba-quinara[27], y por decirme canestro me dices cabestro[28], y no me curo, que no se entiende en español qué quiere decir. Mas, por la luz de Dios, ¡que si otro me lo dijera y Rampín lo supiese!, que poco tenemos que perder, y soy conocida en todo Levante y Poniente, y tan buen cuatrín de pan nos hacen allá como acá. Coridón, esto podrás decir, que es cosa que se ve claro: Vitto-ria, vittoria, el emperador y rey de las Españas habrá gran gloria.

CORIDÓN.—No querría ofender a nadie.

LOZANA.—No se ofende, porque, como ves, Dios y la for-tuna les es favorable. Antiguo dicho es: teme a Dios y honra tu rey. Mira que prenóstico tan claro, que ya no se usan vestes ni escarpes[29] franceses, que todo se usa a la española.

CORIDÓN.—¿Qué podría decir como ignorante?

LOZANA.—Di que sanarás el mal francés, y te judicarán por loco del todo, que ésta es la mayor locura que uno puede de-cir, salvo qu'el leño salutífero[30].

---

pone a las palabras del proxenetismo, es también una petición (como la *deducción de canto llano*) para que se interpreten en nivel menos in-mediato los vocablos que le confieren al mamotreto toda su dimensión.

[27] *tabaquinara:* ital. «tabacchinería» (o sea, «alcahueta»: nota .27, pág. 371 de *R. 75);* pero se podía entender en español, de *tabanco* («mancebía» en el *C. O. B.,* de *tabanco,* «puesto de vender»), y tam-bién de *tamba* («manta» en germanía, o sea lo mismo que *Vellida).* Véa-se también nota 11 del mam. XXXVII.

[28] *canestro/cabestro: canestro* es «canasto» en italiano; *cabestro* es uno de los nombres de la alcahueta en una copla (924) del *Libro de Buen Amor,* de tal manera que Lozana sabe perfectamente, a pesar de lo que dice a continuación, que se entiende en español.

[29] *escarpes:* «zapatos».

[30] Véase mam. LIV, nota 23. Además, falta el verbo (es).

Cómo la Lozana estaba a su ventana, y dos galanes vieron salir dos mujeres, y les demandaron qué era lo que negociaban.

OVIDIO.—¡Míramela cuál está atalayando putas! ¡Mirá el alfaquí de su fosco marido que compra grullos![1]. Ella parece que escandaliza truenos[2]. Ya no se desgarra como solía, que parecía trasegadora de putas en bodegas comunes. Estemos a ver qué quieren aquéllas que llaman, que ella de todo sabe tanto que revienta, como *Petrus in cunctis,* y tiene del natural y del positivo, y es universal *in agibílibus*[3].

GALÁN.—¿No veis su criado negociando, que parece enforro de almiherez[4]? Librea trae fantástiga, parece almorafán[5] en cinto de cuero.

---

[1] Ahora se habla de Rampín como del marido de Lozana, lo que indica, en la cronología de los acontecimientos, que forman parte del pasado los hechos que comentaban Rampín y el autor en el mamotreto XVII. Esta boda, sin embargo, no parece haber modificado las costumbres de la pareja, vista aquí en sus actividades mercantiles de siempre, con el mismo reparto de las tareas. Por lo que se refiere a *comprar grullos,* no veo muy bien de qué se trata: el *D. R. A. E.* da como definición, en germanía, «ministro inferior de justicia» (en este caso, Rampín untaría la mano a los corchetes, sin que se sepa exactamente por qué), y, en calidad de andalucismo, «paleto, palurdo» *(comprarlos* ¿significaría entonces «enredarlos»?). Pero es posible que se trate de *grullas* (plato apreciado por los antiguos romanos), puesto que Rampín es siempre el que compra en la plaza.

[2] *escandaliza truenos:* no estoy de acuerdo con *R. 75* que comenta *truenos:* «joven alborotador y de mala conducta»; yo creo simplemente que se refiere a las acostumbradas riñas y pendencias de Rampín, a las que Lozana pone tasa, o sea que las *escandaliza,* en el sentido doctrinal de «obstaculizar, estorbar»: «impide las pendencias». Se ve que Lozana (cfr. refrán: «veinte años puta y uno casada, sois muy honrada») está ahora atenta a su dignidad, y no *se desgarra* como antes *[desgarrarse:* «vivir licenciosamente» *(Autoridades)* quizás no convenga del todo, como se verá, y lo entendería mejor aquí como denominal de *desgarro,* «desvergüenza, descaro», también en *Autoridades].*

[3] *ella de todo sabe ... in agibílibus:* véase Introducción, nota 96.

[4] *enforro de almiherez:* «aforro o forro de almirez» que no sé exactamente cómo entender, porque no sé si se refiere a la parte interna o externa del mortero. *Enforrado* se podía decir de las dos cosas; si se

440

OVIDIO.—Callá, que no parece sino cairel de puta pobre, que es de seda aunque gorda. Ya sale una mujer; ¿cómo haremos para saber qué negoció?

GALÁN.—Vamos, y dejámela interrogar a mí.

—Madona, ¿sois española?

PRUDENCIA.—Fillolo, no; mas sempre he voluto[6] ben a spañoli. Questa española me ha posto olio de ruda para la sordera.

GALÁN.—Madona, ¿cómo os demandáis?[7].

PRUDENCIA.—Fillolo, me demando Prudenza.

GALÁN.—Madona Prudencia, andá en buen hora.

OVIDIO.—¿Qué os parece si la señora Lozana adorna esta tierra? En España no fuera ni valiera nada. Veis, sale la otra con un mochacho en brazos. Por allá va; salgamos a esotra calle.

GALÁN.—¡A vos, señora!, ¿sois española?

CRISTINA.—Señor, sí; de Secilia, a vuestro comando.

OVIDIO.—Queríamos saber quién queda con la señora Lozana.

CRISTINA.—Señor, su marido, o criado pretérito, o amigo secreto, o esposo futuro, porque mejor me entendáis. Yo soy ida a su casa a no far mal, sino bien, que una mi vecina, cuya es esta criatura, me rogó que yo viniese a pedille de merced que santiguase este su hijo, que está aojado, y ella lo hizo por su virtud, y no quería tomar unos huevos y unas granadas que le traje.

GALÁN.—Decínos, señora, que vos bien habréis notado las palabras que dijo.

CRISTINA.—Señor, yo's diré. Dijo: Si te dio en la cabeza, vá-

_____

trata del interior, podría significar que se parece a una mano de mortero (o sea: sexo); si se trata del exterior, lo que cubre el almirez, su funda de protección, podría ser alusión a su librea que cubre un cuerpo parecido a un mortero, y aun connotar la inutilidad del hombre (cfr. *aforragaita*).

[5] *almorafán:* para Ugolini es *almorrefa* (por referencia a los colores abigarrados de los mosaicos entralazados), y según *R. 75* es *almorafa* «almalafa» (nota 11, pág. 374, que remite a Eguilaz, *Glosario... palabras... de origen oriental*). Confieso mi perplejidad, porque no me satisfacen verdaderamente tales soluciones; me pregunto si no hay errata, pudiéndose leer *almorafán,* algo así como almofariz (almirez, mortero), que tendría el interés de encajar mejor en el contexto. Otra erudición que la mía en materia de palabras orientales sería necesaria aquí para apuntalar esta sugestión... o descartarla.

[6] *ho voluto:* «he querido».

[7] *os demandáis:* «os llamáis».

late Santa Elena; si te dio en los hombros, válante los apóstoles todos; si te dio en el corazón, válgate el Salvador. Y mandóme que lo sahumase con romero, y ansí lo haré por contentar a su madre, y por dalle ganancia a la Lozana, que en esta quemadura me ha puesto leche de narices.

GALÁN.—Mas no de las suyas.

CRISTINA.—Y vuestras mercedes queden con Dios.

OVIDIO.—Señora Cristina, somos a vuestro servicio; id con la paz de Dios.

GALÁN.—Quien no se arriesga no gana nada. Son venidas a Roma mil españolas, que saben hacer de sus manos maravillas, y no tienen un pan que comer, y esta plemática[8] de putas y arancel de comunidades, que voto a Dios que no sabe hilar, y nunca la vi coser de dos puntos arriba, su mozo friega y barre, a todos da que hacer, y nunca entiende sino: ¿Qué guisaremos, qué será bueno para comer? La tal cosa yo la sé hacer, y el tal manjar cómprelo vuestra merced, que es bueno. Y daca especia, azúcar, trae canela, miel, manteca, ve por huevos, trae tuétanos de vaca, azafrán, y mira si venden culantro verde. No cesa jamás, y todo de bolsa ajena.

OVIDIO.—¡Oh pese al turco! Pues veis que no siembra, y coge, no tiene ganado, y tiene quesos, que aquella vieja se los trajo, y la otra, granadas sin tener huerto, y huevos sin tener gallinas, y otras munchas cosas, que su audacia y su no tener la hacen afortunada.

GALÁN.—Es porque no tiene pleitos ni letigios que le turen de una audencia a la otra, como nosotros, que no bastan las bibalías que damos a notarios y procuradores, que también es menester el su solicitar para nuestros negocios acabar[9].

OVIDIO.—Es alquivio[10] de putas, y trae difiniciones con sentencias, ojalá sin dilaciones[11], y d'esta manera, no batiendo moneda, la tiene, y huerta, y pegujar, y roza sin rozar[12], como hacen munchos que, como no saben sino espender lo ganado de sus pasados, cuando se ven sin arte y sin pecunia, métense frailes por comer en común.

---

[8] *plemática:* «premática», o sea «pragmática».

[9] Véase Introducción, pág. 86.

[10] *alquivio:* «archivo».

[11] *difiniciones... sentencias... dilaciones:* juego con el sentido normal y la acepción forense.

[12] *roza sin rozar:* juega sobre la acepción agrícola («rozar la tierra») y *rozar,* con el sentido de «comer» (probablemente de la familia de *ronzar* y *roznar*).

Música de flauta de ciprés (poniendo bemol).

(mam. LVII)

Cómo salió la Lozana con su canastillo debajo, con diversas cosas para su oficio, y fue en casa de cuatro cortesanas favoridas, y sacó de cada una, en partes, provisión de quien más podía.

LOZANA.—¿Quién son aquellos tres galanes que están allí? Cúbranse cuanto quisieren, que de saber tengo si son pleiteantes.

—¡Andá ya, por mi vida! ¿Para mí todas esas cosas? ¡Descubrí, que lo sirva yo, que un beso ganarés!

GALÁN.—¿Y yo, señora Lozana?

LOZANA.—Y vos beso y abracijo. ¿Qué cosa es ésta? ¿Quién os dijo que yo había de ir a casa de la señora Jerezana? Ya sé que le distes anoche música de falutas de aciprés, porque huelan, y no sea menester que intervenga yo a poner bemol. Hacé cuanto quisiéredes, que a las manos me vernés[1].

OVIDIO.—¿Cuándo?

LOZANA.—Luego vengan vuestras mercedes, cuando yo sea entrada, que me tengo de salir presto, que es hoy sábado, y tengo de tornar a casa que, si vienen algunas putas orientales y no me hallan, se van enojadas, y no las quiero perder, que no valgo nada sin ellas, máxime agora que son pocas y locas.

GALÁN.—Señora Lozana, decí a la señora Jerezana que nos abra, y terciá vos lo que pudiéredes. Y veis aquí la turquina[2] que me demandastes.

LOZANA.—Pues miren vuestras mercedes, que si fuere cosa que podéis entrar, yo porné este mi paño listado a la ventana, y entonces llamá.

GALÁN.—Sea ansí.

—¡Alegre va la puta vieja encrucijada! ¡Voto a Dios, mejor cosa no hice en mi vida que dalle esta turquina! que ésta es la hora que me hace entrar en su gracia, cosa que no podía cabar

---

[1] *¿Quién os dijo... me vernés:* véase Introducción, pág. 69. [«Él me vendrá a las manos», «Algún día me vendrá a las manos», expresiones recogidas por Correas en sus frases, 617, a.]

[2] *turquina* (ital.): «turquesa».

con cuanto he dado a sus mozos y fantescas, que no me han aprovechado nada, tanto como hará agora la Lozana, que es la mejor acordante que nunca nació, y parece que no pone mano en ello. Vello hemos. Ya llama, y la señora está a la ventana. Vámonos por acá, que volveremos.

JEREZANA.—¡Hola, mozos, abrí allí, que viene la Lozana y sus adherentes! Mirá, vosotros, id abajo y hacelda rabiar, y decí que es estada aquí una jodía, que me afeitó y que agora se va, y que va en casa de la su favorida, la Pempinela, si queremos ver lidia de toros. Y yo diré que, porque se tardó, pensé que no viniera.

CORILLÓN.—¿Quién es? Paso, paso, que no somos sordos. —Señora Lozana, ¿y vos sois? Vengáis norabuena, y tan tarde que la señora quiere ir fuera.

LOZANA.—¿Y dó quiere ir su merced? ¿No esperará hasta que la afeite?

CORILLÓN.—No lo digo por eso, que ya está afeitada, que una jodía la afeitó y, si antes viniérades, la halláredes aquí, que agora se va a casa de la Pimpinela.

LOZANA.—¡Mal año para ti y para ella, que no fuese más tu vida como dices la verdad! ¡La Pimpinela me tiene pagada por un año, mira cómo se dejará afeitar de una jodía!, mas si la señora se ha dejado tocar y gastar, que no podía ser menos, ¡por la luz de Dios, que ella se arrepentirá! Mas yo quiero ver esta afeitadura cómo está. Dime, ¿su merced está sola?

CORILLÓN.—Sí, que quiere ir en casa de monseñor, que ya está vestida de regazo [3], y va a pie.

ALTOBELO.—Señora Lozana, sobí, que su merced os demanda, que os quiere hablar antes que se parta.

LOZANA.—¿Dónde está la señora? ¿En la anticámara o en la recámara?

ALTOBELO.—Entrá allá a la loja, que allá está sola.

LOZANA.—Señora, ¿qué quiere decir que vuestra merced hace estas novedades? ¡Cómo, he yo servido a vuestra merced desde que venistes a Roma, y a vuestra madre hasta que murió, que era ansí linda cortesana, como en sus tiempos se vido, y, por una vuelta que me tardo, llamáis a quien más presto os gasten la cara, que no adornen como hago yo! Mas no me curo, que no son cosas que turan, que su fin se traen como

---

[3] *está vestida de regazo:* «en italiano regazo vale niño» (Covarrubias, 900, a, 9). Coinciden también Ugolini y *R. 75* para considerar que la Jerezana va vestida de muchacho, en traje de paje.

cada cosa. Ésta me porná sal en la mollera, y a la jodía yo le daré su merecer.

JEREZANA.—Vení acá, Lozana, no's vais, que esos bellacos os deben haber dicho cualque cosa por enojaros. ¿Quién me suele a mí afeitar sino vos? Dejá decir que, como habéis tardado un poco, os dijeron eso. No's curéis, que yo me contento. ¿Queréis que nos salgamos allá a la sala?

LOZANA.—Señora, sí, que traigo este paño listado mojado, y lo meteré a la finestra.

JEREZANA.—Pues sea ansí. ¿Qué es esto que traés aquí en esta garrafeta?

LOZANA.—Señora, es un agua para lustrar la cara, que me la mandó hacer la señora Montesina, que cuesta más de tres ducados, y yo no la quería hacer, y ella la pagó, y me prometió una carretada de leña y dos barriles de vino dulce para esta invernada.

JEREZANA.—¿Tenés más que ésta?

LOZANA.—Señora, no.

JEREZANA.—Pues ésta quiero yo. Y pagalda, veis aquí los dineros. Y enviá por una bota de vino, y hacé decir a los mulateros de monseñor que toda esta semana vayan a descargar a vuestra casa.

LOZANA.—¡Ay, señora, que soy perdida, que me prometió que si era perfetta que me daría un sayo para mi criado!

JEREZANA.—Mirá, Lozana, sayo no tengo. Aquella capa de monseñor es buena para vuestro criado, tomalda, y andá norabuena, y vení más presto otro día.

LOZANA.—Señora, no sé quién llama. Miren quién es, porque, cuando yo salga, no entre alguno.

JEREZANA.—Va, mirá quién es.

MONTOYA.—Señora, los señores janiceros⁴.

JEREZANA.—Di que no so en casa.

LOZANA.—Haga, señora, que entren y contarán a vuestra merced cómo les fue en el convite que hizo la Flaminia a cuantos fueron con ella, que es cosa de oír.

----

⁴ *janiceros:* «jenízaros, soldados, turcos (ital. *gianizzero*)» [R. 75, nota 19, pág. 382]. Pero yo creo que *jenízaro* tiene que entenderse aquí más bien como «hijo de padres de diversas naciones» (posiblemente de español e italiana o griega) porque no debía de haber muchos turcos que se llamasen Ovidio (nótese que éste recibe de Lozana lecciones de *Ars amandi*).

JEREZANA.—¿Qué podía ser poco más o menos?, que bien sabemos sus cosas d'ella.

LOZANA.—Mande vuestra merced que entren y oirá maravillas.

JEREZANA.—Hora, sús, por contentar a la Lozana, va, ábrelos.

MAMOTRETO LVIII

Cómo va la Lozana en casa de la Garza Montesina, y encuentra con dos rufianes napolitanos, y lo que le dicen:

—¡Pese al diablo con tanta justicia como se hace de los que poco pueden, que vos mía habíades de ser para ganarme de comer! Mas como va el mundo al revés, no se osa el hombre alargar, sino quitaros el bonete, y con gran reverencia poneros sobre mi cabeza[1].

LOZANA.—Quitáos allá, hermanos, ¿qué cosas son ésas? Ya soy casada[2], no's cale[3] burlar, que castigan a los locos.

RUFIÁN.—Señora, perdoná, que razón tenéis, mas en el bosque de Veiltre[4] quisiera hacer un convite.

LOZANA.—Mirá si queréis algo de mí, que voy de priesa.

RUFIÁN.—Señora, somos todos vuestros servidores, y máxime si nos dais remedio a un acidente que tenemos, que toda la noche no desarmamos.

LOZANA.—Cortados y puestos al pescuezo por lómina, que ésa es sobra de sanidad. A Puente Sisto t'he visto[5].

RUFIÁN.—Ahí os querría tener para mi servicio por ganar la romana perdonanza[6]. Decínos, señora Lozana, quién son

---

[1] *poneros sobre mi cabeza:* el rufián se pone bajo la capa de Lozana, en señal de pleito homenaje.

[2] Véanse notas 1 y 2 del mam. LVI.

[3] *no os cale:* «no os importe», «no tenéis que».

[4] Véase mam. XLVIII, nota 10.

[5] *Señora, somos todos... A Puente Sisto t'he visdto:* véase Introducción, nota 130.

[6] *ganar la romana perdonanza:* me parece sátira despiadada de la corrupción de la justicia; si recordamos que este rufián (o su amigo) se quejaba en la primera réplica del mamotreto de la crueldad de la

agora las más altas y más grandes señoras entre las cortesanas, y luego os iréis.

LOZANA.—¡Mirá qué pregunta tan necia! Quién más puede y más gana.

RUFIÁN.—Pues eso queremos saber, si es la Jerezana como más galana.

LOZANA.—Si miramos en galanerías y hermosura, ésa y la Garza Montesina pujan a las otras; mas decíme, de favor o pompa, y fausto y riquezas, callen todas con madona Clarina, la favorida, y con madona Aviñonesa, que es rica y poderosa. Y vosotros, ladrones, cortados tengáis los compañones[7], y quedáos ahí.

RUFIÁN.—¡Válala el que lleva los pollos[8], y qué preciosa que es! Allá va, a casa de la Garza Montesina.

MONTESINA.—Señora Lozana, sobí, que a vos espero. ¿Ya os pasábades? ¿No sabéis que hoy es mío? ¿Dónde íbades?

LOZANA.—Señora, luego tornara, que iba a dar una cosa aquí a una mi amiga.

MONTESINA.—¿Qué cosa y a quién, por mi vida, si me queréis bien?

LOZANA.—No se puede saber. Asiéntese vuestra merced más acá a la lumbre, que me da el sol en los ojos.

MONTESINA.—¡Por mi vida, Lozana, que no llevéis de aquí el canestico si no me lo decís!

LOZANA.—Paso, señora, no me derrame lo que está dentro, que yo se lo diré.

«justicia para con los que poco pueden» [i. e., sin dinero], cabe interpretar lo que dice aquí como deseo de ver a Lozana trabajar para ellos, con el fin de conseguir los medios necesarios para sobornar a los jueces, ganándose así «la romana perdonanza», es decir la misericordia de la justicia romana, en última instancia de la Santa Sede [para más detalles, véase *Allaigre 1980,* cap. V, nota 28].

[7] Lozana insiste en su idea de ver a los rufianes castrados (véase anteriormente nota 5).

[8] *Válala el que lleva los pollos:* espero equivocarme al ver aquí un juego de los más sacrílegos, porque *pollo* es en español de Andalucía «escupitajo», por lo cual la expresión sería referencia a «Ecce homo» (que bien puede valer a cualquiera). Pero, por otra parte, *llevar el pollo* es según Antoine Oudin (ahora citado por Ugolini), «être maquereau», o sea «ser rufián», y a pesar de que *pollo* venga aquí en singular, el parecido con la frase del rufián no puede sino saltar a la vista. Además, *pollo* es frecuente metáfora del sexo femenino (cfr. *P. E. S. O.:* quizás por complementariedad con *polla),* lo que explicaría que el que lo lleva sea el rufián; pero me niego a creer que éste pueda valer a hom-

MONTESINA.—¡Pues decímelo luego, que estó preñada![9]. ¿Qué es esto que está aquí dentro en este botecico de cristal?

LOZANA.—Paso, señora, que no es cosa para vuestra merced, que ya sois vos harto garrida.

MONTESINA.—¡Mirá, Lozana, catá que lo quebraré si no me lo decís!

LOZANA.—¡Pardios, más niña es vuestra merced que su nietecica! Deje estar lo que no es para ella.

MONTESINA.—Agora lo verés; sacaldo de mi cofre, y séase vuestro.

LOZANA.—Sáquelo vuestra merced, que quiero ir a llevallo a su dueño, que es un licor para la cara, que quien se lo pone no envejece jamás, y madona Clarina, la favorida, ha más de cuatro meses que lo espera, y agora se acabó de estilar[10], y se lo quiero llevar por no perder lo que me prometió por mi fatiga, que ayer me envió dos ducados para que lo acabase más presto.

MONTESINA.—¿Y cómo, Lozana? ¿Soy yo menos, o puede pagallo ella mejor que yo? ¿Quédaos algo en vuestra casa d'este licor?

LOZANA.—Señora, no; que no se puede hacer si las culebras que se estilan no son del mes de mayo. Y soy perdida porque, como es tan favorida si sabe que di a otrie este licor, habiendo ella hecho traer las culebras cervunas[11], y gobernándolas de mayo acá, y más el carbón que me ha enviado, y todo lo vendí cuando estuve mala[12] que si lo tuviera, dijera que las culebras se me habían huido, y como viera el carbón me creyera...

---

bre alguno, aunque quizás no fuera ésta la opinión del rufián que tal deseo expresa.

[9] Alusión a las consecuencias nefastas de los antojos no satisfechos de las mujeres embarazadas. Muy longeva fue la Montesina, en todos los campos, puesto que se nos dice en el mamotreto LXI, nota 9, que tiene sesenta años. Era de temer que esa preñez no llegara a su término si no fuera, como es de suponer, pretexto jocoso para hacer hablar a Lozana.

[10] *estilar:* «destilar».

[11] *culebras cervunas:* no he podido averiguar de qué clase ce culebras se trata; quizá sea referencia a su color, como para algunos otros animales *(cervuno,* o *cerval,* «de ciervo, o relativo a él»).

[12] Tercera mención de la enfermedad que padeció Lozana (véase mam. XLVIII, nota 2). Muy atento a los problemas sociales estuvo Delicado; quizás se debiera a su ministerio, pero también debió de influir su personalidad. La naturaleza lúdica del *Retrato* no puede ocultar ese interés que se merecería un estudio particular.

MONTESINA.—Dejá hacer a mí, que yo sabré remediar a todo.

—Ven aquí, Gasparejo; va, di a tu señor que luego me envíe diez cargas de carbón muy bueno del salvático, y mira, vé tú con el que lo trujere, y hazlo descargar a la puerta de la Lozana.

—Esperá, Lozana, que otra paga será ésta que no la suya. Veis ahí seis ducados, y llamá los mozos que os lleven estos cuatro barriles o toneles a vuestra casa; éste es semulela[13], y éste de fideos secilianos, y éste de alcaparras alejandrinas, y éste de almendras ambrosinas. Y tomá, veis ahí dos cofines de pasas de Almuñécar que me dio el provisor[14] de Guadix.

—Ven aquí, Margarita; va descuelga dos presutos y dos somadas[15], y de la guardarropa dos quesos mallorquinos y dos parmesanos, y presto vosotras lleváselo a su casa.

LOZANA.—Señora, ¿quién osará ir a mi casa?, que luego me matará mi criado[16], que le prometió ella misma una capa.

MONTESINA.—Capa no la hay en casa que se le pueda dar, mas mirá si le verná bueno este sayo que fue del protonotario[17].

LOZANA.—Señora, llévemela el mozo, porque no vaya yo cargada; no se me ensuelva el sueño en todo, que esta noche soñaba que caía en manos de ladrones[18].

MONTESINA.—¡Andá, no miréis en sueños que, cuando veníades acá, os vi yo hablar con cuatro.

LOZANA.—¡Buen paraíso haya quien acá os dejó![19]. Que verdad es, esclava soy a vuestra merced, porque no basta ser her-

---

[13] *semuleta:* «sémola».

[14] *provisor:* ¿por qué ofrecía este juez eclesiástico pasas a la Garza Montesina? No estoy cierto de que la censura hubiese tolerado semejantes alusiones después del concilio de Trento. Y quizás, en unión de otros muchos detalles del mismo tipo, tengamos aquí una de las razones de la desaparición casi completa de la(s) edicion(es) del *Retrato: scripta volaverunt.*

[15] *presutos... somadas:* «jamón»... «cecina» (sobre *somada,* italianismo que no figura en los diccionarios, véase *R. 75,* nota 23, pág. 387).

[16] *mi criado:* es Rampín, evidentemente, pero ¿por qué no confiesa que es su marido? ¿o será la fuerza de la costumbre?

[17] *protonotario:* cuando se piensa en el sentido que tiene *notario* en *La Lozana,* se puede suponer que éste tendría un lugar privilegiado en casa de la Montesina; no se dice si era protonotario apostólico, que, de ser así, fuera posible amigo del provisor de la nota 14, pero como el autor afirma que no hay eclesiásticos en su novela, no debía de serlo.

[18] Lozana le dice muy elegantemente a Montesina que la paga que recibe no corresponde a su trabajo ni méritos.

[19] Véase mamotreto VII, nota 23.

450

mosa y linda, mas cuanto dice hermosea y adorna con su saber. ¡Quién supiera hoy hacerme callar, y amansar mi deseo que tenía de ver qué me había de dar madona Clarina, la favorida, por mi trabajo y fatiga! La cual vuestra merced ha satisfecho en parte y, como dicen, la buena voluntad con que vuestra merced me lo ha dado vale más que lo muncho más que ella me diera[20], y sobre todo sé yo que vuestra merced no me será ingrata. Y bésole las manos, que es tarde. Mírese vuestra merced al espejo y verá que no so pagada según lo que merezco.

MAMOTRETO LIX

Cómo la Lozana fue a casa de madona Clarina, favorida, y encontró con dos médicos, y el uno era cirúgico, y todos dos dicen:

—Señora Lozana, ¿adónde se va? ¿Qué especiería es ésa que debajo lleváis? ¿Hay curas? ¿Hay curas?[1]. ¡Danos parte!
LOZANA.—Señores míos, la parte por el todo, y el todo por la parte, y yo que soy presta para sus servicios.
FÍSICO.—Señora Lozana, habéis de saber que, si todos los médicos que al presente nos hallamos en Roma, nos juntásemos de acuerdo[2], que debíamos hacer lo que antiguamente hicieron nuestros antecesores: en la Vía de San Sebastián estaban unas tres fosas llenas de agua, la cual agua era natural y tenía esta virtud, que cuantas personas tenían mal de la cintu-

---

[20] Adviértase el fondo paremiológico de este comentario sobre las dádivas, y el talento de Lozana para aplicar los refranes a la situación del momento («Quien da luego, da dos veces», «la manera de dar...», etcétera).

[1] *especiería:* es, como se indica en *R. 75*, el italiano *spezieria*, «farmacia», puesto que los médicos preguntan enseguida: «¿hay curas?». Es evidente que lo cómico de la situación estriba en que los médicos están pendientes de la ignorancia de Lozana para saber lo que hay de nuevo en su profesión.

[2] *nos juntásemos de acuerdo:* «conviniésemos en una postura común» (la de hacer lo que hicieron sus antecesores).

Galanes.

ra abajo iban allí tres veces una semana, y entraban en aquellas fosas de pies *(sic)*, y estaban allí dos horas por vuelta, y
ansí sanaban de cualquier mal que tuviesen en las partes inferiores, de modo que los médicos de aquel tiempo no podién medicar sino de la cintura arriba; visto esto, fueron todos y cega-
ron estos fosos o manantíos, y hicieron que un arroyo que iba
por otra parte que pasase por encima porque no se hallasen, y
agora aquel arroyo tiene la misma virtud para los caballos y
mulas represas[3], y finalmente, a todas las bestias represas que
allí meten sana, como habéis visto si habéis pasado por allí.
Esto digo que debíamos hacer[4], pues que ni de la cintura arriba ni de la cintura abajo no nos dais parte.

CIRÚCIGO.—Señora Lozana, nosotros debíamos hacer con
vos como hizo aquel médico pobre que entró en Andújar que,
como vido y probó los munchos y buenos rábanos que allí nacen, se salió y se fue a otra tierra, porque por allí no podía él
medicar, que los rábanos defendían las enfermedades. Digo que
me habéis llevado de las manos más de seis personas que yo
curaba que, como no les duelen las plagas con lo que vos les
habéis dicho, no vienen a nosotros, y nosotros, si no duelen las
heridas, metemos con que duelan y escuezgan[5], porque vean
que sabemos algo cuando les quitamos aquel dolor. Ansimismo, a otros ponemos ungüento egipciaco, que tiene vinagre.

LOZANA.—Como a caballos, ungüento de albéitares.

MÉDICO.—A los dientes no hay remedio sino pasallos a
cera[6], y vos mandáis que traigan mascando el almástiga, y que
se los limpien con raíces de malvas cochas en vino, y mandáis-
los lavar con agua fría, que no hay mejor cosa para ellos, y
para la cara y manos lavar con fría y no caliente[7]. Mas si lo
dicimos nosotros, no tornarán los pacientes, y así es menester

---

[3] *represas:* véase *R. 75,* nota 5, pág. 390: «itmo, despeadas, estro-
peadas» (cfr. ital. *represo*).

[4] *Esto digo... hacer:* «digo que tendríamos que hacer lo mismo», pero
no se sabe si quiere *cegarla* o *cegarle el foso o manantío* (cfr. mamotreto LXII, nota 11); la anécdota que sirve de fondo a la autocrítica
de los médicos (como las que siguen), es probablemente un cuentecito
tradicional.

[5] *escuezgan:* subjuntivo ant. de *escocer.*

[6] *pasallos a cera:* en *Venecia 1528,* y otras ediciones, «pesallos a
cera», que no entiendo.

[7] Consejos de higiene que no parecen disparates. Delicado no se fia-
ba de los médicos, pero creía en la medicina.

que huyamos de vos porque no concuerda vuestra medicación con nuestra cupida[8] intención.

LOZANA.—Señores míos, ya veo que me queréis motejar. Mis melecinas son: si pega, pega[9], y míroles a las manos como hace quien algo sabe[10]. Señores, concluí que el médico y la medicina los sabios se sirven d'él y d'ella, mas no hay tan asno médico como el que quiere sanar el griñimón[11], que Dios lo puso en su disposición. Si vuestras mercedes quieren un poco de favor con madona Clarina en pago de mi maleficio[12], esperen aquí, y haré a su señoría que hable a vuestras mercedes, que no será poco, y si tiene que medicarse en su fuente, entrarán vuestras mercedes, aunque sea de rodillas.

CIRÚGICO.—Pues sea ansí, señora Lozana, diga barba que haga. No[13] querría que más valiese mi capa de lo que ésta gana. Ya es entrada; esperemos, y veremos la clareza que Dios puso en esta italiana, que dicen que, cuando bebe, se le parece el agua y se le pueden contar las venas[14]. ¿Veislas las dos? Hable vuestra merced, que yo no sé qué le decir.

MÉDICO.—Madona Clarina, séale recomendada la señora Lozana.

CLARINA.—¡Oíd, a me recomiendo![15]

---

[8] *cupida:* «codiciosa».

[9] *si pega, pega:* lo repite Lozana por segunda vez. (Véase mamotreto LIV. Parece resumir toda su filosofía práctica.

[10] Esta frase tiene visos de refrán, aunque no lo he podido documentar; «mirar a las manos», cuando de hombres se trata, es costumbre de Lozana: así supo apreciar las dotes viriles de Diomedes y Rampín.

[11] *griñimón:* «sífilis».

[12] *de mi maleficio:* «del mal o perjuicio que causo a vuestras mercedes».

[13] *No:* si no es errata por «yo», entiéndase que el cirujano «querría *solamente* que [su] capa valiese más...».

[14] Nótese una vez más la congruencia del nombre de *Clarina* (onomancia).

[15] Empieza probablemente Delicado a caracterizar el habla italianizante de Clarina. Joaquín del Val lee: «Oída, me recomiendo.» Ugolini: «Oy, dame recomiendo.» Pero *R. 75* propone una solución que me parece más satisfactoria: «Oy me la recomiendo», que se comenta en nota (14, pág. 391); *«da me recomiendo:* itmo: yo misma recomiendo; cfr. ital. *mi raccomendo da me».* Sin embargo, no dicen lo que entienden por *oy* (¿hoy, u *oí,* por «oíd»? Opto finalmente por la solución que me parece altera menos la lección antigua, considerando que el pronombre *me* es italianismo por «mí»; «a mí recomiendo», pero caben otras posibilidades.

—Dime, Lozana, ¿quién son aquéllos?

LOZANA.—Señora, el uno es de Orgaz y el otro de Jamilena, que medicaba y iba por leña, y metía todas las orinas juntas por saber el mal de la comunidad[16]. Señora, vamos a la loja.

CLARINA.—Andemos. Decíme, ¿qué cosa hay aquí en aquesta escátula?[17].

LOZANA.—Madona, unos polvos para los dientes, que no se caigan jamás.

CLARINA.—¿Y esto?

LOZANA.—Para los ojos.

CLARINA.—Dime, española, ¿es para mí?

LOZANA.—Madona, no, que es para madona Albina, la de Aviñón.

CLARINA.—¡Vaya a la horca, dámelo a mí!

LOZANA.—No lo hagáis, señora, que si vos supiésedes lo que ella le cuesta, que dos cueros de olio se han gastado que ella compró, que eran de más de cien años, por hacer esto poquito.

CLARINA.—No te curar, Lozana, que non vollo que lei sea da tanto que abia questo, que yo te daró olio de ducenti ani, que me donó a mí micer incornato mío, trovato sota terra[18]. Dime, ¿ha ella casa ni viña como que ho yo?

LOZANA.—Sea d'esta manera: tomad vos un poco, y dadme a mí otro poco que le lleve, porque yo no pierda lo que me ha prometido. Que la pólvora no se halla ansí a quien la quiere, que se hace en el paraíso terrenal, y me la dio a mí un mi caro amante que yo tuve, que fue mi señor Diomedes, el segundo amor que yo tuve en este mundo[19], y a él se la dieron los turcos, que van y vienen casi a la continua. Y piense vuestra señoría que tal pólvora como ésa no me la quitaría yo de mí por dalla a otrie si no tuviese gran necesidad, que no tengo pedazo de camisa ni de sábanas, y sobre toda[20] la necesidad que tengo de un pabellón y de un tornalecho, que si no fuese esto que

---

[16] Es casi cierto que son pullas tradicionales; al menos el médico de Orgaz: «El médico de Orgaz, que miraba la orina en el mortero, y el pulso en el hombro sobre el sayo» (en la ed. cit. de Correas, 115, b).

[17] *escátula:* itmo: «caja» (ital. *scatola).*

[18] *No te curar... sota terra:* mezcla de español e italiano que significa: «No te preocupes, Lozana, que yo no quiero que ella sea de tanta categoría que tenga eso, que yo te daré aceite de doscientos años, que a mí me dio mi señor cornudo, hallado bajo tierra.»

[19] Véase Introducción, pág. 84.

[20] *toda:* quizás sea errata por *todo.*

ella me prometió para cuando se lo llevase, no sería yo osada a quitar de mí una pólvora tan excelente, que si los dientes están bien apretados con ella, no se caerán jamás.

CLARINA.—Vení acá, Lozana, abrí aquella caja grande, tomá dos piezas de tela romanesca para un pabellón. Va, abre aquel forcel[21], e tomá dos piezas de tela de Lodi para hacer sábanas, y tomá hilo malfetano para coserlo todo. Va, abre el otro forcer, y tomá dos piezas de cortinela para que hagáis camisas, y tomá otra pieza de tela romanesca para hacer camisas a vuestro nuevo marido.

LOZANA.—Madona, mire vuestra señoría que yo de todo esto me contento; mas, ¿cómo haremos, que el poltrón de mi preterido criado me descubrirá, porque ella misma le prometió unas calzas y un jubón?

CLARINA.—Bien, va, abre aquella otra caja y tomá un par de calzas nuevas y un jubón de raso, que hallarás cuatro; tomá el mejor y llamá la esclavona que tome un canestro y vaya con vos a llevaros estas cosas a vuestra casa; y id presto, porque aquel acemilero no's tome el olio, que se podría hacer bálsamo, tanto es bueno. Y guardá, española, que no des a nadie d'esto que me has dado a mí.

LOZANA.—Madona, no; mas haré d'esta manera, que pistaré el almáciga y la grana y el alumbre, y se lo daré, y diré que sea esa misma, y haré un poco de olio de habas, y diré que se lo ponga con el colirio, que es apropiado para los ojos, y ansí no sabrá que vuestra señoría tiene lo más perfeto.

CLARINA.—Andá y hacé ansí, por mi amor, y no de otro modo, y recomendáme a vuestro marido, micer Rampín.

---

[21] *forcel* o *forcer*: «arca, cofre».

*Cómo fue la Lozana en casa de la Imperia aviñonesa, y cómo
encontró con dos juristas letrados que ella conocía, que se habían hecho cursores o emplazadores.*

Lozana.—Estos dos que vienen aquí, si estuviesen en sus tierras, serían alcaldes, y aquí son mandatarios, solicitadores
qu'emplazan, y si fuesen sus hermanas casadas con quien hiciese aquel oficio, dirían que más las querrían ver putas que no
de aquella manera casadas, porque ellos fueron letrados o bueitres de rapiña. Todo su saber no vale nada, a lo que yo veo,
que más ganan ellos con aquellas varillas negras que con cuanto estudiaron en jure. Pues yo no estudié, y sé mejor el jure cevil que traigo en este mi canastillo que no ellos en cuantos capítulos tiene el cevil y el criminal; como dijo Apuleyo: bestias
letrados[1].

Jurista.—¡Aquí, aquí somos todos! Señora Lozana, *hodie
hora vigesima,* en casa vuestra.

Lozana.—No sé si seré a tiempo, mas traé qué rozar[2], que
allá está mi Rampín que lo guise. Y mirá no faltés, porque de
buena razón ellas han de venir hoy que es sábado, mas yo creo
que vosotros ya debéis y no os deben.

Jurista.—¿Qué cosa es eso de deber o que nos deben?
¡Cuerpo del mundo! ¿el otro día no llevamos buen peje y buen
vino, y más dormimos con ellas y las pagamos muy bien?

Lozana.—No lo digo por eso, que ya sé que trajistes todo
eso, y que bebistes hasta que os emborrachastes, mas otra cosa
es menester que traer y beber, que eso de jure antiguo se está,
sino que os deben o debéis, quiere decir que era una jodía vieja
de noventa años, y tenía dos nueras mujeres burlonas, y venían a su suegra cada mañana, y decían: ¡Buenos días, señora!
Y respondía ella: ¡Vosotras tenéis los buenos días y habéis las
buenas noches! Y como ellas veían esta respuesta siempre, dijeron a sus maridos: vuestra madre se quiere casar. Y decían

---

[1] *Estos dos que vienen... bestias letrados:* véase Introducción, página 75.

[2] *rozar:* «comer».

ellos: ¿Cómo es posible? Decían ellas: Casalda y vello hés que no dice de no. Fueron, y casáronla con un jodío viejo y médico. ¿Qué hicieron las nueras? Rogaron al judío que no la cabalgase dos noches; él hízolo ansí, que toda la noche no hizo sino contalle sus deudas que tenía. Vinieron las nueras otro día, y dijo la vieja: ¿Qué quiero hacer d'este viejo, que no es bueno sino para comer, y tiene más deudas que no dineros, y será menester que me destruya a mí y a mis hijos? Fueron las nueras al jodío, y dijéronle que hiciese aquella noche lo que pudiese, y él, como era viejo, caminó[3], y pasó tres colchones. Viniendo la mañana, vienen las nueras y dicen a la suegra: ¡Señora, albricias, que vuestros hijos os quieren quitar este jodío, pues que tanto debe! Respondió la vieja: Mirad, hijas, la vejez es causa de la sordedad, que yo no oyo bien; que le deben a él, que le deben, que él no debe nada. Así que, señores, ¿vosotros debés, o débenos?

JURISTA.—¡Voto a Dios que a mí que me deben d'esa manera más que no es de menester! Acá a mi compañero no sé; demandaldo a ella, que bien creo que pasa todos los dedos, y aun las tablas de la cama.

CURSOR.—No me curo, que la obra es la que alaba al maestro[4]. Señora Lozana, torná presto por vuestra fe, que nosotros vamos a pescaría.

LOZANA.—Gente hay en casa de la señora Imperia. Mejor para mí, que pescaré yo aquí sin jure[5].

—¿Qué haces ahí, Medaldo[6]? ¡Va, abre, que vo a casa!

MEDALDO.—Andá, que Nicolete es de guardia, y él os abrirá. Llamá.

LOZANA.—¡Nicolete, hijo mío!, ¿qué haces?

NICOLETE.—Soy de guardia. ¡Y mirá, Lozana, qué pedazo de caramillo[7] que tengo!

---

[3] *Caminar:* véase mam. XIV, nota 15, con lo cual sobra comentar a qué corresponde el número de colchones que pasó o traspasó el viejo.

[4] *la obra... maestro:* refrán, así en Correas, pero véase a qué clase de *obra* se refiere aquí.

[5] Véase Introducción, pág. 75.

[6] *Medaldo:* este nombre es también, en la época de la Lozana, forma de imperativo del verbo dar: *me* y *daldo* por «dadlo»; sin embargo, se niega el hombre, y el que va a dar a Lozana será *Nicolete,* que está de guardia, probablemente porque su nombre quiere decir «el victorioso», «el que triunfa»; pese al diminutivo, *abrirá muy bien la puerta.*

[7] *caramillo:* como *flauta* y *zampoña,* metáfora formal, como ya se ha dicho.

LOZANA.—¡Ay triste!, ¿y estás loco? ¡Está quedo, beodo, que nos oirán!

NICOLETE.—Callá, que todos están arriba. Sacá los calzones, que yo os daré unos nuevos de raso encarnado.

LOZANA.—Haz a pacer, que vengo cansada, que otro que calzones quiero.

NICOLETE.—¿Qué, mi vida, de cara arriba?[8].

LOZANA.—Yo te lo diré después.

NICOLETE.—¡No, sino agora; no, sino agora; no, sino agora![9].

LOZANA.—¡Oh qué bellaco que eres! Va arriba y di a la señora cómo estoy aquí.

NICOLETE.—Sobí vos, y tomallos. Es sobretabla, y harés colación.

LOZANA.—Por munchos años y buenos halle yo esas presencias juntas. ¿Qué emperatriz ni gran señora tiene dos aparadores como vuestra señoría, de contino aparejados a estos señores reyes del mundo?

DICE EL CORONEL.—Española, fa colación aquí con nos. Quiero que bebes con esta copina, que sea la tua, porque quieres bien a la señora Imperia, mi patrona.

IMPERIA.—Todo es bien empleado en mi Lozana.

—¡Mozos, serví allí todos a la Lozana, y esperen las amas y los escuderos hasta que ella acabe de comer!

—Lozana mía, yo quiero reposar un poco; entre tanto, hazte servir, pues lo sabes hacer.

LOZANA.—Yo quiero comer este faisán, y dejar esta astarna para Nicoleto porque me abrió la puerta d'abajo[10]. Estos pasteles serán para Rampín, aunque duerme más que es menester[11].

---

[8] *cara arriba:* evidentemente «boca arriba», pero sobre todo alusión antifrástica a *cara abajo,* «caraa(b)ajo» con pronunciación relajada (cfr. *cara de ajo).*

[9] Como se ha visto en las dos escenas de la cama, con Rampín, el ritmo ternario y las admiraciones le parecían a Delicado medios estilísticos muy propios para evocar ciertas clases de intensidades.

[10] *d'abajo:* si se tratase solamente de la puerta de la casa esta precisión sería inútil, puesto que, después de abrirle la puerta, Nicolete le dijo a Lozana que subiera.

[11] Apenas casado, Rampín pierde de su atractivo y, por lo visto, sus fuerzas declinan.

Mamotreto LXI

*Cómo un médico, familiar de la señora Imperia, estuvo con la
Lozana hasta que salió de reposar la Imperia.*

MÉDICO.—Decí, señora Lozana, ¿cómo os va?

LOZANA.—Señor, ya veis, fatigar y no ganar nada. Estóme
en mi casa, la soledad y la pobreza están mal juntas, y no se
halla lino a comprar, aunque el hombre[1] quiera hilar por no
estar ociosa, que querría ordir unos manteles, por no andar a
pedir prestados cada día.

MÉDICO.—Pues vos, señora Lozana, que hacéis y dais mil
remedios a villanos, ¿por qué no les encargáis que os traigan
lino?

LOZANA.—Señor, porque no tomo yo nada por cuanto hago,
salvo presentes[2].

MÉDICO.—Pues yo querría más vuestros presentes que mi
ganancia, que es tan poca que valen más las candelas que gasté
estudiando que cuanto he ganado después endevinando pulsos.
Mas vos, ¿qué estudiastes?

LOZANA.—Mirá qué me aconteció ayer[3]. Vinieron a mi casa
una mujer piamontesa con su marido romañolo, y pensé que
otra cosa era; trajeron una llave de cañuto, la cual era llena de
cera, y no podían abrir, y pensaron que estaban hechizados; ro-
gáronme que lo viese yo, yo hice lo que sabía, y diéronme dos
julios, y prometiéronme una gallina, que me trujeron hoy, y
huevos con ella, y ansí pasaré esta semana con este presente.

---

[1] No sé si era ya cómico este empleo de «hombre» impersonal, aplicado a sí misma por una mujer, en tiempos de Delicado, aunque creo
que sí. Más tarde lo sería a buen seguro, y Correas trae una muestra
proverbial de este juego lingüístico: «Como hombre es mujer y vieja,
hacen burla de hombre. Como hombre está preñada, no se puede aba-
jar», comentando: «dicho de mujeres aldeanas, y tiene gracia en lla-
marse *hombre*» (433, b).

[2] *salvo presentes:* regalos que pueden ser vituallas, vestidos o dinero, como se ve más adelante; significa tan sólo que no fija precio de
antemano, intentando sacar lo más posible cada vez, «y si pega, pega».

[3] Empieza aquí la adaptación a los diálogos de *La Lozana* de un apó-
logo o de un cuentecillo tradicional.

MÉDICO.—Pues decíme, señora Lozana, ¿qué hecistes a la llave, cualque silogismo, o qué?

LOZANA.—Yo's diré: como sacaron ellos la cera, no pudo ser que no se pegase cualque poca a las paredes de la llave; fui yo presto al fuego, y escalentéla hasta que se consumió la cera, y vine abajo, y dísela, y dije que todo era nada. Fuéronse, y abrieron, y cabalgaron[4] y ganéme yo aquel presente sofísticamente. Decíme por qué no tengo yo de hacer lo que sé, sin perjuicio de Dios y de las gentes[5]. Mirá, vuestro saber no vale si no lo mostráis que lo sepa otrie[6]. Mirá, señor, por saber bien hablar, gané agora esta copica de plata dorada, que me la dio su merced del coronel.

MÉDICO.—Ese bien hablar, adular incoñito[7] le llamo yo.

LOZANA.—Señor Salomón, sabé que cuatro cosas no valen nada, si no son participadas o comunicadas a menudo: el placer, y el saber, y el dinero, y el coño de la mujer, el cual no debe estar vacuo, según la filosofía natural[8]. Decíme, ¿qué le valdría a la Jerezana su galanería si no la participase? ¿Ni a la Montesina su hermosura, aunque la guardase otros sesenta años[9], que jamás muriese, si tuviese su coño puesto en la guardarropa? ¿Ni a madona Clarina sus riquezas, si no supiese guardar lo que tiene? Y a la señora Aviñonesa, ¿qué le valdrían sus tratos si no los participase y comunicase con vuestra merced y comigo, como con personas que antes la podemos aprovechar? ¿Qué otra cosa veis? Aquí yo pierdo tiempo, que sé que en mi casa me están esperando; y porque la señora sé que me ha de vestir a mí y a mi criado, callo.

MÉDICO.—No puedo pensar qué remedio tener para cabalgar una mi vicina lombarda, porque es casada y está preñada.

LOZANA.—Dejá hacer a mí.

MÉDICO.—Si hacés como a la otra[10], mejor os pagaré.

---

[4] No podía faltar el elemento apicarado que ilumina con luz turbia el seudo hechizo de la llave de cañuto, y la misma.

[5] Véase Introducción, nota 154.

[6] Contradicción con lo que dice el autor en su *Argumento* (nota 8).

[7] *adular incoñito*: «adular incógnito» y *«adular in-coñito»*. [*Hablar*, en este caso, supone dos interlocutores como mínimo, y el verbo en infinitivo —aquí *adular*— tiene la propiedad de que no es obligación que se declare el sujeto.]

[8] Véase Introducción, pág. 67.

[9] Véase mam. LVIII, nota 9.

[10] El médico se refiere a la piamontesa y su marido romañolo, cuya historia acaba de contarle Lozana. Esta réplica es una prueba más de

LOZANA.—Esto será más fácil cosa de hacer, porque diré que a la criatura le faltan los dedos[11] y que vuestra merced los hará.

MÉDICO.—Yo lo doy por hecho, que no es ésta la primera que vos sabés hacer.

LOZANA.—Yo's diré: son lombardas de buena pasta; fuime esta semana a una, y díjele: ¿Cuándo viene vuestro marido, mi compadre? Dice: Mañana. Digo yo: ¿Por qué no's is[12] al baño y acompañaros he yo? Fue, y como era novicia, apañéle los anillos, y dile a entender que l'eran entrados en el cuerpo. Fuime a un mi compadre, que no deseaba otra cosa, y dile los anillos, y di orden que se los sacase uno a uno. Cuando fue al último, ella le rogaba que le sacase también un caldero que le había caído en el pozo; y en esto, el marido llamó. Dijo ella al marido: En toda vuestra vida me sacastes una cosa que perdiese, como ha hecho vuestro compadre, que si no viniérades, me sacara el caldero y la cadena que se cayó el otro día en el pozo. Él, que consideró que yo habría tramado la cosa, amenazóme si no le hacía cabalgar la mujer del otro. Fuime allá diciendo que era su parienta muy cercana, a la cual demandé que cuánto tiempo había que era preñada, y si su marido estaba fuera. Dijo que de seis meses; yo, astutamente, como quien ha gana de no verse en vergüenza, le di a entender la criatura no tener orejas ni dedos. Ella, que estimaba el honor, rogóme que si lo sabía o podía, que le ayudase, que sería d'ella pagada. Aquí está, digo yo, el marido de la tal, que por mi amor os servirá, y tiene excelencia en estas cosas. Finalmente, que hizo dedos y orejas, cosa por cosa. Y venido su marido, ella lo reprehende haber tan poca avertencia, antes que se partiera, a no dejar acabada la criatura. D'esta manera podemos servirnos, máxime que, diciendo que sois físico eximio, pagará mejor nuestro[13] engrudo.

MÉDICO.—No querría ir por lana[14], y que hiciésedes a mi mujer hallar una saya que estotro día perdió.

---

la interpretación que se puede dar de «la llave de cañuto llena de cera que había que calentar».

[11] Los dos chascarrillos o chistes, el del crío falto de dedos y orejas, y el de los anillos, son tradicionales también.

[12] *is:* «vais».

[13] *nuestro:* posesivo abusivo; Lozana tuvo que haber dicho «vuestro» o «mío», porque no son los dos de la misma naturaleza.

[14] *ir por lana (y volver trasquilado):* refrán conocidísimo, aquí trunco, según una técnica no menos conocida.

LOZANA.—¡Por el sacrosanto saco de Florencia, que quiero otro que saya de vuestra merced[15]!

MAMOTRETO LXII

Cómo la señora Imperia, partido el médico, ordenó de ir a la estufa ella y la Lozana, y cómo encontraron a uno que decía: «Oliva, oliva d'España»[1], el cual iba en máscara, y dice la Imperia al médico:

—¿Qué se dice maestro Arresto? ¿Retozábades a la Lozana, o veramente hacéis partido con ella[2] que no os lleve los provechos? Ya lo hará si se lo pagáis[3]; por eso, antes que se parta, sed de acordo con ella.

MÉDICO.—Señora, entre ella y mí el acuerdo sería que partiésemos lo ganado y participásemos de lo porvenir, mas Rampín despriva a munchos buenos que quer[r]rían ser en su lugar[4]. Mas si la señora Lozana quiere, ya me puede dar una espetativa[5] en forma común para cuando Rampín se parta, que

---

[15] Veremos cómo, después del decaimiento de Rampín (fin del mamotreto anterior), Lozana se siente atraída por este médico, Arresto (mamotreto siguiente).

[1] *Oliva, oliva d'España:* véase mam. XLII, nota 22.

[2] *o veramente hacéis partido con ella:* es posible que la Imperia juege con la palabra *partido,* al preguntar si Arresto *hace partido* (o «pacto», «negocio») con la Lozana, puesto que, anunciado por *retozabais, partido* recuerda que la andaluza es o fue «mujer del partido»; y, lo mismo que en el mam. IV, *o veramente* es ambiguo, pues el contexto no permite saber si es locución disyuntiva o asociativa.

[3] *si se lo pagáis:* en buena lógica, no puede el pago referirse a dinero ni regalos, puesto que Lozana ganaría más sin partido o pacto, llevándose los provechos; sería pues una retribución, digamos más sentimental.

[4] Arresto expresa aquí la misma idea que Sagüeso al principio del mam. LII; pero el vagabundo guillote decía *yo y los tales* donde Arresto habla de *muchos buenos;* con lo cual, una vez más, la *bondad* sale curiosamente matizada.

[5] *espetativa:* apúntase, en *R. 75,* un juego sobre esta palabra (nota 3, pág. 403): «Paronimia entre *expectativa,* término jurídico-administra-

entre yo en su lugar, porque, como ella dice, no esté lugar vacío, la cual razón conviene con todos los filósofos que quieren que no haya lugar vacuo[6]; y después d'esto verná bien su conjunción con la mía, que, como dicen, según que es la materia que el hombre manea, ansí es más excelente el maestro que la ópera[7]. Porque cierta cosa es que más excelente es el médico del cuerpo humano racional que no el albéitar, que medica el cuerpo irracional, y más excelente el miembro del ojo[8] que no el dedo del pie, y mayor milagro hizo Dios en la cara del hombre o de la mujer que no en todo el hombre ni en todo el mundo, y por eso no se halla jamás que una cara sea semejante a otra en todas las partículas, porque, si se parece en la nariz, no se parece en la barba, y así *de singulis*. De manera que yo al cuerpo, y ella a la cara, como más excelente y mejor artesana de caras que en nuestros tiempos se vido, estaríamos juntos, y ganaríamos para la vejez poder pasar, yo sin récipe[9], y ella sin *hic et hec et hoc,* el alcohol[10], y amigos como de antes.

---

tivo, y *espetar* en el sentido obsceno ya aludido. Las palabras que siguen autorizan la sospecha *(que entre yo en su lugar... no esté lugar vacío).»*

[6] En realidad, Lozana había dicho que lo que no debía estar «vacuo» era «el coño de la mujer» (véase mam. LXI, nota 8).

[7] *verná bien su conjunción... que la ópera.* De *materia* y *manear* (forma de «menear») ya se ha hablado; *ópera* es forma culta de «obra» (hay que descartar el sentido «obra musical» que no se remonta sino al siglo XVIII), cargándose, por lo mismo, de todas sus capacidades semánticas (véase *Argumento,* y *passim).* Por otra parte, la relación *obra-maestro* no se da por primera vez en la novela, siendo la otra también bastante atrevida por sus alusiones (véase mam. LX, nota 4); pero lo grave es que tampoco es la última, porque después de tanta contaminación, el autor no vacila en aplicarla al «Criador» (cfr. *Cómo se escusa el autor,* nota 5).

[8] *miembro del ojo:* sobre el empleo de *miembro,* véase Introducción, pág. 116. En cuanto al *ojo* este, mira, por decirlo así, hacia dos direcciones; la cara (como se explicita después), y lo dicho anteriormente (nótese que la frase empieza por *porque).*

[9] *récipe.* Véase mam. LV, nota 14.

[10] *ella sin hic et hec et hoc, el alcohol:* Arresto quiere decir que Lozana podría dedicarse al *alcohol* (que es afeite), sin *hic, hec* [haec] *hoc,* que son tres formas (masculino, femenino y neutro) del mismo demostrativo, o sea «éste, ésta, esto», sin los que podría pasar la Lozana, renunciando así a concertar la unión de éste con ésta para esto, y a ganarse la vida sofísticamente y con silogismos, como se dice en el mamotreto anterior.

Y beso las manos a vuestra merced, y a mi señora Lozana la boca.

LOZANA.—Yo la vuestra enzucarada. ¿Qué me decís? Cuando vos quisiéredes regar mi manantío[11], está presto y a vuestro servicio, que yo sería la dichosa.

IMPERIA.—Más vale asno que os lleve, que no caballo que os derrueque[12]; de Rampín hacéis vos lo que queréis, y sirve de todo, y dejá razones, y vamos a la estufa.

LOZANA.—Vamos, señora, mas siempre es bueno saber. Que yo tres o cuatro cosas no sé que deseo conocer: la una, qué vía hacen, o qué color tienen los cuernos de los hombres; y la otra, querría leer lo que entiendo[13]; y la otra, querría que en mi tiempo se perdiese el temor y la vergüenza, para que cada uno pid- y haga lo que quisiere.

IMPERIA.—Eso postrero no entiendo, de temor y vergüenza.

LOZANA.—Yo, señora, yo's lo diré. Cierto es que si yo no tuviese vergüenza, que cuantos hombres pasan querría que me besasen, y si no fuese el temor, cada uno entraría y pediría lo vedado; mas el temor de ser castigados los que tal hiciesen[14], no se atreven, porque la ley es hecha para los transgresores, y así de la vergüenza, la cual ocupa que no se haga lo que se piensa, y si yo supiese o viese estas tres cosas que arriba he dicho, sabría más que Juan d'Espera en Dios[15], de manera que cuantas putas me viniesen a las manos, les haría las cejas a la chancilleresca[16], y a mi marido se los pornía verdes, que significan

---

[11] *manantío:* por metáfora, «pudenda muliebre» (ya se ha hablado de la serie sinonímica de que forma parte esta palabra).

[12] Este conocido refrán del que Covarrubias dice que se aplica a los que se contentan con un mediano pero seguro pasar por no atreverse a emprender cosas arriesgadas (s. v. *asno),* tiene aquí la propiedad de calificar a Rampín de burro, e implícitamente también, a Arresto de caballo; pero habrá que revisar este último juicio a la luz del comentario de Lozana, en la penúltima frase del mamotreto.

[13] *querría leer lo que entiendo:* véase Introducción, págs. 24-25.

[14] Recuérdese que ahora está casada la Lozana, representando así un peligro para quien se atreviera con ella (cfr. «quien ama la casada, la vida trae emprestada», y otros refranes ya citados): evidentemente, no puede haber mayor ironía.

[15] *Juan d'Espera en Dios:* nombre del judío errante, de saber legendario, sobre el que existe una abundante literatura.

[16] *a la chancilleresca:* probablemente porque sería trabajo definitivo, sin apelación, como las sentencias de chancillería (o sea «perfectamente», que es la equivalencia que propone Damiani).

esperanza, porque me metió el anillo de cuerno de búfalo[17]. Y la cuarta que *penitus* iñoro[18], es de quién me tengo de empreñar cuando alguno m'empreñe.

Señora, vaya Jusquina delante y lleve los aderezos. Vamos por aquí, que no hay gente. Señora, ya comienzan las máscaras. ¡Mire vuestra merced cuál va el bellaco de Hércoles enmascarado! ¡Y oliva, oliva d'España[19], aquí vienen y hacer cuistión, y van cantando! ¡Agora me vezo sonar de recio![20]. Entre vuestra merced, y salgamos presto, que me vernán a buscar más de cuatro agora que andan máscaras, que aquí ganaré yo cualque ducado para dar la parte a mastro Arresto, el de Betrala[21], que medicó el asno y merió el albarda[22]. ¡Pues vaya a

---

[17] *me metió... búfalo:* debe de haber una o más alusiones que no entiendo claramente. Del búfalo dice Covarrubias que «se trujeron de África a Italia, y multiplicaron en tanta manera que casi toda la labor de la tierra se hace con ellos» y «de los cuernos del búfalo se hacen al torno cosas muy curiosas de vasos, cuchares, cuentas, guarniciones y otras cosas». Sin embargo, para un anillo de casada, no debía de ser una materia de las más prestigiosas; entonces, como Lozana quiere premiar a Rampín con cuernos de color de esperanza, cabe pensar que ese *cuerno de búfalo* puede guardar relación con el *unicornio* (salvando diferencias) del mam. XIV, y el *anillo,* con los que pescó el compadre del mam. LXI, o más probablemente aún, aceptarse en el nivel sexual, por metáfora formal.

[18] *que penitus iñoro:* «que ignoro en absoluto», pero el latinajo podría muy bien, una vez más, encubrir una malicia, tanto más fácilmente cuanto que hay un *penitus* (éste) con e breve (de la familia de *penus)* y otro, con e larga, de la familia de *penis*. Lo que sigue no puede sino favorecer el juego.

[19] *oliva d'España:* Lozana repite aquí lo que dice Hércules, el enmascarado (véase *supra,* nota 1).

[20] Véase Introducción, pág. 128.

[21] *el de Betrala,* o sea, como apunta Ugolini (a quien se debe la enmienda de las otras ediciones que daban *debe trala)* «de Vetralla» (ciudad al norte de Roma, y al sur de Viterbo); ahora bien, habría que buscar, quizás en colecciones paremiológicas italianas, si el médico de Vetralla podía rivalizar en agudeza con sus homólogos españoles de Orgaz o Jamilena (véase mam. LIX, nota 15).

[22] *Arresto... el albarda:* lo maldice Lozana porque, a pesar de sus propuestas («cuando quisiéredes regar mi manantío...»), parece que el tonto no se aprovechó de la situación (cfr. la fase siguiente). En cuanto a la fórmula, hay un refrán en *La Celestina* que reza «Do vino el sano, verná la albarda» (auto 1), que pudo favorecer la asociación de ideas *asno-albarda,* a no ser que existiera ya la frase «medicar el asno y merecer el albarda». Tiene bastante gracia el juicio de Lozana si se

la horca, que no me ha de faltar hombre, aunque lo sepa[23] hurtar!

Cómo la Lozana fue a su casa, y envió por un sastre, y se vistió del paño que le dieron en casa del coronel, y lo que pasó con una boba. Y dice la Lozana[1]:

—¿Dónde metéis esa leña? ¿Y el carbón? ¿Está abajo? ¿Mirastes si era bueno? ¿Sobisteis arriba los barriles, los presutos y quesos? ¿Contastes cuántas piezas de tela vinieron? ¿Vistes si el olio está seguro que no se derrame? ¡Pues andá, llamá a

---

recuerda que Arresto fue el que encareció el talento del médico sobre el del veterinario.

[23] *sepa:* «deba», «tenga que».

[1] En este momento, está la Lozana en su casa, entrojando los «presentes» que le han hecho las cortesanas, de quienes, como se ha visto, sacó la andaluza, haciendo fuerza sobre la palanca de la vanidad, todo lo que se podía esperar; es de suponer, entonces, que ahora se esté dirigiendo a Rampín, encargado de las operaciones materiales. Sin embargo, en este mamotreto que es de los más cargados de alusiones eróticas directas e indirectas, es posible leer todo el principio (hasta «no se derrame») a dos niveles: el del almacenado que acabo de evocar, y el segundo, cazurro, introducido por la última fase del mamotreto anterior (Lozana en busca de hombre), y a la luz de la última evolución de Rampín «que duerme más que es menester» (mam. LX, nota 11). Para que se puedan seguir fácilmente las operaciones en ese nivel cazurro, apunto a continuación el sentido que las palabras de este pasaje suelen tener en contexto erótico o sus referencias:

—*meter* (sin comentario)
—*leña:* «pene» (véase *P. E. S. O.,* poemas *35* y *36).*
—*carbón:* «carbones» en *P. E. S. O. (poema 42,* nota 11), con el sentido también de «pene» (la pregunta que le hace Lozana a Rampín para saber si está abajo se siente llena de angustia).
—*barriles:* cfr. mam. XXVI, nota 5; «verná a vaciar los barriles».
—*presuto:* «jamón» (o sea, pernil).
—*queso:* véase mam. XIV, nota 24.

maestro Gil[2], no sea para esotra semana! Y mirá que ya comienzan las máscaras a andar en torno; estas carrastollendas[3], tenemos de ganar. Torná presto porque prestéis esos vestidos a quien os los pagare. Veis, viene madona Pelegrina, la simple, a se afeitar; aunque es boba, siempre me da un julio, y otro que le venderé de solimán serán dos.

—Entrá, ánima mía cara. ¿Y con este tiempo venís, ánima mía dulce, saporida? ¡Mirá qué ojos y qué dientes: bien parece que sois de buena parte![4]. Bene mío, asentaos, que venís cansada[5], que vos sois española por la vida[6], y podría ser, que los españoles por do van siembran[7], que veinte años ha que nos los tenés allá por esa Lombardía[8]. ¿Estáis grávida, mi señora?

PELEGRINA.—Señora, no, mas si vos, señora Lozana, me su-

---

tela: cfr. «tejer», «hilar su tela», «mantener la tela» (Lozana, passim y P. E. S. O.).
—olio («óleo», o sea «aceite»): «semen» (véase P. E. S. O., poema 54).
—derramar: «efundir semen» (véase P. E. S. O., Lozana).

[2] maestro Gil: es el sastre (cfr. epígrafe) que tiene que venir para coser. Entonces, no se sabe si Lozana despide a Rampín porque está terminado el trabajo, o por inútil (según nivel de lectura). En el segundo caso, ese Gil bien podría ser el hombre que Lozana «sabrá hurtar».
[3] carrastollendas: «carnestolendas, carnaval».
[4] bien parece... buena parte: «se ve que sois una ramera».
[5] venís cansada: no solamente por el mal tiempo que hace sino también porque está embarazada [se ve perfectamente: de seis meses probablemente, como dijo Arresto], pero la tonta de Pelegrina, boba como lombarda, no se ha dado cuenta (véase mam. XVII, nota 21, con la precisión que aporta Rampín en cuanto a su embarazo: «era ya de tiempo»).
[6] española por la vida (i. e., por la vida que lleva): tiene una clientela de españoles.
[7] los españoles... siembran: el resultado es que Pelegrina está grávida (con lo cual se corrobora la exclamación de un personaje de Hotel Sementario, novela del peruano Max Silva: «Si en los burdeles el semen no es semilla, ¿cómo hay tantos hijos de puta?»)
[8] nos los tenés allá por esa Lombardía: como se comprobará más adelante, esta Lombardía forma parte de la geografía burlesca del Retrato. Se dice de Pelegrina que es lombarda, pero también que es de la Marca (región de Italia, distinta de la otra). Esta inconsecuencia tiene su razón de ser; no es debilidad mental de Delicado, sino «embrague» para pasar al otro nivel del significado, en el que Lombardía significa la región lumbar de la mujer, que lleva veinte años con los españoles a cuestas, «sobre el lomo» (cfr. lombo como variante regional de «lomo», y las voces cultas derivadas del latín lumbus).

piésedes decir con qué me engravidase, yo's lo satisfaría muy bien, que no deseo en este mundo otro.

LOZANA.—¡Ay, ánima mía enzucarada! Récipe[9] lo que sé que es bueno, si vos lo podéis hacer. Tomá sábana de fraile que no sea quebrado[10], y halda de camisa de clérigo macho, y recincháoslas a las caderas con uñas de sacristán marzolino[11], y veréis qué hijo haréis.

PELEGRINA.—Señora Lozana, vos que sabéis en qué caen estas cosas, decíme, ¿qué quiere decir que cuando los hombres hacen aquella cosa, se dan tanta prisa?

LOZANA.—Habéis de saber que me place, porqu'el dicípulo que no dubda ni pregunta no sabrá jamás nada, y esta tierra hace los ingenios sotiles y vivos, máxime vos, que sois de la Marca[12]; muncho más sabréis interrogando que no adevinando. Habéis de saber que fue un emperador que, como viese que las mujeres tenían antiguamente cobertera en el ojo de cucharica de plata[13], y los hombres fuesen eunucos, mandó que de la cobertera hiciesen compañones a los hombres; y como hay

---

[9] *Récipe:* gran médico es Lozana (véase mam. LV, nota 14).

[10] *Tomá... quebrado:* Bonneau comete un contrasentido al creer que se trata de una sábana rota, lo que quizás influyó para que los editores de *R. 75* corrigieran desacertadamente la ed. *Venecia 1528* (que arroja «quebrado») para escoger «quebrada» que no puede especificar sino a *sábana.* Ahora bien, en *La Lozana* se trata de un «fraile que no sea quebrado», es decir «que no padece quebradura», siendo *quebradura* una hernia en el escroto (véase *D. R. A. E.).*

[11] *Tomá sábana... sacristán marzolino:* tenemos aquí una trinidad de tres hombres ligados a la iglesia, que tienen otra particularidad en común: una virilidad no menguada, afirmada y encarecida, respectiva y progresivamente, todo en nivel festivo evidentemente. Del *fraile,* ya se ha hablado en la nota anterior; el *clérigo* tiene que ser *macho,* lo que implica que pudiera haber otros; y si el sacristán tiene que ser *marzolino* (itmo, por «marzal» o «marcelino», o cruce de los dos, «del mes de marzo»), es que de enero a marzo sube la savia en las plantas, en los animales (los gatos particularmente) y en los hombres, como es sabido, siendo así la temporada de mayor empuje para una germinación.

[12] *Marca:* región de Italia, diferente de la *Lombardía* (cfr. *supra,* nota 8). Pero ser de la *Marca* es también «ser de buena parte» (véase *supra,* nota 4), puesto que es de marquesas. Como además *marca* es, según Hidalgo, «ramera» en germanía, creo que tenemos así resuelto el problema de la multinacionalidad de Pelegrina, que en realidad es «española por la vida» (recuérdese el refrán que cita Silvano: «no donde naces, sino con quien paces»).

[13] *tenían antiguamente... de plata:* entiéndase «las mujeres tenían antiguamente en el ojo [i. e., «pudendas», cfr. mam. LXII, nota 8] cu-

una profecía que dice Merlín[14] que ha de tornar cada cosa a su lugar, como aquéllos al cufro[15] de la mujer, por eso se dan tanta priesa por no quedar sin ellos, y beata la mujer a quien se le pegaren los primeros. Por tanto, si vos me creéis, hacé d'esta manera: alzá las nalgas y tomaldo a él por las ancas y apretá con vos, y quedaréis con cobertera y preñada, y esto haced hasta que acertéis.

PELEGRINA.—Decíme, señora Lozana, ¿qué quiere decir que los hombres tienen los compañones gordos como huevos de gallina, de paloma y de golondrina, y otros que no tienen sino uno?

LOZANA.—Si bien los mirastes, en ellos vistes las señales. Habéis de saber que los que no tienen sino uno perdieron el otro desvirgando mujeres ancianas, y los que los tienen como golondrinas se los han desminuido malas mujeres cuando sueltan su artillería, y los que los tienen como paloma, esos te saquen la carcoma, y los que los tienen como gallina es buena su manida[16].

PELEGRINA[17].—Decíme, señora Lozana, ¿qué quiere decir que los mozos tienen más fuerza y mejor que sus amos, por más hombres de bien que sean?

---

charica de plata (en calidad de) cobertera» o «cobertera hecha de cucharica...».

[14] *Merlín:* célebre encantador o mago de las novelas de caballerías francesas de la Edad Media.

[15] *cufro:* el sentido que tiene esta palabra es evidente, pero no he podido documentarla [quizás se pueda pensar en una evolución parecida a la del francés *gouffre» (i. e.,* «abismo»), a partir del griego *Kolpos* (lat. *colpus),* que significa «golfo»].

[16] *su manida:* «su casa» (cfr. germanía), pero posible juego paronímico con *manar* (cfr. «manantío», y el sentido de esta palabra en *La Lozana).*

[17] *Pelegrina:* es éste otro caso de onomancia, puesto que *peregrina* significa:
  —«extranjera», «que viaja por tierras extrañas»: siendo española y lombarda, siendo asimismo de la Marca, está en Roma.
  —«que hace una peregrinación» (y, en este caso, propiamente, una romería); nótese que su visita a Lozana es, en el nivel paródico, como la peregrinación que podría hacer una mujer estéril (consulta de la gran hechicera, o sacerdotisa: cfr. la medicina que se propone).
  —«singular», «rara», «preciosa»: Peregrina tiene unos ojos y unos dientes magníficos. Además es *simple* («boba», quizás, pero también «no compleja», forma de singularidad).
Para el resto del mamotreto véase Introducción, «El mamotreto».

LOZANA.—Porque somos las mujeres bobas. Cierta cosa es que para dormir de noche y para sudar no's hacéis camisa sotil, que luego desteje. El hombre, si está bien vestido, contenta al ver, mas no satisface la voluntad, y por esto valen más los mozos que sus amos en este caso. Y la camisa sotil es buena para las fiestas, y la gorda a la continua; que la mujer sin hombre es como fuego sin leña. Y el hombre machucho que la encienda y que coma torreznos, porque haga los mamotretos a sus tiempos. Y su amo que pague el alquilé de la casa y que dé la saya. Y ansí pelallos, y popallos, y cansarlos, y después de pelados, dejallos enjugar.

MAMOTRETO LXIV

Cómo vinieron cuatro palafreneros a la Lozana: si quería tomar en su casa un gentilhombre que venía a negociar, y traía un asnico sardo llamado Robusto, y ensalmóles los encordios[1], y dice uno:

—Señora Lozana, nosotros, como somos huérfanos y no tenemos agüelas, venimos con nuestros tencones en las manos a que nos ensalméis, y yo, huérfano[2], a que me beséis.

LOZANA.—Amigos, este monte no es para asnos[3], comprá mulos. ¡Qué gentileza![4]. Hacésme subir la calamita[5]. ¡Si os viera hacer eso Rampín, el bravo, que es un diablo de la peña Camasia![6]. ¿Pensáis que soy yo vuestra Ginebra, que se afeita ella

---

[1] *ensalmóles los encordios:* «les hizo un conjuro para que sanasen sus incordios» (Covarrubias dice que *encordio* «es una seca maligna, que nace en las ingles, y porque allí concurren muchas cuerdas se dijo encordio, *quasi in cordis*. Hacen estas cuerdas muy mal son y fórmale las más veces la destemplanza; es enfermedad sucia y asquerosa, embajadora del mal francés...») (515, a, 57).

[2] *huérfano:* «sin madre», con el sentido particular de «sin matriz» (*i. e.* «sin mujer») ni «madre de mancebía» (para más detalles, véase Introducción, págs. 84-85 y nota 94).

[3] Véase mam. XXXIV, nota 15.

[4] *gentileza:* adviértase la antífrasis que contamina *gentilhombre* (cfr. epígrafe del mamotreto).

[5] *Hacésme subir la calamita:* lo interpreto como expresión de enojo, de parte de quien se siente desorientado (cfr. «perder la brújula»).

[6] *Rampín el bravo, que es un diablo de la Peña Camasia:* Lozana

471

misma por no dar un julio a quien la haría parecer moza?[7].

PALAFRENERO.—Puta ella y vos también, ¡guay de ti, Jerusalén![8]

CAMARINO.—Señora Lozana, ensálmanos estos encordios, y veis aquí esta espada y estos estafiles[9]; vendeldos vos para melecinas.

LOZANA.—Vení uno a uno, dejáme poner la mano.

CAMARINO.—¡Ay! que estáis fría.

LOZANA.—Vos seréis abad, que sois medroso[10].

---

se refiere al carácter colérico y épico de su marido, recordando a los palafreneros que está casada y que podría costarles caro su atrevimiento; esa Peña despierta también rumores históricos, pudiendo recordar la Peña de Francia, célebre a fines del siglo XV por la invención de una estatua de la Virgen (de que sería entonces versión negativa el *diablo* de Rampín) o, mejor aún, reminiscencias caballerescas, con la Peña Pobre donde se refugió Amadís (Beltenebros), sin menoscabo de una alusión a la Peña de Martos, cuna del autor. Sin embargo, *Peña Camasia* tiene que ver con «cama» más que con «cuna», puesto que el lecho es el lugar de las mejores y únicas hazañas de Rampín, lo que no desmiente la etimología de peña que es *pinna*.

[7] *¿Pensáis que soy... parecer moza?:* la lozanía casi eterna de la reina Ginebra, mujer del rey Arturo y amante de Lanzarote del Lago hasta más de ochenta años, dio lugar a muchos comentarios; era conocida en España (aunque menos que en Francia) como lo atestigua Covarrubias que le dedica una mención en su *Tesoro (s. v.).* Aquí, cabe imaginarla vieja, barbuda y avara, aunque no de sus difuntos encantos (puesto que «¿pensáis que soy vuestra Ginebra?» es variante de «¿pensáis que soy vuestra puta?»), lo que explica que Lozana se valga de la comparación con la reina legendaria para desengañar a los palafreneros; sin embargo, más que comparación es imagen (Ginebra, lozana, barbuda, vieja, y agarrada, es Lozana, o mejor dicho: Vellida).

[8] *Puta ella... Jerusalén:* el palafrenero explicita aquí cómo tiene que entenderse la pregunta de Lozana («¿pensáis que soy vuestra Ginebra...?»; ver nota anterior). Toda la frase, además, es un nuevo ejemplo de la utilización caprichosa de los refranes en el *Retrato*: cfr. «Guay de ti, Jerusalén, que te tienen moros» (recogido por Correas, 345, a); es probable que el mozo de caballos exprese su despecho lamentando que Lozana (aquí, Jerusalén, o tierra santa, lo que no carece de gracia) esté en poder de un renegado (Rampín).

[9] *esta espada y estos estafiles:* me parece evidente que es metáfora de los atributos viriles; *espada* no merece comentario; en cuanto a *estafiles* es un italianismo, adaptación del ital. *staffile* que C. Oudin *(Tres lenguas)* traduce al francés por «etrivières» y al español por «ación», o sea «estriberas» (sabido es que hay *dos* de las que cuelgan los estribos).

[10] *medroso:* «temeroso» (obvio), pero alude a «medrar».

472

—Vení vos, ¡oh qué tenéis de pelos en esta forma![11]. Dios la bendiga; vería si tuviese cejas[12].

PALAFRENERO.—Señora Lozana, si tuviese tantos esclavos que vender, a vos daría el mejor.

LOZANA.—Andá, que vos seréis mercader cobdicioso.

—Vení vos; esperá meteré la mano.

SARRACÍN.—Meté señora, mas mirá que estoy derecho.

LOZANA.—¡Por mi vida, que sois caballero y hidalgo[13] aunque pobre! Y si tanto direcho tuviésedes a un beneficio, sería vuestra la sentencia. Esperá, diré las palabras, y tocaré, porque en el tocar está la virtud[14].

SARRACÍN.—Pues dígalas vuestra merced alto que las oigamos.

LOZANA.—So contenta: Santo Ensalmo se salió, y contigo encontró, y su vista te sanó; ansí como esto es verdad, ansí sanes d'este mal, amén. Andá que no será nada, que pecado es que tengáis mal en tal mandragulón[15].

PALAFRENERO.—Mayor que el rollo de Écija, servidor de putas[16].

---

[11] *forma:* véase Introducción, nota 82, y mam. XXXVIII, nota 9).

[12] *vería... cejas:* y vería mejor si no fuese tuerta (véase mam. L, nota 15).

[13] *caballero y hidalgo:* como gentilhombre (cfr. *supra,* nota 4), estos términos no se refieren a la condición social sino a la condición sexual. *Caballero,* por pertenecer a la familia morfológica y semántica de *cabalgar (v. gr.* caballero en una montura), se aplica fácilmente al acoplamiento carnal (de ahí el significado que *caballo* tiene en el mamotreto LII, nota 18, por ejemplo). Luego, por sinonimia, *hidalgo, gentilhombre,* etc..., entran en el paradigma semántico; paradójicamente el mozo de caballos o *palafrenero,* por la virtud del conceptismo, viene a formar parte de tal aristocracia, porque lo jocoso confunde «a caballo» y «de caballo».

[14] *diré las palabras... la virtud:* son las palabras del ensalmo o conjuro; en cuanto al tacto y su virtud, parece que finalmente Trujillo acabó por convencer a la Lozana (véase mam. L, última réplica).

[15] *mandragulón,* de sentido evidente aquí, parece ser aumentativo burlesco de *mandrágula* (variante antigua de mandrágora), planta comentada por su forma humana: «Pitágoras la llamó *antropomorphos,* por remedar la figura humana» (Covarrubias, 784, b, 58). Así glosada como *«forma* (véase *supra,* nota 11) de hombre», la palabra entró de suyo en el rico surtido de metáforas que nos brindan los autores burlescos, y quizás tradujera también la atracción que Lozana sentía por el sexo viril puesto que «trae mandrágora» era una frae proverbial, comentada así: «cosa con que atraen las voluntades» (Correas, 738, b).

[16] *Mayor que el rollo... putas:* el palafrenero debe valerse aquí de

Lozana.—Mala putería corras, como Margarita Corillón, que corrió los burdeles de Oriente y Poniente, y murió en Setentrión, sana e buena como yo [17].

Palafrenero.—Decínos agora, ¿cómo haréis?, que dicen que habrá guerra, que ya con la peste pasada cualque cosa ganábades.

Lozana.—Mal lo sabéis; más quiero yo guerra que no peste, al contrario del duque de Saboya, que quiere más peste en sus tierras que no guerra. Yo, si es peste, por huir, como de lo ganado, y si hay guerra, ganaré con putas y comeré con soldados.

Palafrenero.—¡Voto a Dios, que bien dice el que dijo que de puta vieja y de tabernero nuevo me guarde Dios! Digámosle a la señora Lozana a lo que más venimos.

—Vuestra merced sabrá que aquí a Roma es venido un gentilhombre y en su tierra rico, y trae consigo un asnico que entiende como una persona, y llámalo Robusto, y no querría posar sino solo; y pagará bien el servicio que a él y a Robusto le harán, y por estar cerca del río, adonde Robusto vaya a beber [18]. Por tanto, querríamos rogar a vuestra perniquitencia [19] que, pagando'slo, fuésedes contenta, por dos meses, de darle posada, porque pueda negociar sus hechos más presto y mejor.

Lozana.—Señores, yo siempre deseé de tener plática con estaferos [20], por munchos provechos que d'ellos se pueden haber; y viendo que, si hago esto que me rogáis, no solamente terné a ese señor, mas a todos vosotros, por eso digo que la casa y la persona a vuestro servicio. Avisaldo que, si no sabe, sepa que no hay cosa tan vituperosa en el hombre como la miseria [21], porque la miseria es sobrina de la envidia, y en los hom-

una reminiscencia paremiológica puesto que el rollo (y más especialmente el de Écija, que tuvo que ser famoso) aparece en frases proverbiales recogidas por Correas: «Andad al rollo - Idos al rollo - Váyase al rollo de Écija» (609, a). Se usaban para despedir de mala manera, lo que explica que fuera «servidor de putas», aunque es probable que el mozo de caballos pensara en otro tipo de servicio para esas señoras.

[17] Véase Introducción, pág. 123.

[18] Recuérdese que Lozana vive ahora «junto al río, pasada la Vía Asinaria, más abajo» (mam. XL).

[19] *vuestra perniquitencia:* a mi parecer este tratamiento burlesco está formado de *piernas* y *quitas* («sueltas, libres»).

[20] *estaferos:* «mozos de espuelas», como los define el *D. R. A. E.,* que a mi ver podrían guardar relación con estafas (considérese cómo quiere ganar su apuesta el dueño de Robusto).

[21] *miseria:* «avaricia».

bres es más notada que en las mujeres, y más en los nobles que
no en los comunes, y siempre la miseria daña la persona en
quien reina, y es adversa al bien común. Y es señal de natura,
porque luego se conoce el rico mísero ser de baja condición, y
esta regla es infalible segundo mi ver. Y avisaldo que no se hacen los negocios de hongos[22], sino con buenos dineros re-
dondos.

MAMOTRETO LXV

Cómo vino el asno de micer Porfirio por corona, y se graduó
de bachiller[1], y dice entre sí, mirando al Robusto, su asnico:

—No hay en este mundo quien ponga mientes a los dichos
de los viejos[2] que, si yo me recuerdo, siempre oí decir que ni
fíes ni porfíes, ni prometas lo incierto por lo cierto. Bien sé yo
que a este Robusto le falta lo mejor, que es el leer[3], y si en esto
lo examinan primero, no verán que sabe cantar, y ansí me lo
desecharán sin grado, y yo perderé mi apuesta. ¡Robusto! canta: ut-re-mi -fa-sol-la, híncate de rodillas, abaja la cabeza, di
un texto entre dientes, y luego comerás:Aza-aza-aza-ro-ro-ro-
as-as-as-no-no-no. ¡Ansí! Comed agora y sed limpio. ¡Oh Dios
mío y mi Señor!, como Balán hizo hablar a su asna[4], ¿no haría

---

22 *de hongos:* por considerarse que el hongo es comida sin sustancia
y de poco precio (cfr. «No se hace la boda de hongos», en Covarrubias, 697, a, 48, s. v. *hongo,* y 224, a, 28, s. v. *boda).*

1 *se graduó de bachiller:* como en otros mamotretos, se conoce el
desenlace de éste gracias al argumento que lo encabeza (nótese el verbo en pasado); el capítulo de Delicado termina con el consejo de Lozana, y no se puede dudar del éxito de la empresa (cfr. mam. LV, el
de Coridón).
2 *No hay... viejos:* bonita ironía en un libro repleto de refranes y frases proverbiales.
3 *le falta lo mejor, que es el leer:* nueva afirmación de la superioridad de la lectura, y otro paralelismo entre Lozana y Robusto, puesto
que aquélla hubiera querido «leer lo que entiende».
4 *como Balán... asna:* el relato bíblico del milagro de la burra de Balaam *(Números,* XXII) era conocidísimo: el animal habló con voz humana para quejarse de su amo; por eso no podía pasar desapercibida
la ironía de Delicado que convierte aquí en hazaña de Balaam («hizo

Porfirio leer a su Robusto, que solamente la paciencia que tuvo cuando le corté las orejas[5] me hace tenelle amor? Pues vestida la veste talar, y asentado, y vello como tiene las patas como el asno d'oro de Apuleyo, es para que le diesen beneficio, cuanto más graduallo bacalario.

LOZANA.—Señor Porfirio, véngase a cenar, y dígame qué pasión tiene y por qué está ansí pensoso.

PORFIRIO.—Señora, n'os oso decir mi pena y tormento que tengo, porque temo que no me lo ternéis secreto.

LOZANA.—No haya vuestra merced miedo que yo jamás lo descubra.

PORFIRIO.—Señora, bien que me veis ansí solo, no so de los ínfimos de mi tierra, mas la honra me constriñe, que, si pudiese, querría salir con una apuesta que con otros hice, y es que si venía a Roma con dinero, que ordenaba mi Robusto de bacalario. Y siendo venido y proveído de dinero, y vezado a Robusto todas las cosas que han sido posible vezar a un su par, y agora como veo que no sabe leer, no porque le falte ingenio, mas porque no lo puede exprimir[6] por los mismos impedimentos que Lucio Apuleyo, cuando diventó[7] asno, y retuvo siempre el intelecto de hombre racional, por ende estoy mal contento, y no querría comer, ni beber, ni hacer cosa en que me fuese solacio.

LOZANA.—Micer Porfirio, estar de buena gana, que yo os lo vezaré a leer, y os daré orden que despachés presto para que os volváis a vuestra tierra. Id mañana[8], y haced un libro gran-

---

hablar a su asna») lo que en la Biblia era castigo divino del enemigo del pueblo de Israel, o pueblo de Dios. Es curioso también que Porfirio fuera asimismo el nombre de un enemigo de la fe cristiana; el emperador Teodosio hizo quemar los libros de este filósofo griego del siglo III d. C. El Porfirio del *Retrato*, que tiene nombre de hereje (de un hereje conocido, pues Covarrubias se hace eco varias veces de los comentarios escolares a que dieron lugar las ideas y aserciones del filósofo), quiere hacer hablar a su Robusto como Balaam hizo hablar a su burra, portándose así como un pagano, enemigo del pueblo de Dios.

[5] *le corté las orejas:* se las cortó probablemente para que pareciera menos asnal el burro, pero, sobre todo, para que le cupiera bien la corona de laureles, premio de los bacalarios, como dice, o bachilleres (cfr. epígrafe del mamotreto). ¿Cuántos profesores no querrían para sí alumnos tan dóciles?

[6] *exprimir:* era corriente con este sentido de «expresar».

[7] *diventó:* italianismo (verbo *diventare),* aquí: «fue convertido en».

[8] Toda la burla que sigue era tradicional. Tuvo mucho éxito; había

476

Plutón y el diablo de milano.

de de pergamino, y traédemelo, y yo lo vezaré a leer, e yo hablaré a uno que, si le untáis las manos, será notario, y os dará la carta del grado. Y hacé vos con vuestros amigos que os busquen un caballerizo que sea pobre y joven, y que tenga el seso en la braguete, que yo le daré persona que se lo acabe de sacar; y d'esta manera venceremos el pleito, y no dudéis que, d'este modo, se hacen sus pares bacalarios[9]. Mirá, no le deis a comer al Robusto dos días y, cuando quisiere comer, meteldé la cebada entre las hojas, y ansí lo enseñaremos a buscar los granos y a voltar las hojas, que bastará. Y diremos que está turbado, y ansí el notario dará fe de lo que viere y de lo que cantando oyere. Y ansí *omnia per pecunia falsa sunt*[10]. Porque creo que basta harto que llevéis la fe, que no os demandarán si leyó en letras escritas con tinta o con olio o iluminadas con oro; y si les pareciere la voz gorda, decí que está resfriado, que es usanza de músicos: una mala noche los enronquece. Asimismo, que *itali ululant, hispani plangunt, gali canunt*. Que su merced no es gallo, sino asno, como veis, que le sobra la sanidad[11].

Mamotreto LXVI[1]

Cómo la Lozana se fue a vivir a la ínsula de Lípari, y allí acabó muy santamente ella y su pretérito criado Rampín, y aquí se nota su fin y un sueño que soñó:

—¿Sabéis, venérabile[2] Rampín, qué he soñado? Que veía a Plutón caballero sobre la Sierra Morena y, voltándome enver-

---

sido compilada, anteriormente, en el *Till Eulenspiegel,* y la recogió también Covarrubias, años después *(Tesoro,* 158, a, 65).

[9] *Y hacé vos... se hacen sus pares bacalarios:* véase Introducción, pág. 44.

[10] «el dinero lo corrompe todo».

[11] *Porque creo que basta... le sobra la sanidad:* véase Introducción, pág.111 y ss.

[1] Para un comentario global de este mamotreto, véase Introducción, «El nudo del *exemplum».*

[2] *venerabile* (itmo): Rampín debe de ser *vener*able porque es ahora el marido legítimo de Lozana, posiblemente también por su edad, y a buen seguro por la enfermedad *vené*rea de que no pudo sino contagiarse.

so[3] la tramontana, veía venir a Marte debajo una niebla[4], y era tanto el estrépito que sus ministros hacían que casi me hacían caer las tenazuelas de la mano. Yo, que consideraba qué podría suceder, sin otro ningún detenimiento cabalgaba en Mercurio que, de repente, se me acostó, el cual me parecía a mí que hiciese el más seguro viaje que al presente se halle en Italia, en tal modo que navegando llegábamos en Venecia, donde Marte no puede estender su ira. Finalmente desperté, y no pudiendo quietar en mí una tanta alteración, traje a la memoria el sueño, que aun todavía la maginativa lo retenía. Considerando, consideraba cómo las cosas que han de estar en el profundo, cómo Plutón, que está sobre la Sierra Morena, y las altas se abaten al bajo, como milano, que tantas veces se abate hasta que no deja pollo ni polla, el cual diablo de milano ya no teme espantajos, que cierto las gallinas ya no pueden hacer tantos pollos como él consuma. En conclusión, me recordé haber visto un árbol grandísimo sobre el cual era uno asentado, riendo siempre y guardando el fruto, el cual ninguno seguía, debajo del cual árbol vi una gran compaña, que cada uno quería tomar un ramo del árbol de la locura, que por bienaventurado se tenía quien podía haber una hoja o una rameta: quien tiraba d'acá, quien de allá, quien cortaba, quien rompía, quien cogía, quien la corteza, quien la raíz, quien se empinaba, quien se ponía sobre las puntillas, ansí buenos como medianos y más chicos, ansí hombres como mujeres, ansí griegos como latinos, como tramontanos o como bárbaros, ansí religiosos como seculares, ansí señores como súbditos, ansí sabios como iñorantes, cogían y querían del árbol de la vanidad[5]. Por tanto dicen que el hombre apercibido medio combatido[6]. Ya vistes que el

---

[3] *voltándome enverso:* «volviéndome hacia».

[4] *debajo una niebla:* en su *Epístola,* la Lozana habla de un «escuro día» y «tenebrosa noche», para referirse al día del saco de Roma, y en su *Digresión,* el autor dice que se vio «venir un tanto ejército *sub nube»;* ese tiempo fue realmente el que hizo aquel día según Damiani y Allegra *(R. 75,* nota 7, pág. 438). Si es cierta la referencia al día del saco, esto significa que Delicado retocó este mamotreto, como otros indicios lo dejan suponer, en 1528.

[5] *árbor de la vanidad:* le llama también «árbol de la locura» porque de *vanidad* se puede decir que es locura: «comúnmente lo tomamos por desvanecimiento, presunción, y *especie de locura»* (Covarrubias, 992, b, 21).

[6] *el hombre apercibido, medio combatido:* así ya lo decía Calisto, empuñando sus armas, en el auto XII de *La Celestina.*

astrólogo nos dijo que uno de nosotros había de ir a paraíso, porque lo halló ansí en su arismética y en nuestros pasos, y más este sueño que yo he soñado. Quiero que éste sea mi testamento. Yo quiero ir a paraíso, y entraré por la puerta que abierta hallare, pues tiene tres, y solicitaré que vais vos, que lo sabré hacer.

RAMPÍN.—Yo no querría estar en paraíso sin vos; mas mejor será a Nápoles a vivir, y allí viviremos como reyes, y aprenderé yo a hacer guazamalletas[7], y vos venderés regalicia, y allí será el paraíso que soñastes.

LOZANA.—Si yo vo, os escribiré lo que por el alma habéis de hacer con el primero que venga, si viniere, y si veo la Paz, que allá está continua, la enviaré atada con este ñudo de Salamón[8], desátela quien la quisiere. Y ésta es mi última volun-

tad, porque sé que tres suertes de personas acaban mal, como son: soldados y putanas y osurarios, si no ellos, sus descendientes; y por esto es bueno fuir romano por Roma que, voltadas las letras, dice amor[9], y entendamos en dejar lo que nos

---

[7] *guazamalletas:* apoyándose en el mismo ejemplo del *Viaje de Turquía,* Ugolini y los editores de *R. 75* apuntan que eran un tipo de arma o de arnés. Personalmente, yo vería muy bien a Rampín fabricando albardas; sin embargo la acepción «torta, rosquilla», que también mencionan en *R. 75* (según una nota de Campos Delgado), aunque no sé de dónde se saca, me parece mejor avenida con la venta de regaliz en que piensa Rampín para Lozana.

[8] *este ñudo de Salamón:* Salamón era forma corriente por Salomón; nótese que no se entiende el texto en ausencia del dibujo de este nudo de Salomón que comento en la Introducción («El nudo del *exemplum*»).

[9] *Roma que, voltadas las letras, dice amor:* Para completar lo dicho en la Introducción se puede añadir que el juego sobre esta palabra capicúa se hizo también en el nivel de frase, e incluso en latín, como apunta Iribarren en *El Porqué de los Dichos:*

—A los solos, sola Roma, amor a los solos sola.
—Roma tibi subito ibit amor.

ha de dejar. Y luego vamos en casa de la señora Guiomar López, que mañana se parte madona Sabina. Vamos con ella, que
no podemos errar, al ínsula de Lípari con nuestros pares, y mudaréme yo el nombre, y diréme la Vellida, y así más de cuatro
me echarán menos, aunque no soy sola, que más de cuatro Lozanas hay en Roma y yo seré salida de tanta fortuna pretérita,
continua y futura, y de oír palabradas de necios, que dicen no
lo hagáis y no's lo dirán, que a ninguno hace injuria quien honestamente dice su razón. Ya estoy harta de meter barboque-
jos a putas y poner jáquimas de mi casa, y pues he visto mi
ventura y desgracia, y he tenido modo y manera y conversación para saber vivir, y veo que mi trato y plática ya me dejan,
que no corren como solían, haré como hace la Paz[10], que huye
a las islas, y como no la buscan, duerme quieta y sin fastidio,
pues ninguno se lo da, que todos son ocupados a romper ramos del sobreescrito árbor, y cogiendo las hojas será mi fin.
Estarme he reposada, y veré mundo nuevo, y no esperar que
él me deje a mí, sino yo a él. Ansí se acabará lo pasado, y es-
taremos a ver lo presente, como fin de Rampín y de la Lozana.

Fenezca la historia compuesta en retrato, el más natural que
el autor pudo, y acabóse hoy primo de diciembre, año de mil
quinientos e veinte e cuatro[11] a laude y honra de Dios trino y
uno; y porque reprendiendo los que rompen el árbor de la vanidad, seré causa de moderar su fortuna porque no se ría quien
está encima de los que trujere y condujere a no poder vivir sin
semejantes compañías[12], y porque siendo por la presente obra

_____

[10] *Paz*: las letras de esta palabra enmarcan el dibujo del nudo de Salomón, siendo la cuarta una o que es omega. Se pueden combinar en
A y *z* (alfabeto latino, o mejor dicho, español) y *A* y *O,* alfa y omega
(alfabeto griego). La forma de la P hace que se pueda leer como rho,
el cual en unión del nudo en forma de Cruz, puede ser uno de los dos
elementos del lábaro o CRismón, que representa una cruz, con las letras C y R.
[11] En el argumento de la parte prima, dice Delicado que «comienza
la historia..., compuesta el año 1524, a treinta días del mes de junio,
en Roma»; aquí que la terminó el día 1 de diciembre de 1524. A no
ser una broma más, junio tiene que referirse al principio de la redac-
ción, en la que empleó, por tanto, cinco meses.
[12] *seré causa de moderar... semejantes compañías:* «el que está encima» es, a todas luces, el demonio; cfr. en el sueño de Lozana: «me recordé haber visto un árbor grandísimo *sobre el cual era uno asentado,
riendo siempre,* y guardando el fruto...». Entonces el autor quiere, re-
prendiéndolos porque rompen las ramas, moderar su fortuna *(i. e.,* «re-

avisados, que no ofendan a su Criador, el cual sea rogado que perdone a los pasados, y a nosotros, que decimos: *Averte, Domine, oculos meos ne videant vanitatem*[13]. *Sine praejudicio personarum*[14]. *In alma urbe*[15], *MDXXIV.*

FINIS

frenar su inclinación») para que no se ría o burle de ellos «quien está encima» (*i. e.*, «el que está sentado en lo alto del árbol»), es decir que no se burle de aquéllos a quienes engaña empujándoles hacia el vicio, trayéndoles y conduciéndoles a no poder vivir sin compañías semejantes a la de Lozana. (Insisto en esta explicitación, porque el texto no está bien establecido en ninguna de las ediciones que conozco.) En cuanto al mensaje, cfr. Arcipreste de Talavera: «Hay otras personas que dicen (non como estas susodichas, salvo: *¿por qué hiciste esto?*); *El diablo me lo hizo hacer, y consejóme, engañóme; que yo no lo quisiera hacer.* Y non quiere conocer su culpa y propio error, dando cargo d'ella al pecado, a la fortuna y planeta...» Fondo, pues, muy tradicional.

[13] *Averte... vanitatem:* «Tápame, Señor, los ojos, que no vean la vanidad.»

[14] *Sine praejudicio personarum:* en «*Cómo se escusa...*» lo traduce (festivamente a mi parecer) el autor: «sin perjuicio de partes».

[15] *In alma urbe:* véase *Prólogo,* nota 3.

CÓMO SE ESCUSA EL AUTOR

en la fin del Retrato de la Lozana, en laude de las mujeres[1]

Sin dubda, si ningún hombre quisiese escrebir el audacia de las mujeres, no creo que bastasen plumas de veloces escritores, y si por semejante quisiese escrebir la bondad, honestidad, devoción, caridad, castidad y lealtad que en las claras mujeres se halla y hemos visto[2]. Porque las que son buenas no son tanto participadas en común, por tanto, munchas virtudes están tácitas y ocultas que serían espejo a quien las oyese contar. Y como la mujer sea jardín del hombre, y no hay cosa en este

---

[1] *laude de las mujeres:* parecerá muy corto el elogio de las «claras mujeres», pero téngase en cuenta que no se debe a la intención burlesca de Delicado sino a la tradición literaria de la reprobación del amor. El Arcipreste de Talavera no les dedicó muchas más palabras a las honestas que Delicado; consciente de ello, Alfonso Martínez se disculpaba de esta forma: «Mal decir del malo, loanza es del bueno.» Y, para apreciar en su justo valor la decisión que toma Lozana de retirarse, comprobando que su «trato y plática ya [la] dejan», considérense las siguientes líneas del *Corbacho:* «por do creo que el que su tiempo y días en amor loco despiende *[i. e.,* "gasta"], su sustancia, persona, fama y renombre aborrece; y quien de tal falso y caviloso amor abstenerse puede, el mérito le sería grande si poder tiene en sí. Que aquél que non puede por vejedad o impotencia, y de amar se deja, non diga ese tal que se deja, que antes amor se deja de él...».

[2] *hemos visto:* quiere decir Delicado que no bastarían plumas de veloces escritores para ponderar la virtud de las buenas mujeres, como no bastan para vituperar a las «audaces». Sin embargo, añadir «que hemos visto» a propósito de las buenas, tiene que remitir a la «bondad» lozanesca o a otras partes y libros que el *Retrato.*

mundo que tanto realegre al hombre esterior[3], y que tanto y
tan presto le regocije, porque no solamente el ánima del hombre se alegra en ver y conversar mujer, mas todos sus sentidos,
pulsos y miembros se revivifican incontinente. Y si hobiese en
la mujer modestia, y en el hombre temperanza honesta, goza-
rían con temor lo que, con temerosa audacia, ciega la impaciencia, ansí al hombre racional como a la frágile mujer; y cierto que si este tal jardín que Dios nos dio para recreación corporal, que si no castamente, al menos cautamente lo gozáse-
mos en tal manera que naciesen en este tal jardín[4] frutos de bendición, porque toda obra loa y alaba a su Hacedor[5] cuando la
precede el temor, y este tal fruto aprovecha en laude a su Criador, máxime a quien lo sabe moderar. La señora Lozana fue
mujer muy audace, y como las mujeres conocen ser solacio a
los hombres y ser su recreación común, piensan y hacen lo que
no harían si tuviesen el principio de la sapiencia, que es temer
al Señor, y la que alcanza esta sapiencia o inteligencia es más
preciosa que ningún diamante, y ansí por el contrario muy vil.
Y sin dubda en esto quiero dar gloria a la Lozana, que se guardaba muncho de hacer cosas que fuesen ofensa a Dios ni a sus
mandamientos, porque, sin perjuicio de partes, procuraba comer y beber sin ofensión ninguna. La cual se apartó con tiempo, y se fue a vivir a la ínsula de Lípari[6], y allí se mudó el nombre, y se llamó la Vellida, de manera que gozó de tres nombres: en España, Aldonza, y en Roma, la Lozana, y en Lípari,
la Vellida[7]. Y si alguno quisiere saber del autor cuál fue su intinción de retraer reprehendiendo a la Lozana y a sus secaces,
lean el principio del retrato. Y si quisieren reprehender que por
qué no van munchas palabras en perfeta lengua castellana, digo

---

[3] *hombre esterior:* «apetecible», pensaría Lozana; cfr. más adelante
«todos sus sentidos... miembros se revivifican incontinente», significando *incontinente* «enseguida», pero aludiendo a la incontinencia.

[4] *este tal jardín:* recuérdese que, más modestamente, a Lozana le
tocó solamente en herencia «una noria con su huerto» (mam. II).

[5] *toda obra loa y alaba a su Hacedor:* sentencia algo sacrílega si se
lee a la luz de otros contextos (véanse mam. LX, nota 4, y mam. LXII,
nota 7), aunque también éste, con la moderación del fruto de referencia, ofrece sus sugerencias.

[6] *Y sin dubda en esto... ínsula de Lípari:* véase Introducción, página 138 y *supra,* nota 1.

[7] *y allí se mudó el nombre... Vellida:* para la discusión de los nombres de la protagonista, véanse los capítulos correspondientes de la
Introducción.

que, siendo andaluz y no letrado, y escribiendo para darme solacio y pasar mi fortuna, que en este tiempo el Señor me había dado, conformaba mi hablar al sonido de mis orejas, que'es la lengua materna y su común hablar entre mujeres. Y si dicen por qué puse algunas palabras en italiano, púdelo hacer escribiendo en Italia, pues Tulio escribió en latín, y dijo munchos vocablos griegos y con letras griegas. Si me dicen que por qué no fui más elegante, digo que soy iñorane, y no bachiller. Si me dicen cómo alcancé a saber tantas particularidades, buenas o malas, digo que no es muncho escrebir una vez lo que vi hacer y decir tantas veces. Y si alguno quisiere decir que hay palabras maliciosas, digo que no quiera nadie glosar malicias imputándolas a mí, porque yo no pensé poner nada que no fuese claro y a ojos vistas: y si alguna palabra hobiere, digo que no es maliciosa, sino malencónica, como mi pasión antes que sanase. Y si dijeren que por qué perdí el tiempo retrayendo a la Lozana y a sus secaces, respondo que, siendo atormentado de una grande y prolija enfermedad, parecía que me espaciaba con estas vanidades. Y si por ventura os veniere por las manos un otro tratado *De consolatione infirmorum*[8], podéis ver en él mis pasiones para consolar a los que la fortuna hizo apasionados[9] como a mí. Y en el tratado que hice del leño del India, sabréis el remedio mediante el cual me fue contribuida la sanidad, y conoceréis el autor no haber perdido todo el tiempo, porque, como vi coger los ramos y las hojas del árbor de la vanidad a tantos, yo que soy de chica estatura, no alcancé más alto: asentéme al pie hasta pasar, como pasé, mi enfermedad. Si me decís por qué en todo este retrato no puse mi nombre, digo que mi oficio me hizo noble, siendo de los mínimos de mis conterráneos, y por esto callé el nombre, por no vituperar el oficio escribiendo vanidades con menos culpa que otros que compusieron y no vieron como yo. Por tanto, ruego al prudente letor, juntamente con quien este retrato viere, no me culpe, máxime que, sin venir a Roma, verá lo que el vicio d'ella causa. Ansimismo, por este sabrán munchas cosas que deseaban ver

---

[8] *un otro tratado «De consolatione infirmorum»:* tratado «del alivio de los enfermos», que, según Damiani, se publicó en Roma, hacia 1525. Me parece prueba de que el *Retrato* es *también* tratado, por más jocoso que sea; en cuanto a las implicaciones de las otras publicaciones de Delicado, véase Introducción, «El autor».

[9] *apasionados;* ya se ha notado el juego sobre la palabra *pasión* («enfermedad» y «ardor»).

y oír, estándose cada uno en su patria, que cierto es una grande felicidad no estimada. Y si alguno me dirá algún improperio en mi ausencia, al ánima o al cuerpo *imperet sibi Deus*, salvo iñorante [10], porque yo confieso ser un asno, y no de oro. Válete con perdón, y nota esta conclusión [11].

El ánima del hombre desea que el cuerpo le fuese par perpetuamente; por tanto, todas aquellas personas que se retraerán de caer en semejantes cosas, como éstas que en este retrato son contadas, serán pares al espíritu, y no a la voluntad ni a los vicios corporales, y siendo dispares o desiguales a semejantes personas no serán retraídas, y serán y seremos gloria y laude aquel [12] infinito Señor que para sí nos preservó y preservará, amén.

---

[10] *«imperet sibi Deus», salvo iñorante:* traducido por Damiani al «español que se mande Dios a sí mismo, ignorándolo el que está seguro» *(L. A. 69 y R. 75).* Yo confieso que no entiendo lo que significa exactamente eso, porque, de atenerse a esta traducción, no me parece muy católico. Yo creo más bien que «salvo ignorante» se aplica al que dice improperios en ausencia del autor, y que la frase en latín tendría que ser «imperet illi Deus». (¿Quizás no haya funcionado bien del todo la compilación?)

[11] Se podría decir de Delicado, incluso cuando parece tratar de temas serios, lo que decía Lozana de otro personaje: —Vivas y adivas, siempre coplicas.

[12] *aquel:* «a aquel».

[EXPLICIT]

Son por todas las personas que hablan en todos los mamotretos o capítulos ciento y veinte e cinco; va dividido en mamotretos sesenta e seis[1]. Quiere decir mamotreto libro que contiene diversas razones o copilaciones ayuntadas. Ansimismo porque en semejantes obras seculares no se debe poner nombre ni palabra que se apertenga[2] a los libros de sana y santa dotrina, por tanto, en todo este retrato no hay cosa ninguna que hable de religiosos, ni de santidad, ni con iglesias, ni eclesiásticos, ni otras cosas que se hacen que no son de decir. Item, ¿por qué más se fue la Lozana a vivir a la ínsula de Lípari que a otra parte?: porque antiguamente aquella ínsula fue poblada de personas que no había sus pares, d'adonde se dijeron li pari: los pares; y dicen en italiano: li pari loro non si trovano, que quiere decir: no se hallan sus pares. Y era que, cuando un hombre hacía un insigne delito, no le daban la muerte, mas condenábanlo a la ínsula de Lípari. Item, ¿por qué más la llamé Lozana que otro nombre? Porque Lozana es nombre más común y comprehende su nombre primero Aldonza, o Alaroza en lengua arábica, y Vellida lo mismo, de manera que Lozana significa lo que cada un nombre d'estos otros significan. Ansí que Vellida y Alaroza y Aldonza particularmente demuestran cosa garrida o hermosa, y Lozana generalmente lozanía, hermosura, lindeza, fresqueza y belleza. Por tanto, digo que para gozar d'este retrato y para murmurar del autor, que primero lo deben bien leer y entender, *sed non legatur in escolis*. No metí la tabla, aunque estaba hecha, porque esto basta por tabla.

---

[1] *Son por todas... sesenta e seis:* el número de mamotretos es cierto, pero el de las personas *que hablan* (¿qué es hablar?) resulta mucho más problemático.

[2] *que se apertenga:* «que pertenezca».

Saco de Roma.
(«Quedan las paredes enhiestas»)

[EPÍSTOLA DEL AUTOR]

Esta epístola añadió el autor el año de mil e quinientos e vein-
te e siete, vista la destruición de Roma, y la gran pestilencia
que sucedió, dando gracias a Dios que le dejó ver el castigo
que méritamente Dios premitió (sic) a un tanto pueblo.

¿Quién jamás pudo pensar, oh Roma, oh Babilón, que tanta
confusión pusiesen en ti estos tramontanos ocidentales y de
Aquilón, castigadores de tu error? Leyendo tus libros verás lo
que más merece tu poco temor. ¡Oh, qué fortuna vi en ti! Y
hoy habiéndote visto triunfante (y agora te veo y con el dedo
te cuento)[1], dime, ¿dónde son los galanes, las hermosas que
con una chica fosa en diez días cobriste y encerraste, dando fin
a las favoridas, pues una sábana envolvió sus cuerpos pestífe-
ros? Las que no se pudié vivir con ellas ya son sepultas, yo las
vi. ¡Oh, Lozana!, ¿qué esperas? Mira la Garza Montesina, que
la llevan sobre una escalereta por no hallar, ni la hay, una tabla en toda Roma. ¿Dónde es el favor?. ¿Cómo van sin lumbre, sin son y sin llanto? Mira los galanes que se atapan las narices cuando con ellas pasan. ¡Oh, Dios!, ¿pensólo nadie jamás
tan alto secreto y juicio como nos vino este año a los habitatores que ofendíamos a tu Magestad? No te ofendieron las paredes, y por eso quedaron enhiestas[2], y lo que no hicieron los

---

[1] Los editores de *R. 75* apuntan: «es indirecta y estrafalaria referencia evangélica (Ioan., 20,25)». Las piezas epilogales no desdicen el contenido de los mamotretos.

[2] *No te ofendieron... enhiestas:* recordando el mam. LI (nota 16),
me resisto a creer que el autor se doliera sincera y seriamente de la destrucción de Roma (saco que se parece por demás al de la roma Lozana).

489

soldados heciste tú, Señor, pues enviaste, después del saco y de la ruina, pestilencia inaudita con carbones pésimos e sevísimos[3], hambre a los ricos, hechos pobres mendigos. Finalmente que vi el fin de los munchos juicios que había visto y escrito[4]. ¡Oh, cuánta pena mereció tu libertad y el no templarte, Roma, moderando tu ingratitud a tantos beneficios recebidos, pues eres cabeza de santidad y llave del cielo, y colegio de doctrina, y cámara de sacerdotes, y patria común![5] ¡Quién vido la cabeza hecha pies y los pies delante![6] ¡Sabroso principio para amargo fin! ¡Oh, vosotros que vernés tras los castigados, mirá este retrato de Roma, y nadie o ninguno sea causa que se haga otro! Mirá bien éste y su fin, que es el castigo del cielo y de la tierra, pues los elementos nos han sido contrarios. Gente contra gente, terremotos, hambre, pestilencia, presura de gentes, confusión del mar, que hemos visto no solamente perseguirmos sus cursos y raptores, pero[7] este presente diluvio de agua, que se ensoberbeció Tíber y entró por toda Roma a días doce de enero, año de mil e quinientos y veinte e ocho[8]. Ansí que llegó al mismo señal que fue puesto el año de mil e quinientos y quince, donde están escritos estos versos:

Bis denos menses decimo peragente Leone,
Idibus huc Tiberis unda Novembris adest[9].

---

[3] *carbones pésimos y sevísimos:* «bubas malísimas y cruelísimas» (para este último adjetivo, del lat. *saevius*, «cruelísimo».

[4] El autor actúa como clarividente: así justifica los retoques hechos en 1528, esparcidos por la novela.

[5] *patria común:* véase *Epístola de la Lozana.*

[6] *Quién vido... pies delante:* los «pies delante» significaban, como siguen significando, el entierro y, por consiguiente, la muerte. Pero esta macabra alusión no oculta otra, netamente burlesca: *la cabeza hecha pies* no puede sino recordar «el seso en la bragueta» del mamotreto LXVI, sobre todo después del significado de *pie* en el mam. XVII (véase nota 4) y otras partes (el «sabroso principio» que sigue no puede sino corroborar esta interpretación).

[7] *cursos:* «corsarios» (según Damiani, que se apoya en Covarrubias y *Autoridades).*

[8] Este saco le turbó verdaderamente al autor, dado que en el epígrafe dijo haber compuesto esta epístola en 1527 (pero, por lo visto, las fechas las trae sin cuidado, a pesar de anotarlas él siempre... cuidadosamente).

[9] *Bis denos... adest:* «Estando León en el vigésimo mes de su reino, en los idus [día trece] de noviembre, llegó hasta aquí el agua del Tíber.» Esta traducción es de Damiani *(L. A. 69 y R. 75).*

No se puede huir a la Providencia divina, pues con lo sobre-
dicho cesan los delincuentes con los tormentos, mas no cesa-
rán sol, luna y estrellas de prenosticar la meritoria que cada
uno habrá[10]. Por cierto no fui yo el primero que dijo: *¡Ve tibi
civitas meretrix*[11]. Por tanto, señor Capitán del felicísimo ejército imperial, si yo recibiese tanta merced que se dilatase de
mandar este retrato en público, serme ía a mi disculpa, y al retrato, previlegio y gracia[12]. La cual, desde agora, la nobleza y
caballería[13] de vuestra merced se la otorgó, pues mereció este
retrato de las cosas que en Roma pasaban presentarse a vuestra clara prudencia para darle sombra, y alas a volar sin temor
de los vituperadores que más atilado[14] lo supieran componer.
Mas no siendo obra, sino retrato, cada día queda facultad para
borrar y tornar a perfilarlo, según lo que cada uno mejor verá;
y no pudiendo resistir sus reproches y pinceles acutísimos de
los que remirarán no estar bien pintado o compuesto, será su
defensión altísima y fortísima inexpuñable el planeta Marte que
al presenteo corre[15], el cual planeta contribuirá favor al retrato en nombre del autor. Y si alguno quisiere combatir con mi

---

[10] *meritoria:* véase mam. XLIV, nota 16, y adviértase, en toda esta
epístola, la insistencia en el empleo de las palabras *mérito, merecer, meretriz,* etc.

[11] *Ve tibi civitas meretrix (Vae tibi...):* «Desgraciada seas, ciudad meretriz.» Nótese la relación lógica («por cierto») entre esta frase (de la
«ciudad meretriz») y la anterior (de la «meritoria»). Adviértase además
la creencia de *el autor* en la astrología (al menos como posibilidad).

[12] *Por tanto, señor Capitán... previlegio y gracia.* Después de apuntar que entiendo mejor «se dilatase de mandar» que «se dilatase demandar», que es la lección de todas las ediciones que he consultado,
hay que confesar que uno cree ver visiones. En primer lugar, Delicado
parece pedirle permiso al Capitán (asimilado en *R. 75* al «ilustre señor» del prólogo; véase nota 1), pero ¿para qué?: para que le diese merced de *dilatar* («aplazar» si entiendo bien) la publicación del *Retrato,*
siendo para este «privilegio y gracia» la tal decisión, y le sería («ser-
me-ía») al autor «disculpa». Lo que solicita el autor, en definitiva, es
que no se publique su *Retrato,* o se aplace dicha publicación. Lo cual
estaría en total contradicción con lo que sigue: ¿de quién es el dispa-
rate? (¿mío o de él?) ¿o falta una negación (errata)?

[13] *nobleza y caballería:* véase mam. LXIV, nota 13. Si es así la gracia que se le otorga al *Retrato,* no es de extrañar que *merezca* éste que
la *clara* prudencia le dé *sombra.*

[14] *atilado:* si no es errata por «atildado», debe de ser italianismo
como supone Ugolini *(attillato:* «bien vestido y limpio»).

[15] Cfr. peña de Martos, mam. XLVII, y grabado.

poco saber, el suyo muncho y [16] mi ausencia me defenderá. Esto digo, noble señor, porque los reprochadores conozcan mi cuna, a los cuales afetuosísimamente deseo informar de las cosas retraídas, y a vuestra merced servir y darle solacio, la cual [17] nuestro Señor, próspero, sano y alegre conserve munchos y felicísimos tiempos. Ruego a quien tomare este retrato que lo enmiende antes que vaya en público, porque yo lo escrebí para enmendallo por poder dar solacio y placer a letores y audientes, los cuales no miren mi poco saber, sino mi sana intención y entreponer el tiempo contra mi enfermedad. Soy vuestro y a vuestro servicio: por tanto, todos me perdonaréis.

[16] *y:* esta conjunción es equivalente a dos puntos (signo diacrítico introductivo de explicación: «... el suyo mucho: mi ausencia...»).

[17] *la cual:* «la cual merced» *(i. e.,* «vuestra merced»). Le deseo a «vuestra merced» que nuestro Señor le conserve «próspero, sano y alegre».

492

Amor ciego apuntando a la teta izquierda.

CARTA DE EXCOMUNIÓN CONTRA UNA CRUEL
DONCELLA[1] DE SANIDAD[2]

De mí el vicario Cupido
de línea celestial
por el Dios de amor[3]
elegido y escogido

---

[1] Esta *carta* es un poema del que Ugolini halló una fuente en la *Descomunión de amores fecha a su amiga* del Comendador Hernando de Ludueña. En efecto, los 31 primeros versos de la *Carta* de Delicado corresponden casi exactamente a los 36 primeros versos de la *Descomunión;* a Delicado se le olvidaron cinco y le salieron algunos defectuosos, como se indicará en las correspondientes notas. A partir del verso 32 de la *Carta* de Delicado, el paralelismo con el poema de Ludueña no es más que temático; y, a pesar de algunos puntos de contacto formales, yo creo que la *Carta* tiene otra fuente de inspiración, según la técnica de compilación del vicario andaluz. Hay otros poemas que son asimismo procesos en versos, pero no he hallado ninguno que ofreciese semejanzas formales con la *Carta* de tal naturaleza que se pudiera concluir que eran fuentes directas. No se puede descartar totalmente, con las bases de que ahora se dispone, que Delicado fuera el autor original de la segunda parte de la *Carta* (a partir de su verso 32), pero me inclino a pensar que se sirvió de un poema (muy o relativamente) conocido en determinados círculos, retocándolo y estragando algunas rimas, con el fin de dar claves que permitieran resolver el enigma del anonimato de la obra (véanse vs. 81, 109), y el de estrechar los lazos que unen la *Carta* a los demás capítulos del *Retrato.*

[2] *de sanidad:* tiene que ser añadidura de Delicado para que la *Carta* encaje mejor, en nivel temático, con un *Retrato* en el que este tema tiene la importancia que se ha indicado en la Introducción. Incorpora también un sesgo crítico y burlesco muy pertinente para hacer chacota del amor cortés, y sugerir los inconvenientes de su realización.

[3] (verso 3): verso irregular; el de Ludueña es: «por alto Dios de amor».

en todo lo temporal   5
y muy gran administrador⁴
a todas las tres edades
de cualesquier calidades
donde su ley sucedió⁵
Salud y gracia. Sepades   19
que ante mí pareció
un amador que se llama
«de remedio despedido»
el cual se me querelló
de una muy graciosa dama⁶.   15
Dice que con su beldad⁷
y con gracias muy extrañas⁸
le robó la libertad
de dentro de sus entrañas;
dice que le desclavó   20
la clavada cerradura⁹
con que su seso guardaba,
y también que le tomó¹⁰
toda junta la cordura
cual fortuna le guiaba¹¹   25
que le mató el sosiego
sin volverle ningún ruego¹²
ni saber ni discrición¹³
por la cual causa está ciego,
y le arden en muy vivo fuego¹⁴   30
la telas del corazón.

---

⁴ (verso 6) Ludueña: «jüez administrador».

⁵ (versos 7-9) corresponden a 4 versos de Ludueña, con orden distinto: «a todas las dignidades/y a todas las tres edades/donde su ley sucedió,/de cualesquier calidades/salud...».

⁶ Después de este verso 15 de la *Carta,* faltan los dos versos de Ludueña: «de cuyas fuerzas vencido/siempre se halla y halló». Así se explican las rimas deficientes del poema en el *Retrato.*

⁷ Falta otro verso de Ludueña después de este verso 16 de la *Carta:* «sin estima ni igualdad».

⁸ Laguna también después de este verso 17: «que, contra su voluntad».

⁹ En Ludueña: «la cerrada clavadura».

¹⁰ Ludueña: «y que cierto le robó».

¹¹ En Ludueña: «que» en vez de *cual.*

¹² En Ludueña: «sin valerle» en vez de *sin volverle.*

¹³ En Ludueña: «temple» en vez de *saber.*

¹⁴ En Ludueña: «y ardidas en vivo fuego».

Este Dios de afición[15]
cuyo lugar soy teniente
manda sin dilación que[16]
despache este acto presente.   35
Capellanes y grandes curas
deste palacio real[17]
de Amor y sus alturas
haced esta denunciación[18]
porque no aclame cautela[19]   40
desde agora apercibiendo[20]
por tres canominaciones[21]

---

[15] A partir de aquí, ya no es el poema de Ludueña, como se ha dicho en la nota 1, sino otro, de igual fondo temático, pero bastante diferente en la hechura. Sin embargo, encaja muy bien con lo anterior; se podría decir de Delicado lo que se dice de Lozana en el *Retrato:* «sus injertos siempre toman».

[16] (verso 34) tendría que ser: «manda que sin dilación», con lo cual, restableciéndose la rima, resultaría mejor también la coherencia semántica.

[17] (verso 37) no tiene rima, ni asonancia; cabe suponer que este verso se modificó por error o que faltan versos, como pasa con la primera parte de los versos 1-31. De todas formas, para conseguir una regularidad total del pasaje, hay que suponer que falta *al menos* un verso; quizá falten más, pero uno solo basta para restaurar la regularidad si se admite que este verso 37 es errata. *Palacio real* podría ser «real audiencia», casi mejor en este contexto jurídico y que es término documentado en otros poemas (cfr. *Sentencia dada a don Carlotto,* en *Cancionero de romances* —Anvers 1550—: «y visto que nada obsta/quel se haya sojuzgado/a la real audiencia/pues que le han perdonado/...»). La escansión tiene que ser: *audiencia* (diéresis interior), que es asonancia de *cautela* (e-a).

[18] (verso 39) sobra una sílaba; si adoptásemos la forma *hacé,* tan corriente en toda la novela, el verso sería justo, con la sinalefa «hacé-esta...».

[19] (verso 40) *cautela:* en su acepción forense de «absolver al reo en la duda de si ha incurrido o no en la excomunión» *(D. R. A. E.)*

[20] (verso 41) *apercibir:* «hacer saber a una persona las sanciones a que está expuesta» *(D. R. A. E.)*

[21] (verso 42): Tiene que haber un error; Joaquín del Val y Damiani corrigen en «conominaciones», que es lo que probablemente puso Delicado, pero, así y todo, no conviene porque estropea la asonancia o la rima con *denunciación.* Supongo que en el poema original el témino sería *conminación,* que conviene perfectamente en el contexto del proceso: «con esta conminación»; pero Delicado, creo yo, quiso modificar el verso para aludir a los tres nombres de Lozana en el *Retrato* («tres conominaciones, que son, de por sí, reprobación o denuncia).

y porque le sean notorios[22]
los sacros derechos y vías[23],   45
por término perentorio
yo le asiño nueve días
porque es término complido
como antedicho es[24],
ya pronunciado y sabido.   50
Del templo luego la echéis
como miembro desipado[25]
de nuestra ley tan bendita[26]
todos cubiertos de luto,
con los versos acostumbrados[27]
que se cantan al defunto   55
las campanas repicando,
y el cura diga: muera
su ánima en fuerte fragua,
como esta lumbre de cera
veréis que muere en el agua[28],   60

Lo que no sabía, es que se lo iba a estropear con un gazapo el impresor *(canominación* no existe).

[22] Entre los versos 42 y 43, falta uno (rima o asonancia de *apercibiendo);* en cuanto al verso 43, se consigue fácilmente su regularización métrica suprimiendo el pronombre *le,* resultando además mejor el sentido («sean notorios», no solamente de ella, sino de todos, como se requiere en semejantes procesos»).

[23] (verso 44) la forma *drechos,* por «derechos», ampliamente documentada, permitiría restaurar la medida del verso.

[24] (verso 48) este verso, un poco difícil (no admite sinalefa), hace pensar que el fragmento que recoge Delicado es parcial, pues no se ha hablado antes del término de nueve días. Pero es cierto también que mi exigencia lógica no puede ser tan perentoria. Quepa pues aquí en calidad de presunción.

[25] (verso 51) en la ed. *Venecia 1528:* miembro «deshipado»; *desipado* era forma corriente de *disipado* (aquí, por referencia a la separación vinculada a la excomunión), pero me pregunto si la forma con h no lleva malicia por jugar con *hipo (deshipado:* porque le quitan el hipo).

[26] (verso 52) verso aislado por su asonancia (o su rima); podría ser «de nuestra bendita ley» (asonancia acostumbrada en é; con *echéis* (verso 50) y con *es* (verso 48). Sin embargo este pasaje plantea un problema porque los versos 51 y 52 rompen el molde a-b-a-b de los cuartetos, tan regular a partir del verso 53.

[27] (verso 54) sobra una sílaba; podría suprimirse el artículo *los.*

[28] (versos 55-60) la excomunión es una muerte del alma, lo que ex-

498

véngale luego a deshora
la tan gran maldición[29]
de Sodoma y Gomorra
y Atam y Abirón[30]
véngale tal confusión   65
en su dicho cuerpo y sino,
en su cuerpo en conclusión[31]
como a nadie le vino.
Maldito lo que comiere:
pan y vino y agua y sal   70
maldito quien se lo diere,
nunca le fallezca mal,
y la tierra que pisare
y la cama en que durmiere,
y quien luego no lo dijere[32]   75
que la misma pena pene.
Sus cabellos tan lucidos
ante quien el oro es fusco[33]
tornen negros y encogidos
que parezcan de guineo;   80
y sus cejas delicadas[34],

---

plica las metáforas mortuorias; y ésta es una *excomunión a matacandelas*. La parodia que tenemos aquí es totalmente sacrílega.

[29] (verso 62) pronúnciese *maldicĭ-ón*, o mejor a mi parecer, sustitúyase *gran* por «grande».

[30] (veso 64) me parece imposible que no haya sinalefa después de las conjunciones «y», con lo cual tenemos un verso cojo; este Atam es Datán, que en compañía de Abirón, fue tragado por la tierra (castigo divino). Sigo pues a Joaquín del Val que enmienda: «y de Datán y Abirón».

[31] (versos 66-67) *en conclusión* se explica por la creencia de que el *sino* («destino», «determinación astral») no tenía poder sobre el alma, pero sí sobre el cuerpo (complexiones, apetitos, etc.).

[32] (verso 75) no tiene asonancia: *lo dijere* es semánticamente aceptable porque puede remitir a los versos 54-59, pero sería mucho más satisfactorio para el sentido que encajara en el contexto inmediato; creo que *la dejare* convendría perfectamente.

[33] (verso 78)/) *fusco* es excelente para el sentido, pero no consuena. Como no veo cómo se puede sustituir *guineo* (del verso 80) con una palabra en *u-o* que convenga, creo que habría que cambiar *fusco* por «feo» (nótese, en el caso de una lectura con los ojos, que *feo* con la grafía corriente ffeo, pudo leerse «fusco» en razón de la semejanza de los tipos f y s por una parte, c y e por otra, en las ediciones antiguas, o en los manuscritos, sin hablar de las abreviaturas).

[34] (verso 81) *delicadas* no consuena; haría falta una palabra en *a-e*

con la resplandeciente frente,
se tornen tan espantables
como de un fiero serpiente;
y sus ojos matadores,   85
con que robó mis entrañas[35]
hínchanse de aradores[36]
que le pelen las pestañas;
y su nariz delicada
con que todo el gesto arrea   90
se torne grande y quebrada
como de muy fea negra;
y su boca tan donosa
con labrios de un coral
se le torne espumosa   95
como de gota coral[37];
y sus dientes tan menudos
y encías de un carmesí
se le tornen grandes y agudos,
parezcan de jabalí;   100
su garganta y su manera[38],
talle, color y blancura,
se tornen de tan mal aire
como toda su figura;
y sus pechos tan apuestos   105
testigos de cuanto digo,
tornen secos y deshechos,
con tetas hasta el ombligo;
y sus brazos delicados[39],

(por ejemplo «admirables»). Yo creo que Delicado juega aquí con su
propio nombre, que introduce, en forma de adjetivo, para dar indicios
de su identidad (ver nota 39).

[35] (verso 86) *mis entrañas* (y no «sus») dice el verso; como se supone que está hablando el cura del verso 57, hay que suponer que cura
y amador son una sola persona, a no ser que el proteico autor se haya
olvidado aquí de una metamorfosis.

[36] (verso 87) *aradores:* véase mam. XXVIII, nota 27.

[37] (verso 96) *gota coral:* «epilepsia»; pero la equivalencia «mal de corazón» que arroja Covarrubias me parece, en este caso preciso, más interesante (véase *Tesoro,* 121, b, 63, s. v. *Anillo).*

[38] (verso 101) *manera,* que es sorprendente desde el punto de vista
de la significación, no consuena; «donaire» iría muy bien en todos los
aspectos.

[39] (verso 109) estos *brazos delicados* serían muy bonitos, pero aquí
no sirven; haría falta un adjetivo en *i-o* (por ejemplo «exquisitos») para

```
         codiciosos de abrazar                              110
         se le tornen consumidos,
         no hallen de qué tomar;
         y lo demás y su natura
         —por más honesto hablar—
         se torne de tal figura                               115
         que dello no pueda gozar⁴⁰;
         dénle demás la cuerda⁴¹
         que ligue su corazón.
         (Dada mes y año, el día de vuestra querella)⁴².
```

que consuene. Como *delicado* interrumpe la armonía por segunda vez, se puede suponer una intervención voluntaria del autor (véase *supra,* nota 34).

⁴⁰ (versos 113-116) en *y lo demás y su natura,* sobra una sílaba (se puede suprimir la conjunción inicial), y pasa lo mismo en el verso 116 (9 sílabas). En cambio, sí se rectifica el verso 113 en *lo demás de su natura,* se podría sustituir el *dello* del verso 116 por «dél» (de él, lo demás), consiguiéndose un verso regular. Con tal solución [«lo demás de su natura — por más honesto hablar — se torne de tal figura — que dél no pueda gozar»] tendríamos unos versos de medida intachable, y la significación de *natura* (en el sentido de «partes naturales» que se pierde en «lo demás de su natura») se recupera con el verso 114 («por más honesto hablar»), con lo cual me parece más sutil el juego verbal.

⁴¹ (verso 117) póngase la conjunción que le sobra al verso 113 al principio de este verso, porque le falta «y dénle...».

⁴² La falta de fecha precisa, después del conjuro, muestra que esta fórmula es aplicable como receta en todos los casos de amor infeliz. Delicado no se limita a dar consejos sino que también nos viene con el remedio. Buen ejemplo de moral práctica.

EPÍSTOLA DE LA LOZANA A TODAS LAS QUE DETERMINAN VENIR A VER CAMPO DE FLOR[1] EN ROMA

Amigas y en amor hermanas:

Deseando lo mismo, pensé avisaros cómo, habiéndome detenido por vuestro amor[2], esperándo's, sucedió en Roma que entraron y nos castigaron y atormentaron y saquearon catorce mil teutónicos bárbaros, siete mil españoles sin armas, sin zapatos, con hambre y sed[3], italianos mil y quinientos, napolitanos reamistas dos mil, todos éstos infantes[4]; hombres d'armas seicientos, estandartes de ginetes treinta y cinco, y más los gastadores[5], que casi lo fueron todos, que si del todo no es des-

---

[1] *Campo de Flor:* este barrio romano (del nombre de una plaza) nos brinda, una vez más, sus ricas sugerencias jocosas que estriban en la polisemia de *flor.* Es lugar adecuado para el cazurrismo de esta epístola.

[2] *Deseando lo mismo... vuestro amor:* de donde se infiere que Lozana decidió aplazar su viaje a Lípari para esperar la venida de la nueva generación, pudiéndose juzgar ahora mejor la afirmación del autor de que «allí acabó muy santamente». En cuando a *deseando lo mismo,* tiene que referirse a la decisión de que se habla en la presentación de la epístola *(venir a ver Campo de Flor),* a propósito de lo cual se notará la perfección retórica de la carta, puesto que su última frase expresa la misma idea o parecida.

[3] *siete mil españoles... y sed:* estos tercios harapientos confirman el dicho que en alguna ocasión citó Lozana: «España mísera.»

[4] *infantes*: «soldados de infantería».

[5] *gastadores*: «soldados que se aplican a los trabajos de abrir trincheras, y otros semejantes»; como hay que descartar que esos soldados pagasen lo que se llevaban, quizás quepa entender que no destruyeron totalmente la ciudad porque pudieron abrir trincheras en otras partes (como se sugiere a continuación) de forma que quedaron las paredes

truida Roma, es por el devoto femenino sexu[6], y por las limosnas y el refugio que a los peregrinos se hacían agora[7]. A todo se ha puesto entredicho[8], porque entraron lunes a días seis de mayo de mil y quinientos y veinte y siete, que fue el escuro día y la tenebrosa noche[9] para quien se halló dentro, de cualquier nación o condición que fuese, por el poco respeto[10] que a ninguno tuvieron, máxime a los perlados, sacerdotes, religiosos, religiosas, que tanta diferencia hacían de los sobredichos, como haría yo de vosotras, mis hermanas. Profanaron[11] sin duda cuanto pudiera profanar el gran Sofí[12] si se hallara presente. Digo que no's maravillés, porque murió su capitán, por voluntad de Dios, de un tiro romano, d'adonde sucedió nuestro daño

---

enhiestas, como dice el autor en su propia *Epístola* (nota 3), o la misma Lozana en el mam. LI, nota 16.

[6] *devoto femenino sexu:* cfr. Covarrubias, *Tesoro*, 466, a, *s. v. devotas:* «Mujeres; este renombre se les da porque son más apiadadas que los hombres, y en la antífona de Nuestra Señora decimos *Santa María... etc... intercede pro devoto faemineo sexu.* También se dicen devotas en respeto de los padres espirituales, que las consuelan y aconsejan lo que deben hacer; si esto fuese capa para otra cosa, bien se echa de ver cuán malo sería. *Quod Deus avertat.*» Es de temer que los soldados «casi todos gastadores» no se portaran como los buenos padres espirituales a los que se refiere Covarrubias, con capa o sin ella, y que la alusión a las intercesiones de la Virgen en la *Epístola* sea bastante sacrílega, como, aunque en menor grado, la españolización del latín de la oración.

[7] *y por las limosnas... se hacían agora:* esta caridad se opone en apariencia a la situación posterior (véase más adelante «tanta que sobra en la pared») y a la anterior (cfr. mam. LII, nota 12); digo en apariencia porque las limosnas debían de ser las mismas que repartía Santa Nefija (véase mam. L, nota 16, y LI, nota 9); y de la calidad del *refugio,* no se hable.

[8] *entredicho:* «Comúnmente se toma por la censura que el juez eclesiástico fulmina contra el inobediente y rebelde a los mandamientos de la iglesia, prohibiéndole la entrada en ella...» (Covarrubias, 525, b, 27). Cfr. *Digresión:* «sin temor de las maldiciones generales sacerdotales».

[9] Véase mam. LXVI, nota 4.

[10] *respeto:* «respecto» en la ed. *Venecia 1528.*

[11] *Profanaron:* cfr. Covarrubias:*«profanar:* violar los templos y las cosas sagradas» *(Tesoro,* 883, b, 58). Me temo que los prelados, sacerdotes, religiosos, religiosas, de quienes habla la Lozana formaran parte de las cosas sagradas.

[12] *el gran Sofí:* el rey de Persia.

504

entrando sin pastor[13], donde la voluntad del Señor y la suya[14] se conformó en tal modo que no os cale venir, porque no hay para qué ni a qué. Porque si venís por ver abades todos están desatando sus compañones[15], si por mercaderes, ya son pobres; si por grandes señores, son ocupados buscando la paz que se perdió y no se halla; si por romanos, están reedificando y plantando sus viñas; si por cortesanos, están tan cortos que no alcanzan al pan[16]. Si por triunfar, no vengáis, que el triunfo fue con las pasadas; si por caridad, acá las hallarés pintada, tanta que sobra en la pared[17]. Por ende, sosegad que, sin duda por munchos años, podés hilar velas largas luengas[18]. Sed ciertas que, si la Lozana pudiese festejar lo pasado, o decir sin miedo lo presente, que no se ausentaría de vosotras ni de Roma, máxime que es patria común, que voltando las letras, dice Roma, amor[19].

[13] *pastor:* la ed. *Venecia 1528,* da «postor», que creo errata.

[14] *y la suya:* la voluntad del tiro romano (la intención del que apuntó).

[15] *desatando sus compañones:* no entiendo claramente lo que quiere decir, porque si *desatar* se tomase como «destacar», es que precisamente se prepararían los abades a acoger a las hermanas en amor de Lozana; quizás haya que pensar que los tienen en remojo, porque tampoco me seduce la equivalencia «vaciar» que proponen en *R. 75* (nota 12, pág. 439).

[16] *si por cortesanos... al pan:* léase el juego *cortesanos-cortos* a la luz del significado erótico de *pan* («pudendas femeninas»).

[17] Véase *supra*, nota 7, y mam. LII, nota 12.

[18] *podés hilar... luengas:* quiere decir que disponen de mucho tiempo para hilar velas grandes que se tiendan en tiempos favorables.

[19] Véase mam. LXXVI, nota 9.

DIGRESIÓN QUE CUENTA EL AUTOR EN VENECIA

Cordialísimos letores: pienso que munchas y munchas tragedias se dirán de la entrada y salida[1] de los soldados en Roma, donde estuvieron diez meses a discreción y aun sin ella[2], que, como dicen: *amicus Socrates, amicus Plato, magis amica veritas*[3]. Digo sin ella porque eran inobedientes a sus nobilísimos capitanes, y crueles a sus naciones y a sus compatriotas. ¡Oh gran juicio de Dios!, venir un tanto ejército *sub nube*[4] y sin temor de las maldiciones generales sacerdotales[5], porque Dios les hacía lumbre la noche y sombra el día para castigar los habitatores romanos, y por probar sus siervos, los cuales somos muncho contentísimos de su castigo, corrigiendo nuestro malo y vicioso vivir, que si el Señor no nos amara no nos castigara por nuestro bien[6]. Mas ¡guay por quien viene el escándalo! Por

---

[1] Como no parece haber desistido el autor de su humor satírico y burlón, en su *Digresión* final, dicha *entrada y salida*, además del saco de la ciudad —su principio y fin— podría evocar el comportamiento de los *gastadores* de la *Epístola* de Lozana (nota 5).

[2] *a discreción y aun sin ella:* juego ya mencionado sobre la locución *a discreción* (contrato variable, que se adapta a las circunstancias, sin implicar sueldo fijo) y *discreción*, «discernimiento».

[3] *amicus... veritas:* célebre aforismo que significa «amigo es Sócrates, amigo es Platón, pero más amiga es la verdad». Delicado, partidario siempre de los imperiales (del Emperador Carlos I), se disculpa así de tener que decir la verdad, a pesar de las referencias de los soldados acerca de su falta de discreción. En la frase siguiente, explicita sus razones.

[4] *sub nube:* véase mam. LXVI, nota 4.

[5] *y sin temor... sacerdotales:* véase *Epístola* de Lozana, pág. 504, nota 8; afortunadamente las mujeres suplieron la carencia de autoridad eclesiásticaa, suponiéndose que sus copos lo pagaron todo (cfr. mam. XLI, nota 7).

[6] El espíritu de la penitencia que se manifiesta aquí me parece muy

tanto me aviso que he visto morir munchas buenas personas y
he visto atormentar munchos siervos de Dios como a su Santa
Magestad le plugo. Salimos de Roma a diez días de febrero
por no esperar las crueldades vindicativas de naturales, avisán-
dome que, de los que con el felicísimo ejército salimos, hombres pacíficos, no se halla, salvo[7] yo en Venecia esperando la
paz, quien me acompañe a visitar nuestro santísimo protetor,
defensor fortísimo de una tanta nación, gloriosísimo abogado
de mis antecesores, Santiago y a ellos[8], el cual siempre me ha
ayudado, que no hallé otro español en esta ínclita cibdá[9]. Y
esta necesidad me compelió a dar este retrato a un estampador
por remediar mi no tener ni poder, el cual retrato me valió más
que otros cartapacios que yo tenía por mis legítimas obras[10],
y éste, que no era ligítimo, por ser cosas ridiculosas[11], me valio
a tiempo, que de otra manera no lo publicara hasta después de
mis días, y hasta que otrie que más supiera lo emendara. Espero en el Señor eterno que será verdaderamente retrato para
mis prójimos, a los cuales m'encomiendo, y en sus devotas oraciones, que quedo rogando a Dios por buen fin y paz y sanidad a todo el pueblo cristiano, amén[12].

ortodoxo, de forma que no me explico el *Mas* (o sea «pero» , adver-
sativo) que introduce la referencia bíblica que sigue. ¿Habrá que im-
putarlo a la caótica prosa antigua, o al mal pensar del autor?

   [7] *salvo:* «a salvo», «fuera de peligro».

   [8] *Santiago y a ellos;* grito bélico de los españoles y referencia al protector de la patria. Sin embargo, en la frase que sigue, Santiago se convierte en el nombre del hospital donde estuvo varios meses Delicado
(... o ¡delicado!) para que le curasen «lo suyo» (que diría él). [Véase
mam. LI, nota 11.]

   [9] *que no hallé ... cibdá:* no sé si hay que poner entre paréntesis lo
anterior: «... santísimo protector (defensor fortísimo... me ha ayudado)», para entender esto como «no hallé otro español que yo...»; o si
había otro hospital de Santiago en Venecia adonde pudiera acudir el
autor, indicando por tanto que había en Venecia dos españoles: él y el
patrono del hospital. Sea lo que fuese, no halló quien lo socorriera
materialmente.

   [10] *legítimas obras:* se refiere a los *otros* tratados que escribió: *El leño
de Indias* y *De consolatione infirmorum.*

   [11] *cosas ridiculosas:* «provocantes a risa», «cómicas».

   [12] *buen fin y paz, y sanidad:* son ideas básicas del *Retrato*, pero después del «buen fin» de la puta Lozana (LXVI), de la paz (que no se
halla o que está en Lípari) y de la *sanidad* (passim) ¿es esto una maldición o bendición? Temible Jano, enigma sin resolver de un retrato
que, siendo obra, no lo es, siendo su término.

Índice de términos comentados*

* La primera mención remite a los mamotretos o a la Introducción, mediante las abreviaturas siguientes:

Int.   Introducción.
Pról. Prólogo.
Arg.   Argumento.
Esc.   Cómo se escusa el Autor.
E. A. Epístola del Autor.
E. E. Carta de Escomunión.
E. L. Epístola de la Lozana.
Dig.   Digresión que cuenta el Autor en Venecia.

Las cifras romanas remiten a los mamotretos, y las arábigas no precedidas de la mención «pág.» o «págs.» a las notas, ya de la *Introducción*, ya de cada capítulo.

511

512

513